El arte de hablar en público

Dale Carnegie

Published by Gustavo Dost, 2023.

EL ARTE DE HABLAR EN PÚBLICO

First edition. November 15, 2023.

Copyright © 2023 Dale Carnegie.

ISBN: 979-8215708149

Written by Dale Carnegie.

Tabla de Contenido

El arte de hablar en público
COSAS EN LAS QUE PENSAR PRIMERO
PRÓLOGO

La eficiencia de un libro es como un hombre, en un aspecto importante: su actitud hacia el tema es la primera fuente de su poder. Un libro puede estar lleno de buenas ideas bien expresadas, pero si su escritor ve el tema desde el ángulo incorrecto incluso su excelente consejo puede resultar ineficaz.

Este libro se destaca o cae por la actitud de sus autores hacia su tema. Si la mejor manera de enseñar uno mismo a otros a hablar efectivamente en público es llenar la mente de reglas y establecer estándares fijos para la interpretación del pensamiento, la pronunciación, la realización de gestos, y todo lo demás, entonces este libro tendrá un valor limitado para ideas extraviadas a lo largo de sus páginas que pueden ser útiles para el lector. Como un esfuerzo por hacer cumplir un grupo de principios, debe considerarse un fracaso, porque entonces es falso.

Es de alguna importancia, por consiguiente, para aquellos que toman este volumen con mente abierta que puedan ver claramente al principio, ¿cuál es el pensamiento que subyace y se construye a través de esta estructura? En pocas palabras, es este.

La capacitación para hablar en público no es una cuestión externa, primeramente; no es una imitación, fundamentalmente; no es una cuestión de conformidad de estándares en lo absoluto. Hablar en público es declaración pública, emisión pública del hombre mismo, por lo tanto, lo primero, tanto en tiempo como en importancia, es que el hombre debe ser, pensar y sentir cosas que son dignas de ser expresadas. A menos que haya algo de valor dentro, ningún truco o capacitación puede hacer del hablador algo más que una máquina—aunque una máquina altamente

1

perfeccionada—para la entrega del bien de otros hombres. Entonces el autodesarrollo es fundamental en nuestro plan.

El segundo principio yace cerca del primero: el hombre debe entronizar sus ganas de gobernar sobre su pensamiento, sus sentimientos y todos sus poderes físicos, para que el ser externo pueda dar una expresión perfecta y sin obstáculos del interior. Es inútil, afirmamos, establecer sistemas de reglas para la cultura de la voz, entonación, gestos y qué no, a menos que estos dos principios de tener algo que decir y hacer la soberana voluntad al menos haya comenzado a hacerse sentir en la vida.

La tercera voluntad principal, suponemos, no despertamos disputas: no puede aprender *cómo* hablar quien no habla primero lo mejor que puede. Eso puede parecer un círculo vicioso en declaración, pero será examinado.

Muchos profesores han comenzado con *cómo*. ¡Esfuerzo en vano! es un antiguo truismo que aprendemos a hacer haciendo. Lo primero para el principiante en hablar en público es hablar, no estudiar voz y gestos y todo lo demás. Una vez que ha hablado puede mejorarse a sí mismo por medio de la auto-observación o de acuerdo a las críticas de aquellos que lo escuchan.

¿Pero cómo podrá criticarse a sí mismo? Simplemente averiguando tres cosas: ¿cuáles son las cualidades que, de acuerdo común, construyen un orador eficaz? ¿Por qué medios se pueden adquirir algunas de estas cualidades? y ¿qué malos hábitos de lenguaje en sí mismo trabajan en contra de su adquisición y uso de las cualidades que él encuentra buenas?

La experiencia, entonces, no es la única buena maestra, sino la primera y la última. Pero la experiencia debe ser una cosa dual, la experiencia de otros debe ser usada para suplementar, corregir y justificar nuestra propia experiencia; de este modo debemos convertirnos en nuestros mejores críticos solo después de que nos hayamos entrenado a nosotros mismo en autoconocimiento, el conocimiento de lo que las otras mentes piensan y en la habilidad de juzgarnos a nosotros mismos bajo los estándares que hemos llegado a creer que son correctos. "Si debería," dijo Kant, "Yo puedo".

Una examinación de los contenidos de este volumen mostrará cómo consistentemente estos artículos de fe han sido declarados, expuestos e ilustrados. El estudiante está ansioso por comenzar a hablar. Se insta al alumno a que comience a hablar inmediatamente de lo que sabe. Después se le dan sugerencias simples para el auto-control, con un énfasis gradualmente creciente sobre el poder del hombre interno sobre el externo. Luego, el camino a los ricos depósitos de material se señala. Y finalmente, todo el tiempo se le insta a hablar, hablar, HABLAR mientras aplica sus propios métodos, a su manera personal, los principios que ha reunido de su propia experiencia y observación y las experiencias grabadas de otros.

Así que ahora, apenas comenzando, que quede tan claro como la luz que los métodos son secundarios; que la mente llena, el corazón cálido, la voluntad dominante son lo primario, y no solo lo primario, sino lo primordial; porque a menos que sea un ser completo será como vestir una imagen de madera con la ropa de un hombre.

EL ARTE DE HABLAR EN PÚBLICO

El sentido nunca deja de darles a los que lo tienen, palabras suficientes para hacerles entender. También sucede en algunas conversaciones con frecuencia, como en Apothecary Shops, que esas ollas que están vacías, o tienen cosas de pequeño valor en ellas, son tan llamativamente vestidas como esas que están llenas de drogas preciosas.

"Aquellos que se elevan demasiado alto, seguido caen fuerte, haciendo preferible una viviendo baja y llana. Los árboles más altos están más en poder de los vientos que los hombres ambiciosos de la explosión y la fortuna. Los edificios nunca han necesitado una buena base que esté tan expuesta al clima."

—William Penn.

CAPÍTULO I

ADQUIRIENDO CONFIANZA ANTE UNA AUDIENCIA

Hay una sensación extraña que se experimenta con frecuencia en presencia de una audiencia. Puede proceder de la mirada de los muchos ojos que se tornan en dirección al hablante, especialmente si él se permite a sí mismo continuamente devolver la mirada. La mayoría de los oradores han sido conscientes de esto en una emoción sin nombre, un algo real, penetrando la atmósfera, tangible, evanescente, indescriptible. Todos los escritores han llevado testimonio del poder del ojo de un orador en impresionar una audiencia. Esta influencia que ahora estamos considerando es el reverso de una imagen.

"El poder que sus ojos pueden ejercer sobre él, especialmente después de que comience a hablar: después de que los fuegos internos de la oratoria se avivan en llamas, los ojos de la audiencia pierden todo el terror"

—William Pittenger, Discurso Extemporáneo.

Los estudiantes de oratoria constantemente preguntan, "¿Cómo puedo superar la auto-conciencia y el miedo de paralizarme ante la audiencia?"

¿Alguna vez te diste cuenta, mirando desde la ventana de un tren, que algunos caballos se alimentan cerca de la vía y nunca jamás se detienen a mirar a los imponentes carros, mientras justo en el próximo ferrocarril cruzando la esposa de un granjero estará nerviosa tratando de calmar su caballo asustado mientras el tren pasa?

¿Cómo tratarías a un caballo que le tiene miedo a los carros? ¿Lo llevarías a pastar a una región apartada donde nunca vería máquinas de vapor, o automóviles, o lo llevarías donde frecuentemente vería las máquinas?

Aplica el sentido del caballo para liberarte a ti mismo de tu autoconciencia y miedo: encara una audiencia tan frecuentemente como puedas y pronto dejarás de sentirte asustado. No puedes alcanzar la libertad del miedo escénico leyendo un tratado. Un libro puede darte excelentes sugerencias sobre la mejor manera de comportarse en el agua, pero tarde o temprano debes mojarte, tal vez incluso estrangular y estar "asustado a muerte". Hay muchos trajes de baños "sin agua" usados en la orilla del mar, pero nadie aprende a nadar en ellos. Zambullirse es el único camino.

Practicar, practicar, PRACTICAR al hablar ante una audiencia tenderá a eliminar todos los temores al público, tal como practicar al nadar te dará la seguridad y facilidad en el agua. Tienes que aprender a hablar hablando.

El Apóstol Pablo nos dice que cada hombre debe trabajar en su propia salvación. Todo lo que podemos hacer aquí es ofrecerte sugerencias en cuanto a la mejor forma de prepararse para zambullirse. La verdadera zambullida que nadie puede tomar por ti. Un doctor puede prescribir, pero *tú* debes tomar la medicina.

No estés desanimado si a la primera sufres de pánico escénico. Dan Patch era más susceptible a sufrirlo de lo que un caballo dray jubilado lo sería. Nunca hace daño a un tonto presentarse ante una audiencia, porque su capacidad no es una capacidad de sentir. Un golpe que mataría a un hombre civilizado sana pronto en un salvaje. Cuanto más alto vamos en la escala de la vida, mayor es la capacidad de sufrimiento.

Por una razón u otra, algunos maestros de oratoria nunca superan su miedo escénico del todo, pero te pagará no escatimar en problemas para conquistarlo. Daniel Webster falló en su primera aparición y tuvo que tomar asiento sin finalizar su discurso porque estaba nervioso. Gladstone constantemente batallaba con la autoconciencia al principio de una dirección. Beecher siempre estaba perturbado antes de hablar en público.

Blacksmiths a veces enrolla una cuerda alrededor de la nariz de un caballo, inflige un poco de dolor para distraer su atención del proceso de herradura. Una forma de sacar aire de un vaso es verter agua.

Deja que tu tema te absorba

Aplica el principio acogedor de Blacksmiths cuando estés hablando. Si sientes tu tema profundamente serás capaz de pensar en poco más. La concentración es un proceso de distracción de las cuestiones menos importantes. Es demasiado tarde para pensar en el corte de tu abrigo una vez que estás arriba de la plataforma, así que centra tu interés en lo que estás a punto de decir, llena tu mente con tu material de habla y, como el agua que se llena en el vaso, expulsará tus temores insustanciales.

La autoconciencia es conciencia indebida de uno mismo y, a los fines de la entrega, uno mismo es secundario a su tema, no sólo en opinión de la audiencia, también en tu propia opinión si eres sabio. Sostener cualquier otro punto de vista es considerarse una exhibición en lugar de un mensajero con un mensaje digno de entregar. ¿Recuerdas el pequeño tremendo tracto de Elbert Hubbard, "Un mensaje a García"? El joven se subordinó al mensaje que llevaba. Tú también deberías, por todas las determinaciones que debes reunir. Es puro egotismo llenar tu mente con pensamientos de ti mismo cuando una cosa mayor está ahí. ES VERDAD. Di esto a ti mismo con severidad, avergüénzate de tu autoconciencia tranquila. Si el teatro se enciende en llamas podrías correr al escenario y gritar direcciones a la audiencia sin ninguna autoconciencia, ante la importancia de lo que estarías diciendo todos tus pensamientos de miedo se expulsarían de tu mente.

Mucho peor que la autoconciencia en el miedo de hacerlo mal, es la autoconciencia en la suposición de hacerlo bien. La primera señal de grandeza es cuando un hombre no trata de lucir y actuar grande. Antes de que te llames a ti mismo un hombre, nos asegura Kipling, debe "no parecer demasiado bueno ni hablar demasiado sabio".

Nada se anuncia a fondo como presunción. Uno puede estar tan lleno de sí mismo como vacío. Voltaire dijo, "Debemos ocultar el amor propio", pero eso no se puede hacer. Sabes que esto es cierto porque has reconocido el amor propio desmedido en otros. Si lo tienes, otros lo están viendo en ti. Hay cosas en el mundo más grandes que el ser, y al trabajar en ellas, uno mismo debe ser olvidado, o—lo que es mejor—recordado sólo para ayudarnos a ganar cosas más altas.

Ten algo que decir.

El problema de muchos oradores es que van a presentarse ante la audiencia con la mente en blanco. No es de extrañar que la naturaleza, aborreciendo un vacío, lo llene con lo más cercano a la mano, lo que generalmente es, "Me pregunto si lo estoy haciendo bien", "¿Cómo luce mi cabello?", "Sé que fracasaré". Sus almas proféticas están seguras de estar en lo correcto.

No es suficiente ser absorbido por tu tema, para adquirir seguridad debes tener algo en lo que ser seguro. Si te presentas ante la audiencia sin ninguna preparación, o conocimiento previo de tu tema, deberías ser autoconsciente, deberías estar avergonzado de robar el tiempo de tu audiencia. Prepárate. Debes saber de lo que vas a hablar y, en general, cómo vas a decirlo. Debes tener las primeras oraciones elaboradas completamente, de modo que no tengas ningún problema al principio en encontrar las palabras. Conoce tu tema mejor de lo que tus oyentes lo conocen y no tienes nada que temer.

Después de prepararte para el éxito, espéralo

Deja que tu porte sea modestamente seguro, pero más que nada sé modestamente seguro dentro. El exceso de confianza es malo, pero tolerar premoniciones de fracaso es peor, porque un hombre audaz puede ganar atención por su propio porte, mientras un cobarde invita al desastre.

La humildad no es el descuento personal que debemos ofrecer en presencia de otros, en contra de esta vieja interpretación ha habido una reacción moderna más saludable. La verdadera humildad la siente cualquier hombre que se conozca a fondo a sí mismo; pero no es una humildad que se asume una docilidad parecida a un gusano, en su lugar es una fuerte, vibrante oración por mayor poder para el servicio, una oración que Uriah Heep nunca podría haber pronunciado.

Washington Irving una vez presentó a Charles Dickens en una cena dada en honor de este último. En medio de su discurso Irving titubeó, se avergonzó y se sentó embarazosamente. Volviéndose a un amigo junto a él remarcó, "Ahí está, te dije que fallaría, y lo hice".

Si crees que vas a fallar, no hay esperanza para ti. Fallarás.

Libérate de esta idea de soy-un-pobre-gusano-en-el-polvo. Eres bueno, con infinitas capacidades. "Todas las cosas están listas si la mente lo está". El águila ve el sol sin nubes en su cara.

Asume el dominio sobre tu audiencia

Tanto en el discurso público, como en la electricidad, hay una fuerza positiva y una negativa. Ya sea usted o su audiencia van a poseer el factor positivo. Si lo asumes, puedes casi invariablemente hacerlo tuyo. Si asumes lo negativo, seguro que serás negativo.

Asumir una virtud o un vicio lo vitaliza. Invoca todo tu poder y autodirección y recuerda que aunque tu audiencia es infinitamente más importante que tú, la verdad es más importante que ambos, porque es eterna. Si tu mente vacila en su liderazgo la espada caerá de tus manos. Tu suposición de ser capaz de instruir o liderar o inspirar una multitud o incluso un pequeño grupo puede asustarte como una impudencia colosal—como sin duda puede ser; pero habiendo ensayado una vez para hablar, sé valiente. SÉ VALIENTE. —yace dentro de ti ser lo que quieras ser. HAZ que estés seguro y calmado.

Reflexiona que tu audiencia no te hará daño. Si Beecher en Liverpool hubiese hablado detrás de una pantalla de alambre habría invitado a la audiencia a lanzar los misiles demasiado maduros con lo que fueron cargados; pero él era un hombre, confrontó a sus oyentes hostiles sin miedo y les ganó.

Al encarar a tu audiencia, espera un momento y mira sobre ellos, hay de cien oportunidades a una que quieren que tengas éxito, porque qué hombre es tan tonto como para gastar su tiempo, tal vez su dinero, con la esperanza de que pierdas su inversión hablando mal.

Pistas Finales

No te apresures en comenzar, apresurarse muestra falta de control.

No te disculpes. No debe ser necesario; y si lo es, no va a ayudar. Ve directamente adelante.

Toma una respiración profunda, relájate y comienza en un tono conversacional calmado, como si estuvieses hablando con un gran amigo. No lo encontrarás ni la mitad de mal de lo que creíste que era, realmente es como tomar una fría zambullida: después de que estás adentro, el agua está bien. De hecho, habiendo hablado un par de veces incluso anticiparás la zambullida con regocijo. Presentarse ante una audiencia y hacerles pensar tus pensamientos después de ti es uno de los grandes placeres que alguna vez podrás conocer. En lugar de temerle, debes estar tan ansioso como los sabuesos zorros tirando de sus correas, o la carrera de caballos tirando de sus riendas.

Así que expulsa el miedo, porque el miedo es cobarde cuando no está dominado. Los más valientes conocen el miedo, pero ellos no se rinden ante él. Encara tu audiencia valientemente, si tus rodillas tiemblan, HAZLAS parar.

En tu audiencia yace alguna victoria para ti y la causa que representas. Ve a ganarla. Supón que Charles Martell hubiera tenido miedo de martillar el saracen en las giras; supón que Colón hubiese tenido miedo de aventurarse al oeste desconocido, supón que nuestros antepasados hubieran sido demasiado cobardes para oponerse a la tiranía de Jorge III; supón que cualquier hombre que alguna vez hizo cualquier cosa valerosa hubiese sido un cobarde. El mundo le debe su progreso a los hombres que se han atrevido, y tú debes atreverte a hablar la palabra efectiva que hay en tu corazón para decir. A menudo requiere coraje pronunciar una sola oración, pero recuerda que los hombres no levantan monumentos ni tejen laureles para aquellos que temen hacer lo que pueden hacer.

¿Todo esto es antipático, dices?

Hombre, lo que necesitas no es simpatía, sino un empujón. Nadie duda que el temperamento y los nervios y la enfermedad e incluso la modestia digna de elogio, por sí misma o combinada, puede causar que las mejillas del orador palidezcan ante una audiencia, pero nadie puede negar que los mimos magnificarán esta debilidad. La victoria yace en un estado de ánimo sin miedo. El profesor Walter Dill Scott dice: el éxito o el fracaso en los negocios es causado aún más por la actitud mental que por la capacidad mental". Destierra la actitud del miedo; adquiere la actitud de la seguridad. Y recuerda que la única forma de adquirirlo es adquirirlo.

En este capítulo fundamental hemos tratado de lograr el tono de mucho que se debe seguir. Muchas de estas ideas serán amplificadas y aplicadas de una manera más específica; pero a través de todos estos capítulos en un arte que el Sr. Gladstone creía más poderoso que la prensa publica, la nota de *autoconfianza justificada* debe sonar una y otra vez.

PREGUNTAS Y EJERCICIOS

1. ¿Cuál es la causa de la autoconciencia?

2. ¿Por qué los animales están libres de ello?

3. ¿Cuál es tu observación sobre la autoconciencia en los niños?

4. ¿Por qué estás libre de ello bajo el estrés de una emoción inusual?

5. ¿Cómo te afecta la emoción moderada?

6. ¿Cuáles son esos dos requisitos fundamentales para la adquisición de la autoconfianza? ¿Cuál es el más importante?

7. ¿Qué efecto tiene la confianza del orador en la audiencia?

8. Escribe un discurso de dos minutos acerca de "la confianza y la cobardía".

9. ¿Qué efecto tienen los hábitos de pensamiento sobre la confianza? En esta conexión lee el capítulo "Pensamiento correcto y personalidad".

10. Escribe muy brevemente cualquier experiencia que hayas tenido sobre las enseñanzas de este capítulo.

11. Da una charla de tres minutos sobre miedo escénico, incluyendo una (amable) imitación de dos o más víctimas.

CAPÍTULO II

EL PECADO DE LA MONOTONÍA

"Un día Ennui nació de la Uniformidad"—Motte.

Nuestro inglés ha cambiado con los años para que muchas palabras ahora connoten más de lo que lo hacían originalmente. Esto es verdad de la palabra *monótono*. De "tener un solo tono" ha llegado a significar más ampliamente, "falta de variación".

El orador monótono no solo suena en el mismo volumen y tono, sino que también siempre usa el mismo énfasis, la misma velocidad, los mismo pensamientos o prescinde del pensamiento completamente.

La monotonía, el pecado cardinal más común de un orador público, no es una transgresión, es más bien un pecado de omisión, porque consiste en estar a la altura de la confesión del Libro de Oración: "Hemos dejado sin hacer esas cosas que deberíamos haber hecho".

Emerson dice, "La virtud del arte yace en el desapego, en aislar un objeto de la variedad vergonzosa". Eso es en lo que los oradores monótonos fallan. Él no despega un pensamiento o frase de otro, todos son expresados del mismo modo.

Decirte que tu discurso es monótono puede significar muy poco para ti, así que veamos la naturaleza—y la maldición—de la monotonía en otros aspectos de la vida, entonces apreciaremos más completamente cómo arruinará otro discurso.

Si la victrola en el apartamento contiguo solo realiza tres selecciones una y otra vez, es bastante seguro asumir que tu vecino no tiene otros discos. Si un orador una solo unos pocos de sus poderes, apunta muy claramente al hecho de que el resto de sus poderes no están desarrollados. La monotonía revela nuestras limitaciones.

En los efectos de su víctima, la monotonía está realmente muerta, impulsará el florecimiento de la mejilla y el brillo del ojo tan rápido como el pecado, y a menudo conduce a la crueldad. El peor castigo que la ingenuidad de la humanidad alguna vez ha sido capaz de inventar es la extrema monotonía, el encierro solitario. Pon una canica en la mesa y no hagas nada ocho horas del día más que cambiar la canica de un punto a otro y de nuevo y te vas a volver loco si lo continuas haciendo suficiente tiempo.

Así que esta cosa que acorta la vida y es usado como el más cruel de los castigos en nuestras prisiones, es la cosa que va a destruir toda la fuerza y vida de un discurso. Esquívalo ya que evitarías un aburrimiento mortal. El "rico inactivo" puede tener media docena de casas, ordenar todas las variedades de comida reunidas en las cuatro esquinas de la tierra y navegar por África o Alaska a su placer; pero el hombre impactado por la pobreza debe caminar o tomar el bus, él no tiene la elección de un yate, auto o tren especial. Debe pasar la mayor parte de su vida trabajando y contentarse con los productos básicos del mercado de alimentos. La monotonía es pobreza, en un discurso o en la vida. Esfuérzate por incrementar la diversidad de tu discurso al igual que el hombre de negocios trabajar para aumentar su riqueza.

El canto de los pájaros, la cañada de los bosques y las montañas no son monótonas, son las largas hileras de piedra marrón y las millas de calles pavimentadas que son terriblemente iguales. La naturaleza en su riqueza nos da diversidad infinita; el hombre con sus limitaciones cae en la monotonía. Vuelve a la naturaleza en tus métodos para hacer discursos.

El poder de la diversidad radica en su placer dando calidad. Las grandes verdades del mundo a menudo han sido redactadas en historias fascinantes—"Los miserables", por ejemplo—si deseas enseñar o influenciar al hombre, debes complacerlo, primero o último. Tonar la misma pieza en el piano una y otra vez. Esto te dará alguna idea de desagrado, de efecto discordante que la monotonía tiene en el oído. El diccionario define monótono como sinónimo de "aburrido". Eso es ponerlo suavemente. Es enloquecedor. El príncipe de los grandes almacenes no disgusta al público tocando solo una canción, "¡Ven a comprar mis productos!", él da recitales en un órgano de 125,00$, y la gente complacida naturalmente se desliza a un estado de ánimo de compras.

Cómo conquistar la monotonía

Obviamos la monotonía en la vestimenta reponiendo nuestros armarios. Evitamos la monotonía en discursos multiplicando nuestros poderes del habla. Multiplicamos nuestros poderes del habla aumentando nuestras herramientas.

El carpintero tiene implementos especiales con los que construye las distintas partes de un edificio. El organista tiene ciertas claves y paradas que manipula para producir sus armonías y efectos. De la misma manera el orador tiene ciertos instrumentos y herramientas a su comando con los que construye su argumento, juega con los sentimientos y guía las creencias de su audiencia. Darte un concepto de estos instrumentos y ayuda práctica para aprender a usarlos son los propósitos de los siguientes capítulos.

¿Por qué los niños de Israel giran por el desierto en limusinas, y por qué Noé no tenía entretenimiento de imágenes en movimiento en el Arca? Las leyes que nos permiten operar un automóvil, producir imágenes en movimiento o música en el victrola hubieran funcionado tan bien como lo hacen hoy. Fue ignorancia de la ley que por siglos privaran a la humanidad de nuestras conveniencias modernas. Muchos oradores todavía usan métodos de carro de bueyes en su discurso en lugar de emplear automóviles o métodos de expreso por tierra. Son ignorantes de las leyes que contribuyen en la eficiencia al hablar. Solo en la medida que lo consideres y uses las leyes que estamos a punto de examinar y aprendas cómo usarlas tendrás eficiencia y fuerza en tu habla; y solo en la medida que lo ignores tu habla será débil e ineficaz. No podemos insistirle en la necesidad de un verdadero dominio de estos principios. Son las bases fundamentales para hablar con éxito. "Acerta tus principios, " dijo Napoleón "y el resto es una cuestión de detalles".

Es inútil herrar un caballo muerto y todos los principios de sonido en el cristianismo nunca harán un discurso en vivo de un muerto. Así que deja que se entienda que el discurso público no es una cuestión de dominar algunas reglas muertas; la ley más importante del discurso público es la necesidad de la verdad, fuerza, sentimiento y vida. Olvida todo lo demás, pero no esto.

Cuando hayas dominado las mecánicas del discurso resumido en los próximos pocos capítulos ya no tendrás problema con la monotonía. El conocimiento completo de estos principios y la habilidad para aplicarlos te dará una gran diversidad en tus poderes de expresión. Pero ellos no pueden ser dominados o aplicados pensando o leyendo sobre ellos, debes practicar, practicar, PRACTICAR. Si nadie más te escuchará, escuchate a ti mismo. Siempre debes ser tu mejor crítico y el más severo de todos.

Los principios técnicos que establecemos en los siguientes capítulos no son creaciones arbitrarias nuestras. Todos están basados en prácticas que buenos oradores y actores adoptaron, ya sea natural o inconscientemente o bajo instrucciones en obtener sus efectos.

Es inútil advertir al estudiante que debe ser natural. Ser natural puede ser ser monótono. La pequeña fresa en los árticos con una pequeña semilla y una ácida espiga es una fresa natural, pero no es para ser comparada con la variedad mejorada que disfrutamos aquí. El roble empequeñecido de las montañas rocosas es natural, pero una pequeña cosa comparada con el hermoso árbol encontrado en las tierras bajas ricas y humedas.

Sé natural, pero perfecciona tus regalos naturales hasta que hayas alcanzado lo ideal, porque debemos luchar por la naturaleza idealizada, en frutas, árboles y habla.

PREGUNTAS Y EJERCICIOS

1. ¿Cuáles son las causas de la monotonía?

2. Cita algunos casos en la naturaleza.

3. Cita algunos casos en la vida diaria de un hombre.

4. Describe algunos de los efectos de la monotonía en ambos casos.

5. Lee algún discurso en voz alta sin prestar particular atención a su significado o fuerza.

6. Ahora repítelo después de que hayas asimilado a fondo su cuestión y espíritu. ¿Qué diferencia notas en su rendición?

7. ¿Por qué la monotonía es una de las peores, pero también unas de las fallas más comunes de los oradores?

CAPÍTULO III

EFICIENCIA A TRAVÉS DEL ÉNFASIS Y LA SUBORDINACIÓN

En una palabra, el principio del énfasis... se sigue mejor no recordando reglas particulares, sino estando lleno de un sentimiento particular.—C.S. Baldwin, *Writing and Speaking.*

El arma que dispersa demasiado no embolsa a los pájaros. El mismo principio aplica al habla. El orador que dispara su fuerza y énfasis aleatoriamente en una oración no obtendrá resultados. No cada palabra es de especial importancia, por consiguiente, sólo ciertas palabras demandan énfasis.

Dices MasaCHUssetts y MinneAPolis, no haces énfasis en cada sílaba semejante, pero resaltas las sílabas acentuadas con fuerza y con apuro sobre las que no importan. Ahora, ¿Por qué no aplicas estos principios al pronunciar una oración? Hasta cierto punto lo haces, en pronunciación ordinaria, ¿Pero lo haces en discurso público? La monotonía causó la falta de énfasis, es tan dolorosamente evidente.

En lo que respecta a los énfasis, debes considerar la oración promedio como una gran palabra, con la palabra importante como la sílaba acentuada. Tenga en cuenta lo siguiente:

"El destino no es una cuestión de cambio. Es una cuestión de elección"

Podrías decir también "MASS-A-CHU-SETTS", enfatizando cada sílaba igualmente, como poner el mismo énfasis en cada palabra en las oraciones anteriores.

Dilo en voz alta y ve. Por supuesto que vas a querer enfatizar *destino*, porque es la idea principal de tu declaración y pondrás algo de énfasis en *no*, tus oyentes pensarán que estás afirmando que el destino *es* una cuestión de cambio. Por todos los medios debes enfatizar *cambio*, porque es una de las dos grandes ideas en la declaración.

Otra razón por la que *cambio* toma énfasis es que está contrastado con *elección* en la siguiente oración. Obviamente, el autor ha contrastado estas ideas a propósito, para que puedan ser más enfáticas y aquí vemos que el contraste es uno de los primeros dispositivos para ganar énfasis.

Como un orador público puedes ayudar este énfasis de contraste con tu voz. Si dices, "Mi caballo no es *negro*" ¿Qué color viene inmediatamente a tu mente? Blanco, naturalmente, porque es lo opuesto a negro.

Si deseas sacar a flote el pensamiento que el destino es una cuestión de elección, puedes hacer algo más efectivo al primero decir "el DESTINO NO es una cuestión de CAMBIO". ¿No nos impresiona el color del caballo más enfáticamente cuando dices "Mi caballo NO ES NEGRO, es BLANCO" de lo que nos impresionaría si te escucháramos afirmar simplemente que tu caballo es blanco?

En la segunda oración de la declaración solo hay una palabra importante. *Elección*. Es la palabra que positivamente define la cualidad del tema en discusión y el autor de esas líneas deseaba sacarlo a relucir enfáticamente, como él lo ha demostrado contrastándolo con otra idea. Estas líneas, entonces, se leerían así:

"El DESTINO NO ES una cuestión de CAMBIO. Es una cuestión de ELECCIÓN" ahora léelo de nuevo, entonando las palabras en mayúscula con una gran fuerza.

En casi cada oración hay unas pocas PALABRAS PICO DE MONTAÑA que representan las ideas grandes e importantes. Cuando recoges el periódico de la tarde puedes deducir a primera vista cuáles son los artículos nuevos importantes. Gracias al editor, él no cuenta acerca de un atraco en Hong Kong en el mismo tipo de tamaño que usa para reportar la muerte de cinco bomberos de tu ciudad. El tipo de tamaño es su dispositivo para mostrar énfasis en relieve audaz. Saca a relucir, a veces incluso en titulares rojos, las impresionantes noticias del día.

Sería una bendición para el discurso si los oradores conservaran la atención de sus audiencias en la misma manera y enfatizaran sólo las palabras que representan ideas importantes. El orador promedio expresará la línea anterior sobre el destino con la misma cantidad de énfasis en cada palabra. En lugar de decir, "Es una cuestión de *ELECCIÓN*," él dirá "Es una cuestión de elección" o "*ES UNA CUESTIÓN DE ELECCIÓN*". Las dos igualmente mal.

Charles Dana, el famoso editor de The New York Sun, le dijo a uno de sus reporteros que si fuera a la calle y viera a un perro morder un hombre, no le prestaría atención. *The Sun* no podría permitirse perder el tiempo y la atención de sus lectores en las cosas irrelevantes que suceden. "Pero," dijo el Sr. Dana, "si ves a un hombre morder a un perro, apresúrate en volver a la oficina y escribe la historia" claro que eso es noticia; es inusual.

Ahora, el orador que dice "ES UNA CUESTIÓN DE ELECCIÓN" está poniendo demasiado énfasis en las cosas que no son más importantes para los lectores metropolitano que la mordida de un perro y cuando fracasa en enfatizar "elección", es como el reportero que "dejó pasar" al hombre mordiendo un perro. El orador ideal hace que sus grandes palabras sobresalgan como los picos de las montañas, sumerge las palabras que no son importantes como lechos de arroyo y sus grandes pensamientos destacan como grandes picos de montañas, mientras sus ideas sin valor especial son simplemente como la hierba alrededor de los árboles.

De todo esto podemos deducir este importante principio: ÉNFASIS es una cuestión de CONTRASTE y COMPARACIÓN.

Recientemente el New York American presentó un editorial de Arthur Brisbane. Tenga en cuenta lo siguiente, impreso como el mismo tipo que aquí.

No sabemos qué PENSÓ el presidente cuando recibió ese mensaje, o lo que el elefante piensa cuando ve un ratón, pero sí sabemos lo que el presidente HIZO.

Las palabras PENSÓ e HIZO inmediatamente captan la atención del lector porque son distintas de las otras, no especialmente porque son más grandes. Si el resto de las palabras en esta oración hubiesen sido hechas diez veces más grandes de lo que son, y PENSÓ e HIZO se mantuvieran del mismo tamaño, aún sería enfáticas, porque son diferentes.

Ten en cuenta lo siguiente de la novela de Robert Chamber, "El negocio de la vida". Las palabras *tú, tenía, haría*, son todas enfatizadas porque han sido hechas diferente.

Él la miró con asombro enojado.

"Bueno, ¿cómo se llama si no es cobardía? ¡Escabullirse y casarse con una chica indefensa como esa!"

"¿Esperabas que te diera una oportunidad para destruirme y envenenar la mente de Jacqueline? Si hubiera sido culpable de lo que me acusas, lo que he hecho habría sido cobarde. De lo contrario, se justifica".

Un autobús de la quinta avenida llamaría la atención en Minisik Ford, Nueva York, mientras que uno del equipo de bueyes que frecuentemente pasa por ahí atraería la atención en la quinta avenida. Para enfatizar una palabra, pronúnciala diferente de la manera en que las palabras que las rodean fueron pronunciadas. Si has estado hablando ruidosamente, pronuncia la palabra en un susurro concentrado y tienes énfasis intenso. Si has estado hablando rápido, ve muy despacio en la palabra enfatizada. Si has estado hablando en un tono bajo, salta a uno más alto en la palabra enfática. Si has estado hablando en un tono alto, toma uno bajo en tus ideas enfatizadas. Lee los capítulos "Inflexión", "Sentimiento", "Pausa", "Cambio de tono", "Cambio de ritmo". Cada uno de ellos te explicará a detalle cómo enfatizar usando un cierto principio.

En este capítulo, sin embargo, estamos considerando solo una forma de énfasis: aplicando fuerza a la palabra importante y subordinando las palabras que no importan. No lo olvides: este es uno de los métodos principales que debes continuamente emplear obteniendo sus efectos.

No confundas volumen con énfasis. Gritar no es una señal de seriedad, inteligencia o sentimiento. El tipo de fuerza que queremos aplicar a la palabra enfática no es del todo física. Es verdad, la palabra enfática puede ser dicha con más volumen, o puede ser dicha más suavemente, pero la cualidad *realmente* deseada es la intensidad, seriedad. Debe venir de adentro, hacia afuera.

La noche anterior un orador dijo, "La maldición de este país no es la falta de educación. Es la política". Enfatizó *maldición, falta, educación, política*. Las otras palabras se dieron prisa y por lo tanto no se le da importancia comparativa en lo absoluto. La palabra *política* fue flameada con gran sentimiento mientras golpeaba sus manos juntas indignado. Su énfasis fue tanto correcto como poderoso. Concentró toda su atención en las palabras que significan algo, en vez de aferrarse a palabras como *de este, la, es*.

¿Qué pensarías de un guía que estuvo de acuerdo en enseñarle Nueva York a un extraño y desperdició su tiempo visitando lavanderías chinas y salones de ennegrecimiento de botas en las calles laterales? Solo hay una excusa para el orador que pide la atención de su audiencia: debe tener verdad o entretenimiento para ellos. Si él llama su atención con insignificancias, no les quedará vivacidad ni deseo cuando llegue a decir que Wall Street y Sky Craper son importantes. No te fijas en las palabras pequeñas en las conversaciones de tu día a día, porque no eres un conversador aburrido. Aplica los métodos correctos de tu habla de cada día en el escenario. Como hemos señalado en otra parte, hablar en público es como tener una conversación amplia.

A veces, para un gran énfasis, es aconsejable poner énfasis en cada sílaba en una palabra, como absolutamente en la siguiente oración:

Yo ab-so-lu-ta-men-te me rehúso a conceder tu demanda.

De vez en cuando este principio debe aplicarse a una oración enfática entonando cada palabra.

Es un buen dispositivo para atraer una atención especial y proporciona una variedad agradable. El notable clímax de Patrick Henry podría ser entregado de esa manera de manera efectivamente.

"Dame—libertad—o—dame—muerte."

La parte en cursiva de lo siguiente también se puede pronunciar con este énfasis de cada palabra. Por supuesto, hay muchas formas de pronunciarlo; esta es solo una de varias buenas interpretaciones que podrían elegirse.

Conociendo el precio que debemos pagar, el sacrificio que debemos hacer, las cargas que debemos llevar, los asaltos que debemos soportar—sabiendo muy bien el costo—aún nos enlistamos y nos enlistamos para la guerra. Porque conocemos la justicia de nuestra causa, y *también sabemos su cierto triunfo.*

—De "*Pass Prosperity Around*", de Albert J. Beveridge, antes de la Convención Nacional de Chicago del Partido Progresista.

Enfatizar fuertemente una sola palabra tiene una tendencia de sugerir su antítesis. Observa cómo cambia el significado simplemente poniendo énfasis en diferentes palabras en la siguiente oración. Las expresiones entre paréntesis realmente no serían necesarias para complementar las palabras enfáticas.

Yo tenía la intención de comprar una casa esta primavera (incluso si no lo hiciste).

Yo TENÍA la intención de comprar una casa esta primavera (pero algo lo evitó).

Tenía la intención de COMPRAR una casa esta primavera (en lugar de alquilar como hasta ahora).

Tenía la intención de comprar una CASA esta primavera (y no un automóvil).

Tenía la intención de comprar una casa ESTA primavera (en lugar de la próxima primavera).

Tenía la intención de comprar una casa esta PRIMAVERA (en lugar de en el otoño).

Cuando se informa de una gran batalla en los periódicos, no siguen enfatizando los mismos hechos una y otra vez. Intentan obtener nueva información, o una "nueva inclinación". Las noticias que ocupan un lugar importante en la edición de la mañana serán relegadas a un pequeño espacio en la edición de la tarde. Estamos interesados en nuevas ideas y nuevos hechos. Este principio tiene una influencia muy importante para determinar su énfasis. No enfatices la misma idea una y otra vez a menos que desees ponerle más énfasis; el senador Thurston deseaba poner el máximo énfasis en la "fuerza" en su discurso en la página 50. Observa cómo la fuerza se enfatiza repetidamente. Como regla general, sin embargo, la nueva idea, la "nueva inclinación", ya sea en un informe periodístico de una batalla o enunciación de sus ideas por parte de un orador, es enfática.

En la siguiente selección, "más grande" es enfático, porque es la nueva idea. Todos los hombres tienen ojos, pero este hombre pide un ojo MÁS GRANDE.

Este hombre con el ojo más grande dice que descubrirá, no ríos o dispositivos de seguridad para aviones, sino *NUEVAS ESTRELLAS* y *SOLES*. Las "nuevas estrellas y soles" no son tan enfáticos como la palabra "más grande". ¿Por qué? Porque esperamos que un astrónomo descubra cuerpos celestes en lugar de cocinar recetas. Las palabras, "República necesita" en la siguiente oración, son enfáticas; presentan una idea nueva e importante. Las repúblicas siempre han necesitado hombres, pero el autor dice que necesitan hombres *NUEVOS*. "Nuevo" es enfático porque introduce una nueva idea. De la misma manera, "tierra", "grano", "herramientas" también son enfáticos.

Las palabras más enfáticas están en cursiva en esta selección. ¿Hay otros que destacarías? ¿Por qué?

El viejo astrónomo dijo: "Dame un ojo *más grande* y descubriré *nuevas estrellas* y *soles*". Eso es lo que la *república necesita* hoy: hombres nuevos, hombres que sean sabios con el *suelo*, con los *granos*, con las *herramientas*. Si Dios solo levantara para las personas dos o tres hombres como *Watt, Fulton* y *McCormick, valdrían más* para el *Estado* que esa *caja del tesoro* llamada California o México. Y la *supremacía real* del hombre se basa en su *capacidad* de *educación*. El hombre es *único* en la *duración* de su *infancia*, lo que significa el *período* de *plasticidad* y *educación*. La infancia de una *polilla*, la distancia que se interpone entre la eclosión del *petirrojo* y su *madurez*, representa unas *pocas horas* o unas *pocas semanas*, pero *veinte años* para el crecimiento se interpone entre la cuna del *hombre* y su ciudadanía. Esta infancia prolongada permite entregar al niño todas las *tiendas acumuladas* logradas por *razas* y *civilizaciones* a través de *miles* de *años*.

—Anónimo.

Debes entender que no hay reglas de énfasis remachadas con acero. No siempre es posible designar qué palabra debe y cuál no debe enfatizarse. Un orador pondrá una interpretación en un discurso, otro orador utilizará un énfasis diferente para destacar una interpretación diferente. Nadie puede decir que una interpretación es correcta y la otra incorrecta. Este principio debe tenerse en cuenta en todos nuestros ejercicios marcados. Aquí tu propia inteligencia debe guiarte, y en gran medida a tu beneficio.

PREGUNTAS Y EJERCICIOS

1. ¿Qué es el énfasis?

2. Describe un método para destruir la monotonía de la presentación del pensamiento.

3. ¿Qué relación tiene esto con el uso de la voz?

4. ¿Qué palabras deben enfatizarse y cuáles deben subordinarse en una oración?

5. Lee las selecciones en las páginas 50, 51, 52, 53 y 54, presta especial atención a enfatizar las palabras o frases importantes y subordinar las que no son importantes. Lee nuevamente cambiando ligeramente el énfasis. ¿Cuál es el efecto?

6. Lee alguna oración repetidamente, enfatizando una palabra diferente cada vez, y muestra cómo cambia el significado, como se hace en la página 22.

7. ¿Cuál es el efecto de la falta de énfasis?

8. Lee las selecciones en las páginas 30 y 48, enfatizando cada palabra. ¿Cuál es el efecto sobre el énfasis?

9. ¿Cuándo es permitido enfatizar cada palabra en una oración?

10. Ten en cuenta el énfasis y la subordinación en alguna conversación o discurso que hayas escuchado. ¿Estaban bien hechos? ¿Por qué? ¿Puedes sugerir alguna mejora?

11. De un periódico o una revista, recorta un informe de una dirección o un elogio biográfico. Marca el pasaje para enfatizar y tráelo contigo a la clase.

12. En el siguiente pasaje, ¿harías algún cambio en las marcas del autor para enfatizar? ¿Dónde? ¿Por qué?

Ten en cuenta que no todas las palabras marcadas requieren el mismo *grado* de énfasis: *en una amplia variedad de énfasis, y en el sombreado agradable de las gradaciones, se encuentra la* excelencia del discurso enfático.

29

Lo llamaría *Napoleón,* pero Napoleón se hizo camino hacia el imperio sobre *juramentos rotos* y a través de un *mar de sangre.* Este hombre *nunca rompió* su palabra. "Sin represalias" fue su gran lema y la regla de su vida; y las últimas palabras pronunciadas a su hijo en Francia fueron: "Hijo mío, algún día volverás a Santo Domingo; *olvida* que *Francia asesinó a tu padre".* Yo lo llamaría *Cromwell,* pero Cromwell era *solo* un *soldado,* y el estado que fundó *cayó* con él a su tumba. Yo lo llamaría *Washington,* pero el gran virginiano *tenía esclavos.* Este hombre *arriesgó* su *imperio* en lugar de *permitir* la trata de esclavos en la aldea *más humilde* de sus dominios.

Me crees fanático esta noche, porque lees la historia, no con tus ojos, sino con tus prejuicios. Pero dentro de cincuenta años, cuando la Verdad sea escuchada, la Musa de la Historia pondrá a Foción para los griegos, y Bruto para los romanos, Hampden para Inglaterra, Lafayette para Francia, elegirá a Washington como la flor brillante y consumada de nuestra civilización anterior, y John Brown, la fruta madura de nuestro mediodía, luego, sumergiendo su pluma en la luz del sol, escribirá en el azul claro, sobre todos, el nombre del soldado, el estadista, el mártir, TOUSSAINT L'OUVERTURE.

—Wendell Phillips, Toussaint l'Ouverture.

Practica las siguientes selecciones para enfatizar: "Abraham Lincoln" de Beecher, página 76; "Discurso de Gettysburg" de Lincoln, página 50; El "conflicto irrefrenable" de Seward, página 67; y "Príncipe de la Paz" de Bryan, página 448.

CAPÍTULO IV

LA EFICIENCIA A TRAVÉS DEL CAMBIO DE TONO

El habla es simplemente una forma modificada de canto: la principal diferencia radica en el hecho de que al cantar los sonidos de las vocales son prolongados y los intervalos son cortos, mientras que en el habla las palabras se pronuncian en lo que se puede llamar tonos "staccato", las vocales no siendo especialmente prolongado y los intervalos entre las palabras son más distintos. El hecho de que al cantar tengamos una gama más amplia de tonos no lo distingue adecuadamente del habla ordinaria. En el discurso también tenemos una variación de tonos, e incluso en una conversación ordinaria hay una diferencia de tres a seis semitonos, como he encontrado en mis investigaciones, y en algunas personas el rango es tan alto como una octava.

—William Scheppegrell, *Popular Science Monthly*.

Por tono, como todos saben, nos referimos a la posición relativa de un tono vocal, como alto, medio, bajo o cualquier variación entre ellos. En el discurso público, lo aplicamos no sólo a un solo enunciado, como una exclamación o un monosílabo (¡Oh! O *el*), sino a cualquier grupo de sílabas, palabras e incluso oraciones que se pueden pronunciar en un solo tono. Es importante tener en cuenta esta diferencia, ya que el hablante eficiente no solo cambia el tono de las sílabas sucesivas (ver Capítulo VII, "Eficiencia a través de la inflexión"), sino que da un tono diferente a las diferentes partes, o grupos de palabras, de sucesivas frases. Es esta fase del tema la que estamos considerando en este capítulo.

Cada cambio en el pensamiento exige un cambio de tono de voz

31

Ya sea que el hablante siga la regla consciente, inconsciente o inconscientemente, esta es la base lógica sobre la cual se hace toda buena variación de voz, sin embargo, esta ley es violada más a menudo que cualquier otra por los *oradores públicos*. Un criminal puede ignorar una ley del estado sin detección y castigo, pero el orador que viola esta regulación sufre su sanción de inmediato por su pérdida de efectividad, mientras que sus oyentes inocentes deben soportar la monotonía porque la monotonía no es solo un pecado del perpetrador, como hemos demostrado, sino también una plaga para las víctimas.

El cambio de tono es un obstáculo para casi todos los principiantes, y también para muchos oradores experimentados. Esto es especialmente cierto cuando las palabras del discurso han sido memorizadas.

Si desea escuchar cómo suena la monotonía de tono, toque la misma nota en el piano una y otra vez. Tiene en su voz para hablar un rango de tono de alto a bajo, con una gran cantidad de tonos entre los extremos. Con todas estas notas disponibles, no hay excusa para ofender a los oídos y al gusto de su audiencia usando continuamente una nota. Es cierto que la reiteración del mismo tono en la música, como en el punto de pedal en una composición de órgano, puede convertirse en la base de la belleza, ya que la armonía que se entrelaza con ese tono básico produce una calidad consistente e insistente que no se siente en una variedad pura de secuencias de acorde.

De la misma manera, la voz entonante en un ritual puede, aunque rara vez lo hace, poseer una belleza solemne. Pero el orador público debe evitar el tono monótono como lo haría con una peste.

El cambio continuo de tono es el método más alto de la naturaleza

En nuestra búsqueda de los principios de eficiencia, debemos volver continuamente a la naturaleza. Escucha, realmente escucha, a los pájaros cantando. ¿Cuáles de estas tribus emplumadas son más agradables en sus esfuerzos vocales: aquellas cuyas voces, aunque dulces, tienen poco o ningún rango, o aquellas que, como el canario, la alondra y el ruiseñor, no solo poseen un rango considerable sino que expresan su notas en variedad continua de combinaciones? Incluso un chirrido de tono dulce, cuando se reitera sin cambios, puede volverse enloquecedor para el oyente obligado.

El niño rara vez habla en un tono monótono. Observa las conversaciones de la gente pequeña que escucha en la calle o en el hogar, y observa los continuos cambios de tono. El discurso inconsciente de la mayoría de los adultos también está lleno de variaciones agradables.

Imagina a alguien hablando lo siguiente y considera si el efecto no sería el indicado. Recuerda, ahora no estamos discutiendo la inflexión de palabras individuales, sino el tono general en el que se pronuncian las frases.

(Tono alto) "Me gustaría irme de vacaciones mañana, — (más bajo) aún, tengo mucho que hacer. (Más alto) Sin embargo, supongo que si espero hasta que tenga tiempo nunca iré".

Repite esto, primero en el tono indicado y luego todo en un solo tono, como muchos hablantes lo harían. Observa la diferencia en la naturaleza del efecto.

El siguiente ejercicio debería ser hablado en un tono puramente conversacional, con numerosos cambios de tono. Practícalo hasta que tu pronunciación haga que un extraño en la habitación contigua piense que estás discutiendo un incidente real con un amigo, en lugar de decir un monólogo memorizado. Si tienes dudas sobre el efecto que has asegurado, repítelo con un amigo y pregúntale si suenan como palabras memorizadas. Si lo hace, está mal.

UN CASO SIMILAR

Jack, escuché que te fuiste y sí lo hiciste.— Sí, lo sé; la mayoría de los compañeros lo harán; fui y lo intenté una vez, señor, aunque ya ves, todavía estoy soltero. ¿Y la conociste, me lo dijiste en Newport, en julio pasado, y decidiste hacer la pregunta en una velada? Yo también.

Supongo que dejaste el salón de baile, con su música y su luz; porque dicen que la llama del amor es más brillante en la oscuridad de la noche. Bueno, caminaron juntos sobre el cielo iluminado por las estrellas; y apostaré—viejo hombre, confiesa—estabas asustado. Así que yo también.

Así que paseaste por la terraza, viste la luz de la luna del verano verter todo su resplandor en las aguas, mientras se agitaban en la orilla, hasta que finalmente reuniste coraje, cuando viste que no había nada cerca, ¿la acercaste y le dijiste que la amabas? Yo también.

Bueno, no necesito preguntarte más, y estoy seguro de que te deseo alegría. Creo que vagaré y te veré cuando estés casado, ¿eh, muchacho? Cuando termine la luna de miel y estés tranquilo, lo intentaremos—¿Qué? el deuce qué dices! Rechazado—¿rechazado? Yo también.

—Anónimo.

La necesidad de cambiar el tono es tan evidente que debe entenderse y aplicarse de inmediato. Sin embargo, requiere un ejercicio paciente para liberarse de la monotonía del tono.

En una conversación natural, primero piensas en una idea y luego encuentras palabras para expresarla. En los discursos memorizados es probable que pronuncies las palabras y luego pienses lo que significan, y muchos hablantes parecen preocuparse muy poco incluso por eso. ¿Es de extrañar que revertir el proceso debería revertir el resultado? Vuelve a la naturaleza en tus métodos de expresión.

Lee la siguiente selección de una manera indiferente, sin detenerte nunca a pensar qué significan realmente las palabras. Inténtalo de nuevo, estudiando cuidadosamente el pensamiento que has asimilado. Cree en la idea, desea expresarla de manera efectiva e imagina una audiencia delante de ti. Míralos seriamente a la cara y repite esta verdad. Si sigues las instrucciones, notarás que ha realizado muchos cambios de tono después de varias lecturas.

No es el trabajo lo que mata a los hombres; es preocuparse. El trabajo es saludable; difícilmente puedes poner más sobre un hombre de lo que él puede soportar. La preocupación es óxido sobre la cuchilla. No es la revolución la que destruye la maquinaria, sino la fricción.

—Henry Ward Beecher.

El cambio de tono produce énfasis

Esta es una declaración muy importante. La variedad en el tono mantiene el interés del oyente, pero una de las formas más seguras de atraer la atención, para asegurar un énfasis inusual, es cambiar el tono de su voz de repente y en un grado marcado. Un gran contraste siempre despierta la atención. El blanco muestra más blanco contra el negro; un cañón ruge más fuerte en el silencio del Sahara que en el ajetreo de Chicago. Estas son simples ilustraciones del poder del contraste.

"¿Qué va a hacer el congreso ahora?"

————————————————-

(Tono alto)

|

| "No lo sé"

————————————-

(Tono bajo)

Por un cambio tan repentino de tono durante un sermón, el Dr. Newell Dwight Hillis recientemente logró un gran énfasis y sugirió la gravedad de la pregunta que había planteado.

El orden anterior de cambio de tono podría revertirse con un efecto igualmente bueno, aunque con un ligero cambio en la seriedad: cualquiera de los métodos produce énfasis cuando se usa de manera inteligente, es decir, con una apreciación de sentido común del tipo de énfasis que se logrará.

Al intentar estos contrastes de tono, es importante evitar los extremos desagradables. La mayoría de los hablantes ponen sus voces demasiado altas. Uno de los secretos de la elocuencia del Sr. Bryan es su voz baja y campana. Shakespeare dijo que una voz suave, gentil y baja era "algo excelente en las mujeres"; no es menos en el hombre, ya que una voz no necesita ser descarada para ser poderosa, y no debe serlo, para ser agradable.

Para terminar, enfaticemos nuevamente la importancia de usar variedad de tono. Canta arriba y abajo de la escala, primero tocando una nota y luego otra encima o debajo de ella. Haz lo mismo al hablar.

El pensamiento y el gusto individual generalmente deben ser su guía sobre dónde usar un tono bajo, moderado o alto.

PREGUNTAS Y EJERCICIOS

1. Nombra dos métodos para destruir la monotonía y ganar fuerza al hablar.

2. ¿Por qué es necesario un cambio continuo de tono al hablar?

3. Observa tus tonos habituales al hablar. ¿Son demasiado altos para ser agradables?

4. ¿Expresamos los siguientes pensamientos y emociones en un tono bajo o alto? ¿Cuál puede expresarse en tono alto o bajo? Emoción. Victoria. Derrota. Dolor. Amor. Seriedad. Temor.

5. ¿Cómo variaría naturalmente el tono al introducir una expresión explicativa o entre paréntesis como la siguiente:

Comenzó—es decir, hizo los preparativos para comenzar— el 3 de septiembre.

6. Expresa las siguientes líneas con variaciones de tono tan marcadas como lo dicte tu interpretación del sentido. Prueba cada línea de dos maneras diferentes. ¿Cuál, en cada caso, es el más efectivo y por qué?

¿Qué tengo que ganar de ti? Nada.

Involucrar a nuestra nación en un pacto así sería una infamia.

Nota: En la oración anterior, experimenta dónde se realizaría mejor el cambio de tono.

Una vez las flores destilaron su fragancia aquí, pero ahora ven las devastaciones de la guerra.

Había calculado sin un factor primordial: su conciencia.

7. Haz un diagrama de una conversación que hayas escuchado, que muestre dónde se usaron los tonos altos y bajos. ¿Fueron estos cambios de tono aconsejables? ¿Por qué o por qué no?

8. Lee las selecciones en las páginas 34, 35, 36, 37 y 38, prestando especial atención a los cambios en el tono. Vuelve a leer, sustituyendo el tono bajo por el alto, y viceversa.

Selecciones para practicar

Nota: En las siguientes selecciones, los pasajes que se pueden entregar mejor en un tono moderado se imprimen en tipo ordinario (romano). Los que se pueden reproducir en un tono alto (no cometas el error de levantar la voz demasiado alto) se imprimen en cursiva. Los que bien se pueden hablar en un tono bajo están impresos en MAYÚSCULAS.

Sin embargo, estos arreglos son meramente sugerentes: no podemos hacer que sea lo suficientemente fuerte como para que usted deba usar su propio criterio al interpretar una selección. Sin embargo, antes de hacerlo, es bueno practicar estos pasajes a medida que están marcados.

Sí, todos los hombres trabajan. RUFUS CHOATE Y DANIEL WEBSTER trabajan, dicen los críticos. Pero todo hombre que lee sobre la cuestión laboral sabe que significa el movimiento de los hombres que se ganan la vida con las manos; *QUE SON EMPLEADOS Y SALARIOS PAGADOS: se reúnen bajo los techos de las fábricas, se envían a granjas, se envían en barcos, se reúnen en las paredes.* En la aceptación popular, la clase trabajadora significa los hombres que trabajan con sus manos, por salarios, tantas horas al día, empleados por grandes capitalistas; eso funciona para todos los demás. ¿Por qué nos movemos para esta clase? "*¿Por qué?*", pregunta un crítico, "*¿no te mueves POR TODOS LOS TRABAJADORES?*" *PORQUE, MIENTRAS QUE DANIEL WEBSTER OBTIENE CUARENTA MIL DÓLARES POR ARGUMENTAR LAS RECLAMACIONES MEXICANAS, no hay necesidad de que nadie se mueva por él.*

PORQUE, mientras RUFUS CHOATE OBTIENE CINCO MIL DÓLARES PARA ARGUMENTAR A UN JURADO, no hay necesidad de moverse por él, ni por los hombres que trabajan con sus cerebros, que hacen un trabajo altamente disciplinado y calificado, inventan y escriben libros. La razón por la cual el movimiento obrero se limita a una sola clase es porque esa clase de trabajo *NO SE PAGA, no recibe protección. EL TRABAJO MENTAL* está *adecuadamente pagado* y *MÁS QUE ADECUADAMENTE protegido. PUEDE CAMBIAR SUS CANALES; puede variar según la oferta y la demanda.*

SI UN HOMBRE FALLA COMO MINISTRO, se convierte en conductor de ferrocarril. Si eso no le conviene, se va al oeste y se convierte en gobernador de un territorio. Y SI SE ENCUENTRA INCAPAZ DE CUALQUIERA DE ESTAS POSICIONES, regresa a casa y llega a ser editor de la ciudad. Varía su ocupación como le plazca, y no necesita protección. *PERO LA GRAN MASA, ENCADENADA A UN COMERCIO, CONDENADA A CULTIVARSE EN EL MOLINO DE LA OFERTA Y LA DEMANDA, QUE FUNCIONAN TANTAS HORAS AL DÍA, Y DEBEN CORRER EN LAS GRANDES RUTAS DE LOS NEGOCIOS, son los hombres cuya protección inadecuada, cuya parte injusta del producto general, reclama un movimiento en su nombre.*

—Wendell Phillips.

CONOCIENDO EL PRECIO QUE DEBEMOS PAGAR, EL SACRIFICIO QUE DEBEMOS HACER, LAS CARGAS QUE DEBEMOS TRANSPORTAR, LOS ASALTOS QUE DEBEMOS SOPORTAR, CONOCIENDO EL COSTO, aún nos enlistamos y nos enlistamos para la guerra. *PORQUE CONOCEMOS LA JUSTICIA DE NUESTRA CAUSA,* y *también sabemos su cierto triunfo.*

ENTONCES, NO DE FORMA RELATIVA, pero con entusiasmo, no con *corazones débiles PERO FUERTES, ahora avanzamos sobre los enemigos de la gente. PORQUE LA LLAMADA QUE LLEGA A NOSOTROS es la llamada que llegó a nuestros padres. Como ellos respondieron, nosotros también.*

"HABÍA SENTADO UNA TROMPETA que nunca llamará retirada. ESTÁ EXPANDIENDO LOS CORAZONES DE LOS HOMBRES ante su tribunal. OH, SEA SWIFT NUESTRAS ALMAS PARA RESPONDERLO, SEA JUBILANTE NUESTROS PIES, Nuestro Dios está marchando".
—Albert J. Beveridge.

Recuerda que dos oraciones, o dos partes de la misma oración, que contienen cambios de pensamiento, no pueden darse efectivamente en la misma clave. Repitamos, cada gran cambio de pensamiento requiere un gran cambio de tono. Lo que el alumno principiante pensará que son grandes cambios de tono, será monótono. Aprende a decir algunos pensamientos en un tono muy alto, otros en un tono muy, muy bajo. DESARROLLAR LA GAMA. Es casi imposible usar demasiado.

ESTOY FELIZ DE QUE ESTA MISIÓN HAYA TRAÍDO MIS PIES AL FIN PARA PRESIONAR EL SUELO HISTÓRICO DE NUEVA INGLATERARA y mis ojos al conocimiento de su belleza y su ahorro. Aquí, cerca de Plymouth Rock y Bunker Hill—*DONDE WEBSTER TRONÓ y Longfellow cantó, Emerson pensó Y CHANNING PREDICÓ— AQUÍ EN LA CUNA DE LAS LETRAS AMERICANAS y casi de la libertad estadounidense,* me apresuro a hacer la reverencia que todo estadounidense le debe a Nueva Inglaterra la primera vez que se encuentra descubierto en su poderosa presencia. *¡Extraña aparición!* Esta figura severa y única, tallada en el océano y el desierto, su majestad se enciende y crece en medio de las tormentas del invierno y de las guerras, hasta que por fin se rompió la penumbra, *SE REVELÓ LA BELLEZA EN EL SOL y los heroicos trabajadores descansaron en su base*, mientras los reyes y emperadores asustados miraban y se maravillaban de que por el toque grosero de este puñado lanzado en una costa sombría y desconocida debería haber venido *el genio encarnado del gobierno humano ¡Y EL MODELO PERFECTO DE LA LIBERTAD HUMANA!* Dios bendiga la memoria de esos trabajadores inmortales y prospere la fortuna de sus hijos vivos, y perpetúe la inspiración de su obra...

Lejos del sur, señor presidente, separado de esta sección por una línea, una vez definida en una diferencia irreprimible, una vez trazada en sangre fratricida, Y AHORA, GRACIAS A DIOS, PERO UNA SOMBRA DESAPARECIDA, se encuentra el dominio más justo y rico de esta tierra. *Es el hogar de un pueblo valiente y hospitalario. HAY CENTRADO TODO LO QUE PUEDE COMPLACER O FAVORECER A LA HUMANIDAD. UN CLIMA PERFECTO POR ENCIMA de un suelo fértil* rinde al labrador cada producto de la zona templada.

Allí, de noche, *el algodón se blanquea bajo las estrellas, y de día EL TRIGO CIERRA EL SOL EN SU GAVILLA BARBUDA.* En el mismo campo, el trébol roba la fragancia del viento y el tabaco capta el rápido aroma de las lluvias. *HAY MONTAÑAS ALMACENADAS CON TESOROS SIN AGOTAMIENTO: bosques: vastos y primitivos*; y ríos que, *cayendo o merodeando, corren sin rumbo al mar.* De los tres elementos esenciales de todas las industrias (algodón, hierro y madera), esa región tiene un control fácil. *EN ALGODÓN, un monopolio fijo — EN HIERRO, supremacía comprobada — EN MADERA, el suministro de reserva de la República.*

De esta ventaja asegurada y permanente, contra la cual las condiciones artificiales no pueden prevalecer por mucho más tiempo, ha crecido un sorprendente sistema de industrias. No mantenido por artilugios humanos de aranceles o capital, lejos de la fuente de suministro más completa y barata, sino descansando en la certeza divina, dentro del alcance del campo, la mina y el bosque, no establecido en medio de costosas granjas de las cuales la competencia ha llevado al agricultor a la desesperación , sino en medio de tierras baratas y soleadas, ricas en agricultura, a las cuales ni la estación ni el suelo han establecido un límite: este sistema de industrias está creciendo a un esplendor que deslumbrará e iluminará el mundo. *ESO, SIR, es la imagen y la promesa de mi hogar: UNA TIERRA MEJOR Y MÁS JUSTA DE LO QUE TE HE DICHO, pero que sin embargo encaja en su excelencia material por la calidad leal y gentil de su ciudadanía.*

Esta hora poco necesita la *LEALTAD QUE ES LEAL A UNA SECCIÓN y, sin embargo, mantiene a la otra en una sospecha y un distanciamiento duraderos.* Danos la *lealtad amplia y perfecta que ama y confía en GEORGIA* por igual con *Massachusetts,* que no conoce el *SUR,* el *Norte,* el *ESTE* ni el *Oeste, sino que ama con amor igual y patriótico* cada pie de nuestro suelo, cada Estado de nuestra Unión.

UN PODEROSO, SIR, Y UNA INSPIRACIÓN PODEROSA nos empuja a cada uno de nosotros a perder en la consagración patriótica TODO LO QUE SE INTERRUMPA, LO QUE SE DIVIDE.

¡NOSOTROS, SIR, somos estadounidenses, Y APOYAMOS POR LA LIBERTAD HUMANA! La fuerza edificante de la idea estadounidense está bajo cada trono en la tierra. *Francia, Brasil: ESTAS SON NUESTRAS VICTORIAS. Para redimir la tierra del Kingcraft y la opresión, ¡ESTA ES NUESTRA MISIÓN! Y no fallaremos.* Dios ha sembrado en nuestro suelo

la semilla de su cosecha milenaria, y no pondrá la hoz hasta la cosecha madura hasta que llegue su día completo y perfecto. *NUESTRA HISTORIA, SIR, ha sido un milagro constante y en expansión, desde PLYMOUTH ROCK Y JAMESTOWN,* hasta sí, incluso desde la hora en que, desde el océano sin voz y sin huellas, un nuevo mundo se elevó a la vista del marinero inspirado. A medida que nos acercamos al cuarto centenario de ese día estupendo, cuando el viejo mundo vendrá a *maravillarse* y *aprender* en medio de nuestros tesoros reunidos, resolvamos coronar los milagros de nuestro pasado con el espectáculo de una República, *compacta, unida INDISOLUBLE EN EL CAUTIVERIO DEL AMOR,* amando desde los lagos hasta el golfo, las heridas de la guerra sanaron en cada corazón como en cada colina, *serenos y resplandecientes EN LA CUMBRE DEL LOGRO HUMANO Y LA GLORIA DE LA TIERRA, abriendo el camino y dejando claro el camino por el cual todos ¡Las naciones de la tierra deben venir en el tiempo señalado por Dios!*

—Henry W. Grady, *El Problema de la Raza.*

LO LLAMARÍA NAPOLEÓN, pero Napoleón se hizo camino hacia el imperio sobre *juramentos rotos y a* través *de un mar de sangre.* Este hombre nunca rompió su palabra. "Sin represalias" fue su gran lema y la regla de su vida; *Y LAS ÚLTIMAS PALABRAS PRONUNCIADAS A SU HIJO EN FRANCIA FUERON:* "*Hijo mío, algún día volverás a Santo Domingo; olvida que Francia asesinó a tu padre".* YO LO *LLAMARÍA CROMWELL,* pero Cromwell *era solo un soldado, y el estado que fundó cayó con él a su tumba. YO LO LLAMARÍA WASHINGTON,* pero el gran virginiano *tenía esclavos. ESTE HOMBRE ARRIESGÓ SU IMPERIO en lugar de permitir la trata de esclavos en la aldea más humilde de sus dominios.*

ME CREES FANÁTICO ESTA NOCHE, porque lees la historia, *no con tus ojos, SINO CON TUS PREJUICIOS.* Pero dentro de cincuenta años, cuando la Verdad sea escuchada, la Musa de la Historia pondrá a *FOCIÓN para los griegos, y BRUTO para los romanos, HAMPDEN para Inglaterra, LAFAYETTE para Francia, elegirá a WASHINGTON como la flor brillante y consumada de nuestra civilización ANTERIOR, Y JOHN BROWN, la fruta madura de nuestro MEDIODÍA, luego, sumergiendo su pluma en la luz del sol, escribirá en el azul claro, sobre todos, el nombre DEL SOLDADO, EL ESTADISTA, EL MÁRTIR, TOUSSAINT L'OUVERTURE.*

Profundiza en las siguientes selecciones para el cambio de tono: "Abraham Lincoln" de Beecher, pág. 76; El "conflicto irrefrenable" de Seward, pág. 67; La "Historia de la Libertad" de Everett, pág. 78; "El problema de la raza" de Grady, pág. 36; y "Pass Prosperity Around" de Beveridge, pág. 470.

CAPÍTULO V

EFICIENCIA A TRAVÉS DEL CAMBIO DE PASO

¡Escucha cómo aclara los puntos de 'Faith Wi' traqueteando y golpeando! Ahora mansamente calmado, ahora salvaje de ira, él estalla y está saltando.

—Robert Burns, *Holy Fair.*

Los latinos nos han legado una palabra que no tiene un equivalente preciso en nuestra lengua, por lo tanto, la hemos aceptado sin cambios en el cuerpo: es la palabra tempo y significa velocidad de movimiento, medida por el tiempo consumido en la ejecución de ese movimiento.

Hasta ahora, su uso se ha limitado en gran medida a las artes vocales y musicales, pero no sería sorprendente escuchar el tempo aplicado a asuntos más concretos, ya que ilustra perfectamente el significado real de la palabra para decir que un carro de bueyes se mueve lentamente tempo, un tren expreso en un tempo rápido. Nuestras armas que disparan seiscientas veces por minuto, disparan a un ritmo tempo, el viejo cargador de bozal que requería tres minutos para cargar, disparó a un lento tempo. Todo músico comprende este principio: requiere más tiempo para cantar una media nota que una octava nota.

Ahora el tempo es un elemento tremendamente importante en el buen trabajo de la plataforma, ya que cuando un hablante entrega una dirección completa casi a la misma velocidad, se está privando de uno de sus principales medios de énfasis y poder. El lanzador de béisbol, el jugador de bolos en el cricket, el servidor de tenis, todos conocen el valor del cambio de ritmo (cambio de tempo) en la entrega de la pelota, y el orador público también debe observar su poder.

El cambio de tempo le da naturalidad a la pronunciación.

La naturalidad, o al menos la aparente naturalidad, como se explicó en el capítulo sobre "Monotonía", es muy deseable, y un cambio continuo de tempo contribuirá en gran medida a establecerla. Howard Lindsay, director de escena de la señorita Margaret Anglin, dijo recientemente al escritor actual que el cambio de ritmo era una de las herramientas más efectivas del actor. Si bien debe admitirse que las bocas forzadas de muchos actores indican espejos nublados, el orador público haría bien en estudiar el uso del tempo por parte del actor.

Sin embargo, existe una fuente más fundamental y efectiva para estudiar la naturalidad, un rasgo que, una vez perdido, es difícil de recuperar: esa fuente es la conversación común de cualquier círculo bien educado. *Este* es el estándar que nos esforzamos por alcanzar tanto en el escenario como en la plataforma, con ciertas diferencias, por supuesto, que aparecerán a medida que avancemos. Si el orador y el actor reprodujeran con absoluta fidelidad todas las variaciones de la expresión (cada susurro, gruñido, pausa, silencio y explosión) de la conversación, como la encontramos típicamente en la vida cotidiana, gran parte del interés dejaría la expresión pública. La naturalidad en el discurso público es algo más que la reproducción fiel de la naturaleza: es la reproducción de aquellas partes típicas del trabajo de la naturaleza que son verdaderamente representativas del todo.

El escritor realista de cuentos entiende esto al escribir el diálogo, y debemos tenerlo en cuenta al buscar la naturalidad a través del cambio de tempo.

Supongamos que habla la primera de las siguientes oraciones en un tempo lento, la segunda rápidamente, observando cuán natural es el efecto. Luego hable ambos con la misma rapidez y nota la diferencia.

No recuerdo lo que hice con mi cuchillo. Oh, ahora recuerdo que se lo di a Mary.

Vemos aquí que a menudo se produce un cambio de tempo en la misma oración, ya que el tempo se aplica no solo a palabras individuales, grupos de palabras y grupos de oraciones, sino también a las partes principales de un discurso público.

PREGUNTAS Y EJERCICIOS

1. A continuación, di las palabras "mucho, mucho tiempo" muy lentamente; el resto de la oración se pronuncia en un ritmo moderadamente rápido.

Cuando tú y yo detrás del Velo hayamos pasado, oh, pero el largo, largo tiempo que durará el mundo, ¿Cuál de nuestras atenciones de llegada y partida como los siete mares deberían prestar atención a un molde de guijarros?

Nota: en las siguientes selecciones, los pasajes a los que se les debe dar un tempo rápido están en cursiva; los que se deben dar en un ritmo lento están en mayúsculas pequeñas. Practica estas selecciones y luego prueba otras, cambiando de tempo rápido a lento en diferentes partes, observando cuidadosamente el efecto.

2. Ningún MIRABEAU, NAPOLEÓN, BURNS, CROMWELL, NINGÚN *hombre* ADECUADO *para* HACER NADA, *pero en primer lugar está* MUY BIEN JUSTO *al respecto, lo que yo llamo un hombre* SINCERO. *Debo decir que la* SINCERIDAD, *una* GRAN, PROFUNDA, SINCERIDAD GENUINA, *es la primera* CARACTERÍSTICA *de un hombre de alguna manera* HEROICA. *No la sinceridad que se* LLAMA *sincera. Ah, no. Ese es sin duda un asunto muy pobre: una falta de sinceridad poco profunda, consciente, a menudo mayormente autoconcepto.* La SINCERIDAD DEL GRAN HOMBRE *es de un tipo del* que NO PUEDE HABLAR. NO ESTÁ CONSCIENTE de ella.—THOMAS CARLYLE.

3. EL VERDADERO VALOR *está en* SER, NO EN PARECER, *en hacer cada día que pasa* ALGO DE BIEN, *no en* SOÑAR *con* GRANDES COSAS *que hacer poco a poco. Por lo que digan los hombres en su ceguera, y a pesar de las locuras de la*

48

juventud, no hay nada tan REGIO *como la* AMABILIDAD, *y nada tan* REAL *como la* VERDAD. — Anónimo.

4. Para obtener un efecto natural, ¿dónde usarías el tempo lento y el rápido en lo siguiente?

EL ORO DE LOS TONTOS

Míralo ahí, frío y gris, míralo mientras intenta jugar; no, él no conoce el camino. Comenzó a aprender demasiado tarde. Ella es una bruja sombría y vieja, es Fate, porque lo dejó tener su montón, sonriéndose para sí misma, sabiendo cuál sería el costo cuando encontró la llave de oro. Multimillonario es él, muchas veces más rico que nosotros; pero con eso no cambiaría el trato que hizo. Vino aquí hace muchos años, ninguna persona que conociera estaba tan hambriento de dinero. Loco por dinero, loco por los cerdos; no dejó que una alegría lo distrajera, no dejó que una pena lo lastimara, dejó que sus amigos y parientes lo abandonaran, mientras él planeaba, se tapaba y se apresuraba

En su búsqueda de oro y poder, cada hora de vigilia con un pensamiento de dinero que se dudaría; todo mientras más viejo se hacía, y se volvía más audaz, se volvía más frío. Y pensó que algún día se tomaría el tiempo para jugar; pero, digamos, estaba equivocado. La vida es una canción; durante la primavera, los jóvenes pueden cantar y lanzarse; pero alas de alegría cuando somos mayores, como pájaros cuando hace más frío. Las rosas eran rojas cuando pasó corriendo, y gloriosos tapices colgaban en el cielo, y el trébol agitaba esclavitud de 'Neath honey-bees'; un pájaro de allí rodeó un aire suave; pero el hombre no podía perder el tiempo en recoger flores, o descansar en bóvedas, o mirar los cielos que alegraban los ojos. Así que siguió y siguió adelante a través de años malos y sórdidos. Ahora está hasta las orejas en la mejor selección de acciones. Posee bloques interminables de casas y tiendas, y la corriente nunca deja de llegar a sus orillas. Supongo que se ubica bastante cerca de la cima. Lo que tengo no empañaría su ambición con un título; y sin embargo, con mi pequeño no me importa comerciar.

Con el trato que hizo. Solo míralo hoy: míralo tratando de jugar. Ha vuelto por los cielos azules. Pero tienen una nueva apariencia: el invierno está aquí, todo es gris, los pájaros están lejos, los prados son marrones, las hojas yacen encalladas, y el arroyo que hiere con un remolino de aguas, se está enrollando en hielo. Y no tiene el precio, con todo su oro, para comprar lo que vendió. Ahora sabe el costo de la primavera que perdió, de las flores que arrojó de su camino, y, digamos, pagaría cualquier precio si el día no fuera tan gris. Él no puede jugar.

—Herbert Kaufman. Usado con el permiso de *Everybody's Magazine*.

El cambio de tempo previene la monotonía

El canario en la jaula delante de la ventana se suma a la belleza y el encanto de su canto mediante un cambio continuo de tiempo. Si el Rey Salomón hubiera sido un orador, indudablemente habría obtenido sabiduría del canto de los pájaros salvajes y las abejas. Imagina una canción escrita con solo cuartos. Imagina un auto con una sola velocidad.

EJERCICIOS

1. Observa el cambio de tempo indicado en lo siguiente, y cómo da una variedad agradable. Léelo en voz alta. (El tiempo rápido se indica en cursiva, lento en mayúsculas pequeñas).

Y pensó que algún día se tomaría el tiempo para jugar; pero, digamos, ESTABA EQUIVOCADO. LA VIDA ES UNA CANCIÓN; *durante la* PRIMAVERA los JÓVENES *pueden* CANTAR y pueden VOLAR; PERO ALAS DE ALEGRÍA CUANDO SOMOS MAYORES, COMO LAS AVES *cuando hace* MÁS FRÍO. *Las rosas eran rojas cuando pasó corriendo, y gloriosos tapices colgaban en el cielo.*

2. Dirígete a "El Oro de los Tontos", en la página 42, y pronúncialo en un ritmo variable: observa cuán monótono es el resultado. Este poema requiere muchos cambios de tempo y es excelente para practicar.

3. Usa los cambios de tempo indicados a continuación, observando cómo evitan la monotonía. Cuando no se indique un cambio de tempo, use una velocidad moderada. Demasiada variedad realmente sería un regreso a la monotonía.

LA MULTITUD

"LA MULTITUD ASESINA AL HOMBRE EQUIVOCADO" destelló en el titular de un periódico. La multitud es una MASA IRRESPONSABLE Y SIN PENSAMIENTO. Siempre destruye, PERO NUNCA CONSTRUYE. Critica, PERO NUNCA CREA.

Pronuncia una gran verdad Y LA MULTITUD TE ODIARÁ. Mira cómo condenaron a DANTE al EXILIO. Encuentra los peligros del mundo desconocido para sus beneficios Y LA MULTITUD DE DECLARARÁ DEMENTE. Ridiculizaron a Colón y por descubrir un nuevo mundo LE DIERON PRISIÓN Y CADENAS.

Escribe un poema para estremecer los corazones humanos con placer, Y LA MULTITUD DE DEJARÁ MORIR DE HAMBRE: EL CIEGO OMERO ROGÓ POR PAN EN LAS CALLES. Inventa una máquina para ahorrar trabajo Y LA MULTITUD TE DECLARARÁ SU ENEMIGO. Hace menos de cien años, una multitud furiosa destrozó el invento de Thimonier, la máquina de coser.

CONSTRUYE UN BUQUE DE VAPOR PARA TRANSPORTAR MERCADERÍAS Y ACELERAR VIAJES y la multitud te llamará tonto. UNA MULTITUD SE ALINEÓ A LAS ORILLAS DEL RÍO HUDSON PARA REÍRSE ANTE EL INTENTO DE "FULTON'S FOLLY", como ellos le llamaron a su pequeño barco de vapor.

Emerson dice: "Una multitud es una sociedad de cuerpos que se despojan voluntariamente de la razón y atraviesan su trabajo. La multitud es un hombre que desciende voluntariamente a la naturaleza de la bestia. Su hora de actividad adecuada es en la NOCHE. SUS ACCIONES SON INSANAS, como su totalidad constitución. Persigue un principio:

AZOTARÍA UN DERECHO. Enloquecería y desvanecería la justicia al infligir fuego e indignación a la casa y a las personas de quienes los tienen".

El espíritu de la multitud acecha en el extranjero en nuestra tierra hoy. Cada semana da una nueva víctima a su maligno grito de sangre. Hubo 48 personas asesinadas por turbas en los Estados Unidos en 1913; 64 en 1912 y 71 en 1911. Entre los 48 del año pasado había una mujer y un niño. Dos víctimas resultaron inocentes después de su muerte.

EN 399 a. C. UN DEMAGOGO APELÓ A LA MULTITUD POPULAR PARA QUE A SÓCRATES LO SENTENCIARAN A MUERTE *y fue sentenciado a la copa de cicuta. Mil cuatrocientos años después un entusiasta apeló a la multitud popular y toda Europa se sumergió en Tierra Santa para matar y destrozar a los paganos. En el siglo diecisiete, un demagogo apeló a la ignorancia de los hombres* Y VEINTE PERSONAS FUERON EJECUTADAS EN SALEM DENTRO DE SEIS MESES POR BRUJERÍA. *Hace dos mil años, la multitud gritó*: "¡LIBEREN A BARRABAS", Y BARRABAS ERA UN ASESINO!

—*De un editorial de D.C. en "Leslie's Weekly", con permiso.*

Los negocios actuales son tan diferentes a los NEGOCIOS ANTIGUOS, como los carros de bueyes en los viejos tiempos son diferentes a la *locomotora actual.* LA INVENCIÓN ha hecho que *todo el mundo vuelva a nacer. El ferrocarril, el telégrafo, el teléfono* han unido a las personas de las NACIONES MODERNAS, a las FAMILIAS. *Para hacer el negocio de estos millones muy unidos en todos los países modernos,* GRANDES PREOCUPACIONES EMPRESARIALES LLEGARON A SER. *Lo que llamamos un gran negocio es el* NIÑO DEL

PROGRESO ECONÓMICO DEL HOMBRE. Por lo tanto, la guerra para destruir grandes negocios es TONTO PORQUE NO PUEDE TENER ÉXITO y malvado PORQUE NO DEBE TENER ÉXITO. *La guerra para destruir grandes empresas no perjudica a las grandes empresas, que siempre salen adelante*, TANTO COMO DAÑAN A TODAS LAS OTRAS EMPRESAS QUE, EN TAL GUERRA, NUNCA SALEN EN LA PARTE SUPERIOR.—A. J. Beveridge.

El cambio de tempo produce énfasis

Cualquier gran cambio de tempo es enfático y llamará la atención. Apenas puede ser consciente de que un tren de pasajeros se está moviendo cuando vuela sobre los rieles a noventa millas por hora, pero si se desacelera muy repentinamente a una marcha de diez millas, su atención se dirigirá a él con mucha decisión. Puede olvidar que está escuchando música mientras cena, pero deja que la orquesta aumente o disminuya su ritmo en un grado muy marcado y su atención será detenida de inmediato.

Este mismo principio procurará énfasis en un discurso. Si tiene un punto que desea llevar a casa a su audiencia con fuerza, haga un cambio repentino y grandioso de tempo, y serán incapaces de evitar prestar atención a ese punto. Recientemente, el escritor actual vio una obra en la que se hablaban estas líneas: "No quiero que olvides lo que dije. Quiero que lo recuerdes el resto de tus días, no me importa si tienes seis armas". La parte hasta el tablero se pronunció en un tempo muy lento, el resto se pronunció a la velocidad del rayo, ya que el personaje con el que se habló sacó un revólver. El efecto fue tan enfático que las líneas se recuerdan seis meses después, mientras que la mayor parte de la obra se ha desvanecido de la memoria. El estudiante que tiene poderes de observación verá este principio aplicado por todos nuestros mejores actores en sus esfuerzos por obtener el énfasis donde es necesario. Pero recuerde que la emoción en el asunto debe garantizar la intensidad de la manera, o el efecto será ridículo. Demasiados oradores públicos son impresionantes por nada.

El pensamiento, más que las reglas, deben gobernarte mientras practicas el cambio de ritmo. A menudo no tiene importancia qué parte de una oración se habla lentamente y cuál se da en un ritmo rápido. Lo principal que se desea es el cambio en sí.

Por ejemplo, en la selección, "La multitud", en la página 46, observa el último párrafo. Invierte las instrucciones dadas, pronunciando todo lo que está marcado para tempo lento, rápidamente; y todo lo que está marcado para un tempo rápido, lentamente. Notarás que la fuerza o el significado del pasaje no ha sido destruido.

Sin embargo, muchos pasajes no se pueden cambiar a un ritmo lento sin destruir su fuerza. Instancias: el discurso de Patrick Henry en la página 110, y el siguiente pasaje de "Barefoot Boy" de Whittier.

Para la época de la infancia de junio, años de hacinamiento en una breve luna, cuando todas las cosas que escuché o vi, yo, su maestro, esperé. Era rico en flores y árboles, colibríes y abejas melíferas; para mi deporte jugó la ardilla; dobló el topo enfadado con su pala; para mi gusto, el cono de zarzamora violeta sobre seto y piedra; reí en el arroyo para mi deleite durante el día y la noche, susurrando en la pared del jardín, habló conmigo de otoño a otoño; mío el estanque de piquete con borde de arena; mías las laderas de nogal más allá; ¡mío, un huerto de árboles doblados, manzanas de Hespérides! Aun así, a medida que mi horizonte crecía, mis riquezas también aumentaban; ¡Todo el mundo que vi o conocí parecía un complejo juguete chino, diseñado para un niño descalzo! —J.G. Whittier.

Tenga cuidado al regular su tempo para no hacer que su movimiento sea demasiado rápido. Esta es una falla común con los oradores aficionados. La regla de la Sra. Siddons era: "Tómese el tiempo". Hace cien años se utilizó en los círculos médicos una preparación conocida como "el remedio de la pistola de tiro"; era una mezcla de unos cincuenta ingredientes diferentes, y se le dio al paciente con la esperanza de que al menos uno de ellos demostrara su eficacia. Parece un esquema bastante pobre para la práctica médica, pero es bueno usar el tempo de "pistola de tiro" para la mayoría de los discursos, ya que ofrece diversidad. Tempo, como la dieta, es mejor cuando se mezcla.

PREGUNTAS Y EJERCICIOS

1. Define tempo.

2. ¿Qué palabras provienen de la misma raíz?

3. ¿Qué se entiende por cambio de tempo?

4. ¿Qué efectos obtiene?

5. Menciona tres métodos para destruir la monotonía y ganar fuerza al hablar.

6. Observa los cambios de tempo en una conversación o discurso que escuches. ¿Estaban bien hechos? ¿Por qué? Ilustrar.

7. Lee las selecciones en las páginas 34, 35, 36, 37 y 38, prestando especial atención al cambio de tempo.

8. Como regla, la emoción, la alegría o la ira intensa toman un tempo rápido, mientras que el dolor y los sentimientos de gran dignidad o solemnidad toman un tempo lento. Intenta pronunciar el discurso de Gettysburg de Lincoln (página 50), en un tempo rápido, o el discurso de Patrick Henry (página 110), en un tempo lento, y observa cuán ridículo será el efecto.

Practica las siguientes selecciones, observando cuidadosamente dónde se puede cambiar el tempo para sacar ventaja. Experimenta haciendo numerosos cambios. ¿Cuál te gusta más?

DEDICACIÓN DEL CEMENTERIO DE GETTYSBURG

Cuatro ochenta y siete años atrás, nuestros padres trajeron a este continente una nueva nación, concebida en libertad y dedicada al propósito de que todos los hombres son creados iguales. Ahora estamos involucrados en una gran guerra civil, probando si esa nación, o cualquier nación tan concebida y dedicada, puede perdurar por mucho tiempo.

Nos encontramos en un gran campo de batalla de esa guerra.

Nos encontramos para dedicar una parte de él como el lugar de descanso final de aquellos que han dado sus vidas para que esa nación pueda vivir. Es totalmente apropiado y adecuado que hagamos esto.

Pero, en un sentido más amplio, no podemos dedicar, no podemos consagrar, no podemos santificar este terreno. Los hombres valientes, vivos y muertos, que lucharon aquí, lo han consagrado, muy por encima de nuestro poder para sumar o restar valor. El mundo muy poco notará o recordará por mucho tiempo lo que decimos aquí; pero nunca puede olvidar lo que hicieron aquí.

Nos corresponde a nosotros, los vivos, más bien, dedicarnos aquí al trabajo inacabado que hasta ahora han llevado a cabo noblemente. Es más bien para nosotros estar aquí dedicados a la gran tarea que nos queda por delante: que de estos muertos honrados tomemos una mayor devoción a esa causa por la cual aquí dieron la última medida de devoción completa; que aquí decidimos que estos muertos no habrán muerto en vano; que la nación, bajo Dios, tendrá un nuevo nacimiento de libertad, y que el gobierno del pueblo, por el pueblo, por el pueblo, no perecerá de la tierra.

—Abraham Lincoln.

UNA SÚPLICA POR CUBA

[Esta oración deliberativa fue entregada por el Senador Thurston en el Senado de los Estados Unidos el 24 de marzo de 1898. Está registrada en su totalidad en el Registro del Congreso de esa fecha. La Sra. Thurston falleció en Cuba. Como petición de muerte, instó a su esposo, que estaba investigando los asuntos en la isla, a hacer todo lo posible para inducir a los Estados Unidos a intervenir, de ahí esta oración.]

Señor Presidente, estoy aquí por orden de labios silenciosos para hablar de una vez por todas sobre la situación cubana. Me esforzaré por ser honesto, conservador y justo. No tengo ningún propósito de despertar la pasión del público por cualquier acción que no sea necesaria e imprescindible para cumplir con los deberes y las necesidades de la responsabilidad estadounidense, la humanidad cristiana y el honor nacional. Eludiría esta tarea si pudiera, pero no me atrevo. No puedo satisfacer mi conciencia excepto hablando y hablando ahora.

Fui a Cuba creyendo firmemente que la situación de los asuntos allí había sido muy exagerada por la prensa, y mis propios esfuerzos se dirigieron en primera instancia al intento de exposición de estas supuestas exageraciones. Indudablemente ha habido mucho sensacionalismo en el periodismo de la época, pero en cuanto a la situación de los asuntos en Cuba, no ha habido exageración, porque la exageración ha sido imposible.

Bajo la política inhumana de Weyler, no menos de cuatrocientos mil campesinos autosuficientes, simples, pacíficos e indefensos fueron expulsados de sus hogares en las porciones agrícolas de las provincias españolas a las ciudades y encarcelados por los desechos estériles fuera de las porciones residentes de estas ciudades y dentro de las líneas de afianzamiento establecidas un poco más allá. Quemaron sus humildes hogares, destruyeron sus campos, destruyeron sus implementos de cría, confiscaron su ganado y suministros de alimentos en su mayor parte. La mayoría de las personas eran viejos, mujeres y niños. Fueron así metidos en cárceles sin esperanza, sin refugio ni comida. No había trabajo para ellos en las ciudades a las que fueron conducidos. Se quedaron sin nada de lo que depender excepto con la escasa caridad de los habitantes de las ciudades y con un hambre lenta su inevitable destino...

Las imágenes en los periódicos estadounidenses de los reconcentrados hambrientos son ciertas. Todos pueden ser duplicados por miles. Nunca antes vi, y por favor, Dios, nunca volveré a ver, una vista tan deplorable como la de los reconcentrados en los suburbios de Matanzas.

Nunca puedo olvidar hasta el día de mi muerte la angustia desesperada en sus ojos desesperados. Acurrucados sobre sus pequeñas cabañas de corteza, no levantaron ninguna voz para pedir limosna mientras íbamos entre ellos...

Hombres, mujeres y niños permanecen en silencio, muriendo de hambre. Su único atractivo proviene de sus ojos tristes, a través de los cuales uno mira una ventana abierta a sus almas agonizantes.

El gobierno de España no se ha apropiado y no se apropiará de un dólar para salvar a estas personas. Ahora están siendo atendidos y asistidos y administrados por la organización benéfica de los Estados Unidos. ¡Piensa en el espectáculo! Estamos alimentando a estos ciudadanos de España; estamos cuidando a sus enfermos; estamos ahorrando lo que se puede salvar y, sin embargo, hay quienes todavía dicen que es correcto que enviemos comida, pero debemos mantener las manos alejadas. Digo que ha llegado el momento en que los mosquetes deben ir con la comida.

Le preguntamos al gobernador si sabía de algún alivio para estas personas, excepto a través de la caridad de los Estados Unidos. No sabía. Le preguntamos: "¿Cuándo cree que llegará el momento en que estas personas puedan ser colocadas en una posición de autosuficiencia?" Él nos respondió con un sentimiento profundo: "Solo el Dios bueno o el gran gobierno de los Estados Unidos responderán esa pregunta".

Espero y creo que el Dios bueno del gran gobierno de los Estados Unidos responderá esa pregunta.

No me referiré más a estas cosas horribles. Están allí. Dios me tenga lástima, los he visto; permanecerán en mi mente para siempre, y esto es casi el siglo XX. Cristo murió hace mil novecientos años, y España es una nación cristiana. Ella ha establecido más cruces en más tierras, debajo de más cielos, y debajo de ellas ha masacrado a más personas que todas las demás naciones de la tierra juntas. Europa puede tolerar su existencia mientras lo desee la gente del Viejo Mundo. ¡Dios conceda que antes de otra mañana de Navidad el último vestigio de la tiranía y la opresión española se habrá desvanecido del hemisferio occidental!

El tiempo de la acción ha llegado. Mañana no puede existir una razón mayor que la que existe hoy. El retraso de cada hora solo agrega otro capítulo a la horrible historia de miseria y muerte. Solo una potencia puede intervenir: los Estados Unidos de América. La nuestra es la gran nación del mundo, la madre de las repúblicas americanas. Tiene una posición de confianza y responsabilidad hacia los pueblos y asuntos de todo el hemisferio occidental. Fue su glorioso ejemplo el que inspiró a los patriotas de Cuba a izar la bandera de la libertad en sus colinas eternas.

No podemos negarnos a aceptar esta responsabilidad que el Dios del universo nos ha impuesto como el único gran poder en el Nuevo Mundo. ¡Debemos actuar! ¿Cuál será nuestra acción?

Contra la intervención de los Estados Unidos en esta santa causa, solo hay una voz de disenso; esa voz es la voz de los cambistas. ¡Le temen a la guerra! No por ningún sentimiento cristiano o ennoblecedor contra la guerra y en favor de la paz, sino porque temen que una declaración de guerra, o la intervención que pueda resultar en guerra, tenga un efecto deprimente en el mercado de valores. Déjalos ir. No representan el sentimiento estadounidense; no representan el patriotismo estadounidense. Déjelos tomar sus oportunidades como puedan.

Su bienestar o desgracia es de poca importancia para las personas amantes de la libertad de los Estados Unidos. No pelearán; su sangre no fluirá; seguirán negociando opciones sobre la vida humana. Deje a un lado a los hombres cuya lealtad es al dólar, mientras que los hombres cuya lealtad es a la bandera vienen al frente.

Señor Presidente, solo hay una acción posible, si se toma alguna; es decir, intervención para la independencia de la isla. Pero no podemos intervenir y salvar a Cuba sin el ejercicio de la fuerza, y la fuerza significa guerra; guerra significa sangre. El humilde Nazareno a orillas de Galilea predicó la divina doctrina del amor: "Paz en la tierra, buena voluntad para con los hombres". No la paz en la tierra a expensas de la libertad y la humanidad. No es buena voluntad hacia los hombres que despojan, esclavizan, degradan y matan de hambre a sus semejantes. Creo en la doctrina de Cristo. Creo en la doctrina de la paz; pero, señor presidente, los hombres deben tener libertad antes de que pueda llegar la paz permanente.

Intervención significa fuerza. La fuerza significa guerra. Guerra significa sangre. Pero será la fuerza de Dios. ¿Cuándo se ha ganado una batalla por la humanidad y la libertad, excepto por la fuerza? ¿Qué barricada de maldad, injusticia y opresión se ha llevado a cabo excepto por la fuerza?

La fuerza obligó a la firma de la reacia realeza a la gran Carta Magna; la fuerza puso vida en la Declaración de Independencia e hizo efectiva la Proclamación de Emancipación; la fuerza golpeó con las manos desnudas sobre la puerta de hierro del Bastile e hizo represalias en una hora horrible por siglos de crímenes reales; la fuerza ondeó la bandera de la revolución sobre Bunker Hill y marcó las nieves de Valley Forge con pies manchados de sangre; la fuerza sostuvo la línea quebrada de Shiloh, subió la colina barrida por las llamas en Chattanooga y asaltó las nubes en Lookout Heights;

la fuerza marchó con Sherman hacia el mar, cabalgó con Sheridan en el valle del Shenandoah y le dio a Grant la victoria en Appomattox; la fuerza salvó a la Unión, mantuvo a las estrellas en la bandera, hizo hombres "negros". Ha llegado el momento de la fuerza de Dios. Deja que los apasionados labios de los patriotas estadounidenses retomen la canción una vez más:

"En la belleza de los lirios, Cristo nació al otro lado del mar. Con una gloria en su seno que nos transfigura a ti y a mí; al morir para santificar a los hombres, moriremos para liberar a los hombres. Mientras Dios marcha".

Otros pueden dudar, otros pueden postergar, otros pueden abogar por más negociaciones diplomáticas, lo que significa demora; pero para mí, estoy listo para actuar ahora, y para mi acción estoy listo para responder a mi conciencia, mi país y mi Dios.

—James Mellen Thurston.

CAPÍTULO VI

PAUSA Y PODER

El verdadero negocio del artista literario es trenzar o tejer su significado, envolviéndolo en sí mismo; de modo que cada oración, por frases sucesivas, primero entrará en una especie de nudo, y luego, después de un momento de significado suspendido, se resolverá y se aclarará.

—George Saintsbury, en *Prosa Inglesa*
Estilo, en *Ensayos Varios*.

... Pausa ... tiene un valor distintivo, expresado en silencio; en otras palabras, mientras la voz está esperando, la música del movimiento continúa ... Para manejarlo, con sus delicadezas y compensaciones, se requiere la misma finura de oído de la que debemos depender para todo ritmo de prosa impecable. Cuando no hay compensación, cuando la pausa es involuntaria ... hay una sensación de sacudida y falta, como si se hubiera caído algún alfiler o cierre.

—John Franklin Genung, *Los Principios de Trabajo de la Retórica*.

Pausa, en un discurso público, no es un mero silencio, es un silencio hecho de manera elocuente.

Cuando un hombre dice: "Yo -uh- es con profundo -ah- placer que -eh- se me ha permitido hablar contigo esta noche y -uh-uh- debería decir -eh-" eso no es una pausa; eso es tropezar. Es concebible que un hablante pueda ser efectivo a pesar de tropezar, pero nunca por tropezar.

Por otro lado, uno de los medios más importantes para desarrollar el poder en hablar en público es pausar antes o después, o antes y después, de una palabra o frase importante.

Nadie que sea un orador enérgico puede darse el lujo de omitir este principio, uno de los más importantes que se haya inferido al escuchar a grandes oradores. Estudia este dispositivo potencial hasta que lo hayas absorbido y asimilado.

Parecería que este principio de pausa retórica debería ser fácilmente comprendido y aplicado, pero una larga experiencia en la capacitación de hombres universitarios y hablantes más maduros ha demostrado que el dispositivo ya no se comprende fácilmente cuando se le explica por primera vez, como si se hablara en Indostano. Quizás esto se deba a que no devoramos ansiosamente el fruto de la experiencia cuando se nos presenta de manera impresionante en la bandeja de la autoridad; nos gusta arrancar fruta para nosotros, no solo sabe mejor, ¡sino que nunca olvidamos ese árbol! Afortunadamente, esta no es una tarea difícil, en este caso, ya que los árboles se mantienen firmes a nuestro alrededor.

Un hombre aboga por la causa de otro:

"Este hombre, mis amigos, ha hecho este maravilloso sacrificio,—por usted y por mí".

¿La pausa no aumentó sorprendentemente el poder de esta declaración? Observa cómo reunió la fuerza de reserva y asombro para pronunciar las palabras "por usted y por mí". Repite este pasaje sin hacer una pausa. ¿Perdió efectividad?

Naturalmente, durante una pausa premeditada de este tipo, la mente del hablante se concentra en el pensamiento al que está a punto de expresar. No se atreverá a permitir que sus pensamientos divaguen por un instante; más bien centrará su pensamiento y su emoción en el sacrificio cuyo servicio, dulzura y divinidad está imponiendo por su atractivo.

Concentración, entonces, es la gran palabra aquí: ninguna pausa sin ella puede dar en el blanco.

La pausa eficiente logra uno o los cuatro resultados:

1. *La pausa permite que la mente del orador reúna sus fuerzas antes de entregar la volea final.*

A menudo es peligroso apresurarse a la batalla sin hacer una pausa para la preparación o esperar a los reclutas. Considera la masacre de Custer como una instancia.

Puede encender una mecha sosteniéndola debajo de una lente y concentrando los rayos del sol. No esperaría que la cerilla se incendiara si moviera la lente rápidamente de un lado a otro. Pausa, y la lente recoge el calor. Sus pensamientos no prenderán fuego a las mentes de sus oyentes a menos que haga una pausa para reunir la fuerza que viene por un segundo o dos de concentración. Los arces y los pozos de gas rara vez se explotan continuamente; cuando se desea un flujo más fuerte, se hace una pausa, la naturaleza tiene tiempo para reunir sus fuerzas de reserva, y cuando se vuelve a abrir el árbol o el pozo, el resultado es un flujo más fuerte.

Usa el mismo sentido común con tu mente. Si desea que un pensamiento sea particularmente efectivo, haga una pausa justo antes de que se exprese, concentre sus energías mentales y luego exprese con renovado vigor. Carlyle tenía razón: "No hables, te suplico apasionadamente, hasta que tu pensamiento haya madurado en silencio. De tu silencio sale tu fuerza. El habla es plata, el silencio es oro; el habla es humana, el silencio es divino".

El silencio ha sido llamado el padre del habla. Debería ser. Demasiados de nuestros discursos públicos no tienen padres. Divagan sin pausa ni descanso. Como el arroyo de Tennyson, corren para siempre. Escucha a los niños pequeños, al policía de la esquina, a la conversación familiar alrededor de la mesa y ve cuántas pausas usan naturalmente, ya que no son conscientes de los efectos. Cuando llegamos ante una audiencia, arrojamos al viento la mayoría de nuestros métodos naturales de expresión y nos esforzamos por lograr efectos artificiales. Regresa a los métodos de la naturaleza y haz una pausa.

2. *La pausa prepara la mente del auditor para recibir tu mensaje*

Herbert Spencer dijo que todo el universo está en movimiento. Así es, y todo movimiento perfecto es ritmo. Parte del ritmo es el descanso. El descanso sigue a la actividad en toda la naturaleza. Instancias: día y noche; otoño, invierno, primavera, verano; un período de descanso entre respiraciones; un instante de descanso completo entre latidos del corazón. Haz una pausa y dale un descanso a los poderes de atención de tu audiencia. Lo que digas después de tal silencio tendrá mucho más efecto.

Cuando los primos de tu país llegan a la ciudad, el ruido de un automóvil que pasa los despierta, aunque rara vez afecta a un habitante experimentado de la ciudad. Por el continuo paso de los automóviles, su poder de atención se ha reducido. En alguien que visita la ciudad pero rara vez, el valor de la atención es insistente. Para él, el ruido llega después de una larga pausa; de ahí su poder. Para ti, habitante de la ciudad, no hay pausa; de ahí el bajo valor de atención. Después de viajar en un tren durante varias horas, se acostumbrará a su rugido que perderá su valor de atención, a menos que el tren se detenga por un momento y comience de nuevo. Si intenta escuchar una marca de reloj que está tan lejos que apenas puede escucharla, encontrará que a veces no puede distinguirla, pero en unos momentos el sonido vuelve a ser distinto. Tu mente hará una pausa para descansar, lo desees o no.

La atención de tu audiencia actuará de la misma manera. Reconozca esta ley y prepárese para ella haciendo una pausa. Que se repita: el pensamiento que sigue a una pausa es mucho más dinámico que si no hubiera ocurrido una pausa. Lo que se te dice en la noche no tendrá el mismo efecto en tu mente que si te lo hubieran dicho en la mañana, cuando tu atención se ha refrescado recientemente por la pausa del sueño. En la primera página de la Biblia se nos dice que incluso la Energía Creativa de Dios descansó en el "séptimo día". Puede estar seguro, entonces, de que la frágil mente finita de su audiencia también exigirá descanso. Observa la naturaleza, estudia sus leyes y obedécelas cuando hables.

3. *Pausa crea suspenso efectivo*

El suspenso es responsable de una gran parte de nuestro interés en la vida; será lo mismo con tu discurso. Una obra de teatro o una novela a menudo se priva de gran parte de su interés si conoce de antemano la trama. Nos gusta seguir adivinando el resultado. La habilidad de crear suspenso es parte del poder de la mujer para mantener el otro sexo. El acróbata de circo emplea este principio cuando falla intencionalmente en varios intentos de realizar una hazaña, y luego lo logra. Incluso la manera deliberada en que organiza los preliminares aumenta nuestras expectativas: nos gusta que nos hagan esperar. En el último acto de la obra, "Polly del Circo", hay una escena de circo en la que un perrito da un salto mortal hacia atrás en la espalda de un pony corriendo. Una noche, cuando dudó y tuvo que ser persuadido y trabajó mucho tiempo antes de que realizara su hazaña, recibió muchos más aplausos que cuando hizo su truco de inmediato. No solo nos gusta esperar sino que apreciamos lo que esperamos. Si los peces muerden con demasiada facilidad, el deporte pronto deja de ser un deporte.

Es este mismo principio de suspenso el que te retiene en una historia de Sherlock Holmes: esperas para ver cómo se resuelve el misterio y, si se resuelve demasiado pronto, arrojas la historia sin terminar. El recibo de Wilkie Collins por escribir ficción se aplica bien al discurso público: "Hazlos reír; hazlos llorar; hazlos esperar". Por encima de todo, hazlos esperar; si no lo hacen, puede estar seguro de que no se reirán ni llorarán.

Por lo tanto, la pausa es un instrumento valioso en manos de un orador capacitado para despertar y mantener el suspenso. Una vez escuchamos al Sr. Bryan decir en un discurso: "Fue un privilegio escuchar", y se detuvo, mientras la audiencia se preguntó por un segundo a quién tenía el privilegio de escuchar, "al gran evangelista", y se detuvo nuevamente; sabíamos un poco más sobre el hombre que había escuchado, pero aún nos preguntamos a qué evangelista se refería; y luego concluyó: "Dwight L. Moody". El Sr. Bryan se detuvo un poco de nuevo y continuó: "Vine a mirarlo", donde se detuvo nuevamente y mantuvo a la audiencia en un breve momento de suspenso sobre cómo había considerado al Sr. Moody, luego continuó: "como el mejor predicador de su época." Deja que los guiones ilustren pausas y tenemos lo siguiente:

"Fue un privilegio escuchar al gran evangelista Dwight L. Moody. Llegué a considerarlo como el mejor predicador de su época".

El orador no calificado habría dicho esto sin pausa ni suspenso, y las oraciones habrían caído sobre la audiencia. Es precisamente la aplicación de estas pequeñas cosas que hace gran parte de la diferencia entre el orador exitoso y el que no lo logra.

4. *Hacer una pausa después de una idea importante le da tiempo para penetrar*

Cualquier granjero de Missouri le dirá que una lluvia que cae demasiado rápido se escapará a los arroyos y hará las cosechas, pero poco bien. Se cuenta una historia de un diácono del país que reza por lluvia de esta manera: "Señor, no nos envíes ningún flotador. Solo danos una buena llovizna". Un discurso, como una lluvia, no le hará mucho bien a nadie si llega demasiado rápido para empaparse. La esposa del granjero sigue este mismo principio al lavar la ropa cuando pone la ropa en agua, y hace una pausa durante varias horas, para que pueda remojarse. El médico pone cocaína en sus cornetes, y hace una pausa para dejar que se asiente antes de retirarlos. ¿Por qué usamos este principio en todas partes excepto en la comunicación de ideas? Si le ha dado a la audiencia una gran idea, haga una pausa por un segundo o dos y déjelos darle la vuelta. Mira qué efecto tiene. Después de que el humo desaparezca, es posible que tengas que disparar otro proyectil de 14 pulgadas sobre el mismo tema antes de demoler la ciudadela de error que estás tratando de destruir. Toma tiempo.

No permitas que tu discurso se parezca a los turistas que intentan "ver" Nueva York en un día. Pasan quince minutos mirando las obras maestras en el Museo Metropolitano de Artes, diez minutos en el Museo de Historia Natural, echan un vistazo al Acuario, se apresuran a cruzar el Puente de Brooklyn, suben al Zoológico y regresan a la Tumba de Grant. Llaman a eso "Ver Nueva York". Si te apresuras por tus puntos importantes sin detenerte, tu audiencia tendrá una idea casi tan adecuada de lo que has tratado de comunicar.

Tómate el tiempo, tienes tanto como nuestro multimillonario más rico. Tu audiencia te esperará. Es una señal de pequeñez darse prisa. Los grandes secuoyas de California habían estallado en el suelo quinientos años antes de que Sócrates bebiera su copa de veneno de cicuta, y hoy solo están en su mejor momento. La naturaleza nos avergüenza con nuestra pequeña prisa. El silencio es una de las cosas más elocuentes del mundo. Domínalo y úsalo a través de la pausa.

En las siguientes selecciones se han insertado guiones donde las pausas se pueden usar de manera efectiva. Naturalmente, puedes omitir algunos de estos e insertar otros sin equivocarte: un hablante interpretaría un pasaje de una manera, otro de otra manera; es en gran medida una cuestión de preferencia personal.

Una docena de grandes actores han interpretado bien a Hamlet y, sin embargo, cada uno ha interpretado el papel de manera diferente. Lo que se acerca más a la perfección es una cuestión de opinión. Tendrá más éxito si se atreve a seguir su propio curso, si es lo suficientemente individual como para abrir un camino original.

Un momento de alto, —un sabor momentáneo de ser del pozo en medio de la basura, —y ¡he aquí! la caravana fantasma ha llegado, —de la nada de la que salió— ... ¡Oh, date prisa!

La esperanza mundana en la que los hombres ponen sus corazones, — se convierte en cenizas, o prospera, y luego, como nieve sobre la cara polvorienta del desierto—, que se enciende una o dos horas—, desaparece.

El ave del tiempo no tiene más que una pequeña forma de revolotear, —y el pájaro está volando.

Notará que los signos de puntuación no tienen nada que ver con la pausa. Puede correr por un período muy rápido y hacer una pausa larga donde no hay ningún tipo de puntuación. El pensamiento es mayor que la puntuación. Deben guiarte tus pausas.

Un libro de versos debajo de la rama, —una jarra de vino, una hogaza de pan, —y tú a mi lado cantando en el desierto. —Oh, —el desierto era un paraíso.

No debe confundir la pausa para enfatizar con las pausas naturales que se producen al respirar y redactar. Por ejemplo, tenga en cuenta las pausas indicadas en esta selección de Byron:

Pero, ¡Silencio!— ¡Escuchen!— Ese sonido profundo irrumpe una vez más, ¡Y *más cerca*!— *¡Más claro!*— *Más muerto* que antes. ¡*Arm*, ARM!—Eso es— ¡Es el rugido de apertura del cañón!

No es necesario detenerse extensamente en estas distinciones obvias. Observará que en una conversación natural nuestras palabras se agrupan en grupos o frases, y a menudo nos detenemos para tomar aliento entre ellas.entonces, en un discurso público, respire naturalmente y no hable hasta que deba jadear; ni hasta que la audiencia esté igualmente a falta de aliento.

Aquí debe pronunciarse una seria advertencia: no exageres la pausa. Hacerlo hará que tu discurso sea pesado y rígido. Y no pienses que la pausa puede transmutar los pensamientos comunes en expresiones grandiosas y dignas. Un gran estilo combinado con ideas insignificantes es como dominar a un caballo de carreras con un trasero. ¿Te acuerdas de la ridícula declaración de la vieja escuela, "Un Asesinato a Medianoche", que procedió de manera grandiosa a un clímax emocionante y terminó— "y asesinó sin descanso— un mosquito!"

La pausa, manejada dramáticamente, siempre provocaba la risa de los oyentes tolerantes. Todo esto está muy bien en la farsa, pero ese anti-clímax se vuelve doloroso cuando el hablante cae de lo sublime a lo ridículo sin querer. La pausa, para que sea efectiva de alguna otra manera que no sea la del boomerang, debe preceder o seguir un pensamiento que realmente valga la pena, o al menos una idea cuya relación con el resto del discurso sea importante.

William Pittenger relata en su volumen, "Extempore Speech", un ejemplo del uso inconscientemente absurdo de la pausa por un gran estadista y orador estadounidense. "Había visitado las Cataratas del Niágara y debía hacer una oración en Buffalo el mismo día, pero, desafortunadamente, se sentó demasiado sobre el vino después de la cena. Cuando se levantó para hablar, el instinto oratorio luchó con dificultades, como declaró:" ¡Señores, he visto su mag—mag— magnífica catarata, de ciento cuarenta y siete pies de altura! Señores, Grecia y Roma, en sus días más palmeros, nunca tuvieron cataratas de ciento cuarenta y siete pies de altura! "

PREGUNTAS Y EJERCICIOS

1. Nombra cuatro métodos para destruir la monotonía y ganar poder al hablar.

2. ¿Cuáles son los cuatro efectos especiales de la pausa?

3. Observa las pausas en una conversación, juego o discurso. ¿Eran las mejores que se podrían haber usado? Ilustrar.

4. Lee en voz alta las selecciones en las páginas 50-54, prestando especial atención a la pausa.

5. Lee lo siguiente sin hacer ninguna pausa. Vuelve a leer correctamente y observa la diferencia:

Pronto pasará la noche; y cuando, del Centinela en las murallas de Liberty los ansiosos preguntan: | "Vigilante, ¿qué hay de la noche?" su respuesta será | "He aquí, la mañana aparece".

Conociendo el precio que debemos pagar, | el sacrificio | que debemos hacer | las cargas | que debemos llevar, | los asaltos | que debemos soportar | sabiendo muy bien el costo, | aún, nos enlistamos y nos enlistamos | por la guerra. | Porque conocemos la justicia de nuestra causa, | y sabemos, también, su cierto triunfo.

No de mala gana, entonces, | pero con impaciencia | no con corazones débiles, | sino fuertes, ¿avanzamos ahora sobre los enemigos del pueblo? | Porque la llamada que nos llega es la llamada que vino a nuestros padres. | A medida que respondieron, nosotros también.

"Ha tocado una trompeta | que nunca llamará retirada, está apartando los corazones de los hombres | delante de su tribunal. Oh, sea rápido | nuestras almas para responderle, | esté jubiloso nuestros pies, Nuestro Dios | está marchando "

—Albert J. Beveride, de su discurso como presidente temporal de la Convención Nacional Progresista, Chicago, 1912.

6. Expón las ideas contrastantes a continuación utilizando la pausa:

Contrasta ahora las circunstancias de tu vida y la mía, suavemente y con genio, Æschines; y luego pregunte a estas personas qué fortuna preferirían cada uno de ellos. Enseñaste a leer, yo fui a la escuela: realizaste iniciaciones, yo las recibí: bailaste en el coro, yo lo proporcioné: eras empleado de la asamblea, yo era un orador: actuaste en tercera parte, yo te escuché: te rompiste y yo siseé: has trabajado como estadista para el enemigo, yo para mi país. Yo paso por el resto; pero este mismo día estoy en libertad condicional por una corona, y se me reconoce inocente de toda ofensa; mientras tú ya has sido juzgado de ser un pettifogger, y la pregunta es si continuará ese intercambio o si de inmediato será silenciado al no obtener una quinta parte de los votos. ¡Una feliz fortuna, ¿ves?, has disfrutado, deberías denunciar la mía como miserable!

—Demóstenes.

7. Después de estudiar y practicar cuidadosamente, marca las pausas de la siguiente manera:

El pasado se levanta ante mí como un sueño. Nuevamente estamos en la gran batalla por la vida nacional. Escuchamos los sonidos de la preparación: —la música de los tambores bulliciosos, las voces plateadas de las cornetas heroicas. Vemos miles de ensamblajes y escuchamos los llamamientos de los oradores; vemos las pálidas mejillas de las mujeres y los rostros sonrojados de los hombres; y en esas asambleas vemos a todos los muertos cuyo polvo hemos cubierto con flores. Ya no los perdemos de vista. Estamos con ellos cuando se alistan en el gran ejército de la libertad. Los vemos separarse de sus seres queridos. Algunos caminan por última vez en lugares tranquilos y arbolados con la doncella que adoran. Escuchamos los susurros y los dulces votos del amor eterno mientras se separan para siempre. Otros se inclinan sobre cunas y besan a los bebés que están dormidos. Algunos reciben las bendiciones de los viejos. Algunos se separan de aquellos que los sostienen y los presionan a sus corazones una y otra vez, y no dicen nada; y algunos hablan con esposas y se esfuerzan con palabras valientes en los viejos tonos para expulsar de sus corazones el terrible miedo. Los vemos separarse. Vemos a la esposa parada en la puerta, con el bebé en brazos, —de pie bajo la luz del sol sollozando; a la vuelta de la carretera, una mano saluda —; ella responde sosteniendo al niño en sus manos amorosas. Se ha ido, —y para siempre.

—Robert J. Ingersoll, *a los soldados de Indianápolis.*

8. ¿Dónde pausarías en la siguiente selección? Intenta pausar en diferentes lugares y observa el efecto el efecto que produce.

El dedo en movimiento escribe; y después de que la escritura avanza: ni toda tu piedad ni tu ingenio lo atraerán de regreso para cancelar la mitad de una línea, ni todas tus lágrimas derramarán una sola palabra.

La historia de la mujer es una historia de abuso. Durante años, los hombres golpearon, vendieron y abusaron de sus esposas e hijas como el ganado. La madre espartana que dio a luz a uno de su propio sexo se deshonró a sí misma; las niñas a menudo eran abandonadas en las montañas para morir de hambre; China ató y deformó sus pies; Turquía puso velo en sus rostros; Estados Unidos les negó las mismas ventajas educativas que los hombres. La mayor parte del mundo todavía les niega el derecho a participar en el gobierno y en todas partes las mujeres llevan la peor parte de un nivel desigual de moralidad.

Pero las mujeres están en marcha. Están caminando hacia las llanuras iluminadas por el sol donde gobiernan las personas pensantes. China ha dejado de atar sus pies. A la sombra del harén, Turquía ha abierto una escuela para niñas. Estados Unidos les ha dado a las mujeres las mismas ventajas educativas, y creemos que Estados Unidos les otorgará sus derechos.

Podemos hacer poco para ayudar y no mucho para obstaculizar este gran movimiento. La gente pensante ha puesto su O.K. sobre ellas. Se están moviendo hacia su objetivo con la misma seguridad que esta vieja tierra se balancea desde las garras del invierno hacia las flores de la primavera y la cosecha del verano.

9. Lee en voz alta la siguiente dirección, prestando especial atención a hacer una pausa donde sea que el énfasis pueda ser elevado.

EL CONFLICTO IRREPRESIONABLE

... Por fin, ha aparecido el partido republicano. Ahora declara, como hizo el partido republicano de 1800, en una palabra, su fe y sus obras, "Justicia igual y exacta para todos los hombres". Incluso cuando entró por primera vez en el campo, solo medio organizado, dio un golpe que simplemente no logró asegurar una victoria completa y triunfante. En esta, su segunda campaña, ya ha obtenido ventajas que hacen que ese triunfo sea fácil y seguro. El secreto de su éxito asegurado radica en esa característica que, en boca de los burladores, constituye su gran y duradera imbecilidad y reproche. Se basa en el hecho de que es un partido de una idea; pero una que es noble, una que llena y expande todas las almas generosas; la idea de la igualdad de todos los hombres ante los tribunales humanos y las leyes humanas, ya que todos son iguales ante el Tribunal Divino y las leyes divinas.

Sé, y sabes, que ha comenzado una revolución. Sé, y todo el mundo lo sabe, que las revoluciones nunca van hacia atrás. Veinte senadores y cien representantes hoy proclaman audazmente en el Congreso sentimientos, opiniones y principios de libertad que apenas tantos hombres, incluso en este Estado libre, se atrevieron a pronunciar en sus propios hogares hace veinte años. Mientras que el gobierno de los Estados Unidos, bajo la dirección del partido demócrata, ha estado todo el tiempo entregando una llanura y un castillo tras otro a la esclavitud, el pueblo de los Estados Unidos ha estado, no menos constante y perseverante, reuniendo las fuerzas para recuperar de nuevo todos los campos y todos los castillos que se han perdido, y para confundir y derrocar, con un golpe decisivo, a los traidores de la Constitución y la libertad para siempre. —W.H. Seward.

PIE DE NOTA

De un editorial de D.C. en *Leslie's Weekly*, 4 de junio de 1914.
Usado con permiso.

CAPÍTULO VII

EFICIENCIA A TRAVÉS DE LA INFLEXIÓN

Qué suave la música de esas campanas de la villa, cayendo a intervalos sobre el oído en dulce cadencia; ahora muriendo por completo, ahora repicando fuerte otra vez, y aún más fuerte, claro y sonoro, ¡cuando se avecina el vendaval! Con fuerza fácil, abre todas las celdas donde la memoria dormía.

—William Cowper, *La tarea*.

Herbert Spencer comentó que "Cadencia", con lo que se refería a la modulación de los tonos de la voz al hablar, "es el comentario continuo de las emociones sobre las proposiciones del intelecto". Cuán cierto será esto cuando reflexionemos que las pequeñas sombras hacia arriba y hacia abajo de la voz dicen más verdaderamente lo que queremos decir que nuestras palabras.

La expresividad del lenguaje se multiplica literalmente por este sutil poder para sombrear los tonos vocales, y este sombreado de voz que llamamos *inflexión*.

El cambio de tono *dentro* de una palabra es aún más importante, porque es más delicado que el cambio de tono de una frase a otra. Sin duda, uno no se puede practicar sin el otro. Las palabras simples son solo unos cuantos ladrillos: la inflexión hará de ellos un pavimento, un garaje o una catedral. El poder de la inflexión es cambiar el significado de las palabras que dieron origen al viejo dicho: "No es tanto lo que dices, sino cómo lo dices".

La Sra. Jameson, la comentarista de Shakespeare, nos ha dado un ejemplo penetrante del efecto de la inflexión; "En su personificación de la parte de Lady Macbeth, la Sra. Siddons adoptó sucesivamente tres entonaciones diferentes al dar las palabras 'Fallamos'. Al principio un rápido interrogatorio despectivo: "¿Nosotros fallamos?" Después, con la nota de admiración: "Nosotros fallamos", un acento de asombro indignado que pone el énfasis principal en la palabra "nosotros" — "*Nosotros* fallamos". Por último, se fijó en lo que estoy convencido es la lectura verdadera: *nosotros fallamos*, con el período simple, modulando la voz a un tono profundo, bajo y resuelto que resuelve el problema de inmediato como si hubiera dicho: "Si fallamos, ¿Por qué entonces fallamos y todo se acabó? "

Este elemento más expresivo de nuestro discurso es el último en dominar el logro de la naturalidad al hablar un idioma extranjero, y su uso correcto es el elemento principal en una expresión natural y flexible de nuestra lengua materna. Sin inflexiones variadas, el discurso se vuelve monótono y de madera.

Hay solo dos tipos de inflexión, la ascendente y la descendente, pero estas dos pueden estar tan sombreadas o tan combinadas que son capaces de producir tantas variedades de modulación como puede ilustrarse con una o dos líneas, rectas o curvas, por lo tanto:

Fuerte aumento
Larga subida
Nivel
Larga caída
Fuerte caída
Fuerte subida y bajada
Fuerte caída y subida
Vacilando

Estos pueden variar indefinidamente y sirven simplemente para ilustrar qué amplia variedad de combinaciones pueden verse afectadas por estas dos simples inflexiones de la voz.

Es imposible tabular las diversas inflexiones que sirven para expresar varios tonos de pensamiento y sentimiento. Aquí se ofrecen algunas sugerencias, junto con abundantes ejercicios para practicar, pero la única forma real de dominar la inflexión es observar, experimentar y practicar.

Por ejemplo, toma la oración común, "Oh, él está bien". Observa cómo se puede hacer una inflexión creciente para expresar elogios débiles, dudas corteses o incertidumbre de opinión. Luego, observa cómo las mismas palabras, pronunciadas con una inflexión generalmente descendente, pueden denotar certeza, o aprobación amable, o alabanzas entusiastas, y así sucesivamente.

En general, entonces, encontramos que una inclinación hacia arriba de la voz sugerirá dudas e incertidumbre, mientras que una inflexión descendente decidida sugerirá que está seguro de su terreno.

A los estudiantes no les gusta que les digan que sus discursos "no son tan malos", hablados con una creciente inflexión. Enunciar estas palabras con una larga inflexión descendente endosaría el discurso más bien cordial.

Di adiós a una persona imaginaria a la que esperas volver a ver mañana; después a un querido amigo que nunca esperas volver a ver. Ten en cuenta la diferencia en la inflexión.

"Me lo he pasado muy bien", cuando una mujer frívola, al terminar un té formal, toma una inflexión completamente diferente a las mismas palabras pronunciadas entre amantes que se han disfrutado. Imita a los dos personajes repitiendo esto y observa la diferencia.

Observa cuán ligeras y cortas son las inflexiones en la siguiente breve cita de "Anthony the Absolute", de Samuel Mervin.

En el mar, 28 de marzo.

Esta tarde le dije a Sir Robert como se llame que era un tonto. Tenía toda la razón en esto. Él lo es.

Todas las noches, desde que el barco partió de Vancouver, ha presidido la mesa redonda en medio de la sala de fumadores. Allí toma un sorbo de café y licor, y se aferra a todos los temas conocidos por la mente del hombre. Cada tema es *su* tema. Es una persona de edad avanzada, con una cara mala y un párpado izquierdo caído.

Me dicen que está en el Servicio Británico, un juez en algún lugar de Malasia, donde beben más de lo que les conviene.

Expresa las dos siguientes selecciones con gran seriedad y observa cómo las inflexiones difieren de lo anterior. Luego vuelve a leer estas selecciones de una manera ligera y superficial, observando que el cambio de actitud se expresa a través de un cambio de inflexión.

Cuando leo un hecho sublime en Plutarco, o un acto desinteresado en una línea de poesía, o me emociono bajo una leyenda heroica, ya no es el país de las hadas, lo he visto coincidir. —Wendell Phillips.

El pensamiento es más profundo que todo discurso; el sentimiento es más profundo que todo pensamiento; las almas a las almas nunca pueden enseñar lo que a sí mismos se les enseñó. —Cranch.

Debe quedar perfectamente claro que la inflexión se trata principalmente de sombras sutiles y delicadas dentro de palabras simples, y de ninguna manera se logra mediante un aumento o disminución general de la voz al pronunciar una oración. Sin embargo, ciertas oraciones pueden ser entregadas efectivamente con tal inflexión. Pruebe esta oración de varias maneras, sin hacer modulación hasta llegar a las dos últimas sílabas, como se indica.

Y aún así le dije esto.

————————————

(alto) |
                                             | claramente.

                                        — — — — — — — — — -

                                        (bajo)
                                        claramente.

                                        — — — — — — — — — -

                                        | (alto)
Y aún así le dije esto. |

————————————-

(bajo)

Ahora intente esta oración al inflexionar las palabras importantes para resaltar varios tonos de significado. Las primeras formas, ilustradas arriba, muestran el cambio de tono dentro de una sola palabra; los formularios que elaboraras tú mismo deben mostrar una cantidad de tales inflexiones a lo largo de la oración.

Una de las principales formas de asegurar el énfasis es emplear una larga inflexión descendente sobre las palabras enfáticas, es decir, dejar que la voz caiga a un tono más bajo en un sonido vocal interior en una palabra. Pruébalo con las palabras "cada", "caritativo" y "destruir".

Usa inflexiones de caída larga en las palabras en cursiva en la siguiente selección, observando su poder enfático. ¿Hay alguna otra palabra aquí que las largas inflexiones de caída ayudarían a hacer expresivo?

DIRECCIÓN EN EL CASO DE DARTMOUTH COLLEGE

Este, señor, es mi caso. Es el caso no solo de esa humilde institución; es el caso de *cada* universidad de nuestra tierra. Es *más*; es el caso de *cada* institución de nuestro país que depende de la *caridad*, de *todas* esas grandes organizaciones benéficas fundadas por la piedad de nuestros antepasados para aliviar la miseria humana y dispersar las bendiciones a lo largo del camino de la vida. Señor, puede *destruir* esta pequeña institución: es *débil*, está en sus manos. Sé que es una de las luces menores en el horizonte literario de nuestro país. Puede apagarlo. Pero si lo hace, debe llevar a cabo su trabajo; ¡debe extinguir, una tras otra, *todas* esas grandes luces de la ciencia que, durante más de un siglo, han arrojado su resplandor sobre nuestra tierra!

Es, señor, como he dicho, una pequeña universidad y, sin embargo, ¡hay quienes *la aman*!

Señor, no sé cómo pueden sentirse los demás, pero en cuanto a mí mismo cuando veo mi alma mater rodeada, como César en la casa del Senado, por aquellos que reiteran *puñalada* tras *puñalada*, no quisiera que esta mano derecha se volviera hacia mí y diga ¡Y *tú también*, hijo mío!

—Daniel Webster.

Ten cuidado de no inflexionar en exceso. Demasiada modulación produce un efecto desagradable de artificialidad, como una matrona madura que intenta ser gatita. Es un paso corto entre la verdadera expresión y el burlesco involuntario.

Examina tus propios tonos. Toma una sola expresión como "¡Oh, no!" o "Oh, ya veo" o "De hecho", y mediante un autoexamen paciente, ve cuántos tonos de significado pueden expresarse por inflexión. Este tipo de práctica de sentido común te hará mejor que un libro de reglas. Pero no olvides escuchar tu propia voz.

PREGUNTAS Y EJERCICIOS

1. Con tus propias palabras, define (a) cadencia, (b) modulación, (c) inflexión, (d) énfasis.

2. Menciona cinco formas de destruir la monotonía y ganar efectividad en el habla.

3. ¿Qué estados mentales significa la caída de la inflexión? Haz una lista lo más completa posible.

4. Haz lo mismo para la inflexión creciente.

5. ¿Cómo se dobla la voz al expresar (a) sorpresa (b) vergüenza (c) odio (d) formalidad (e) emoción?

6. Vuelve a leer algunas oraciones varias veces y al usar diferentes inflexiones cambia el significado con cada lectura.

7. Observa las inflexiones empleadas en algún discurso o conversación. ¿Eran los mejores que podrían usarse para resaltar el significado? Critica e ilustra.

8. Representa los siguientes pasajes:

¿Lo ha hecho el caballero? ¿Lo ha hecho completamente?

Y Dios dijo: Sea la luz: y fue la luz.

9. Inventa una pregunta indirecta y muestra cómo sería naturalmente desviada.

10. ¿Una pregunta directa siempre requiere una inflexión creciente? Ilustra.

11. Ilustra cómo la terminación completa de una expresión o de un discurso se indica mediante inflexión.

12. Haz lo mismo para la idea incompleta.

13. Ilustra (a) temblor, (b) vacilación y (c) dudar por medio de la inflexión.

14. Muestra cómo se puede expresar el contraste.

15. Prueba los efectos de las inflexiones ascendentes y descendentes en las palabras en cursiva en las siguientes oraciones. Indica tu preferencia.

Señores, estoy *persuadido*, no, estoy *decidido* a hablar.

Se siembra un cuerpo *natural*; se levanta un cuerpo *espiritual*.

SELECCIONES PARA PRACTICAR

En las siguientes selecciones, asegura el énfasis mediante inflexiones de caída prolongada en lugar de volumen.

Repite estas selecciones, intentando poner en práctica todos los principios técnicos que hemos tenido hasta ahora; enfatizando palabras importantes, subordinando palabras sin importancia, variedad de tonos, cambio de tempo, pausa e inflexión. Si se aplican estos principios, no tendrás problemas con la monotonía.

La práctica constante te dará una gran facilidad en el uso de la inflexión y hará que la voz en sí misma sea flexible.

CHARLES I

Lo acusamos de haber roto su juramento de coronación; ¡y nos dicen que mantuvo su voto matrimonial! Lo acusamos de haber entregado a su pueblo a las infortunias infamias de los prelados más insensatos y duros de corazón; ¡y la defensa es que tomó a su pequeño hijo sobre sus rodillas y lo besó! Lo censuramos por haber violado los artículos de la Petición de Derecho, después de haber prometido, para su consideración buena y valiosa, observarlos; ¡y nos informan que estaba acostumbrado a escuchar oraciones a las seis de la mañana! Es a consideraciones como estas, junto con su vestido Vandyke, su hermoso rostro y su barba puntiaguda,que él debe, en verdad creemos, la mayor parte de su popularidad con la generación actual.

ABRAHAM LINCOLN

No necesitábamos que pusiera en papel que creía en la esclavitud, quien, con traición, con asesinato, con crueldad infernal, rondaba alrededor de ese hombre majestuoso para

destruir su vida. Era él mismo, pero el aguijón largo con el que la
esclavitud golpeó la libertad; y llevaba el veneno que pertenecía
a la esclavitud. Mientras dure esta nación, nunca se olvidará que
tenemos un presidente mártir, ¡nunca! Nunca, mientras dure el
tiempo, mientras dure el cielo, mientras el infierno se balancee y
gimotee, se olvidará que la esclavitud, por sus secuaces, lo mató, y
al matarlo puso de manifiesto toda su naturaleza y tendencia.

Pero otra cosa que debemos recordar es que este golpe fue
dirigido a la vida del gobierno y de la nación. Lincoln fue
asesinado; América estaba destinada. El hombre fue derribado;
el gobierno estaba enamorado. Fue el presidente quien fue
asesinado. Se buscaba la vida nacional, respirando libertad y
significando beneficencia. Él, el hombre de Illinois, el hombre
privado, despojado de túnicas y las insignias de autoridad, que
representan nada más que su personalidad, podría haber sido
odiado; pero eso no habría provocado el golpe del asesino. Fue
porque se situó en el lugar del gobierno, representando al
gobierno y un gobierno que representaba el derecho y la libertad,
que fue señalado.

Esto, entonces, es un crimen contra el gobierno universal. No
es un golpe a los fundamentos de nuestro gobierno, más que a los
fundamentos del gobierno inglés, del gobierno francés, de cada
gobierno compacto y bien organizado. Fue un crimen contra
la humanidad. El mundo entero lo repudiará y lo estigmatizará
como un hecho sin un tono de luz redentora...

El golpe, sin embargo, ha fallado significativamente. La causa
no está afectada; se fortalece. Esta nación se ha disuelto, pero
solo en lágrimas. Se destaca, cuatro cuadrados más sólido, hoy,
que cualquier pirámide en Egipto. Esta gente no está
desperdiciada, ni intimidada, ni desordenada. Los hombres
odian la esclavitud y aman la libertad con un odio y amor más
fuertes hoy que nunca. El Gobierno no se debilita, se fortalece...

Y ahora el mártir se mueve en marcha triunfal, más poderoso que cuando está vivo. La nación se levanta en cada etapa de su venida. Las ciudades y los estados son sus portadores, y el cañón supera las horas con una progresión solemne. ¡Muerto, muerto, muerto, aún habla! ¿Washington está muerto? ¿Está muerto Hampden? ¿David está muerto? ¿Hay algún hombre muerto que haya sido capaz de vivir? Desencadenado de carne y elevado a la esfera sin obstáculos donde la pasión nunca llega, comienza su trabajo ilimitado. Su vida ahora está injertada en el Infinito, y será fructífera ya que ninguna vida terrenal puede ser. ¡Pasa, tú que has vencido! ¡Tus penas, oh pueblo, son su paz! Tus campanas, bandas y tambores apagados suenan triunfo en su oído. Gime y llora aquí; Dios hace eco de alegría y triunfo allí. ¡Pasa, vencedor!

Hace cuatro años, oh Illinois, tomamos de entre ustedes a un hombre no probado, y de entre la gente; Le devolvemos a usted un poderoso conquistador. Ya no es tuyo, sino de la nación; no la nuestra, sino la del mundo. ¡Dale lugar, praderas! En medio de este gran continente, su polvo descansará, un tesoro sagrado para miríadas que peregrinarán a ese santuario para encender de nuevo su celo y patriotismo. ¡Vientos, que se mueven sobre los poderosos lugares de Occidente, cantan su réquiem! ¡Gente, he aquí un mártir, cuya sangre, como tantas palabras inarticuladas, aboga por la fidelidad, la ley, la libertad!

—Henry Ward Beecher.

LA HISTORIA DE LA LIBERTAD

El evento que conmemoramos es muy importante, no solo en nuestros propios registros, sino también en los del mundo. El sentencioso poeta inglés ha declarado que "el estudio adecuado de la humanidad es el hombre", y de todas las investigaciones de naturaleza temporal, la historia de nuestros semejantes es, sin duda, una de las más interesantes. Pero no todos los capítulos de la historia humana son igualmente importantes. Los registros de nuestra raza se han llenado de incidentes que no conciernen, o al menos no deberían preocupar, a la gran compañía de la humanidad. La historia, como se ha escrito a menudo, es la genealogía de los príncipes, el libro de campo de los conquistadores; y las fortunas de nuestros semejantes han sido tratadas solo en la medida en que han sido afectadas por la influencia de los grandes maestros y destructores de nuestra raza. Tal historia es, no diré un estudio inútil, porque es necesario que conozcamos el lado oscuro y el lado positivo de nuestra condición. Pero es un estudio melancólico que llena de tristeza el seno del filántropo y el amigo de la libertad.

Pero la historia de la libertad, la historia de los hombres que luchan por ser libres, la historia de los hombres que han adquirido y están ejerciendo su libertad, la historia de esos grandes movimientos en el mundo, por los cuales la libertad se ha establecido y perpetuado, constituye un tema que no podemos contemplar demasiado de cerca. Esta es la historia real del hombre, de la familia humana, de los seres racionales inmortales...

La prueba de la adversidad era de ellos; la prueba de la prosperidad es nuestra. Encontrémonos como hombres que conocen su deber y valoran sus bendiciones. Nuestra posición es la más envidiable, la más responsable, que los hombres pueden ocupar. Si esta generación cumple con su deber, la causa de la libertad constitucional está a salvo. Si fallamos, si fallamos, no solo defraudamos a nuestros hijos de la herencia que recibimos de nuestros padres, sino que destruimos las esperanzas de los amigos de la libertad en todo nuestro continente, en toda Europa, en todo el mundo, hasta el final de los tiempos.

La historia no está exenta de sus ejemplos de campos muy reñidos, donde la bandera de la libertad ha flotado triunfalmente en la tormenta más salvaje de la batalla. Ella no tiene sus ejemplos de un pueblo por el cual el tesoro comprado ha sido sabiamente empleado y entregado de manera segura. Los ojos del mundo se vuelven hacia nosotros para ese ejemplo...

Permítanos, entonces, mientras nos reunimos en el cumpleaños de la nación, mientras nos reunimos en el césped verde, una vez mojado con sangre preciosa, ¡dediquémonos a la causa sagrada de la libertad constitucional! ¡Abjurémonos de los intereses y pasiones que dividen a la gran familia de los hombres libres estadounidenses! ¡Deja que la ira del espíritu de fiesta duerma hoy! ¡Resolvamos que nuestros hijos tendrán motivos para bendecir el recuerdo de sus padres, como nosotros tenemos motivo para bendecir el recuerdo de los nuestros! —Edward Everett.

CAPÍTULO VIII

CONCENTRACIÓN EN LA PRONUNCIACIÓN

La atención es el microscopio del ojo mental. Su poder puede ser alto o bajo; su campo de visión estrecho o amplio. Cuando se usa alta potencia, la atención se limita dentro de límites muy circunscritos, pero su acción es extremadamente intensa y absorbente. Ve muy pocas cosas, pero estas pocas se observan "de principio a fin" ... La energía mental y la actividad, ya sea de percepción o de pensamiento, por lo tanto concentradas, actúan como los rayos del sol concentrados por el vidrio en llamas. El objeto se ilumina, se calienta, se prende fuego. Las impresiones son tan profundas que nunca se pueden borrar. La atención de este tipo es la condición principal del trabajo mental más productivo.

—Daniel Putnam, *Psicología.*

Intenta frotar la parte superior de su cabeza hacia adelante y hacia atrás al mismo tiempo que te das palmaditas en el pecho. A menos que tus poderes de coordinación estén bien desarrollados, lo encontrarás confuso, si no imposible.

El cerebro necesita entrenamiento especial antes de poder hacer dos o más cosas de manera eficiente en el mismo instante. Puede parecer dividir un cabello entre su esquina norte y noroeste, pero algunos psicólogos argumentan que ningún cerebro puede pensar dos pensamientos distintos, absolutamente al mismo tiempo, que lo que parece ser simultáneo es una rotación muy rápida del primer pensamiento al segundo y viceversa. De nuevo, al igual que en el experimento citado anteriormente, la atención debe pasar de una mano a otra hasta que uno u otro movimiento se vuelva parcial o totalmente automático.

Cualquiera sea la verdad psicológica de esta afirmación, es innegable que la mente pierde de manera considerable el control sobre una idea en el momento en que la atención se proyecta decididamente hacia una segunda o tercera idea.

Una falla en los oradores públicos que es tan perniciosa como común es que intentan pensar en la oración siguiente mientras pronuncian la primera, y de esta manera su concentración se desvanece; en consecuencia, comienzan sus oraciones fuertemente y las terminan débilmente. En un discurso escrito bien preparado, la palabra enfática generalmente aparece en un extremo de la oración. Pero una palabra enfática necesita una expresión enfática, y esto es precisamente lo que no se obtiene cuando la concentración señala saltando demasiado pronto a lo que está por decir. Concentra todas tus energías mentales en la oración presente. Recuerda que la mente de tu audiencia sigue la tuya muy de cerca, y si retiras tu atención de lo que estás diciendo a lo que vas a decir, tu audiencia también retirará la suya. Puede que no lo hagan de manera consciente y deliberada, pero seguramente dejarán de dar importancia a las cosas que tú mismo menosprecias. Es fatal para el actor o el orador cruzar sus puentes demasiado pronto.

Por supuesto, todo esto no quiere decir que en las pausas naturales de tu discurso no debas realizar encuestas rápidas, son tan importantes como la visión de futuro al conducir un automóvil; la precaución es de otro tipo: mientras pronuncias una oración, no pienses en la oración que sigue. Deja que venga de su fuente adecuada, dentro de ti mismo. No puedes lanzar un costado sin fuerza concentrada, eso es lo que produce la explosión. En preparación almacenas y concentras pensamiento y sentimiento; en las pausas durante el parto, mira rápidamente hacia adelante y se prepara para un ataque efectivo; durante los momentos del discurso real, HABLA, NO ANTICIPES. Divides tu atención y divides tu poder.

Esta cuestión del efecto del hombre interno sobre el externo necesita una palabra más aquí, particularmente como conmovedora concentración.

"¿Qué lees, mi señor?" Hamlet respondió: "Palabras. Palabras. Palabras". Ese es un viejo problema mundial. El llamado mecánico de las palabras no es expresión, en gran medida. ¿Alguna vez te diste cuenta de lo vacío que suena un discurso memorizado? Has escuchado la cadencia mecánica y despotricada de actores, abogados y predicadores ineficientes. Su problema es mental: no están concentrados pensando pensamientos que causan que las palabras se emitan con sinceridad y convicción, sino que simplemente enuncian sonidos de palabras mecánicamente. ¡Experiencia dolorosa tanto para el público como para el orador! Un loro es igualmente elocuente. Nuevamente dejemos que Shakespeare nos instruya, esta melodía en la oración sincera del Rey, el tío de Hamlet. Se lamenta así intencionadamente:

Mis palabras vuelan, mis pensamientos permanecen abajo: palabras sin pensamientos nunca van al cielo.

La verdad es que, como orador, sus palabras deben nacer de nuevo cada vez que se hablan, entonces no sufrirán en su enunciado, a pesar de que se comprometan con la memoria y se repitan, como la conferencia del Dr. Russell Conwell, "Acres of Diamonds," cinco mil veces. Tales discursos no pierden nada por la repetición por la razón perfectamente patente de que surgen del pensamiento y el sentimiento concentrado y no una mera necesidad de decir algo, lo que generalmente significa cualquier cosa, y eso, a su vez, no equivale a nada. Si el pensamiento debajo de tus palabras es cálido, fresco, espontáneo, una parte de ti mismo, tu discurso tendrá aliento y vida. Las palabras son solo un resultado. No intentes obtener el resultado sin estimular la causa.

¿Preguntas cómo concentrarte? Piensa en la palabra misma, y en su hermano filológico, concéntrico. Piensa en cómo una lente reúne y concentra los rayos de luz dentro de un círculo dado. Los centra por un proceso de retirada. Puede parecer un dicho duro, pero el hombre que no puede concentrarse es débil de voluntad, un desastre nervioso o nunca ha aprendido para qué sirve la fuerza de voluntad.

Debes concentrarte retirando resueltamente tu atención de todo lo demás. Si concentras tu pensamiento en un dolor que puede estar afligiéndote, ese dolor se volverá más intenso. "Cuenta tus bendiciones" y se multiplicarán. Centra tu pensamiento en tus golpes y tu juego de tenis mejorará gradualmente. Concentrarse es simplemente atender a una cosa y no atender a nada más. Si descubres que no puedes hacer eso, hay algo mal: atiende eso primero. Elimina la causa y el síntoma desaparecerá. Lee el capítulo sobre "Poder de Voluntad". Cultiva tu voluntad al querer y luego hacer, a toda costa. Concéntrate y ganarás.

PREGUNTAS Y EJERCICIOS

1. Selecciona de cualquier fuente varias oraciones adecuadas para hablar en voz alta; pronúncialas primero de la manera explicada en este capítulo, y luego con la debida atención al énfasis hacia el final de cada oración.

2. Pon en aproximadamente cien palabras tu impresión del efecto producido.

3. Di cualquier método peculiar que hayas observado o escuchado mediante el cual los hablantes hayan tratado de ayudar a sus poderes de concentración, como mirar fijamente un punto en blanco en el techo o torcer un amuleto de reloj.

4. ¿Qué efecto tienen tales hábitos en la audiencia?

5. ¿Qué relación tiene la pausa con la concentración?

6. Explica por qué la concentración naturalmente ayuda al hablante a cambiar el tono, el tempo y el énfasis.

7. Lee la siguiente selección para obtener su significado y espíritu claramente en tu mente. Luego léelo en voz alta, concentrándote únicamente en el pensamiento que estás expresando; no te preocupes por la oración o el pensamiento que viene. La mitad de los problemas de la humanidad surgen de anticipar pruebas que nunca ocurren. Evita esto al hablar. Haz que el final de tus oraciones sea tan fuerte como el principio. CONCÉNTRATE.

¡GUERRA!

El último de los instintos salvajes es la guerra. El club del hombre de las cavernas hizo la ley y consiguió comida. Podría decretar derecho. Los guerreros eran salvadores.

En Nazaret, un carpintero dejó la sierra y predicó la hermandad del hombre. Doce siglos después, sus seguidores marcharon a Tierra Santa para destruir a todos los que diferían de ellos en la adoración del Dios del Amor. Triunfalmente escribieron "En el pórtico de Salomón y en su templo nuestros hombres cabalgaron en la sangre de los sarracenos hasta las rodillas de sus caballos".

La historia es una historia terrible de guerra. En el siglo XVII, Alemania, Francia, Suecia y España lucharon durante treinta años. En Magdeburgo, 30,000 de 36,000 fueron asesinados independientemente de su sexo o edad.

En Alemania, las escuelas cerraron durante un tercio de siglo, las casas ardieron, las mujeres fueron violentadas, las ciudades demolidas y la tierra sin labrar se convirtió en desierto.

Dos tercios de las propiedades de Alemania fueron destruidas y 18,000,000 de sus ciudadanos fueron asesinados, porque los hombres discutieron sobre la forma de glorificar al "Príncipe de la Paz". Marchando a través de la lluvia y la nieve, durmiendo en el suelo, comiendo alimentos rancios o hambrientos, contrayendo enfermedades y enfrentando armas que disparan seiscientas veces por minuto, por cincuenta centavos al día: esta es la vida del soldado.

En la ventana se sienta la madre viuda llorando. Los niños pequeños con caras llorosas presionadas contra el cristal miran y esperan. Sus medios de subsistencia, su hogar, su felicidad se ha ido. Hijos sin padre, mujeres con el corazón roto, hombres enfermos, discapacitados y muertos: este es el salario de la guerra.

Gastamos más dinero preparando hombres para matarse unos a otros que enseñándoles a vivir. Gastamos más dinero construyendo un barco de guerra que en el mantenimiento anual de todas nuestras universidades estatales. La pérdida financiera resultante de la destrucción de las casas de los demás en la guerra civil habría construido 15,000,000 de casas, cada una con un costo de $ 2,000. Oramos por amor pero nos preparamos para el odio. Predicamos la paz pero equipamos para la guerra.

Si la mitad del poder llenara el mundo de terror, la mitad de la riqueza otorgada en el campo y la cancha fue dada para redimir a este mundo del error, no habría necesidad de arsenal y fortaleza.

La guerra solo difiere una pregunta. Ningún problema se resolverá realmente hasta que se resuelva correctamente. Al igual que las "bandas de armas" rivales en un callejón, las naciones del mundo, a través de las edades sangrientas, han luchado por sus diferencias. Denver no puede luchar contra Chicago e Iowa no puede luchar contra Ohio. ¿Por qué debería permitirse a Alemania luchar contra Francia o Bulgaria luchar contra Turquía?

Cuando la humanidad se eleve por encima de los credos, los colores y los países, cuando seamos ciudadanos, no de una nación, sino del mundo, los ejércitos y las armadas de la tierra constituirán una fuerza policial internacional para preservar la paz y la paloma tomará el lugar del águila.

Nuestras diferencias serán resueltas por un tribunal internacional con el poder de hacer cumplir sus mandatos. En tiempos de paz prepárate para la paz. La paga de la guerra es la paga del pecado, y la "paga del pecado es muerte".

—*Editorial por D.C., Leslie's Weekly; usado con permiso.*

CAPÍTULO IX

FUERZA

Sin embargo, es conveniente ser cauteloso: la indiferencia, los certificados, no producen angustia; Y el entusiasmo apresurado en la buena sociedad no era más que una inebriedad moral.
—Byron, *Don Juan*.

Has asistido a jugadas que parecían justas, pero no te movieron, te agarraron. En el lenguaje teatral, fallaron en "superar", lo que significa que su mensaje no superó las luces del público. No hubo golpe, ni siquiera para ellos. No tenían fuerza.

Por supuesto, todo esto significa desastre, en letras grandes, no solo en una producción escénica sino en cualquier esfuerzo de plataforma. Cada una de esas presentaciones existe únicamente para el público, y si falla en golpearlos—y la expresión es buena—, no tiene excusa para vivir; ni vivirá mucho.

¿Qué es la fuerza?

Algunas de nuestras palabras más obvias abren significados secretos bajo escrutinio, y este es uno de ellos.

Para empezar, debemos reconocer la distinción entre fuerza interna y externa. El uno es causa, el otro efecto. El uno es espiritual, el otro físico. En este importante particular, la fuerza animada difiere de la fuerza inanimada: el poder del hombre, que viene de adentro y se expresa externamente, es de otro tipo de la fuerza del polvo Shimose, que espera alguna influencia externa para explotarlo. Por más susceptible a los estímulos externos, la verdadera fuente de poder en el hombre reside en sí mismo. Esto puede parecer "mera psicología", pero tiene una influencia intensamente práctica en hablar en público, como se verá.

No solo debemos discernir la diferencia entre la fuerza humana y la mera fuerza física, sino que no debemos confundir su verdadera esencia con algunas de las cosas que pueden, y pueden no, acompañarla. Por ejemplo, el volumen no es fuerza, aunque la fuerza a veces puede ser acompañada por ruido. El mero rugido nunca dio un buen discurso, sin embargo, hay momentos —momentos, no minutos— en los que se puede usar una gran potencia de voz con un efecto tremendo.

Tampoco la fuerza de movimiento violento; sin embargo, la fuerza puede dar como resultado un movimiento violento. Hamlet aconsejó a los jugadores:

Ni tampoco viste demasiado el aire con tu mano; pero úsalo todo con cuidado; porque en el mismo torrente, tempestad y (como puedo decir) torbellino de tu pasión, debes adquirir y generar una templanza que pueda darle suavidad. Oh, me ofende el alma, escuchar a un compañero robusto, golpeado por un periwig, desgarrar una pasión por los jirones, por los harapos, por partir los oídos de los miserables; quienes, en su mayor parte, son capaces de nada más que un espectáculo tonto inexplicable y ruidoso. Habría azotado a un tipo así por hacer más a Termagant; supera a Herodes. Ora para evitarlo.

No seas demasiado manso, tampoco, pero deja que tu discreción sea tu tutor: adapta la acción a la palabra, la palabra a la acción; con esta observancia especial, que no sobrepases la modestia de la naturaleza; porque algo tan exagerado es por el propósito de jugar, cuyo fin, tanto al principio como ahora, fue, y es, sostener, como "gira el espejo hacia la Naturaleza, para mostrarle a Virtue su propia característica, Despreciar su propia imagen, y la edad y el cuerpo de la época su forma y presión. Ahora, esto es exagerado, o llega tarde, aunque hace reír sin destreza, no puede sino hacer llorar al juicioso; la censura de cuál debe, en su concesión, sobrepasar todo un teatro de otros. Oh, hay jugadores que he visto jugar,—y he escuchado a otros elogiar, y altamente,—por no hablarlo profanamente, que, ni teniendo el acento de los cristianos, ni el andar de cristianos, paganos u hombres, se han pavoneado y bramé, pensé que algunos de los jornaleros de la Naturaleza habían hecho hombres, y no haciéndolos bien, imitaban a la humanidad de manera abominable.

La fuerza es tanto una causa como un efecto. La fuerza interna, que debe preceder a la fuerza externa, es una combinación de cuatro elementos que actúan progresivamente. En primer lugar, la fuerza surge de la convicción.

Debes estar convencido de la verdad, o la importancia, o el significado, de lo que estás a punto de decir antes de poder darle una pronunciación contundente. Debes aferrarte a tus convicciones antes de que puedas atrapar a tu audiencia. La convicción convence.

The Saturday Evening Post en un artículo sobre "T.R. de Inglaterra"—Winston Spencer Churchill—atribuyó gran parte del éxito de la plataforma pública de Churchill y Roosevelt a su pronunciación contundente. No importa lo que esté a la mano, estos hombres se hacen creer en el momento que esa cosa es lo más importante en la tierra. Por lo tanto, hablan a su público de una manera de Hacer-esto-o-*MORIR*.

Ese tipo de discurso gana, y es esa actitud viril, extenuante y agresiva que distingue y mantiene la plataforma de carreras de nuestros mejores líderes.

Pero echemos un vistazo más de cerca a los orígenes de la fuerza interior. ¿Cómo afecta la convicción al hombre que la siente? Hemos respondido la pregunta en la pregunta misma: *él lo siente: la convicción produce tensión emocional.* Estudia las imágenes de Theodore Roosevelt y de Billy Sunday en acción: *acción* es la palabra. Ten en cuenta la tensión de los músculos de la mandíbula, las líneas tensas de los tendones en todo el cuerpo al alcanzar un clímax de fuerza. La fuerza moral y física son iguales al estar precedidas y acompañadas por la *in-ten-si-dad,*—tensión—y tensión de los cables de poder.

Es esta tensión de la cuerda del arco, este nudo de los músculos, esta contracción antes de la primavera, lo que hace que el público *sienta*—casi vea—el poder de reserva en un orador. De alguna manera realmente maravillosa, es más lo que un orador no dice y hace lo que revela el *dynamo* interior. *Cualquier cosa* puede provenir de tal fuerza acumulada una vez que se suelta; y eso mantiene alerta a la audiencia, colgando de la boca de un orador para su próxima palabra. Después de todo, todo es cuestión de virilidad, porque una muñeca de peluche no tiene convicciones ni tensión emocional. Si estás tapizado con aserrín, manténte alejado de la plataforma, ya que tu propio discurso lo perforará.

Al surgir de esta tensión de convicción viene la resolución de hacer que la audiencia comparta esa *tensión de convicción.* El propósito es la columna vertebral de la fuerza; sin ella, el habla es flácida, puede brillar, pero es la iridiscencia de la medusa sin espinas. Debe aferrarse a su resolución si se aferra a su audiencia.

Finalmente, todo este propósito de convicción-tensión es inútil a menos que resulte en *propulsión.* ¿Recuerdas cómo Young en sus maravillosos "Pensamientos nocturnos" delinea al hombre que empuja su propósito prudente para resolver, resuelve y resuelve, y muere igual.

No permitas que tu fuerza "muera en el parto": llévala a la vida plena en tu convicción, tensión emocional, resolución y poder propulsor.

¿Se puede adquirir la fuerza?

Sí, si el adquirente tiene las capacidades que acabamos de describir. Su propio análisis sugiere cómo adquirir este factor vital: convive con tu sujeto hasta que estés convencido de su importancia.

Si tu mensaje no te provoca tensión por sí mismo, CÁLMATE. Cuando un hombre se enfrenta a la necesidad de saltar a través de una grieta, no espera la inspiración, pone los músculos en tensión durante la primavera; no es sin propósito que nuestro idioma inglés use la misma palabra para representar un artefacto de acero poderoso y delicado. Un salto rápido por el aire. Luego resuélvelo y deja que todo termine en un verdadero *golpe.*

Vale la pena reiterar esta verdad: el hombre interior es el factor final. Él debe suministrar el combustible. La audiencia, o incluso el hombre mismo, puede agregar el fósforo, importa poco, es solo para que haya fuego. Por muy hábil que esté construido tu motor, por muy bien que funcione, no tendrá fuerza si el fuego se apaga debajo de la caldera. Poco importa qué tan bien hayas dominado el equilibrio, la pausa, la modulación y el tempo, si tu discurso carece de fuego, está muerto. Ni un motor muerto ni un discurso muerto moverán a nadie.

Cuatro factores de fuerza están mediblemente bajo tu control, y en ese punto pueden adquirirse: *ideas, sentimientos sobre el tema, redacción y entrega.* Cada uno de estos se discute más o menos a fondo en este volumen, excepto la redacción, que realmente requiere un estudio retórico más completo del que se puede aventurar aquí. Sin embargo, es de suma importancia que seas consciente de cómo la redacción tiene fuerza en una oración. Estudia "Los principios de trabajo de la retórica", de John Franklin Genung, o los tratados retóricos de Adams Sherman Hill, de Charles Sears Baldwin, o cualquier otro cuyos nombres puedan ser fácilmente aprendidos de cualquier maestro.

Aquí hay algunas sugerencias sobre el uso de palabras para lograr la fuerza:

Selección de palabras

Las palabras LISAS son más contundentes que las palabras que se usan con menos frecuencia: *falsear* tiene más vigor que *prestidigitar.*

Las palabras CORTA son más fuertes que las palabras largas: *final* tiene más franqueza que *terminar.*

Las palabras SAJONAS suelen ser más contundentes que las palabras latinistas: por fuerza, usa *batalla en contra* en lugar de *milita en contra.*

Las palabras ESPECÍFICAS son más fuertes que las palabras generales: *impresor* es más definido que *impresora.*

Las palabras CONNOTATIVAS, aquellas que sugieren más de lo que dicen, tienen más poder que las palabras ordinarias: "ella *se dejó* casar" expresa más que "ella *se casó*".

EPÍTETOS, palabras figurativamente descriptivas, son más efectivas que nombres directos: "ve y dile a ese *viejo zorro*", tiene más "golpe" que "ve y dile a ese *compañero astuto*".

Palabras ONOMATOPOÉTICAS, palabras que transmiten el sentido por el sonido, son más potentes que otras palabras: *choque* es más efectivo que *cataclismo.*

Arreglo de palabras

Corta modificadores.

Corta conectivos.

Comienza con palabras que exijan atención.

"Termina con palabras que merezcan distinción", dice el profesor Barrett Wendell.

Poner ideas fuertes frente a las más débiles, para ganar fuerza por el contraste.

Evite la estructura elaborada de las oraciones: las oraciones cortas son más fuertes que los largos

Corta cada palabra inútil para dar importancia a lo importante.

Deja que cada oración sea un ariete condensado, balanceándose a su final soplo de atención.

Un idioma familiar y hogareño, si no se usa con mucho, es más efectivo que una expresión académica muy formal.

Considera bien el valor relativo de las diferentes posiciones en la oración para que puedas dar un lugar destacado a las ideas que deseas enfatizar.

"Pero", dice alguien, "¿no es más honesto depender del interés inherente en un tema, su verdad nativa, la claridad y sinceridad de la presentación y la belleza de la expresión, para ganar su audiencia? ¿Por qué no encantar a los hombres en lugar de capturarlos por asalto?

¿Por qué usar la fuerza?

Hay mucha verdad en tal atractivo, pero no toda la verdad. La claridad, la persuasión, la belleza, la simple declaración de la verdad son esenciales; de hecho, todas son partes definidas de una presentación contundente de un sujeto, sin ser las únicas partes. La carne puede no ser tan atractiva como los helados, pero todo depende del apetito y la etapa de la comida.

No puede entregar un mensaje agresivo con caricias pequeñas. ¡No! Golpee con golpes duros y rápidos del plexo solar. No puedes disparar desde pedernal o desde una audiencia con grifos de amor. Dile a un teatro abarrotado de una manera despectiva: "Me parece que la casa está en llamas", y su anuncio puede ser recibido con una sonrisa. Si destellas las palabras: "¡La casa está en llamas!" se aplastarán unos a otros para llegar a las salidas.

El espíritu y el lenguaje de la fuerza se definen con convicción. Ningún discurso inmortal en la literatura contiene expresiones tales como "me parece", "debería juzgar", "en mi opinión", "supongo", "tal vez sea cierto". Los discursos que vivirán han sido pronunciados por hombres en llamas con el coraje de sus convicciones, quienes pronunciaron sus palabras como verdad eterna. De Jesús se dijo que "la gente común lo escuchó con gusto". ¿Por qué? " Les enseñó como uno que tiene AUTORIDAD. Una audiencia nunca se conmoverá por lo que "le parece" ser verdad o lo que en su "humilde opinión" puede ser. Si honestamente puedes, afirma las convicciones como tus conclusiones. Asegúrate de estar en lo correcto antes de pronunciar tu discurso, luego pronuncia tus pensamientos como si fueran un Gibraltar de verdad irrebatible. Entrégalos con la mano de hierro y la confianza de un Cromwell. Afirma con el fuego de la autoridad. Pronunciarlos como un ultimátum. Si no puedes hablar con convicción, guarda silencio.

¿Qué fuerza tuvo ese joven ministro que, por temor a ser demasiado dogmático, advirtió a sus oyentes: "Mis amigos —lo que supongo que son— parece ser mi deber decirles que si no se arrepienten, por así decirlo, abandonan sus pecados, por así decirlo, y recurren a la justicia, si puedo expresarlo así, "estarán perdidos, en cierta medida"?

El discurso efectivo debe reflejar la era. Esta no es una era de agua de rosas, y un discurso tibio y poco entusiasta no ganará. Este es el siglo de los martillos de viaje, de los expresos por tierra que se precipitan debajo de las ciudades y a través de los túneles de montaña, y debes inculcar este espíritu en tu discurso si conmueves a una audiencia popular. Desde el asiento delantero, escucha a una compañía de primera clase presentar un drama moderno de Broadway, no una comedia, sino un drama apasionante y emocionante. No te dejes absorber por la historia; reserva toda tu atención para la técnica y la fuerza de la actuación. Hay una patada y un choque, así como una intensidad infinitamente sutil en los grandes discursos de clímax que sugieren esta lección: la misma fuerza bien calculada, restringida y delicadamente sombreada simplemente cautivaría tus ideas en las mentes de tu audiencia. Una pistola de aire golpeará el tiro de un pájaro contra el cristal de una ventana; se necesita un rifle para lanzar una bala a través del cristal plano y las paredes de roble más allá.

Cuando usar la fuerza.

Una audiencia es diferente al reino de los cielos: los violentos no siempre lo toman por la fuerza. Hay momentos en que la belleza y la serenidad deberían ser las únicas campanas de tu campanera. La fuerza es solo uno de los grandes extremos del contraste: no lo uses, ni la expresión silenciosa, para excluir otros tonos: sé variado y en la variedad encuentra una fuerza aún mayor de la que podrías lograr al intentar su uso constante. Si estás leyendo un ensayo sobre las bellezas de la madrugada, hablando sobre la delicada floración de un succionador de miel, o explicando el mecanismo de un motor de gas, un estilo de pronunciación vigoroso está completamente fuera de lugar. Pero cuando apelas a voluntades y conciencias para una acción inmediata, la entrega contundente gana. En tales casos, considera las mentes de tu audiencia como tantas cajas fuertes que se han bloqueado y se han perdido las llaves. No intentes descubrir las combinaciones. Vierte un poco de nitroglicerina en las grietas y enciende el fusible. Mientras se escriben estas líneas, un contratista calle abajo está limpiando las rocas con dinamita para sentar las bases de un gran edificio. Cuando quieras actuar, no temas usar dinamita.

El argumento final para la efectividad de la fuerza en el discurso público es el hecho de que todo debe ampliarse para los propósitos de la plataforma, es por eso que tan pocos discursos se leen bien en los informes de la mañana siguiente: las declaraciones parecen crudas y exageradas porque son no acompañadas por la pronunciación contundente de un brillante orador ante una audiencia calentada por un entusiasmo atento.

Por lo tanto, al preparar tu discurso no debes equivocarte en el lado de una declaración moderada: tu audiencia inevitablemente atenuará tus palabras en el frío gris de la ocurrencia tardía. Cuando Fidias fue criticado por los contornos ásperos y audaces de una figura que había presentado en competencia, sonrió y pidió que su estatua y la realizada por su rival se colocaran en la columna para la que estaba destinada la escultura. Cuando esto se hizo, todas las exageraciones y crudezas, tonificadas por las distancias, se fundieron en una exquisita gracia de línea y forma. Cada discurso debe ser un estudio especial en idoneidad y proporción.

Omite el trueno de la entrega, si quieres, pero al igual que Wendell Phillips, pon "relámpagos silenciosos" en tu discurso. Haz que tus pensamientos respiren y tus palabras ardan. Birrell dijo: "Emerson escribe como un gato eléctrico que emite chispas y descargas en cada oración". Ve tú y habla lo mismo. Obtén el "palo grande" en tu entrega, sé contundente.

PREGUNTAS Y EJERCICIOS

1. Ilustra, repitiendo una oración de memoria, qué se entiende por emplear la fuerza al hablar.

2. ¿Cuál es, en tu opinión, el más importante de los principios técnicos de hablar que has estudiado hasta ahora? ¿Por qué?

3. ¿Cuál es el efecto de demasiada fuerza en un discurso? ¿Demasiado poco?

4. Ten en cuenta una conversación poco interesante o un discurso ineficaz, y di por qué falló.

5. Sugiere cómo podría mejorarse.

6. ¿Por qué los discursos tienen que ser pronunciados con más fuerza que las conversaciones?

7. Lee en voz alta la selección en la página 84, utilizando los principios técnicos descritos en los capítulos III a VIII, pero no pongas ninguna fuerza detrás de la interpretación. ¿Cuál es el resultado?

8. Vuelve a leer varias veces, haciendo todo lo posible para lograr la fuerza.

9. ¿Qué partes de la selección en la página 84 requieren más fuerza?

10. Escribe un discurso de cinco minutos que no solo discuta los errores de aquellos que exageran y aquellos que minimizan el uso de la fuerza, sino que por imitación muestren sus debilidades. No burlesco, sino imitar de cerca.

11. Da una lista de diez temas para direcciones públicas, indicando cuáles parecen requerir el uso frecuente de la fuerza en la pronunciación.

12. En tu propia opinión, ¿los oradores suelen errar por el uso de demasiada o muy poca fuerza?

13. Define (a) rimbombancia; (b) trivialidad; (c) sentimentalismo; (d) aprensivo.

14. Di cómo las palabras anteriores describen debilidades en el discurso público.

15. Retransmitido en inglés del siglo XX "Instrucciones de Hamlet para los jugadores", página 88.

16. Memoriza los siguientes extractos de los discursos de Wendell Phillips y pronuncialos con la entrega del "rayo silencioso" de Wendell Phillips.

¡Estamos por una revolución! Decimos en nombre de estos mentirosos perseguidos, a quienes Dios creó, y que Webster y Winthrop respetuosos de la ley han jurado que no encontrarán refugio en Massachusetts, decimos que pueden hacer sus pequeños movimientos y aprobar sus pequeñas leyes en Washington, pero ¡que Faneuil Hall los deroga en nombre de la humanidad y del viejo Estado de la Bahía!

Mi consejo para los trabajadores es este:

Si quieres poder en este país; si quieres hacerte sentir; si no deseas que tus hijos esperen muchos años antes de tener el pan sobre la mesa que deberían tener, el tiempo libre en sus vidas que deberían tener, las oportunidades en la vida que deberían tener; si no quieren esperar ustedes mismos, escriban en su pancarta, para que todo recortador político pueda leerlo, de modo que cada político, sin importar cuán miope sea, pueda leerlo, "¡NUNCA OLVIDAMOS! Si lanzas la flecha del sarcasmo en el trabajo, ¡NUNCA OLVIDAMOS! Si hay una división en el Congreso, y arrojas tu voto en la escala incorrecta, ¡NUNCA OLVIDAMOS! Puedes arrodillarte y decir: "Lo siento, hice el acto ", pero diremos '¡TE DISPONERÁ EN EL CIELO QUE LO SIENTAS PERO NUNCA EN ESTE LADO DE LA TUMBA!" Para que un hombre al abordar la cuestión laboral sepa que está tratando con una pistola de gatillo y dirá: "Debo ser fiel a la justicia y al hombre; de lo contrario, soy un pato muerto".

En Rusia no hay prensa, no hay debate, no hay explicación de lo que hace el gobierno, no se permiten protestas, no hay agitación de los asuntos públicos. El silencio mortal, como el que reina en la cumbre del Mont Blanc, congela todo el imperio, descrito hace tiempo como "un despotismo moderado por el asesinato". Mientras tanto, tal despotismo ha perturbado los cerebros de la familia gobernante, ya que el poder desenfrenado indudablemente enloqueció a algunos de los doce Cæsars; un loco, que se divierte con la vida y la comodidad de cien millones de hombres. La joven susurra al oído de su madre, bajo un techo raso, su pena por un hermano arrastrado medio muerto al exilio por sus opiniones. La semana siguiente la desnudan y la azotan hasta la muerte en la plaza pública. Sin preguntas, sin explicaciones, sin juicio, sin protestas, un silencio uniforme muerto, la ley del tirano. ¿Dónde hay terreno para cualquier esperanza de cambio pacífico? ¡No, no! En esa tierra, la dinamita y la daga son los sustitutos necesarios y apropiados para Faneuil Hall. Cualquier cosa que haga temblar al loco en su habitación y provocar a sus víctimas una resistencia temeraria y desesperada. Esta es la única visión que un estadounidense, el niño de 1620 y 1776, puede tomar del nihilismo. Cualquier otra perturba y deja perpleja la ética de nuestra civilización.

Nacido a la vista de Bunker Hill, hijo de Harvard, cuya primera promesa fue "Verdad", ciudadano de una república basado en la afirmación de que ningún gobierno es legítimo a menos que se apoye en el consentimiento del pueblo, y que asume el liderazgo para hacer valer los derechos. de la humanidad, al menos no puedo decir nada más y nada menos, ¡no, no si cada teja en los techos de Cambridge fuera un demonio gritando mis palabras!

Para practicar las selecciones contundentes, use "El conflicto irrefrenable", página 67; "Abraham Lincoln", página 76, "Pass Prosperity Around", página 470; "Una súplica por Cuba", página 50.

NOTAS AL PIE

Los que se sentaron en el hoyo o el parquet.
Hamlet, Acto III, Escena 2.

CAPÍTULO X

SENTIMIENTO Y ENTUSIASMO

El entusiasmo es ese espíritu secreto y armonioso que se cierne sobre la producción de genio.

—Isaac Disraeli, *Personaje Literario*.

Si te diriges a un grupo de científicos sobre un tema como las venas en las alas de una mariposa, o sobre la estructura de la carretera, naturalmente tu tema no despertará mucho sentimiento en ti ni en tu audiencia. Estos son temas puramente mentales. Pero si quiere que los hombres voten por una medida que abolirá el trabajo infantil, o si los inspira a tomar las armas por la libertad, debe golpear directamente sus sentimientos. Nos acostamos en camas blandas, nos sentamos cerca del radiador en un día frío, comemos pastel de cereza y dedicamos nuestra atención a uno del sexo opuesto, no porque hayamos razonado que es lo correcto, sino porque se siente bien. Nadie más que un dispéptico elige su dieta de una tabla. Nuestros sentimientos dictan qué comeremos y, en general, cómo actuaremos. El hombre es un animal que siente, por lo tanto, la capacidad del orador para atraer a los hombres a la acción depende casi por completo de su capacidad para tocar sus emociones.

Las madres negras en el bloque de subastas que ven a sus hijos vendidos como esclavos han encendido algunos de los discursos más conmovedores de Estados Unidos. Es cierto que la madre no tenía ningún conocimiento de la técnica de hablar, pero tenía algo más grande que toda técnica, más eficaz que la razón: el sentimiento. Los grandes discursos del mundo no se han pronunciado sobre reducciones arancelarias o apropiaciones de correos. Los discursos que vivirán han sido cargados de fuerza emocional. La prosperidad y la paz son pobres desarrolladores de la elocuencia.

Cuando hay que corregir grandes errores, cuando el corazón público está ardiendo de pasión, esa es la ocasión para hablar memorablemente. Patrick Henry hizo un discurso inmortal, porque en una crisis de época abogó por la libertad. Se había despertado hasta el punto de poder exclamar honesta y apasionadamente: "Dame libertad o dame muerte". Su fama habría sido diferente si hubiera vivido hoy y hubiera abogado por el retiro de los jueces.

El poder del entusiasmo.

Los partidos políticos contratan bandas y pagan aplausos; argumentan que, para obtener votos, despertar el entusiasmo es más efectivo que el razonamiento. Hasta qué punto tienen razón depende de los oyentes, pero no puede haber ninguna duda sobre la naturaleza contagiosa del entusiasmo. Un fabricante de relojes en Nueva York probó dos series de anuncios de relojes; uno argumentó la superior construcción, mano de obra, durabilidad y garantía ofrecidas con el reloj; el otro se titulaba "Un reloj del que estar orgulloso", y hablaba del placer y el orgullo de la propiedad. La última serie vendió el doble que la primera. Un vendedor de obras de locomotoras informó al escritor que al vender motores de ferrocarril, el atractivo emocional era más fuerte que un argumento basado en la excelencia mecánica.

Se pueden citar ilustraciones sin número para mostrar que en todas nuestras acciones somos seres emocionales. El orador que hablará eficientemente debe desarrollar el poder de despertar sentimientos.

Webster, gran polemista que era, sabía que el verdadero secreto del poder de un orador era emocional. Él elocuentemente dice de elocuencia:

"La pasión afectada, la expresión intensa, la pompa de declamación, todos pueden aspirar a ella; no pueden alcanzarla. Viene, si es que llega, como el estallido de una fuente de la tierra, o el estallido de incendios volcánicos, con fuerza espontánea, original, nativa.

"Las gracias que se enseñan en las escuelas, los adornos costosos y los artilugios estudiados del habla, la conmoción y el disgusto de los hombres, cuando sus propias vidas y el destino de sus esposas, sus hijos y su país dependen de la decisión de la hora. Luego las palabras han perdido su poder, la retórica es en vano, y toda oratoria elaborada despreciable. Incluso el genio mismo se siente reprendido y sometido, como en presencia de cualidades superiores. Luego el patriotismo es elocuente, luego la autodevoción es elocuente.la clara concepción de la deducción de la lógica, el alto propósito, la firme resolución, el espíritu intrépido, hablando en la lengua, radiante desde el ojo, informando cada característica e instando al hombre completo hacia adelante, directamente hacia su tema, esto es elocuencia; o más bien, es algo mayor y más elevado que toda elocuencia; es acción, acción noble, sublime, divina".

Cuando viajaba por el Noroeste hace algún tiempo, uno de los escritores presentes paseó por una calle del pueblo después de la cena y notó que una multitud escuchaba a un "falsificador" hablando en una esquina desde una caja de mercancías. Recordando el consejo de Emerson sobre aprender algo de cada hombre que conocemos, el observador se detuvo para escuchar el llamado de este orador. Estaba vendiendo un tónico para el cabello, que afirmó haber descubierto en Arizona. Se quitó el sombrero para mostrar lo que este remedio había hecho por él, se lavó la cara para demostrar que era tan inofensivo como el agua, y amplió sus méritos de una manera tan entusiasta que los medio dólares se derramaron sobre él. Se inundó de plata cuando le proporcionó al público tónico para el cabello, preguntó por qué una mayor proporción de hombres que mujeres eran calvas. Nadie sabía. Explicó que se debía a que las mujeres usaban zapatos con suelas más delgadas, por lo que tenían una buena conexión eléctrica con la madre tierra, mientras que los hombres usaban zapatos gruesos con suelas secas que no transmitían la electricidad de la tierra al cuerpo. El cabello de los hombres, al no tener una cantidad adecuada de alimentos eléctricos, murió y se cayó. Por supuesto que tenía un remedio: una pequeña placa de cobre que debería clavarse en la parte inferior del zapato. Se imaginó en términos entusiastas y vívidos la conveniencia de escapar de la calvicie y rindió homenaje a sus planchas de cobre. Por extraño que parezca cuando la historia se cuenta en letra fría, ¡el entusiasmo del orador había arrastrado a su audiencia con él, y aplastaron su stand con "cuartos" extendidos en su ansiedad de ser los poseedores de estos platos mágicos!

La sugerencia de Emerson había sido bien tomada: ¡el observador había vuelto a ver el maravilloso y persuasivo poder del entusiasmo!

El entusiasmo envió a millones de personas a la Tierra Santa para redimirlo de los sarracenos. El entusiasmo hundió a Europa en una guerra de treinta años por la religión. El entusiasmo envió tres pequeños barcos que navegaban por el mar desconocido a las orillas de un mundo nuevo. Cuando el ejército de Napoleón se agotó y se desanimó en su ascenso a los Alpes, el Pequeño Cabo los detuvo y ordenó a las bandas tocar la Marsellesa. Bajo sus almas tensionadas no había Alpes.

¡Escucha! Emerson dijo: "Nada grandioso se logró sin entusiasmo". Carlyle declaró que "todo gran movimiento en los archivos de la historia ha sido el triunfo del entusiasmo".

Es tan contagioso como el sarampión. La elocuencia es la mitad de la inspiración. Barre a tu audiencia contigo en una pulsación de entusiasmo. Déjate llevar. "Un hombre", dijo Oliver Cromwell, "nunca se eleva tanto como cuando no sabe a dónde va".

¿Cómo debemos adquirir y desarrollar el entusiasmo?

No es ser deslizado como una chaqueta de fumar. Un libro no puede proporcionartelo. Es un crecimiento, un efecto. ¿Pero un efecto de qué? Dejanos ver.

Emerson escribió: "Un pintor me dijo que nadie podía dibujar un árbol sin convertirse de alguna manera en un árbol; o dibujar a un niño estudiando los contornos de su forma simplemente, sino observando por un momento su movimiento y sus juegos, el pintor entra en su naturaleza, y luego puede atraerlo a voluntad en cada actitud. Entonces Roos "entró en la naturaleza más íntima de sus ovejas". Conocí a un dibujante empleado en una encuesta pública, que descubrió que no podía dibujar las rocas hasta que le explicaran por primera vez su estructura geológica ".

Cuando Sarah Bernhardt juega un papel difícil, con frecuencia no hablará con nadie desde las cuatro de la tarde hasta después de la actuación. Desde la hora de las cuatro vive su personaje. Booth, según se informa, no permitiría que nadie le hablara entre los actos de sus roles de Shakespere, porque era Macbeth entonces, no Booth. Dante, exiliado de su amada Florencia, condenado a muerte, vivía en cuevas, medio muerto de hambre; entonces Dante escribió su corazón en "La Divina Comedia". Bunyan entró en el espíritu de su "Progreso del peregrino" tan a fondo que cayó al suelo de la cárcel de Bedford y lloró de alegría. Turner, que vivía en una buhardilla, se levantó antes del amanecer y caminó sobre las colinas nueve millas para ver salir el sol en el océano, para poder captar el espíritu de su maravillosa belleza. Las oraciones de Wendell Phillips estaban llenas de "relámpagos silenciosos" porque llevaba en su corazón la tristeza de cinco millones de esclavos.

Solo hay una forma de sentir lo que dices, y cualquier otra cosa que olvides, no olvides esto: *debes ENTRAR en el personaje* que personificas, la causa que defiendes, el caso que discutes, entrar en él tan profundamente que se viste de ti, te cautiva, te posee por completo. Entonces, en el verdadero significado de la palabra, simpatiza con tu tema, porque su sentimiento es tu sentimiento, "siente con él" y, por lo tanto, tu entusiasmo será genuino y contagioso. El carpintero que habló como "nunca habló el hombre" pronunció palabras nacidas de una pasión de amor por la humanidad: había entrado en la humanidad y, por lo tanto, se convirtió en hombre.

Pero no debemos considerar las palabras anteriores como una prescripción fácil para decodificar un sentimiento que luego puede extenderse a una audiencia complaciente en cantidades para satisfacer la necesidad del momento. El sentimiento genuino en un discurso es el hueso y la sangre del discurso en sí y no algo que pueda agregarse o sustraerse a voluntad. En el tema de la dirección ideal, el orador y el público se vuelven uno, fusionados por la emoción y el pensamiento de la hora.

La necesidad de simpatía por la humanidad

Es imposible poner demasiado énfasis en la necesidad de que el hablante tenga una ternura amplia y profunda por la naturaleza humana. Uno de los biógrafos de Victor Hugo atribuye su poder como orador y escritor a sus amplias simpatías y profundos sentimientos religiosos. Recientemente escuchamos al editor de Collier's Weekly hablar sobre la escritura de cuentos, y a menudo enfatizó la necesidad de este amplio amor por la humanidad, este sentimiento verdaderamente religioso, que se disculpó dos veces por pronunciar un sermón. Pocos, si alguno de los discursos inmortales fueron entregados por una causa egoísta o estrecha, nacieron de un deseo apasionado de ayudar a la humanidad; ejemplos, el discurso de Paul a los atenienses en Mars Hill, el discurso de Lincoln en Gettysburg, El Sermón del Monte, el discurso de Henry ante la Convención de Delegados de Virginia.

El sello y signo de grandeza es un deseo de servir a los demás. La autoconservación es la primera ley de la vida, pero la abnegación es la primera ley de la grandeza y del arte. El egoísmo es la causa fundamental de todo pecado, es lo que todas las grandes religiones, todas las filosofías dignas, han golpeado. De un corazón de verdadera simpatía y amor surgen los discursos que conmueven a la humanidad.

El ex senador de los Estados Unidos Albert J. Beveridge en una introducción a uno de los volúmenes de "Elocuencia Moderna", dice: "El sentimiento más profundo entre las masas, el elemento más influyente en su carácter, es el elemento religioso. Es tan instintivo y elemental como la ley de autoconservación. Informa todo el intelecto y la personalidad de las personas. Y el que influiría en gran medida en las personas al expresar sus pensamientos no formados debe tener este gran e inanalizable vínculo de simpatía con ellos".

Cuando los hombres de Ulster se armaron para oponerse a la aprobación de la Ley de Autonomía, uno de los escritores actuales asignó a cien hombres "Autonomía" como tema para una dirección que cada uno prepararía. Entre este grupo había algunos oradores brillantes, varios de ellos abogados experimentados y activistas políticos. Algunas de sus direcciones mostraron un notable conocimiento y comprensión del tema; otros estaban vestidos con las frases más atractivas. Pero un empleado, sin una gran cantidad de educación y experiencia, se levantó y contó cómo pasó sus días de infancia en Ulster, cómo su madre, mientras lo sostenía en su regazo, le había representado los actos de valor de Ulster. Él habló de una foto en la casa de su tío que mostraba a los hombres de Ulster conquistando a un tirano y marchando hacia la victoria. Su voz tembló, y con una mano apuntando hacia arriba declaró que si los hombres de Ulster fueran a la guerra, no irían solos, un gran Dios iría con ellos.

El discurso emocionó y electrificó a la audiencia. Aún emociona cuando lo recordamos. Las frases sonoras, el conocimiento histórico, el tratamiento filosófico de los otros oradores no lograron despertar ningún interés profundo, mientras que la genuina convicción y el sentimiento del modesto empleado, hablando sobre un tema que yacía en su corazón, no solo electrificó a su audiencia sino que ganó su simpatía personal por la causa que defendió.

Como dijo Webster, no sirve de nada tratar de fingir simpatía o sentimientos. No se puede hacer con éxito. "La naturaleza siempre está valorando la realidad". Lo que es falso se detecta pronto como tal. Los pensamientos y sentimientos que crean y moldean el discurso en el estudio deben nacer de nuevo cuando el discurso se entrega desde la plataforma. No dejes que tus palabras digan una cosa, y tu voz y actitud otra. Aquí no hay espacio para métodos de expresión poco entusiastas y despreocupados. La sinceridad es el alma de la elocuencia. Carlyle tenía razón: "Ni Mirabeau, Napoleón, Burns, Cromwell, ningún hombre adecuado para hacer nada, pero ante todo es sincero al respecto; lo que yo llamo un hombre sincero. Debo decir sinceridad, un gran, profundo, genuino sinceridad es la primera característica de todos los hombres de alguna manera heroica. No es la sinceridad que se llama sincera; ah, no, eso es realmente un asunto muy pobre; un fanfarrón superficial, sinceridad consciente, mayormente engreimiento de sí mismo principalmente. La sinceridad del gran hombre es del tipo del que no puede hablar, no es consciente".

PREGUNTAS Y EJERCICIOS

Una cosa es convencer al aspirante a orador de que debería poner sentimiento en sus discursos; a menudo es otra cosa para él hacerlo. El hablante promedio tiene miedo de dejarse llevar, y continuamente reprime sus emociones. Cuando expresas lo suficiente en tus discursos, te sonarán exagerados, a menos que seas un orador experimentado. Sonarán demasiado fuertes, si no estás acostumbrado a la ampliación para plataforma o escenario, para la delineación de las emociones debe ampliarse para la entrega pública.

1. Estudia el siguiente discurso, volviendo en tu imaginación al tiempo y las circunstancias que lo produjeron. No lo conviertas en un documento histórico memorizado, siente las emociones que lo dieron a luz.

El discurso es solo un efecto; vive en tu propio corazón las causas que lo produjeron y trata de liberarlo al calor del blanco. No es posible poner demasiado sentimiento real en él, aunque, por supuesto, sería bastante fácil despotricar y llenarlo de falsas emociones. Este discurso, según Thomas Jefferson, comenzó a rodar la bola de la Revolución. Los hombres estaban dispuestos a salir y morir por la libertad.

DISCURSO DE PATRICK HENRY

ANTES DE LA CONVENCIÓN DE DELEGADOS DE VIRGINIA

Señor Presidente, es natural que el hombre se entregue a las ilusiones de la esperanza. Podemos cerrar los ojos ante una verdad dolorosa y escuchar la canción de esa sirena, hasta que ella nos transforme en bestias. ¿Es esta la parte de los sabios, comprometidos en una gran y ardua lucha por la libertad? ¿Estamos dispuestos a ser del número de aquellos que, teniendo ojos, no ven y oídos, no oyen, las cosas que casi se refieren a nuestra salvación temporal? Por mi parte, cualquier angustia de espíritu que pueda costar, estoy dispuesto a saber toda la verdad; saber lo peor y preverlo.

Solo tengo una lámpara por la cual se guían mis pies; y esa es la lámpara de la experiencia. No conozco ninguna forma de juzgar el futuro sino el pasado. Y a juzgar por el pasado, deseo saber qué ha habido en la conducta del Ministerio británico durante los últimos diez años para justificar esas esperanzas con las que los caballeros se han complacido de consolar a sí mismos y a la Cámara. ¿Es esa sonrisa insidiosa con la que nuestra petición ha sido recibida últimamente? No lo confíe, señor; Será una trampa para sus pies. ¡No se dejen engañar por un beso! Pregúntense cómo esta recepción amable de nuestra petición se relaciona con los preparativos bélicos que cubren nuestras aguas y oscurecen nuestra tierra. ¿Son necesarias las flotas y los ejércitos para una obra de amor y reconciliación? ¿Nos hemos mostrado tan poco dispuestos a reconciliarnos, que se debe recurrir a la fuerza para recuperar nuestro amor? No nos engañemos a nosotros mismos, señor. Estos son los implementos de la guerra y la subyugación, los últimos "argumentos" a los que recurren los reyes.

Les pregunto a los caballeros, señor, ¿qué significa este conjunto marcial, si su propósito no es obligarnos a someternos? ¿Pueden los caballeros asignarle algún otro motivo posible? ¿Tiene Gran Bretaña algún enemigo en este cuarto del mundo para llamar a toda esta acumulación de armadas y ejércitos? No, señor, ella no tiene ninguno. Son para nosotros; no pueden ser para otro. Los envían para atar y remachar sobre nosotros aquellas cadenas que el Ministerio británico ha estado forjando durante tanto tiempo. ¿Y a qué tenemos que oponernos? ¿Intentamos discutir? Señor, hemos estado intentando eso durante los últimos diez años. Tenemos algo nuevo que ofrecer al respecto? Nada. Hemos sostenido el tema a la luz de lo que es capaz; pero todo ha sido en vano. ¿Recurriremos a la súplica y a la súplica humilde? ¿Qué términos encontraremos que no se hayan agotado? No le ruego, señor, nos engañemos más. Señor, hemos hecho todo lo posible para evitar la tormenta que ahora se avecina. Hemos solicitado, hemos protestado, hemos suplicado, nos hemos postrado ante el trono y hemos implorado su interposición para arrestar las manos tiránicas del Ministerio y el Parlamento. Nuestras peticiones han sido menospreciadas; nuestras protestas han producido violencia e insulto adicionales; nuestras súplicas han sido ignoradas y hemos sido rechazados con desprecio desde el pie del trono. En vano, después de estas cosas, podemos disfrutar de la cariñosa esperanza de paz y reconciliación. Ya no hay lugar para la esperanza. Si deseamos ser libres, si queremos preservar inviolables esos privilegios inestimables por los que hemos estado luchando durante tanto tiempo; si no queremos abandonar básicamente la noble lucha en la que llevamos tanto tiempo comprometidos y que nos hemos comprometido a no abandonar nunca hasta que se obtenga el glorioso objeto de nuestra contienda, debemos luchar; ¡Lo repito, señor, debemos pelear! ¡Un llamamiento a las armas y al Dios de los ejércitos es todo lo que nos queda!

Nos dicen, señor, que somos débiles: "¡incapaces de hacer frente a un adversario tan formidable!" ¿Pero cuándo seremos más fuertes? ¿Será la próxima semana o el próximo año? ¿Será cuando estemos totalmente desarmados y cuando un guardia británico esté estacionado en cada casa? ¿Reuniremos fuerzas por la irresolución y la inacción? ¿Adquiriremos los medios de resistencia efectiva, recostándonos supuestamente sobre nuestras espaldas y abrazando el fantasma ilusorio de la esperanza, hasta que nuestros enemigos nos hayan atado de pies y manos? Señor, no somos débiles si hacemos un uso adecuado de los medios que el Dios de la Naturaleza ha puesto en nuestro poder. Tres millones de personas, armadas en la santa causa de la Libertad, y en un país como el que poseemos, son invencibles por cualquier fuerza que nuestro enemigo pueda enviar contra nosotros. Por otro lado, señor, no deberíamos luchar nuestras batallas sólos. Hay un Poder justo que preside los destinos de las naciones y que levantará amigos para pelear nuestras batallas por nosotros. La batalla, señor, no es solo para los fuertes; es para los vigilantes, los activos, los valientes. Además, señor, no tenemos elección. Si teníamos la base suficiente para desearlo, ahora es demasiado tarde para retirarnos del concurso. No hay retirada, sino en sumisión y esclavitud. Nuestras cadenas están forjadas. Se puede escuchar su ruido en las llanuras de Boston.

La guerra es inevitable; ¡y deja que venga! ¡Lo repito, señor, que venga! Es en vano, señor, atenuar el asunto. Señores pueden gritar "¡Paz, paz!" ¡pero no hay paz! ¡La guerra ha comenzado realmente! ¡El próximo vendaval que se extiende desde el norte traerá a nuestros oídos el choque de los brazos rotundos! ¡Nuestros hermanos ya están en el campo! ¿Por qué estamos aquí inactivos? ¿Qué es lo que desean los caballeros? ¿Qué tendrían ellos? ¿Es la vida tan querida, o la paz tan dulce, como para ser comprada al precio de las cadenas y la esclavitud? ¡No lo permitan, poderes todopoderosos! No sé qué curso tomarán los demás, pero en cuanto a mí, ¡dame libertad o dame muerte!

2. Vive en tu imaginación toda la solemnidad y tristeza que Lincoln sintió en el cementerio de Gettysburg. El sentimiento en este discurso es muy profundo, pero es más silencioso y más tenue que el anterior. El propósito de la dirección de Henry era actuar; el discurso de Lincoln estaba destinado únicamente a dedicar el último lugar de descanso de aquellos que habían actuado. Léelo una y otra vez (ve la página 50) hasta que se queme en tu alma. Luego compromételo y repítelo para la expresión emocional.

3. Discurso de Beecher sobre Lincoln, página 76; discurso de Thurston sobre "Una súplica por Cuba", página 50; y la siguiente selección, se recomienda para practicar en el desarrollo del sentimiento en el parto.

Una fuerza viva que trae consigo todos los recursos de la imaginación, todas las inspiraciones de los sentimientos, todo lo que influye en el cuerpo, en la voz, en los ojos, en los gestos, en la postura, en todo el hombre animado, está en estricta analogía con el pensamiento divino y el arreglo divino; y no hay malentendidos más completamente falsos y fatales que este: esa oratoria es una cosa artificial, que trata con adornos y bagatelas, en aras de hacer burbujas de placer para un efecto transitorio en audiencias mercuriales. Lejos de eso, es la consagración del hombre completo a los más nobles propósitos a los que uno puede dirigirse: la educación e inspiración de sus semejantes por todo lo que hay en el aprendizaje, por todo lo que hay en el pensamiento, por todos. que hay en el sentimiento, por todo lo que hay en todos ellos, enviado a casa a través de los canales del gusto y de la belleza. Henry Ward Beecher.

4. ¿Cuáles son, en tu opinión, los valores relativos de pensamiento y sentimiento en un discurso?

5. ¿Podemos prescindir de cualquiera?

6. ¿Qué tipo de selecciones u ocasiones requieren mucho sentimiento y entusiasmo? ¿Cuáles requieren poco?

7. Inventa una lista de diez temas para discursos, diciendo cuál daría más espacio para el pensamiento puro y el otro para el sentimiento.

8. Prepara y pronuncia un discurso de diez minutos denunciando la súplica (imaginaria) de un abogado; él puede ser el abogado de la defensa o el fiscal, y se puede suponer que el acusado es culpable o inocente, a su elección.

9. ¿Se siente más importante que los principios técnicos expuestos en los capítulos III a VII? ¿Por qué?

10. Analiza el secreto de algún discurso o hablante efectivo. ¿A qué se debe el éxito?

11. Da un ejemplo de tu propia observación del efecto de los sentimientos y el entusiasmo en los oyentes.

12. Memoriza los comentarios de Carlyle y Emerson sobre el entusiasmo.

13. Pronuncia la dirección de Patrick Henry, página 110, y el discurso de Thurston, página 50, sin mostrar ningún sentimiento o entusiasmo. ¿Cuál es el resultado?

14. Repite, con todo el sentimiento que exigen estas selecciones. ¿Cuál es el resultado?

15. ¿Qué pasos piensas tomar para desarrollar el poder del entusiasmo y los sentimientos al hablar?

16. Escribe y pronuncia un discurso de cinco minutos ridiculizando a un orador que usa la arrogancia, la pomposidad y el entusiasmo excesivo. Imítalo.

CAPÍTULO XI

FLUENCIA MEDIANTE LA PREPARACIÓN

Animis opibusque parati—Listo en mente y recursos
—*Motto de Carolina del Sur.*

En omnibus negotiis prius quam aggrediare, adhibenda est præparatio diligens—En todos los asuntos antes de comenzar, se debe hacer una preparación diligente.
—Cicero, *De Officiis.*

Toma tu diccionario y busca las palabras que contienen la palabra *flu* de tallo latino: los resultados serán sugerentes.

A primera vista, parecería que la fluidez consiste en un uso fácil y rápido de las palabras. No es así: la calidad del habla fluida es mucho más, ya que es un efecto compuesto, y cada una de sus condiciones anteriores merece un aviso cuidadoso.

Las fuentes de fluidez

En términos generales, la fluidez es casi totalmente una cuestión de preparación. Ciertamente, los regalos nativos figuran en gran medida aquí, como en todo arte, pero incluso las instalaciones naturales dependen de las mismas leyes de preparación que son válidas para el hombre de una dotación nativa supuestamente pequeña. Deja que esto te aliente si, como Moisés, eres propenso a quejarte de que no eres un orador listo.

¿Alguna vez te has detenido a analizar esa expresión, "un orador listo?" La disponibilidad, en su sentido primordial, es la preparación, y están más listos para saber quién está mejor preparado. El disparo rápido depende más del dedo alerta que del gatillo. Tu fluidez estará en relación directa con dos condiciones importantes: tu conocimiento de lo que vas a decir y tu costumbre de decir lo que sabes a una audiencia. Esto nos da el segundo gran elemento de fluidez: a la preparación se debe agregar la facilidad que surge de la práctica.

El conocimiento es esencial

El Sr. Bryan habla con fluidez cuando habla sobre problemas políticos, tendencias de la época y cuestiones de moral. Sin embargo, es de suponer que no hablaría con tanta fluidez sobre la vida de las aves de los Everglades de Florida. El Sr. John Burroughs podría estar en su mejor momento en este último tema, pero completamente perdido en hablar sobre derecho internacional. No esperes hablar con fluidez sobre un tema del que sabes poco o nada. Ctesiphon se jactó de poder hablar todo el día (un pecado en sí mismo) sobre cualquier tema que sugiriera una audiencia. Fue desterrado por los espartanos.

Pero la preparación va más allá de la obtención de los hechos en el caso que presentes: incluye también la capacidad de pensar y organizar los pensamientos, un vocabulario completo y preciso, una forma fácil de hablar y respirar, la ausencia de autoconciencia y las otras características de la entrega eficiente que han merecido especial atención en otras partes de este libro en lugar de en este capítulo.

La preparación puede ser general o específica; por lo general debería ser ambos. Un tiempo de vida de lectura, de compañía con pensamientos conmovedores, de lucha con los problemas de la vida, esto constituye una preparación general de valor inestimable. Con una mente bien almacenada y, aún más rica, una amplia experiencia y, lo mejor de todo, un corazón cálido y comprensivo, el hablante tendrá que extraer mucho material que ningún estudio inmediato podría proporcionar. La preparación general consiste en todo lo que un hombre ha puesto en sí mismo, todo lo que la herencia y el medio ambiente le han inculcado y, esa otra rica fuente de preparación para el habla, la amistad de sabios compañeros. Cuando Schiller regresó a casa después de una visita con Goethe, un amigo comentó: "Estoy sorprendido por el progreso que Schiller puede hacer en una sola quincena". Fue la influencia progresiva de una nueva amistad. Las amistades adecuadas constituyen uno de los mejores medios para la formación de ideas e ideales, ya que permiten practicar para expresar el pensamiento. El orador que hablaría con fluidez ante una audiencia debe aprender a hablar con fluidez y entretenimiento con un amigo. Aclara tus ideas poniéndolas en palabras; el hablador gana tanto de su conversación como el oyente. A veces comienzas a conversar sobre un tema pensando que tienes muy poco que decir, pero una idea da a luz a otra, y te sorprende saber que cuanto más das, más tienes que dar. Este intercambio de conversaciones amistosas desarrolla mentalidad y fluidez en la expresión. Longfellow dijo: "Una sola conversación al otro lado de la mesa con un hombre sabio es mejor que diez años de estudio de libros", y Holmes, sin embargo, caprichosamente declaró la mitad del tiempo para averiguar lo que pensaba. ¡Pero ese método no debe aplicarse en la plataforma!

Después de todo este enriquecimiento de la vida por el almacenamiento, debe venir la preparación especial para el discurso particular. Este es un tipo tan definido que amerita un tratamiento de capítulo separado más adelante.

Práctica

Pero la preparación también debe ser de otro tipo que la recolección, organización y conformación de materiales: debe incluir prácticas que, al igual que la preparación mental, deben ser tanto generales como especiales.

No te sorprendas ni te desanimes si la práctica de los principios de expresión aquí establecidos parece retrasar tu fluidez. Por un tiempo, esto será inevitable.

Mientras trabajas para una inflexión adecuada, por ejemplo, la inflexión exigirá sus primeros pensamientos, y el flujo de tu discurso, por el momento, será secundario.

Esta advertencia, sin embargo, es estrictamente para el armario, para su práctica en el hogar. No lleves ningún pensamiento de inflexión contigo a la plataforma. Ahí solo debes pensar en tu tema. Hay una telepatía absoluta entre el público y el hablante. Si tu pensamiento va a tu gesto, su pensamiento también lo hará. Si tu interés se dirige a la calidad de tu voz, lo considerarán en lugar de lo que tu voz está pronunciando.

Sin duda, se te ha ordenado "olvidar todo menos tu tema". Este consejo dice demasiado o muy poco. La verdad es que mientras estás en la plataforma no debes olvidar muchas cosas que no están en tu tema, pero no debes pensar en ellas. Tu atención debe ir conscientemente sólo a tu mensaje, pero inconscientemente estará atendiendo a los puntos de la técnica que se han vuelto más o menos habituales en la práctica.

Es importante un buen equilibrio entre estos dos tipos de atención.

No puedes escapar más de esta ley de lo que puede vivir sin aire: tus gestos de plataforma, tu voz, tu inflexión, serán tan buenos como tu hábito de gestos, voz e inflexión los hace, no mejor. Incluso la idea de si estás hablando con fluidez o no tendrá el efecto de estropear tu flujo del habla.

Regresa al capítulo inicial, sobre la confianza en ti mismo, y vuelve a poner tus preceptos en el corazón. Aprende por reglas para hablar sin pensar en reglas. No es, o no debería ser, necesario que te detengas a pensar cómo decir el alfabeto correctamente, de hecho, es un poco más difícil para ti repetir Z, Y, X que decir X, Y, Z: el hábito ha establecido el orden. Solo así debes dominar las leyes de la eficiencia al hablar hasta que sea una segunda naturaleza que hables correctamente en lugar de lo contrario.

Un principiante en el piano tiene muchos problemas con la mecánica de tocar, pero a medida que pasa el tiempo sus dedos se entrenan y casi instintivamente deambulan por las teclas correctamente. Como orador inexperto, al principio encontrarás muchas dificultades para poner en práctica los principios, ya que te sentirás asustado, como el nadador joven, y harás algunos golpes crudos, pero si perseveras, "ganarás".

Por lo tanto, para resumir, el vocabulario que has ampliado con el estudio, la facilidad para hablar que has desarrollado con la práctica, la economía de tu énfasis bien estudiado, todo subconscientemente te ayudará en la plataforma. Entonces los hábitos que has formado te generarán un espléndido dividendo. La fluidez de tu discurso será a la velocidad del flujo que tu práctica ha hecho habitual.

Pero esto significa trabajo. ¿Qué buen hábito, no? Nunca se ha encontrado una piedra filosofal que actúe como sustituto de la práctica laboriosa. Si lo fuera, sería desechada, porque mataría nuestra mayor alegría: el placer de la adquisición. Si hablar en público significa para ti una vida más plena, no conocerás mayor felicidad que un discurso bien hablado. El tiempo que has pasado reuniendo ideas y en la práctica privada de hablar lo encontrarás ampliamente recompensado.

PREGUNTAS Y EJERCICIOS

1. ¿Qué ventajas tiene el hablante fluido sobre el hablador vacilante?

2. ¿Qué influencias, dentro y fuera del hombre mismo, actúan contra la fluidez?

3. Selecciona del tema diario algún tema para una discurso y escribe uno de tres minutos. ¿Tus palabras vienen libremente y tus oraciones fluyen rítmicamente? Practica sobre el mismo tema hasta que lo hagan.

4. Selecciona algún tema con el que estés familiarizado y prueba tu fluidez hablando de manera extemporánea.

5. Toma uno de los sentimientos dados a continuación y, siguiendo el consejo de las páginas 118-119, construye un discurso breve que comience con la última palabra de la oración.

La maquinaria ha creado un nuevo mundo económico.

El Partido Socialista es un trabajador extenuante por la paz.

Era un hombre aplastado y destrozado cuando salió de la prisión.

La guerra finalmente debe dar paso al arbitraje mundial.

Los sindicatos exigen una distribución más equitativa de la riqueza que crea el trabajo.

6. Pon los sentimientos del "Príncipe de paz" del Sr. Bryan, en la página 448, en sus propias palabras. Critica honestamente tu propio esfuerzo.

7. Toma cualquiera de las siguientes citas y pronuncia un discurso de cinco minutos sin detenerte para prepararte. Los primeros esfuerzos pueden ser muy flojos, pero si deseas velocidad en una máquina de escribir, un registro de una carrera de cien yardas o facilidad para hablar, debes practicar, practicar, PRACTICAR.

Vive más fe en la duda sincera, créeme, que en la mitad de los credos.

—Tennyson, *In Memoriam.*

Sin embargo, me parece que es noble ser bueno. Los corazones amables son más que coronas, y fe simple que la sangre normanda.

—Tennyson, *lady Clara Vere de Vere.*

Esta distancia le da encanto a la vista y le da a la montaña su tonalidad azul.

—Campbell, *Placeres de la Esperanza.*

Sus mejores compañeros, inocencia y salud, y sus mejores riquezas, ignorancia de la riqueza.

—Goldsmith, *La Aldea Desierta.*

¡Cuidado con los pasos desesperados! El día más oscuro, en vivo hasta mañana, habrá pasado!

—Cowper, *Alarma Innecesaria.*

Mi país es el mundo y mi religión es hacer el bien.

—Paine, *Derechos del Hombre.*

El comercio puede ayudar, la sociedad se extiende, pero atrae al pirata y corrompe al amigo: levanta ejércitos en ayuda de una nación, pero soborna a un senado y la tierra es traicionada.

—Papa, *Ensayos Morales.*

¡Oh Dios, que los hombres se pongan un enemigo en la boca para robarles el cerebro!

—Shakespeare, *Othello.*

No importa cuán estrecha sea la puerta, cuán cargada de castigo el pergamino, soy el dueño de mi destino, soy el capitán de mi alma.

—Henley, *Invictus.*

El mundo está tan lleno de cosas que estoy seguro de que todos deberíamos ser felices como reyes.

—Stevenson, *El Jardín de Los Versos de un Niño.*

Si su moral es triste, dependa de eso están equivocados.

—Stevenson, *Ensayos.*

Cada ventaja tiene su impuesto. Aprendo a estar contento.

—Emerson, *Ensayos.*

8. Realiza un discurso de dos minutos sobre cualquiera de los siguientes temas generales, pero descubrirás que tus ideas surgirán más fácilmente si limitas tu tema al tomar una fase específica del mismo. Por ejemplo, en lugar de tratar de hablar sobre "Ley" en general, toma la proposición "El pobre no puede permitirse el enjuiciamiento"; o en lugar de detenerte en "Ocio", muestra cómo la velocidad moderna está creando más tiempo libre. De esta manera, puedes expandir esta lista de temas indefinidamente.

TEMAS GENERALES

- Ley.
- Política.
- El sufragio de la mujer.
- Iniciativa y Referéndum.
- Una armada más grande.
- Guerra.
- Paz.
- Inmigración Extranjera
- El tráfico de licores.
- Sindicatos.
- Huelgas.
- Socialismo.
- Impuesto Único
- Arancel.
- Honestidad.
- Valor.
- Esperanza.
- Amor.
- Misericordia.
- Amabilidad.
- Justicia.
- Progreso.
- Maquinaria.
- Invención.
- Riqueza.
- Pobreza.
- Agricultura.
- Ciencias.
- Cirugía
- Prisa.

- Ocio.
- Felicidad.
- Salud.
- Negocio.
- América.
- Lejano Oriente.
- Turbas.
- Colegios.
- Deportes.
- Matrimonio.
- Divorcio.
- Trabajo infantil.
- Educación.
- Libros.
- El teatro.
- Literatura.
- Electricidad.
- Logro.
- Fracaso.
- Hablar en público.
- Ideales.
- Conversación.
- El momento más dramático de mi vida.
- Mis días más felices
- Cosas que valen la pena.
- Lo que espero lograr.
- Mi mayor deseo
- Lo que haría con un millón de dólares.
- ¿Está progresando la humanidad?
- Nuestra mayor necesidad

NOTAS AL PIE

Ver capítulo sobre "Incremento del vocabulario".
Dinero.

CAPÍTULO XII

LA VOZ

¡Oh, hay algo en esa voz que alcanza los recovecos más íntimos de mi espíritu!

—Longfellow, *Christus*.

El crítico dramático de *The London Times* declaró una vez que actuar es un trabajo de voz de nueve décimas. Dejando el mensaje a un lado, lo mismo puede decirse justamente de hablar en público. Una voz rica y correctamente utilizada es el mayor factor físico de persuasión y poder, y a menudo supera los efectos de la razón.

Pero una buena voz, bien manejada, no es solo una posesión efectiva para el orador profesional, es también una marca de cultura personal e incluso un activo comercial distinto. Gladstone, él mismo poseedor de una voz musical profunda, ha dicho:

"Noventa hombres de cada cien en las profesiones abarrotadas probablemente nunca se elevarán por encima de la mediocridad porque el entrenamiento de la voz se descuida por completo y no se considera importante". Estas son palabras que vale la pena reflexionar.

Hay tres requisitos fundamentales para una buena voz:

1. *Facilidad*

El signor Bonci de la Metropolitan Opera Company dice que el secreto de la buena voz es la relajación; y esto es cierto, porque la relajación es la base de la facilidad. Las ondas de aire que producen la voz producen un tipo diferente de tono cuando se golpea contra músculos relajados que cuando se golpea contra músculos contraídos. Prueba esto por ti mismo. Contrae los músculos de tu cara y garganta como lo haces con odio, y grita "¡Te odio!" Ahora relájate como lo haces cuando tienes pensamientos suaves y tiernos, y di: "Te amo". Qué diferente suena la voz.

Al practicar ejercicios de voz y al hablar, nunca fuerces tus tonos. La facilidad debe ser tu consigna. La voz es un instrumento delicado, y no debes manejarlo con martillo y pinzas. No hagas que tu voz se vaya, déjala ir. No trabajes, deja que el yugo del habla sea fácil y su carga ligera.

Su garganta debe estar libre de tensión durante el habla, por lo tanto, es necesario evitar la contracción muscular. La garganta debe actuar como una especie de chimenea o embudo para la voz, por lo tanto, cualquier constricción antinatural no solo dañará sus tonos sino que también dañará su salud.

El nerviosismo y la tensión mental son fuentes comunes de constricción de la boca y la garganta, así que haz la batalla por el equilibrio y la confianza en ti mismo por lo que suplicamos en el capítulo inicial.

¿Pero cómo puedo relajarme?te preguntarás. Simplemente dispuesto a relajarte. Extiende tu brazo derecho desde tu hombro. Ahora, retira todo el poder y déjalo caer. Practica la relajación de los músculos de la garganta dejando caer el cuello y la cabeza hacia adelante. Gira la parte superior de tu cuerpo, con la línea de la cintura actuando como un pivote. Deja caer la cabeza y gira mientras mueves el torso a diferentes posiciones. No fuerces la cabeza, simplemente relaja el cuello y deja que la gravedad lo arrastre mientras tu cuerpo se mueve.

De nuevo, deja que tu cabeza caiga hacia adelante sobre tu pecho; levanta la cabeza y deja colgar la mandíbula. Relájate hasta que tu mandíbula se sienta pesada, como si fuera un peso colgado de tu cara. Recuerda, debes relajar la mandíbula para obtener el dominio de la misma. Debe ser libre y flexible para moldear el tono y dejar que el tono pase sin obstrucciones.

Los labios también deben ser flexibles, para ayudar a moldear los tonos claros y hermosos. Para la flexibilidad de los labios repite las sílabas, mo - me. Al decir mo, levanta los labios para que se parezcan a la forma de la letra O. Al repetir me, retíralos como lo haces en una sonrisa. Repite este ejercicio rápidamente, dando a los labios tanto ejercicio como sea posible.

Prueba el siguiente ejercicio de la misma manera:

Mo — E — O — E — OO — Ah.

Después de dominar este ejercicio, lo siguiente también será excelente para la flexibilidad de los labios:

Memoriza estos sonidos indicados (no las expresiones) para que pueda repetirlos rápidamente.

A as in	May.	E	as in	Met.	U	as in	Use.
A "	Ah.	I	"	Ice.	Oi "		Oil.
A "	At.	I	"	It.	u "		Our.
O "	No.	O	"	No.	O "		Ooze.
A "	All.	OO "		Foot.	A "		Ah.
E "	Eat.	OO "		Ooze.	E "		Eat.

Toda la actividad de la respiración debe estar centrada, no en la garganta, sino en la mitad del cuerpo: debes respirar desde el diafragma. Ten en cuenta la forma en que respiras cuando estás acostado boca arriba, desnudo en la cama. Observarás que toda la actividad se centra alrededor del diafragma. Este es el método natural y correcto de respiración. Mediante la vigilancia constante, haz de esto tu forma habitual, ya que te permitirá relajar más perfectamente los músculos de la garganta.

El siguiente requisito fundamental para una buena voz es

2. *Apertura*

Si los músculos de la garganta están constreñidos, el paso del tono se cierra parcialmente y la boca se mantiene cerrada, ¿cómo puedes esperar que el tono salga brillante y claro, o incluso que salga? El sonido es una serie de ondas, y si haces una bocanada de tu boca, manteniendo rígidas las mandíbulas y los labios, será muy difícil que el tono se filtre, e incluso cuando se escape, carecerá de fuerza y poder de carga. Abre bien la boca, relaja todos los órganos del habla y deja que el tono fluya fácilmente.

Comienza a bostezar, pero en lugar de bostezar, habla con la garganta abierta. Haz que esta sensación de apertura sea habitual al hablar: decimos *hacer* porque es una cuestión de resolución y práctica, si tus órganos vocales están sanos. Tus conductos de tono pueden estar parcialmente cerrados por amígdalas agrandadas, adenoides o huesos turbinados agrandados de la nariz. Si es así, se debe consultar a un médico experto.

La nariz es un paso de tono importante y debe mantenerse abierta y libre para tonos perfectos. Lo que llamamos "hablar por la nariz" no es hablar por la nariz, como puedes demostrar fácilmente al sostener la nariz mientras hablas. Si te molestan los tonos nasales causados por crecimientos o hinchazones en las fosas nasales, una operación leve e indolora eliminará la obstrucción. Esto es bastante importante, aparte de la voz, ya que la salud general se reducirá mucho si los pulmones están continuamente hambrientos de aire.

El último requisito fundamental para una buena voz es

3. *Reenvío*

Una voz que suena en la garganta es oscura, sombría y poco atractiva. El tono debe ser lanzado hacia adelante, pero no lo fuerces hacia adelante. Recordarás que nuestro primer principio fue la facilidad. *Piensa* en el tono hacia adelante y afuera. Cree que está avanzando y deja que fluya fácilmente. Puedes saber si estás colocando tu tono hacia adelante o no inhalando profundamente y cantando *ah* con la boca abierta, tratando de sentir las delicadas ondas de sonido golpear el arco óseo de la boca justo por encima de los dientes frontales. La sensación es tan leve que probablemente no podrás detectarla de inmediato, pero persevera en tu práctica, siempre pensando en el tono hacia adelante, y serás recompensado al sentir que tu voz golpea el paladar. Una colocación correcta del tono hacia adelante eliminará los tonos oscuros y guturales que son tan desagradables, ineficientes y perjudiciales para la garganta.

Cierra los labios, tarareando, *im*, o *an*. Piensa en el tono hacia adelante. ¿Sientes que golpea los labios?

Sostén la palma de tu mano frente a tu cara y di vigorosamente *chocar, correr, girar, zumbar*. ¿Puedes sentir los tonos delanteros golpear tu mano? Practica hasta que puedas. Recuerda, la única forma de hacer avanzar tu voz es *presentarla*.

Cómo desarrollar el poder de carga de la voz

No es necesario hablar en voz alta para ser escuchado a distancia. Solo es necesario hablar correctamente. La voz de Edith Wynne Matthison se escuchará en un gran susurro. Un papel crujiendo en el escenario de un gran auditorio se puede escuchar claramente en el asiento más alejado de la galería. Si solo usarás tu voz correctamente, no tendrás muchas dificultades para ser escuchado. Por supuesto, siempre es bueno dirigir tu discurso a tus auditores más lejanos; si lo consiguen, los más cercanos no tendrán problemas, pero aparte de esta sugerencia obvia, debes observar estas leyes de producción de voz:

Recuerda aplicar los principios de facilidad, apertura y avance; son los factores principales para permitir que tu voz se escuche a distancia.

No mires al suelo mientras hablas. Este hábito no solo le da al orador una apariencia de aficionado, sino que si la cabeza se inclina hacia adelante, la voz se dirigirá hacia el suelo en lugar de flotar sobre la audiencia.

La voz es una serie de vibraciones de aire. Para fortalecerlo son necesarias dos cosas: más aire o respiración, y más vibración.

La respiración es la base misma de la voz. Como una bala con poco polvo detrás no tendrá fuerza ni poder de carga, por lo que la voz que tiene poco aliento detrás será débil. La respiración profunda, la respiración desde el diafragma, no solo le dará a la voz un mejor soporte, sino que le dará una resonancia más fuerte al mejorar la salud general.

Por lo general, la mala salud significa una voz débil, mientras que la vitalidad física abundante se muestra a través de una voz fuerte y vibrante. Por lo tanto, cualquier cosa que mejore la vitalidad general es un excelente fortalecedor de voz, siempre que use la voz correctamente. Las autoridades difieren en la mayoría de las reglas de higiene, pero en un punto todos están de acuerdo: la respiración profunda aumenta la vitalidad y la longevidad. Practica esto hasta que se convierta en una segunda naturaleza. Siempre que estés hablando, respira profundamente, pero de tal manera que las inhalaciones sean silenciosas.

No intentes hablar demasiado tiempo sin renovar tu aliento. La naturaleza se preocupa muy bien por esto inconscientemente en la conversación, y ella hará lo mismo por ti en la plataforma hablando si no interfieres con sus premoniciones.

Cierto orador muy exitoso desarrolló el poder de la voz al correr por todo el país, practicando sus discursos mientras avanzaba. El ejercicio vigoroso lo obligó a respirar profundamente y desarrolló potencia pulmonar. Un juego de baloncesto o tenis muy reñido es una forma eficiente de practicar la respiración profunda. Cuando estos métodos no son convenientes, recomendamos lo siguiente:

Coloca las manos a los costados, en la línea de la cintura.

Al tratar de abarcar tu cintura con tus dedos y pulgares, expulsa todo el aire de los pulmones.

Toma una respiración profunda. Recuerda, toda la actividad debe centrarse en la mitad del cuerpo; no levantes los hombros. A medida que te quitas el aliento, tus manos serán expulsadas.

Repite el ejercicio, colocando las manos en la parte baja de la espalda y forzándolas a salir al inhalar.

Varias autoridades han dado muchos métodos para la respiración profunda. Lleva el aire a tus pulmones, eso es lo importante.

El cuerpo actúa como una caja de resonancia para la voz al igual que el cuerpo del violín actúa como una caja de resonancia para sus tonos. Puedes aumentar sus vibraciones con la práctica.

Coloca tu dedo sobre tu labio y tararea la escala musical, pensando y colocando la voz hacia adelante en los labios. ¿Sientes vibrar los labios? Después de un poco de práctica, vibrarán y darán una sensación de cosquilleo.

Repite este ejercicio, lanzando el zumbido en la nariz. Sostén la parte superior de la nariz entre el pulgar y el índice. ¿Puedes sentir la nariz vibrar?

Colocando la palma de tu mano sobre tu cabeza, repite este ejercicio de tarareo. Piensa en la voz allí mientras tarareas en tonos de cabeza. ¿Puedes sentir la vibración allí?

Ahora coloca la palma de tu mano en la parte posterior de tu cabeza, repitiendo el proceso anterior. Luego pruébalo en el cofre. Siempre recuerda pensar su tono donde desea sentir las vibraciones. El solo hecho de pensar en cualquier parte de tu cuerpo tenderá a hacerlo vibrar.

Repite lo siguiente, después de una inhalación profunda, tratando de sentir que todas las partes de tu cuerpo vibran al mismo tiempo. Cuando hayas alcanzado esto, encontrarás que es una sensación agradable.

He aquí, mis compañeros joviales. ¡Venga! Lo retozaremos como hadas, jugando en la alegre luz de la luna.

Pureza de la voz

Esta cualidad a veces se destruye desperdiciando el aliento. Controla cuidadosamente la respiración, utilizando solo la cantidad necesaria para la producción del tono. Utiliza todo lo que das. De lo contrario, se produce un tono respirable. Respira hondo como un pródigo; al hablar, dilo como un avaro.

Sugerencias de voz

Nunca intentes forzar tu voz cuando estés ronco.

No bebas agua fría al hablar. El choque repentino a los órganos del habla acalorados dañará la voz.

Evita poner tu voz demasiado alta, ya que la hará áspera. Esta es una falla común. Cuando encuentra tu voz en un rango demasiado alto, bájala. No esperes hasta llegar a la plataforma para probar esto. Practícalo en tu conversación diaria.

Repite el alfabeto, comenzando A en la escala más baja posible y subiendo una nota en cada letra siguiente, para el desarrollo del rango. Una amplia gama te dará facilidad para realizar numerosos cambios de tono.

No formes el hábito de escuchar tu voz al hablar. Necesitarás tu cerebro para pensar en lo que estás diciendo: reserva tu observación para la práctica privada.

PREGUNTAS Y EJERCICIOS

1. ¿Cuáles son los requisitos principales para una buena voz?

2. Di por qué cada uno es necesario para una buena producción de voz.

3. DA algunos ejercicios para el desarrollo de estas condiciones.

4. ¿Por qué es deseable el rango de voz?

5. Indica cómo se puede cultivar el rango de voz.

6. ¿Cuánta práctica diaria consideras necesaria para el correcto desarrollo de tu voz?

7. ¿Cómo se puede desarrollar la resonancia y el poder portador?

8. ¿Cuáles son tus fallas de voz?

9. ¿Cómo estás tratando de corregirlos?

CAPÍTULO XIII

ENCANTO DE VOZ

Un temperamento alegre unido a la inocencia hará que la belleza sea atractiva, el conocimiento encantador y el ingenio de buen carácter.

—Joseph Addison, *The Tattler*.

Poe dijo que "el tono de la belleza es la tristeza", pero evidentemente pensaba de causa a efecto, no en sentido contrario, ya que la tristeza rara vez es productora de belleza, lo cual es peculiarmente la provincia de la alegría.

La exquisita belleza de una puesta de sol no es estimulante, sino que tiende a una especie de melancolía que no está lejos de deleintante. La belleza inquietante de la música profunda y tranquila contiene más que un tinte de tristeza. Las encantadoras cadencias menores de los cantos de los pájaros en el crepúsculo son casi deprimentes.

La razón por la que ciertas formas de plácida belleza nos afectan a la tristeza es doble: el movimiento es estimulante y produce alegría, mientras que la quietud conduce a la reflexión, y la reflexión a su vez a menudo saca el tono de añoranza arrepentida; en segundo lugar, la belleza tranquila produce una vaga aspiración por lo relativamente inalcanzable, pero no estimula el tremendo esfuerzo necesario para hacer que el estado u objeto débilmente deseado sea nuestro.

Debemos distinguir, por estas razones, entre la tristeza de la belleza y la alegría de la belleza. Es cierto que la alegría es algo profundo e interno y abarca mucho más que la idea de un espíritu optimista, ya que incluye una cierta satisfacción activa del corazón. En este capítulo, sin embargo, la palabra tendrá su connotación optimista y exuberante: ahora estamos pensando en una alegría vívida, alegre y risueña.

Los tonos alegres y musicales constituyen el encanto de la voz, un magnetismo sutil que es deliciosamente contagioso. Ahora puede parecerle al lector incómodo que tomar la lanceta y cortar esta atractiva calidad de voz sería diseccionar un ala de mariposa y así destruir su encanto. Sin embargo, ¿cómo podemos inducir un efecto si no estamos seguros de la causa?

La resonancia nasal produce los tonos de campana de la voz

Los pasos de tono de la nariz deben mantenerse completamente libres para los tonos brillantes de la voz, y después de nuestra advertencia en el capítulo anterior, no confundirá lo que popularmente y erróneamente se llama un tono "nasal" con la verdadera calidad nasal, que es tan bien ilustrado por el trabajo de voz de cantantes y oradores franceses capacitados.

Para desarrollar resonancia nasal, canta lo siguiente, deteniéndote el mayor tiempo posible en los sonidos *ng*. Echa la voz en la cavidad nasal. Practica en registros altos y bajos, y desarrolla rango, *con brillo*.

Canta la canción: Sing-song, Ding-dong, Hong-Kong, Long-Thong.

La práctica en la voz de falsete desarrolla una calidad brillante en la voz normal para hablar. Prueba lo siguiente, y cualquier otra selección que elijas, con una voz de falsete. La voz de falsete de un hombre es extremadamente alta y femenina, por lo que los hombres no deben practicar en falsete después de que el ejercicio se vuelva agotador.

Ella despreciaba perfectamente lo mejor de su clan y declaraba el noveno de cualquier hombre, una fracción perfectamente vulgar.

La actriz Mary Anderson le preguntó al poeta Longfellow qué podía hacer para mejorar su voz. Él respondió: "Lea en voz alta diariamente, alegre, poesía lírica".

Los tonos alegres son los tonos brillantes. Desarrollalos por ejercicio. Practica tus ejercicios de voz en una actitud de alegría. Bajo la influencia del placer, el cuerpo se expande, se abren los conductos de tono, se acelera la acción del corazón y los pulmones, y se establecen todas las condiciones principales para un buen tono.

De las ventanas rotas de las cabañas negras en el sur flotan más canciones que de las casas palaciegas de la Quinta Avenida. Henry Ward Beecher dijo que los días más felices de su vida no fueron cuando se convirtió en un personaje internacional, sino cuando era un ministro desconocido en Lawrenceville, Ohio, barriendo su propia iglesia y trabajando como carpintero para ayudar a pagar la compra. La felicidad es en gran medida una actitud mental, de ver la vida desde el ángulo correcto. La actitud optimista se puede cultivar, y se expresará con encanto de voz. Una compañía telefónica recientemente puso este lema en sus stands: "La voz con la sonrisa gana". Lo hace. Intentalo.

Leer una prosa alegre o una poesía lírica ayudará a poner sonrisa y alegría del alma en tu voz. Las siguientes selecciones son excelentes para practicar.

RECUERDA que cuando practiques estos clásicos por primera vez debes prestar atención exclusiva a dos cosas: una actitud alegre de corazón y cuerpo, y tonos de voz brillantes. Una vez que hayas alcanzado estos fines para su satisfacción, revise cuidadosamente los principios de hablar en público establecidos en los capítulos anteriores y ponlos en práctica a medida que lea estos pasajes una y otra vez. Sería mejor guardar cada selección en la memoria.

SELECCIONES PARA LA PRÁCTICA

DE "L'ALLEGRO" DE MILTON

Date prisa, ninfa, y trae contigo Jest, y la juventud Jollity, Quips y Cranks y desenfrenados Wiles, Nods y Becks, y guirnaldas de sonrisas, como colgar en la mejilla de Hebe, y el amor de vivir en hoyuelos lisos, — Deporte que arruga el cuidado se burla, y risas con ambos lados.

Ven y tropieza a medida que avanzas en el dedo del pie fantástico; y en tu mano derecha lleva contigo La ninfa de montaña, dulce libertad: Y, si te doy el honor debido, Mirth, admíteme en tu tripulación, para vivir con ella, y vivir contigo, en placeres irreprochados libres; para escuchar a la alondra comenzar su vuelo, y cantar, asustar a la aburrida noche desde su torre de vigilancia en los cielos, hasta que el amanecer moteado se levante; luego, a pesar de la tristeza, y en mi ventana, di el buen día a través del dulce, o la vida, o la retorcida eglantina; Mientras el gallo con vívido estruendo esparce la parte trasera de la oscuridad delgada, y hacia la pila, o la puerta del granero, Stoutly se pavonea antes con sus damas; escuchando cómo los sabuesos y el cuerno animan alegremente a la adormecida mañana, desde el lado de una colina de cerdos, a través del agudo eco de madera; en algún momento caminando, sin ser visto, por olmos de hileras, en colinas verdes, justo contra la puerta oriental, donde el gran Sol comienza su estado, vestido con llamas y luz ámbar, las nubes en mil libreas se mueren, mientras el labrador está cerca Silbidos sobre la tierra surcada, y la lechera cantando alegremente, y la segadora abre su guadaña, y cada pastor cuenta su historia, bajo el espino en el valle.

EL MAR

El mar, el mar, el mar abierto, el azul, el fresco, la fiebre libre; sin una marca, sin un límite, corre alrededor de las amplias regiones de la tierra; juega con las nubes, se burla de los cielos, como una criatura acunada miente. Estoy en el mar, estoy en el mar, estoy donde estaría, con el azul de arriba y el azul de abajo, y el silencio a donde sea que vaya. Si llega una tormenta y despierta las profundidades, ¿qué importa? Montaré y dormiré.

Me encanta ¡Oh! cómo me encanta cabalgar en la feroz, espumosa y explosiva marea, donde cada ola loca ahoga la luna, y silba en lo alto de su tempestad y dice cómo va el mundo de abajo, ¡y por qué sopla el viento del sudoeste! Nunca estuve en la costa aburrida y mansa.

Pero me encantaba el gran mar cada vez más, y volé hacia su ondulante pecho, como un pájaro que busca el nido de su madre, y una madre que era y es para mí, porque nací en mar abierto.

Las olas eran blancas y rojas la mañana, en la hora ruidosa cuando nací; la ballena silbó, la marsopa rodó, y los delfines descubrieron sus espaldas de oro; y nunca se escuchó un clamor tan salvaje, como acogió a la vida el niño del océano. He vivido, desde entonces, en calma y lucha, Lleno de cincuenta veranos la vida de un vagabundo, Con riqueza para gastar, y un poder de alcance, Pero nunca he buscado o suspirado por el cambio: Y la muerte, cuando venga a mí, ¡vendrá en el mar ancho y sin límites!

—Barry cornwall

El sol no brilla para algunos árboles y flores, sino para la alegría de todo el mundo. El solitario pino sobre la cima de la montaña agita sus ramas sombrías y grita: "Tú eres mi sol". Y el pequeño prado violeta levanta su copa de azul y susurra con su aliento perfumado: "Tú eres mi sol". Y el grano en mil campos susurra en el viento, y responde: "Tú eres mi sol". Y así, Dios se sienta refulgente en el cielo, no para unos pocos favorecidos, sino para el universo de la vida; y no hay criatura tan pobre o tan baja que no pueda mirar con confianza infantil y decir: "¡Padre mío, tú eres mío!"

—Henry Ward Beecher.

EL ALONDRA

¡Pájaro alegre del desierto, dulce sea tu matin, páramo y lea! Emblema de la felicidad, bendita es tu morada: ¡Oh, permaneceré en el desierto contigo!

Salvaje es tu endecha, y ruidoso, lejos en la nube, el amor le da energía; el amor lo dio a luz. ¿Dónde, en tu ala húmeda? ¿Dónde estás viajando? Tu laico está en el cielo; tu amor está en la tierra.

Cayó y el brillo de la fuente, páramo y montaña verde, la serpentina roja que anuncia el día; ¡Sobre la nube opaca, Sobre el borde del arcoíris, Querubín musical, vuela, canta, lejos!

Entonces, cuando llegue el regocijo, bajo en el brezo florece, ¡Dulce será tu bienvenida y cama de amor! Emblema de la felicidad, bendita es tu morada. ¡Oh, permaneceré en el desierto contigo!

—James Hogg.

En una conversación alegre hay un toque elástico, un golpe delicado, sobre las ideas centrales, generalmente después de una pausa. Este toque elástico agrega vivacidad a la voz. Si lo intentas repetidamente, se puede sentir al sentir que la lengua golpea los dientes. La ausencia total de tacto elástico en la voz se puede observar en la lengua gruesa del hombre intoxicado. Intenta hablar con la lengua quieta en el fondo de la boca y obtendrás en gran medida el mismo efecto. La vivacidad de la expresión se gana usando la lengua para golpear la idea enfática con un toque decisivo y elástico.

Pronuncia lo siguiente con trazos decisivos sobre las ideas enfáticas. Entregarlo de manera vivaz, notando la acción táctil elástica de la lengua. Una lengua flexible y receptiva es absolutamente esencial para un buen trabajo de voz.

DE LA DIRECCIÓN DE NAPOLEÓN AL DIRECTORIO SOBRE SU REGRESO DE EGIPTO

¿Qué has hecho con esa brillante Francia que te dejé? Te dejé en paz y te encuentro en la guerra. Te dejé victorioso y te encuentro derrotado. Te dejé los millones de Italia, y solo encuentro despojo y pobreza. ¿Qué has hecho con los cien mil franceses, mis compañeros en la gloria? ¡Están muertos! ... Este estado de cosas no puede durar mucho; en menos de tres años nos sumergiría en el despotismo.

Practica la siguiente selección, para el desarrollo del tacto elástico; dígalo con un espíritu alegre, usando el ejercicio para desarrollar el encanto de la voz en todas las formas

EL ARROYO

Vengo de guaridas de focha, salgo de repente, y broto entre los helechos, para pelear por un valle.

Por treinta colinas me apresuro, o me deslizo entre las crestas; un pequeño pueblo, y medio centenar de puentes.

Hasta el final en la granja de Philip fluyo para unirme al río rebosante; porque los hombres pueden venir y los hombres pueden irse, pero yo sigo para siempre.

Charlo sobre caminos pedregosos, en pequeños objetos punzantes y agudos,

Burbujeo en bahías en remolino, balbuceo en los guijarros.

Con muchas curvas, mis orillas me inquietan, Por muchos campos y barbechos, Y por muchas tierras de hadas con maleza de sauce y malva.

Yo parloteo, parloteo, mientras fluyo Para unirme al río rebosante; Porque los hombres pueden venir y los hombres pueden irse, pero yo sigo para siempre.

Me enrollo, entrando y saliendo, Con aquí una flor navegando, Y aquí y allá una trucha lujuriosa, Y aquí y allá un tímalo, Y aquí y allá una escama espumosa sobre mí, mientras viajo, con muchas aguas plateadas ... romper sobre la grava dorada.

Y llévalos todo el tiempo, y fluye para unirte al río rebosante, porque los hombres pueden venir y los hombres pueden irse, pero yo sigo para siempre.

Robo por céspedes y parcelas cubiertas de hierba, me deslizo por las cubiertas de avellana, muevo las dulces nomeolvides que crecen para los amantes felices.

Me resbalo, me resbalo, me pongo triste, miro, entre mis golondrinas desnatadoras; hago bailar el rayo de sol contra mis aguas poco profundas, murmuro bajo la luna y las estrellas en desiertos salvajes, me detengo junto a mis rejas, merodeo por mis berros;

Y de nuevo me inclino y fluyo para unirme al río rebosante; Porque los hombres pueden venir y los hombres pueden irse, pero yo sigo para siempre.

-alfred tennyson

Los niños que juegan en la calle, alegres de la pura vitalidad física, muestran una resonancia y un encanto en sus voces muy diferentes de las voces que flotan en los pasillos silenciosos de los hospitales. Un médico experto puede decir mucho sobre la condición de su paciente por el simple sonido de la voz. La mala salud, o incluso el cansancio físico, se nota a través de la voz.

Siempre es bueno descansar y refrescarse por completo antes de intentar entregar una dirección pública. En cuanto a la salud, ni el alcance ni el espacio nos permiten discutir aquí las leyes de higiene. Hay muchos libros excelentes sobre este tema. En el reinado del emperador romano Tiberio, un senador escribió a otro: "Para el sabio, una palabra es suficiente".

"La vestimenta a menudo proclama al hombre;" la voz siempre lo hace, es uno de los más grandes reveladores de carácter. La mujer superficial, el hombre brutal, el reprobado, la persona de la cultura, a menudo revela la naturaleza interna en la voz, ya que incluso el más inteligente disimulador no puede evitar por completo que sus tonos y cualidades se vean afectados por el más mínimo cambio de pensamiento o emoción. En la ira se vuelve alta, dura y desagradable; en el amor bajo, suave y melodioso, las variaciones son tan ilimitadas como fascinantes de observar. Visite un hotel teatral en una gran ciudad y escuche las voces de las coristas de alguna "atracción" burlesca. La explicación es simple: vidas de zumbidos. Emerson dijo: "Cuando un hombre vive con Dios, su voz será tan dulce como el murmullo del arroyo o el susurro del maíz". Es imposible tener pensamientos egoístas y tener una personalidad atractiva, un personaje encantador o una voz encantadora. Si desea poseer un encanto de voz, cultive una profunda y sincera simpatía por la humanidad. El amor brillará a través de tus ojos y se proclamará en tus tonos. Un secreto de la dulzura de la canción del canario puede ser su libertad de los pensamientos manchados. Tu personaje embellece o estropea tu voz. Como un hombre piensa en su corazón, así es su voz.

PREGUNTAS Y EJERCICIOS

1. Define (a) encanto; (b) alegría; (c) belleza.

2. Haz una lista de todas las palabras relacionadas con la alegría.

3. Escribe un elogio de tres minutos de "El hombre alegre".

4. Pronuncialo sin el uso de notas. ¿Has considerado cuidadosamente todas las cualidades que componen el encanto de la voz en tu pronunciación?

5. Di brevemente con tus propias palabras qué medios se pueden emplear para desarrollar una voz encantadora.

6. Discute el efecto de la voz en el personaje.

7. Discute el efecto del personaje en la voz.

8. Analiza el encanto de la voz de cualquier hablante o cantante que elija.

9. Analiza los defectos de cualquier voz dada.

10. Haz un discurso corto y humorístico que imite ciertos defectos de voz, señalando las razones.

11. Comete la siguiente estrofa e interpreta cada fase de deleite sugerida o expresada por el poeta.

Un bebé cuando mira una luz, un niño en el momento en que drena el pecho, un devoto cuando vuela al anfitrión a la vista, un árabe con un extraño para un invitado, un marinero cuando el premio ha peleado en la pelea, un avaro llenándose su pecho más acaparado; pero no se está cosechando tanta alegría verdadera como los que miran lo que aman mientras duermen.

—Byron, *Don Juan*.

CAPÍTULO XIV

DISTINCIÓN Y PRECISIÓN DE LA TENSIÓN

En el hombre habla Dios.
—Hesiod, *Palabras y Días.*
Y los modos de habla son infinitos, y se extiende mucho de un lado a otro del campo de palabras.
—Homer, *Ilíada.*

En el uso popular, los términos "pronunciación", "enunciación" y "articulación" son sinónimos, pero la pronunciación real incluye tres procesos distintos y, por lo tanto, puede definirse como la emisión de una sílaba o un grupo de sílabas con respecto a la articulación, acentuación y enunciación.

La expresión clara y precisa es una de las consideraciones más importantes del discurso público. ¡Qué absurdo es escuchar a un hablante emitir sonidos de "seriedad inarticulada" bajo el engaño contento de que le está diciendo algo a su audiencia! ¿Narración? Contar significa comunicarse, y ¿cómo puede comunicarse realmente sin hacer que cada palabra sea distinta?

La pronunciación descuidada resulta de la deformidad física o del hábito. Un cirujano o un dentista cirujano pueden corregir una deformidad, pero su propia voluntad, trabajando por observación propia y resolución en el ejercicio, romperá un hábito. Todo depende de si crees que vale la pena.

El discurso defectuoso está tan extendido que liberarse de él es la excepción. Es dolorosamente común escuchar a los oradores mutilar el inglés del rey. Si en realidad no lo asesinan, como dijo Curran una vez, a menudo lo noquean.

Un clérigo canadiense, que escribe en Homiletic Review, relata que en sus días de estudiante "un compañero de clase que

161

era inglés suministró una iglesia campestre para un domingo. El lunes siguiente condujo una reunión misionera. En el transcurso de su discurso dijo que algunos los granjeros pensaron que estaban cumpliendo con su deber hacia las misiones cuando dieron sus 'caprichos' al trabajo, pero el Señor exigió más.

Al final de la reunión, una joven le dijo seriamente a una amiga: 'Estoy segura de que los granjeros lo hacen bien, si dan sus cerdos y gallinas a las misiones. Es más de lo que la mayoría de la gente puede pagar".

Es un descaro insufrible para cualquier hombre comparecer ante una audiencia que persiste en expulsar a la felicidad, el hogar y el cielo y, parafraseando a Waldo Messaros, no lo dejará descansar en el infierno. Quien no muestra suficiente conocimiento de sí mismo para ver en sí mismo fallas tan evidentes, ni suficiente dominio de sí mismo para corregirlas, no tiene por qué instruir a otros. Si no puede hacerlo mejor, debe permanecer en silencio. Si no lo hace mejor, también debe permanecer en silencio.

Salvo defectos físicos incurables, y pocos son incurables hoy en día, todo el asunto es de voluntad. El catálogo de aquellos que han hecho lo imposible por el trabajo fiel es tan inspirador como una lista de guerreros. "Cuanto menos hay de ti", dice Nathan Sheppard, "más necesitas que aproveches al máximo lo que hay de ti".

Articulación

La articulación es la formación y unión de los sonidos elementales del habla. Parece una tarea espantosa pronunciar de manera articulada el tercio de un millón de palabras que componen nuestro vocabulario en inglés, pero la forma de comenzar es realmente simple: aprender a pronunciar correctamente y con un cambio fácil de una a otra, cada uno de los cuarenta y cuatro sonidos elementales en nuestro idioma.

Las razones por las que la articulación es tan dolorosamente arrastrada por muchos oradores públicos son cuatro: ignorancia de los sonidos elementales; no discriminar entre sonidos casi por igual; un uso descuidado y perezoso de los órganos vocales; y una voluntad torpe. Cualquiera que aún sea dueño de sí mismo sabrá cómo manejar cada uno de estos defectos.

Los sonidos vocálicos son la fuente más molesta de errores, especialmente donde se encuentran diptongos. ¿Quién no ha escuchado los errores que se ven afectados en este verso inimitable por Oliver Wendell Holmes?:

El aprendizaje condena más allá del alcance de la esperanza. Los labios descuidados que hablan de *sŏap* por *sōap*; su edicto se exilia de su bella morada. La voz de payaso que pronuncia *rŏad* por *rōad*; menos severo para el que llama a su gato, un gato y se dirige a su gato creyéndolo un gato. Perdonó a uno, el alarde de nuestra ciudad clásica.

Quién dijo en Cambridge, más que nada, pero frunció el ceño y pisoteó el pie enojado para escuchar a un maestro llamar a un *rōt* a *rŏŏt*.

Los ejemplos anteriores son todos monosílabos, pero la mala articulación es con frecuencia el resultado de unir sonidos que no van juntos. Por ejemplo, a nadie le resulta difícil decir belleza, pero muchos persisten en pronunciar el deber como si se deletreara como tonto. No es solo de oradores no enseñados que escuchamos articulaciones tan descuidadas como *colyum* por columna, y *pritty* por bonitas, sino que incluso los grandes oradores ocasionalmente ofenden de manera tan deslumbrante como los mortales menos notables.

Casi todos son errores de descuido, no de pura ignorancia, de descuido porque el oído nunca intenta escuchar lo que articulan los labios. Debe ser exasperante para un extranjero descubrir que el sonido elemental no le da pistas sobre la pronunciación de tos,

tos, tosco, minucioso, y podemos perdonar incluso a un hombre de cultura que ocasionalmente pierde su camino en medio de la Las complejidades de la articulación en inglés, pero no puede haber excusas para la expresión descuidada de los simples sonidos vocálicos que forman a la vez la vida y la belleza de nuestro idioma. El que es demasiado perezoso para hablar claramente debe callarse.

Los sonidos de las consonantes ocasionan serios problemas solo para aquellos que no miran con cuidado la ortografía de las palabras a punto de ser pronunciadas. Nada más que descuido puede explicar Jacop, Babtist, Sevem, Alwus o Sadisfy.

"El que tiene que guiñar, guárdelo", es la interpretación que dio un clérigo anglofóbico de la escritura familiar, "El que tiene oídos para oír, que oiga". Después de escuchar el nombre de Sir Humphry Davy pronunciado, un francés que deseaba escribir al eminente inglés dirigió la carta: "Suero Fridavi".

Acentuación

La acentuación es el énfasis de las sílabas propias en palabras. Esto es lo que popularmente se llama pronunciación. Por ejemplo, decimos correctamente que una palabra se pronuncia mal cuando se acentúa en 'viteins en lugar de in-vite', aunque en realidad es un delito contra una sola forma de pronunciación: la acentuación.

Es el trabajo de toda una vida aprender los acentos de un vocabulario extenso y seguir el ritmo del cambio de uso; pero un oído atento, el estudio de los orígenes de las palabras y el hábito del diccionario demostrarán ser poderosos ayudantes en una tarea que nunca puede completarse finalmente.

Enunciación

La enunciación correcta es el enunciado completo de todos los sonidos de una sílaba o una palabra. La articulación incorrecta da el sonido incorrecto a la vocal o las vocales de una palabra o una sílaba, como *doo* para el rocío; o une dos sonidos de manera inadecuada, como por completo. La enunciación incorrecta es el enunciado incompleto de una sílaba o una palabra, el sonido omitido o agregado suele ser consonante. Decir necesidad en lugar de necesidad es una articulación incorrecta; decir que hacer por hacer es una enunciación incorrecta. El primero articula, es decir, las articulaciones, dos sonidos que no deben unirse y, por lo tanto, le da a la palabra un sonido positivamente incorrecto; el otro no toca todos los sonidos de la palabra, y de esa manera particular también suena la palabra incorrectamente.

"Mi texto 'puede ser encontrado' en los quince 'y seis' versos del segundo 'capítulo de Tito; y el tema' de mi discurso es 'El gobierno de los hogares'".

¿Qué hizo este predicador con sus consonantes finales? Esta caída descuidada de sonidos esenciales es tan ofensiva como el hábito común de ejecutar palabras juntas para que pierdan su individualidad y distinción. Aligerar la oscuridad, inclinarse hacia abajo, particularmente, son demasiado comunes para necesitar comentarios.

La enunciación imperfecta se debe a la falta de atención y a los labios vagos. Se puede corregir atendiendo decididamente a la formación de sílabas a medida que se pronuncian. Los labios flexibles enunciarán combinaciones difíciles de sonidos sin despreciar ninguno de ellos, pero tal flexibilidad no se puede lograr excepto al pronunciar palabras habitualmente con claridad y precisión. Un ejercicio diario de enunciación de una serie de sonidos en poco tiempo dará flexibilidad a los labios y alerta a la mente, de modo que no se pronuncie una palabra sin recibir su debido complemento de sonido.

Volviendo a nuestra definición, vemos que cuando los sonidos de una palabra se articulan correctamente, se acentúan las sílabas correctas y se da un valor total a cada sonido en su enunciación, tenemos la pronunciación correcta. Tal vez se necesita una palabra de precaución aquí, para que nadie, ansioso por expresar claramente cada sonido, exagere el asunto y descuide la unidad y la suavidad de la pronunciación. Tenga cuidado de no dar tanta importancia a las sílabas como para hacer que las palabras parezcan largas y angulosas. Las articulaciones deben mantenerse decentemente vestidas.

Antes de la entrega, no dejes de revisar tu manuscrito y ten en cuenta cada sonido que pueda ser mal pronunciado. Consulta el diccionario y asegúrate de estar doblemente seguro. Si la disposición de las palabras es desfavorable para aclarar la enunciación, cambia las palabras o el orden y no descanses hasta que puedas seguir las instrucciones de Hamlet a los jugadores.

PREGUNTAS Y EJERCICIOS

1. Practica repetir lo siguiente rápidamente, prestando especial atención a las consonantes.

"El tonto Flavio, sonrojándose febrilmente, encontró ferozmente culpa en la frivolidad de Flora."

La imitación incomparable de Mary hace mucho daño.

Sentada sobre lutitas brillantes, vende conchas marinas.

Ustedes jóvenes entregaron ayer sus anhelos juveniles de marea.

2. Haz sonar la "L" en cada una de las siguientes palabras, repetidas en secuencia:

Blue black blinkers blocked Black Blondin's eyes.

3. ¿Dices un cielo *azool* o un cielo *azul*?

4. Compara el sonido u en *few* y en *new*. Di cada una en voz alta y decide cuál es la correcta, *¿Noo York, New Yawk o New York?*

5. Presta especial atención a las instrucciones de este capítulo al leer lo siguiente, de Hamlet. Después de la entrevista con el fantasma de su padre, Hamlet les dice a sus amigos Horacio y Marcelo que tiene la intención de actuar como parte:

Horacio. ¡Oh día y noche, pero esto es maravillosamente extraño!

Hamlet. Y por lo tanto, como extraño, dale la bienvenida.

Hay más cosas en el cielo y en la tierra, Horacio, de las que sueñas en tu filosofía. Pero ven; aquí, como antes, nunca, así que ayuda a la misericordia, cuán extraño o extraño soy yo, como tal vez en el futuro pensaré en encontrarme para poner una disposición antic, que tú, en esos momentos viéndome, nunca lo harás. Con los brazos gravados de esta manera, o este movimiento de cabeza, o al pronunciar una frase dudosa, como "Bueno, bueno, lo sabemos" o "Podríamos, y si quisiéramos", o

"Si listamos para hablar" una entrega tan ambigua, para tener en cuenta que sabes algo de mí: esto no se debe hacer, así que la gracia y la misericordia a lo sumo necesitan ayudarte, lo juro.

—*Acto I. Escena V.*

6. Haz una lista de errores comunes de pronunciación, diciendo cuáles se deben a una articulación defectuosa, acentuación incorrecta y enunciación incompleta. En cada caso realiza la corrección.

7. Critica cualquier discurso que hayas escuchado que muestre estas fallas.

8. Explica cómo la falsa vergüenza de parecer demasiado preciso puede impedir que cultivemos una expresión verbal perfecta.

9. La precisión excesiva también es una falla. Sacar cualquier sílaba indebidamente es caricaturizar la palabra. Sé moderado al leer lo siguiente:

EL ÚLTIMO DISCURSO DE MAXIMILIAN DE ROBESPIERRE

¡Los enemigos de la República me llaman tirano! Si yo fuera así, se arrastrarían a mis pies. Debería atiborrarlos de oro, debería otorgarles inmunidad por sus crímenes, y estarían agradecidos. Si yo fuera así, los reyes que hemos vencido, lejos de denunciar a Robespierre, me prestarían su apoyo culpable; habría un pacto entre ellos y yo. La tiranía debe tener herramientas. Pero los enemigos de la tiranía, ¿hacia dónde tiende su camino? ¡A la tumba y a la inmortalidad! ¿Qué tirano es mi protector? ¿A qué facción pertenezco? ¡Ustedes mismos! ¿Qué facción, desde el comienzo de la Revolución, ha aplastado y aniquilado a tantos traidores detectados? ¡Ustedes, la gente, nuestros principios, son esa facción, una facción a la que me dedico, y contra la cual se une todo el sinvergüenza del día!

La confirmación de la República ha sido mi objeto; y sé que la República sólo puede establecerse sobre la base eterna de la moralidad. Contra mí, y contra aquellos que tienen principios afines, se forma la liga. ¿Mi vida? ¡Oh! mi vida la abandono sin arrepentirme. He visto el pasado; y preveo el futuro. ¿Qué amigo de este país desearía sobrevivir en el momento en que ya no pudiera servirlo, cuando ya no pudiera defender la inocencia contra la opresión? Por qué debería continuar en un orden de cosas, donde la intriga triunfa eternamente sobre la verdad; donde se burla la justicia; ¿Dónde las pasiones más abyectas o los temores más absurdos superan los sagrados intereses de la humanidad? Al presenciar la multitud de vicios que el torrente de la Revolución ha lanzado en turbia comunión con sus virtudes cívicas, confieso que a veces he temido que me ensuciaría, a los ojos de la posteridad, el vecindario impuro de hombres sin principios, que se habían asociado con los sinceros amigos de la humanidad; y me alegro de que estos conspiradores contra mi país ahora, por su ira imprudente, hayan trazado la línea de demarcación entre ellos y todos los hombres de verdad.

Cuestiona la historia y aprende cómo todos los defensores de la libertad, en todo momento, han sido abrumados por la calumnia. Pero sus traductores también murieron. Lo bueno y lo malo desaparecen por igual de la tierra; pero en condiciones muy diferentes. ¡Oh franceses! ¡Oh mis compatriotas! ¡No permitas que tus enemigos, con sus doctrinas desoladoras, degraden tus almas y enerven tus virtudes! ¡No, Chaumette, no! ¡La muerte no es "un sueño eterno!" ¡Los ciudadanos! Borra de la tumba ese lema, grabado con manos sacrílegas, que se extiende sobre toda la naturaleza como una cresta fúnebre, toma de la inocencia oprimida su apoyo, y afrenta la dispensación benéfica de la muerte. Inscriba más bien estas palabras: "¡La muerte es el comienzo de la inmortalidad!" Dejo a los opresores del pueblo un terrible testamento, que proclamo con la independencia apropiada para alguien cuya carrera está a punto de terminar; es la horrible verdad: "¡Morirás!"

NOTAS AL PIE:

Orador de la escuela y la universidad, Mitchell.
Orador de la escuela y la universidad, Mitchell.

CAPÍTULO XV

LA VERDAD SOBRE EL GESTO

Cuando Whitefield actuó como un viejo ciego que avanzaba lentamente hacia el borde del precipicio, Lord Chesterfield se puso en pie y gritó: "¡Dios mío, se ha ido!" - Nathan Sheppard, *Before an Audience*.

El gesto es realmente una cuestión simple que requiere observación y sentido común en lugar de un libro de reglas. El gesto es una expresión externa de una condición interna. Es simplemente un efecto: el efecto de un impulso mental o emocional que lucha por expresarse a través de vías físicas.

Sin embargo, no debe comenzar en el extremo equivocado: si está preocupado por sus gestos o por la falta de gestos, preste atención a la causa, no al efecto. No ayudará en lo más mínimo agregar algunos movimientos mecánicos a su entrega. Si el árbol en su patio delantero no está creciendo para adaptarse a usted, fertilice y riegue la tierra y deje que el árbol tenga sol. Obviamente no ayudará a su árbol a clavar algunas ramas. Si su cisterna está seca, espere hasta que llueva; o perforar un pozo. ¿Por qué sumergir una bomba en un agujero seco?

El orador cuyos pensamientos y emociones brotan dentro de él como un manantial de montaña no tendrá muchos problemas para hacer gestos; será simplemente una cuestión de dirigirlos adecuadamente. Si su entusiasmo por su tema no es tal que le dé un impulso natural para la acción dramática, no servirá de nada proporcionarle una larga lista de reglas. Puede agregar algunos movimientos, pero se verán como las ramas marchitas clavadas en un árbol para simular la vida. Los gestos deben nacer, no construirse. Un caballo de madera puede divertir a los niños, pero se necesita uno vivo para ir a algún lado.

No solo es imposible establecer reglas definitivas sobre este tema, sino que sería una tontería intentarlo, ya que todo depende del discurso, la ocasión, la personalidad y los sentimientos del hablante y la actitud de la audiencia. Es bastante fácil pronosticar el resultado de multiplicar siete por seis, pero es imposible decirle a cualquier hombre qué tipo de gestos se verán impulsados a usar cuando desee mostrar su seriedad. Podemos decirle que muchos oradores cierran la mano, con la excepción del dedo índice, y señalando con el dedo directamente al público vierten sus pensamientos como una descarga; o que otros estampan un pie para enfatizar; o que el Sr. Bryan a menudo golpea sus manos juntas con gran fuerza, sosteniendo una palma hacia arriba de manera fácil; o que Gladstone a veces se apresuraba a la mesa del secretario en el Parlamento y la golpeaba con su mano con tanta fuerza que D'israeli una vez derribó la casa felicitándose a sí mismo porque tal barrera se interponía entre él y "el honorable caballero".

Todas estas cosas, y muchas más, podemos decirle al orador, pero no podemos saber si puede usar estos gestos o no, así como tampoco podemos decidir si podría usar la ropa del Sr. Bryan. Lo mejor que se puede hacer en este tema es ofrecer algunas sugerencias prácticas y dejar que el buen gusto personal decida dónde termina la acción dramática efectiva y comienza el movimiento extravagante.

Cualquier gesto que simplemente llame la atención sobre sí mismo es malo

El propósito de un gesto es llevar su pensamiento y sentimiento a las mentes y corazones de sus oyentes; esto lo hace al enfatizar su mensaje, al interpretarlo, al expresarlo en acción, al golpear su tono en un gesto físicamente descriptivo, sugerente o típico, y dejarlo recordar todo el tiempo que el gesto incluye todo movimiento físico, desde la expresión facial y el movimiento de la cabeza hasta los movimientos expresivos de manos y pies. Un cambio de postura puede ser el gesto más efectivo.

Lo que es cierto del gesto es cierto de toda la vida. Si la gente en la calle se da vuelta y observa tu caminata, tu caminata es más importante que tú: cámbiala. Si se llama la atención de tu audiencia a tus gestos, no son convincentes, porque parecen ser, lo que tienen un derecho dudoso de ser en realidad, estudiados. ¿Alguna vez has visto a un orador usar gesticulaciones tan grotescas que te fascinó su frenesí de rareza, pero no pudiste seguir su pensamiento? No sofoques ideas con gimnasia. Savonarola bajaba apresuradamente del alto púlpito entre la congregación en el duomo de Florencia y llevaba el fuego de la convicción a sus oyentes; Billy Sunday se desliza hasta la base de la alfombra de la plataforma para dramatizar una de sus ilustraciones de béisbol. Sin embargo, en ambos casos, el mensaje se ha destacado de alguna manera más grande que el gesto: es principalmente en calma después de pensar que los hombres han recordado la forma de expresión dramática. Cuando Sir Henry Irving hizo su famosa salida como "Shylock", lo último que vio la audiencia fue su mano pálida y avariciosa, delgada y con forma de garra contra el fondo. En ese momento, todos estaban abrumados por la tremenda calidad típica de este gesto; ahora, tenemos tiempo para pensar en su arte y discutir su poder realista.

Solo cuando el gesto se subordina a la importancia absorbente de la idea —una expresión viva y espontánea de la verdad viva— es justificable en absoluto; y cuando se recuerda por sí mismo, como un pedazo de energía física inusual o como un poema de gracia, es un fracaso absoluto como expresión dramática. Hay un lugar para un estilo único de caminar: el circo o el paseo de los pasteles; Hay un lugar para evoluciones sorprendentemente rítmicas de brazos y piernas: es en la pista de baile o en el escenario. No dejes que tu agilidad y gracia arruinen tus pensamientos.

Uno de los escritores actuales tomó sus primeras lecciones de gesto de un cierto presidente universitario que sabía mucho más sobre lo que había sucedido en la Dieta de Worms que sobre cómo expresarse en acción. Sus instrucciones fueron comenzar el movimiento en una palabra determinada, continuarla en una curva precisa y desplegar los dedos al final, terminando con el dedo índice, solo así. Mucho, y más que suficiente, se ha publicado sobre este tema, dando instrucciones tan tontas. El gesto es una cuestión de mentalidad y sentimiento, no una cuestión de geometría. Recuerda, siempre que un par de zapatos, un método de pronunciación o un gesto llame la atención, es malo. Cuando hayas hecho realmente buenos gestos en un buen discurso, tus oyentes no se irán diciendo: "¡Qué hermosos gestos hizo!" pero dirán, "votaré por esa medida". "Tiene razón, creo en eso".

Los gestos deben nacer del momento

Los mejores actores y oradores públicos rara vez saben de antemano qué gestos van a hacer. Hacen un gesto con ciertas palabras esta noche, y ninguno mañana en la noche en el mismo punto: sus diversos estados de ánimo e interpretaciones rigen sus gestos. Todo es cuestión de impulso y sentimiento inteligente con ellos, no pases por alto esa palabra *inteligente*. La naturaleza no siempre proporciona el mismo tipo de puestas de sol o copos de nieve, y los movimientos de un buen orador varían casi tanto como las creaciones de la naturaleza.

Ahora, todo esto no quiere decir que no debes pensar un poco en tus gestos. Si eso significaba, ¿por qué este capítulo? Cuando el sargento suplicó desesperadamente al recluta de la escuadra incómoda que saliera y se mirara a sí mismo, le dio un consejo espléndido y digno de aplicación personal. Particularmente mientras estás en los días de aprendizaje de hablar en público, debes aprender a criticar tus propios gestos. Recordarlos: ver dónde fueron inútiles, toscos, incómodos, qué no, y hacerlo mejor la próxima vez. Hay una gran diferencia entre ser y ser consciente de sí mismo.

Requerirá tu agradable discriminación para cultivar gestos espontáneos y, sin embargo, prestar la debida atención a la práctica. Si bien depende del momento, es vital recordar que solo un genio dramático puede lograr eficazmente las hazañas que hemos relatado de Whitefield, Savonarola y otros: y, sin duda, la primera vez que se usaron tuvieron una explosión de sentimientos espontáneos, sin embargo, Whitefield declaró que hasta que no hubo pronunciado un sermón cuarenta veces, su entrega no se perfeccionó. Lo que inicia la espontaneidad deja que la práctica se complete. Todos los oradores efectivos y todos los actores vívidos han observado, considerado y practicado los gestos hasta que sus acciones dramáticas son una posesión subconsciente, al igual que su capacidad de pronunciar correctamente sin concentrar especialmente su pensamiento. Cada hombre de plataforma capaz se ha poseído de una docena de formas en las que podría representar en un gesto cualquier emoción dada; de hecho, los medios para tal expresión son infinitos, y esta es precisamente la razón por la cual es inútil y dañino hacer una tabla de gestos y hacerlos cumplir como los ideales de lo que puede usarse para expresar este o aquel sentimiento. Practica movimientos descriptivos, sugestivos y típicos hasta que sean tan naturales como una buena articulación; y rara vez pronostica los gestos que usarás en un momento dado: deja algo para ese momento.

Evita la monotonía en los gestos

El rosbif es un excelente plato, pero sería terrible como dieta exclusiva. No importa cuán efectivo sea un gesto, no lo trabajes demasiado. Pon variedad en tus acciones.

La monotonía destruirá toda belleza y poder. El mango de la bomba hace un gesto efectivo, y en los días calurosos ese es muy elocuente, pero tiene sus limitaciones.

Cualquier movimiento que no sea significativo, debilita

No olvides eso. La inquietud no es expresión. Una gran cantidad de movimientos inútiles solo atraerán la atención de la audiencia de lo que estás diciendo. Un hombre muy conocido presentó al orador de la noche un domingo últimamente ante una audiencia de Nueva York. Lo único que se recuerda de ese discurso introductorio es que el hablante jugó nerviosamente con la cubierta de la mesa mientras hablaba. Naturalmente observamos objetos en movimiento. Un conserje que baja una ventana puede llamar la atención de los oyentes del Sr. Roosevelt. Al hacer algunos movimientos a un lado del escenario, una chica de coro puede atraer el interés de los espectadores de una gran escena entre los "protagonistas". Cuando nuestros antepasados vivían en cuevas, tenían que observar objetos en movimiento, porque los movimientos significaban peligro. Todavía no hemos superado el hábito. Los anunciantes se han aprovechado de ello: sean testigos de las señales de luz eléctrica en movimiento en cualquier ciudad. Un orador astuto respetará esta ley y conservará la atención de su audiencia al eliminar todos los movimientos innecesarios.

El gesto debe ser simultáneo o preceder a las palabras, no seguirlas

Lady Macbeth dice: "Tenga la bienvenida en su ojo, su mano, su lengua". Invierte este orden y obtienes comedia. Di: "Ahí va", señalándolo después de que hayas terminado tus palabras, y ve si el resultado no es cómico.

No hagas movimientos cortos y espasmódicos

Algunos oradores parecen estar imitando a un camarero que no ha recibido una propina. Deja que tus movimientos sean fáciles, y desde el hombro, como regla, en lugar de hacerlo desde el codo. Pero no vayas al otro extremo y hagas demasiados movimientos fluidos, eso saborea a los lacios.

Pon un poco de "golpe" y vida en tus gestos. Sin embargo, no puedes hacerlo mecánicamente. La audiencia lo detectará si lo haces. Puede que no sepan qué está mal, pero el gesto tendrá una apariencia falsa para ellos.

La expresión facial es importante

¿Alguna vez te detuviste frente a un teatro de Broadway y miraste las fotografías del elenco? Observa la fila de chicas de coro que se supone que expresan miedo. Sus actitudes son tan mecánicas que el intento es ridículo. Observa la imagen de la "estrella" que expresa la misma emoción: sus músculos están estirados, sus cejas levantadas, se encoge y el miedo brilla en sus ojos. Ese actor sintió miedo cuando se tomó la fotografía. Las chicas del coro sintieron que era hora de una rarebit, y casi expresaron esa emoción más de lo que temían. Por cierto, esa es una de las razones por las que se quedan en el coro.

Los movimientos de los músculos faciales pueden significar mucho más que los movimientos de la mano. El hombre que se sienta en un montón abatido con una expresión de desesperación en su rostro está expresando sus pensamientos y sentimientos con la misma eficacia que el hombre que está agitando los brazos y gritando desde la parte trasera de un vagón. El ojo ha sido llamado la ventana del alma. A través de él brilla la luz de nuestros pensamientos y sentimientos.

No uses demasiado gesto

De hecho, en las grandes crisis de la vida no pasamos por muchas acciones. Cuando tu amigo más cercano muere, no levantes las manos y hables de tu dolor. Es más probable que te sientes y medites en silencio con los ojos secos. El río Hudson no hace mucho ruido en su camino hacia el mar; no es tan ruidoso como el pequeño arroyo en Bronx Park que una rana toro podría saltar. El perro que ladra nunca te rasga los pantalones, al menos dicen que no. No temas al hombre que agita los brazos y grita su ira, sino al hombre que se levanta en silencio con los ojos llameantes y la cara ardiente, puede derribarte. El alboroto no es la fuerza. Observa estos principios en la naturaleza y practícalos en tu entrega.

El escritor de este capítulo observó una vez que un instructor perforaba una clase en gesto. Habían llegado al pasaje de Enrique VIII en el que el humilde cardenal dice: "Adiós, una larga despedida a toda mi grandeza". Es uno de los pasajes patéticos de la literatura. Un hombre que expresara tal sentimiento sería aplastado, y lo último que haría en la tierra sería hacer movimientos extravagantes.

Sin embargo, esta clase tenía un manual elocuente ante ellos que daba un gesto apropiado para cada ocasión, desde pagar la factura del gas hasta las despedidas en el lecho de muerte. Así que se les indicó que extendieran los brazos a cada lado y dijeran: "Adiós, una larga despedida a toda mi grandeza".

Tal gesto podría usarse en un discurso después de la cena en la convención de una compañía telefónica cuyas líneas se extendían desde el Atlántico hasta el Pacífico, pero pensar en que Wolsey usara ese movimiento sugeriría que su destino era justo.

Postura

La actitud física que se debe tomar ante la audiencia realmente se incluye en el gesto. Lo que debe ser esa actitud depende, no de las reglas, sino del espíritu del discurso y la ocasión. El senador La Follette permaneció de pie durante tres horas con el peso sobre su pie delantero mientras se inclinaba sobre las luces de los pies, se pasó los dedos por el pelo y encendió una denuncia de los fideicomisos. Fue muy efectivo. Pero imagina a un orador tomando ese tipo de posición para hablar sobre el desarrollo de maquinaria para la construcción de carreteras. Si tienes un mensaje ardiente y agresivo, y te dejarás llevar, la naturaleza, naturalmente, pondrá su peso sobre su pie delantero. Un hombre en una acalorada discusión política o una pelea callejera nunca tiene que detenerse para pensar en qué pie debe arrojar su peso. A veces puede colocar su peso sobre su pie trasero si tiene un mensaje tranquilo y calmado, pero no te preocupes por eso: simplemente párate como un hombre que realmente siente lo que está diciendo. No te pares con los talones juntos, como un soldado o un mayordomo. Nunca más deberías estar con ellos separados como un policía de tránsito. Usa buenos modales y sentido común.

Aquí se necesita una palabra de precaución. Te hemos aconsejado que permitas que tus gestos y posturas sean espontáneos y no preparados de antemano, pero no llegues al extremo de ignorar la importancia de adquirir el dominio de tus movimientos físicos. Una mano muscular hecha flexible por el movimiento libre, es mucho más probable que sea un instrumento eficaz en el gesto que un manojo de dedos rígidos y regordetes. Si tus hombros están delgados y bien cargados, mientras tu pecho no se retira de la asociación con su mentón, las posibilidades de usar buenos gestos extemporáneos son mucho mejores. Aprende a mantener la parte posterior de tu cuello tocando tu cuello, mantén tu pecho alto y mantén baja la medida de tu cintura.

Por lo tanto, la atención a la fuerza, el equilibrio, la flexibilidad y la gracia del cuerpo son los cimientos del buen gesto, ya que son expresiones de vitalidad, y sin vitalidad ningún hablante puede entrar en el reino del poder. Cuando un gigante incómodo como Abraham Lincoln se elevó a las alturas más sublimes de la oratoria, lo hizo debido a la grandeza de su alma: su robustez de espíritu y honestidad ingeniosa se expresaron adecuadamente en su cuerpo retorcido. El fuego del carácter, de la seriedad y del mensaje barrió a sus oyentes ante él cuando las tibias palabras de un Apolo falso no hubieran dejado efecto. Pero asegúrate de ser un segundo Lincoln antes de despreciar la desventaja de la incomodidad física.

"Ty" Cobb le ha confiado al público que cuando está en una recesión de bateo incluso se para frente a un espejo, con el bate en la mano, para observar el "swing" y el "seguimiento" de su forma de bateo. Si aprendieras a pararte bien ante una audiencia, mírate en un espejo, pero no con demasiada frecuencia. Practica caminar y pararte frente al espejo para conquistar la incomodidad, no para cultivar una pose. Párate en la plataforma de la misma manera fácil que usaría antes que los invitados en un salón. Si tu posición no es elegante, hazlo bailando, trabajando en el gimnasio y obteniendo gracia y equilibrio en tu mente.

No mantengas continuamente la misma posición. Cualquier gran cambio de pensamiento requiere un cambio de posición. Estar en casa. No hay reglas, todo es cuestión de gustos. Mientras estés en la plataforma, olvida que tienes manos hasta que desees usarlas, luego recuérdelas de manera efectiva. La gravedad se encargará de ellos. Por supuesto, si deseas dejarlas atrás o doblarlas de vez en cuando, no va a arruinar tu discurso. Pensar y sentir son las cosas más importantes al hablar, no la posición de un pie o una mano. Simplemente coloca tus extremidades donde quiera que estén, tienes un testamento, así que no te olvides de usarlo.

Reiteremos, no desprecies la práctica. Tus gestos y movimientos pueden ser espontáneos y aún estar equivocados. No importa cuán naturales sean, es posible mejorarlos.

Es imposible para cualquiera, incluso para ti mismo, criticar tus gestos hasta después de que se hayan hecho. No se puede podar un durazno hasta que aparezca; por eso habla mucho y observa tu propio discurso. Mientras te examinas, no olvides estudiar estatuas y pinturas para ver cómo los grandes retratadores de la naturaleza han hecho que sus sujetos expresen ideas a través de la acción. Observa los gestos de los mejores oradores y actores. Observa la expresión física de la vida en todas partes. Las hojas del árbol responden a la más mínima brisa. Los músculos de su cara, la luz de sus ojos, deben responder al más mínimo cambio de sentimiento. Emerson dice: "Cada hombre que conozco es mi superior de alguna manera. En eso me entero de él". Los italianos analfabetos hacen gestos tan maravillosos y hermosos que Booth o Barrett podrían haberse sentado a sus pies y recibir instrucciones. Abre tus ojos. Emerson dice nuevamente: "Estamos inmersos en la belleza, pero nuestros ojos no tienen una visión clara". Tira este libro a un lado; sal y mira a un niño suplicar a otro por un bocado de manzana; ve una pelea callejera; observa la vida en acción. ¿Quieres saber cómo expresar la victoria? Observa cómo las manos de los vencedores se elevan en la noche de las elecciones. ¿Quieres defender una causa? Haz una fotografía compuesta de todos los suplicantes en la vida diaria que ves constantemente. Pide, pide prestado y roba lo mejor que pueda obtener, PERO NO LO DES POR ROBO. Asimílalo hasta que se convierta en una parte de ti, luego deja que salga la expresión.

PREGUNTAS Y EJERCICIOS

1. ¿De qué fuente piensas estudiar el gesto?

2. ¿Cuál es el primer requisito de los buenos gestos? ¿Por qué?

3. ¿Por qué es imposible establecer reglas de acero para los gestos?

4. Describe (a) un gesto elegante que hayas observado; (b) uno contundente; (c) uno extravagante; (d) uno inapropiado.

5. ¿Qué gestos utilizas para enfatizar? ¿Por qué?

6. ¿Cómo se puede adquirir la gracia del movimiento?

7. En caso de duda sobre un gesto, ¿qué harías?

8. ¿Cuáles, según tus observaciones ante un espejo, son tus fallas al gesticular?

9. ¿Cómo piensa corregirlos?

10. ¿Cuáles son algunos de los gestos, si los hay, que podría usar para pronunciar el discurso de Thurston, página 50; ¿El discurso de Grady, página 36? Sé específico.

11. Describe algún gesto particularmente apropiado que haya observado. ¿Por qué fue apropiado?

12. Cita al menos tres movimientos en la naturaleza que bien podrían ser imitados en un gesto.

13. ¿Qué reunirías de las expresiones: gesto descriptivo, gesto sugestivo y gesto típico?

14. Selecciona cualquier emoción elemental, como el miedo, e intenta, imaginándote en tu mente al menos cinco situaciones diferentes que puedan provocar esta emoción, para expresar tus diversas fases mediante gestos, incluida la postura, el movimiento y la expresión facial.

15. Haz lo mismo para otras emociones que puedas seleccionar.

16. Selecciona tres pasajes de cualquier fuente, solo asegurándote de que sean adecuados para la entrega pública, memoriza cada uno y luego idea gestos adecuados para cada uno. Di porqué.

17. Critica los gestos en cualquier discurso que haya escuchado recientemente.

18. Practixa el movimiento flexible de la mano. ¿Qué ejercicios encontraste útiles?

19. Observa cuidadosamente a algún animal; luego inventa varios gestos típicos.

20. Escribe un breve diálogo entre dos animales; léelo en voz alta e inventa gestos expresivos.

21. Entrega, con los gestos apropiados, la cita que encabeza este capítulo.

22. Lee en voz alta el siguiente incidente, usando gestos dramáticos:

Cuando Voltaire estaba preparando a una joven actriz para aparecer en una de sus tragedias, le ató las manos a los costados con un hilo de paquete para comprobar su tendencia a la gesticulación exuberante. Bajo esta condición de inmovilidad obligatoria, comenzó a ensayar, y durante algún tiempo se aburre con la calma suficiente; pero al final, completamente cautivada por sus sentimientos, rompió sus ataduras y levantó los brazos. Alarmada por su supuesto descuido de sus instrucciones, ella comenzó a disculparse con el poeta; sin embargo, la tranquilizó sonriendo; entonces el gesto fue admirable, porque era incontenible.—Redway, *The Actor's Art*.

23. Representa lo siguiente con gestos adecuados:

Un día, mientras predicaba, Whitefield "de repente asumió un aire náutico y una forma que era irresistible con él", y estalló en estas palabras: "Bueno, mis muchachos, tenemos un cielo despejado, y estamos avanzando muy bien sobre un mar tranquilo. antes de una ligera brisa, y pronto perderemos de vista la tierra. Pero, ¿qué significa esta bajada repentina de los cielos y esa nube oscura que se eleva desde debajo del horizonte occidental? ¡Oye! ¿No oyes truenos lejanos? ¿No ves? ¿Esos relámpagos? ¡Se está formando una tormenta! ¡Todos los hombres cumplen con su deber! ¡El aire está oscuro! ¡La tempestad arrecia! ¡Nuestros mástiles se han ido! ¡El barco está en los extremos de sus rayos! ¿Qué sigue? Ante esto, varios marineros de la congregación, completamente impresionados por la dramática descripción, se pusieron de pie de un salto y gritaron: "¡El bote largo! ¡Tomen el bote largo!"

—Nathan Sheppard, *Ante una Audiencia.*

CAPÍTULO XVI

MÉTODOS DE ENTREGA

La corona, la consumación, del discurso es su entrega. Hacia todo, la preparación mira, porque la audiencia espera, por ella se juzga al orador ... Todas las fuerzas de la vida del orador convergen en su oratoria. La agudeza lógica con la que reúne los hechos en torno a su tema, la facilidad retórica con la que ordena su lenguaje, el control al que ha llegado en el uso de su cuerpo como un solo órgano de expresión, cualquiera sea la riqueza de adquisición y experiencia. el suyo, todos estos son ahora incidentes; el hecho es el envío de su mensaje a sus oyentes ... La hora de entrega es la "hora suprema e inevitable" para el orador. Es este hecho el que hace que la falta de preparación adecuada sea una impertinencia. Y es esto lo que envía tales emociones de alegría indescriptible a todo el ser del orador cuando ha logrado un éxito: es como la madre olvidando sus dolores por la alegría de traer un hijo al mundo.

—J.B.E., *Cómo Atraer y Retener una Audiencia.*

Hay cuatro métodos fundamentales para entregar un discurso; todos los demás son modificaciones de uno o más de estos: lectura del manuscrito, cometer el discurso escrito y hablar de memoria, hablar de notas y discurso extemporáneo. Es imposible decir qué forma de entrega es mejor para todos los oradores en todas las circunstancias: al decidir por sí mismo, debes considerar la ocasión, la naturaleza de la audiencia, el carácter de su tema y tus propias limitaciones de tiempo y capacidad. Sin embargo, vale la pena advertirte que no seas indulgente en la autoexacción. Di a tí mismo con valentía: lo que otros pueden hacer, lo puedo intentar. Un espíritu audaz conquista donde otros se estremecen, y una tarea difícil desafía el desplume.

Lectura del manuscrito

Este método realmente merece poca atención en un libro sobre hablar en público, ya que, engañarse como sea posible, la lectura pública no es hablar en público. Sin embargo, hay tantos que agarran esta caña rota como apoyo, por lo que debemos discutir aquí el "discurso de lectura", un nombre inapropiado de disculpa tal como es.

Ciertamente, hay ocasiones, entre ellas, la apertura del Congreso, la presentación de una pregunta dolorosa ante un órgano deliberativo, o una conmemoración histórica, en las que puede parecer no solo al "orador" sino a todos aquellos interesados que lo principal es para expresar ciertos pensamientos en un lenguaje preciso, en un lenguaje que no debe ser mal entendido o mal citado. En esos momentos, la oratoria es infelizmente apoyada en un banco trasero, el manuscrito se retira solemnemente del espacioso bolsillo interior de la nueva levita, y todos se acomodan con resignación, con solo un débil parpadeo de esperanza de que el llamado discurso no sea siempre y cuando sea grueso. Las palabras pueden ser doradas, pero los ojos de los oyentes son propensos a ser plomizos, y en aproximadamente un caso de cada cien el perpetrador realmente ofrece una dirección impresionante. Su excusa es su disculpa: no se le debe culpar, por regla general, porque alguien decretó que sería peligroso liberarse de los amarres de manuscritos y llevar a su audiencia con él en una vela realmente encantadora.

Un gran problema en tales "grandes ocasiones" es que el ensayista, por lo que es, ha sido elegido no por su habilidad para hablar, sino porque su abuelo peleó en cierta batalla, o sus electores lo enviaron al Congreso o sus dones en alguna línea de esfuerzo que no sea hablar lo ha distinguido.

Además, elije un cirujano por su habilidad para jugar al golf. Sin duda, siempre le interesa a la audiencia ver a un gran hombre; debido a su eminencia, es probable que escuchen sus palabras con respeto, tal vez con interés, incluso cuando se les deja en un manuscrito. ¡Pero cuán más efectiva sería tal liberación si los papeles se dejaran de lado!

En ninguna parte la dirección de lectura es tan común como en el púlpito, el púlpito, que en estos días, por lo menos, puede darse el lujo de invitar a una discapacidad. Indudablemente, muchos clérigos prefieren terminar a fermentar; déjenlos elegir: rara vez son hombres que influyen en las masas para que acepten su mensaje. Lo que ganan en precisión y elegancia del lenguaje lo pierden en fuerza.

Hay solo cuatro motivos que pueden hacer que un hombre lea su dirección o sermón:

1. La pereza es la más común. Basta de charla. Incluso el cielo no puede hacer que un hombre perezoso sea eficiente.

2. Un recuerdo tan defectuoso que realmente no puede hablar sin leer. Por desgracia, no está hablando cuando está leyendo, por lo que su dilema es doloroso, y no sólo para sí mismo. Pero ningún hombre tiene derecho a asumir que su memoria es completamente mala hasta que se haya abrochado a la cultura de la memoria y haya fallado. Una memoria débil suele ser una excusa más que una razón.

3. Una genuina falta de tiempo para hacer más que escribir el discurso. Existen tales casos, ¡pero no ocurren todas las semanas! La disposición de su tiempo permite más flexibilidad de la que cree. El motivo 3 con demasiada frecuencia se combina con el motivo 1.

4. Una convicción de que el discurso es demasiado importante para arriesgarse a abandonar el manuscrito. Pero, si es vital que cada palabra sea tan precisa, el estilo tan pulido y

los pensamientos tan lógicos, que el predicador deba escribir todo el sermón, ¿no es el mensaje lo suficientemente importante como para garantizar un esfuerzo adicional para perfeccionar su entrega? Es un insulto a una congregación y una falta de respeto al Dios Todopoderoso poner la redacción de un mensaje por encima del mensaje mismo. Para llegar al corazón de los oyentes, el sermón debe ser entregado: es solo medio entregado cuando el hablante no puede pronunciarlo con fuego y fuerza originales, cuando simplemente repite palabras que fueron concebidas horas o semanas antes y, por lo tanto, son como champán que ha perdido efervescente. Los ojos del predicador lector están atados a su manuscrito; no puede dar a la audiencia el beneficio de su expresión. ¿Cuánto duraría una obra de teatro en un teatro si los actores tuvieran sus libros de cuentos en la mano y leyeran sus partes? Imagina a Patrick Henry leyendo su famoso discurso; Peter-the-Ermit, manuscrito en mano, exhortando a los cruzados; Napoleón, mirando constantemente sus papeles, se dirige al ejército en las Pirámides; ¡o Jesús leyendo el Sermón del Monte! Estos oradores estaban tan llenos de temas, su preparación general había sido tan rica que no era necesario que un manuscrito se refiriera o sirviera como "un signo externo y visible" de su preparación. Ningún evento fue tan digno que requirió un intento artificial de hablar. Llame a un ensayo por su nombre correcto, pero nunca lo llame un discurso. Quizás el más digno de los eventos es una súplica al Creador. Si alguna vez escuchó la lectura de una oración original, debe haber sentido su superficialidad.

Independientemente de cuáles sean las teorías sobre la entrega de manuscritos, el hecho es que no funciona con eficiencia. Evítalo siempre que sea posible.

Cometer el discurso escrito y hablar de memoria

Este método tiene ciertos puntos a su favor. Si tienes tiempo y tiempo libre, es posible pulir y reescribir tus ideas hasta que se expresen en términos claros y concisos. Pope a veces pasaba un día entero perfeccionando un pareado. Gibbon consumió veinte años reuniendo material y reescribiendo la "Declinación y caída del imperio romano". Aunque no puedes dedicar una preparación tan minuciosa a un discurso, debes tomarte el tiempo para eliminar palabras inútiles, agrupar párrafos enteros en una oración y elegir ilustraciones adecuadas. Los buenos discursos, como las obras de teatro, no están escritos; son reescritos La National Cash Register Company sigue este plan con su organización de ventas más eficiente: requieren que sus vendedores memoricen textualmente una charla de ventas. Sostienen que hay una mejor manera de exponer sus argumentos de venta, e insisten en que cada vendedor use esta forma ideal en lugar de emplear frases al azar que puedan surgir en su mente en este momento.

El método de escribir y comprometerse ha sido adoptado por muchos oradores destacados; Julius Cæsar, Robert Ingersoll y, en algunas ocasiones, Wendell Phillips, fueron ejemplos distinguidos. Los maravillosos efectos logrados por actores famosos se lograron, por supuesto, mediante la entrega de líneas memorizadas.

El orador inexperto debe ser advertido antes de intentar este método de entrega que es difícil y difícil. Se requiere mucha habilidad para hacerlo eficiente. Las líneas memorizadas del hablante joven generalmente sonarán como palabras memorizadas y se repelerán.

Si deseas escuchar un ejemplo, escucha a un manifestante de una tienda departamental repetir su jerga memorizada sobre la cera de muebles más nueva o la comida para el desayuno. Requiere capacitación para hacer que un discurso memorizado suene fresco y espontáneo, y, a menos que tengas una buena memoria nativa, en cada caso el producto terminado requiere mucho trabajo. Si olvidas una parte de su discurso o pierde algunas palabras, es probable que esté tan confundido que, como la guía de Mark Twain en Roma, te verás obligado a repetir tus líneas desde el principio.

Por otro lado, puedes estar tan ocupado tratando de recordar sus palabras escritas que no se abandonará al espíritu de su dirección, y no lo entregarás con esa espontaneidad que es tan vital para una entrega enérgica.

Pero no dejes que estas dificultades te asusten. Si comprometerte te parece mejor, pruébelo con fidelidad. No te dejes disuadir por sus dificultades, pero con práctica resuelta evítalas.

Una de las mejores maneras de superar estas dificultades es hacer lo que a menudo hace el Dr. Wallace Radcliffe: comprometerse sin escribir el discurso, hacer prácticamente toda la preparación mental, sin poner la pluma en el papel, una forma laboriosa pero efectiva de cultivar ambas mentes y memoria

Te resultará una práctica excelente, tanto para la memoria como para la entrega, cometer los discursos de muestras que se encuentran en este volumen y declamarlos, con toda la atención a los principios que hemos presentado ante usted. William Ellery Channing, él mismo un distinguido orador, hace años dijo esto de la práctica en la declamación:

"¿No hay diversión, tener afinidad con el drama, que podría ser útilmente presentada entre nosotros? Quiero decir, Recitación. Una obra de genio, recitada por un hombre de buen gusto, entusiasmo y poder de elocución, es muy pura y alta gratificación. Si este arte fuera cultivado y alentado, grandes números, ahora insensibles a las composiciones más bellas, podrían despertarse a su excelencia y poder ".

Hablando desde las notas

El tercero, y el método de entrega más popular, es probablemente también el mejor para el principiante. Hablar desde las notas no es lo ideal, pero aprendemos a nadar en aguas poco profundas antes de salir más allá de las cuerdas. Haz un plan definitivo para tu discurso (para una discusión más completa, vea el Capítulo XVIII) y establece los puntos de alguna manera a la manera del resumen de un abogado o del bosquejo de un predicador. Aquí hay una muestra de notas muy simples:

ATENCIÓN

I. Introducción.

Atención indispensable para el desempeño de cualquier buen trabajo. *Anécdota.*

II Definido e ilustrado.

1. Desde la observación común.

2. Desde la vida de grandes hombres {Carlyle, Robert E. Lee.}

III. Su relación con otros poderes mentales.

1. Razón.

2. Imaginación.

3. Memoria.

4. Will. *Anécdota.*

IV. La atención puede ser cultivada.

1. Atención involuntaria.

2. Atención voluntaria. *Ejemplos.*

Conclusión V.

Las consecuencias de la falta de atención y de la atención.

Pocos resúmenes serían tan precisos como este, ya que con experiencia un hablante aprende a usar pequeños trucos para atraer su atención: puede subrayar mucho una palabra clave, dibujar un círculo rojo alrededor de una idea fundamental, encerrar la palabra clave de un anécdota en una caja con líneas onduladas, y así indefinidamente. Vale la pena recordar estos puntos, ya que nada escapa tan rápido a la mirada rápida del hablante como la similitud de la escritura a máquina, o incluso una escritura a lápiz normal. Por lo tanto, algo involuntario como una mancha en la página puede ayudarte a recordar un gran "punto" en tu informe, tal vez por asociación de ideas.

Un orador sin experiencia probablemente requeriría notas más completas que el espécimen dado. Sin embargo, ese es el peligro, ya que el manuscrito completo no es más que un breve resumen del copioso bosquejo. Usa la menor cantidad de notas posible.

Pueden ser necesarios por el momento, pero no dejes de verlos como un mal necesario; e incluso cuando los coloque delante de ti, refiérete a ellos solo cuando te veas obligado a hacerlo. Haz tus notas tan completas como desees en la preparación, pero condenselas para su uso en la plataforma.

Discurso extemporáneo

Seguramente este es el método ideal de entrega. Es de lejos el más popular entre la audiencia, y el método favorito de los oradores más eficientes.

El "discurso extemporáneo" a veces se ha hecho para significar un discurso no preparado, y de hecho es a menudo precisamente eso; pero en ningún sentido lo recomendamos encarecidamente a hablantes mayores y jóvenes. Por el contrario, hablar bien sin notas requiere toda la preparación que discutimos tan a fondo en el capítulo sobre "Fluidez", mientras confiamos en la "inspiración de la hora" para algunos de sus pensamientos y gran parte de su lenguaje. Sin embargo, es mejor que recuerdes que la inspiración más efectiva de la hora es la inspiración que tú mismo aportas, embotellada en tu espíritu y lista para infundirse en la audiencia.

Si exageras, puedes acercarte mucho más a tu audiencia. En cierto sentido, aprecian la tarea que tienes ante ti y envían su simpatía. Extiende, y no tendrás que detenerse y hurgar entre tus notas: puedes mantener su mirada en llamas con tu mensaje y mantener a tu audiencia con su propia mirada. Usted mismo sentirá su respuesta al leer los efectos de sus palabras cálidas y espontáneas, escritas en sus rostros.

Las oraciones escritas en el estudio pueden ser frías y muertas cuando resucitan ante la audiencia. Cuando creas mientras hablas conservas todo el fuego nativo de tu pensamiento. Puede ampliar un punto u omitir otro, tal como lo exija la ocasión o el estado de ánimo de la audiencia. No es posible que todos los oradores utilicen este método, el más difícil de todos, y, lo que es menos importante, puede usarse con éxito sin mucha práctica, pero es el ideal hacia el cual todos deben esforzarse.

Un peligro en este método es que puede ser conducido a un lado de su sujeto hacia caminos secundarios. Para evitar este peligro, mantén firmemente tu perfil mental. Practica hablar desde un escrito memorizado hasta que tomes el control. Únete a una sociedad de debate: habla, habla, HABLA, y siempre amplía tu espíritu. Puedes "hacer el ridículo" una o dos veces, pero ¿es ese un precio demasiado alto para pagar por el éxito?

Las notas, como las muletas, son solo un signo de debilidad. Recuerda que el poder de tu discurso depende en cierta medida de la opinión que tu audiencia tenga de ti. Las palabras del general Grant como presidente fueron más poderosas que sus palabras como agricultor de Missouri. Si aparecieras a la luz de una autoridad, sé uno. Toma notas en tu cerebro en lugar de hacerlo en papel.

Métodos conjuntos de entrega

Muchos oradores excelentes han adoptado una modificación del segundo método, en particular los profesores que se ven obligados a hablar sobre una amplia variedad de temas día tras día; tales oradores a menudo guardan sus direcciones en la memoria pero mantienen sus manuscritos en forma de libro flexible delante de ellos, pasando varias páginas a la vez. Se sienten más seguros por tener un anclaje de hoja a barlovento, pero es un ancla, sin embargo, y dificulta la navegación rápida y libre, aunque nunca se arrastra con tanta ligereza.

Otros oradores lanzan un ancla aún más ligera manteniendo ante ellos un bosquejo bastante completo de su discurso escrito y comprometido.

Otros vuelven a escribir y comprometen algunas partes importantes de la dirección: la introducción, la conclusión, algún argumento vital, alguna ilustración ilustrativa, y dependen de la hora para el idioma del resto. Este método está bien adaptado para hablar con o sin notas.

Algunos oradores leen del manuscrito las partes más importantes de sus discursos y pronuncian el resto de manera extemporánea.

Por lo tanto, lo que hemos llamado "métodos conjuntos de entrega" están abiertos a muchas variaciones personales. Debes decidir por sí mismo cuál es el mejor para ti, para la ocasión, para tu tema, para tu audiencia, ya que estos cuatro factores tienen sus reclamos individuales.

Cualquiera sea la forma que elijas, no seas tan débilmente indiferente como para preferir la manera fácil: elije la mejor manera, lo que te cueste en tiempo y esfuerzo. Y de esto esté asegurado: solo el hablante practicado puede esperar obtener concisión de argumento y convicción de manera, pulir el lenguaje y el poder en la entrega, terminar el estilo y disparar en la expresión.

PREGUNTAS Y EJERCICIOS

1. ¿Cuál es, a tu juicio, la entrega más adecuada para ti? ¿Por qué?

2. ¿Qué objeciones puede ofrecer a: (a) memorizar todo el discurso; (b) lectura del manuscrito; (c) uso de notas; (d) hablar desde un esquema o notas memorizadas; (e) ¿alguno de los "métodos conjuntos"?

3. ¿Qué hay para recomendar al pronunciar un discurso en cualquiera de los métodos anteriores?

4. ¿Puedes sugerir alguna combinación de métodos que hayas encontrado eficaz?

5. ¿Qué métodos, según su observación, utilizan los oradores más exitosos?

6. Selecciona algún tema de la lista en la página 123, reduzca el tema para que sea específico (consulte la página 122) y entrega una dirección breve, utilizando los cuatro métodos mencionados, en cuatro entregas diferentes del discurso.

7. Selecciona uno de los métodos conjuntos y aplícalos a la entrega de la misma dirección.

8. ¿Qué método prefieres y por qué?

9. De la lista de temas en el Apéndice, seleccione un tema y entrega una dirección de cinco minutos sin notas, pero haz una preparación cuidadosa sin poner sus pensamientos en papel.

NOTA: Se espera sinceramente que los instructores no pasen esta etapa del trabajo sin exigir a sus estudiantes mucha práctica en la entrega de discursos originales, de la manera que, después de algún experimento, parece ser la más adecuada para los dones del estudiante. Los estudiantes que estudian solos deben ser igualmente exigentes con ellos mismos. Un punto es lo más importante: es fácil aprender a leer un discurso, por lo tanto, es mucho más urgente que el alumno tenga mucha práctica al hablar de notas y hablar sin notas. En esta etapa, preste más atención a la manera que a la materia: los capítulos siguientes abordan la composición de la dirección. Sea particularmente insistente en la revisión frecuente y exhaustiva de los principios de entrega discutidos en los capítulos anteriores.

CAPÍTULO XVII

PENSAMIENTO Y RESERVA DE PODER

La providencia siempre está del lado de la última reserva.
—Napoleón Bonaparte.

Así se alimentan los poderes más poderosos de la calma más profunda,
¡Y duerme, cuán a menudo, en las cosas que sean más suaves!
—Barry Cornwall, El mar en calma.

¿Qué pasaría si sobregiraras tu cuenta bancaria? Como regla, el cheque sería protestado; pero si estuvieras en condiciones amistosas con el banco, tu cheque podría ser honrado y se te solicitaría que soluciones el sobregiro.

La naturaleza no tiene tales favoritos, por lo tanto, no otorga créditos. Es tan implacable como un tanque de gasolina: cuando se usa todo el "gas", la máquina se detiene. Es tan imprudente para un orador arriesgarse ante una audiencia sin tener algo en reserva como lo es para el automovilista ensayar un largo viaje en la naturaleza sin suficiente gasolina a la vista.

Pero, ¿en qué consiste el poder de reserva de un orador? En una confianza bien fundada en su comprensión general y particular de su tema; en la calidad de estar alerta e ingenioso en el pensamiento, particularmente en la capacidad de pensar mientras está de pie; y en esa posesión que hace de uno el capitán de todas sus propias fuerzas, físicas y mentales.

El primero de estos elementos, la preparación adecuada, y el último, la autosuficiencia, se discutieron a fondo en los capítulos sobre "Confianza en uno mismo" y "Fluidez", por lo que aquí solo los tocaremos incidentalmente; además, el próximo capítulo abordará métodos específicos de preparación para hablar en público. Por lo tanto, el tema central de este capítulo es el segundo de los elementos del poder de reserva: el pensamiento.

El almacén mental

Una mente vacía, como una despensa vacía, puede ser un asunto serio o no, todo dependerá de los recursos disponibles. Si no hay comida en el armario, la ama de casa no sacude nerviosamente los platos vacíos; ella llama por teléfono al tendero. Si no tienes ideas, no sacudas tus *ers* y *ah* vacíos, pero obtén algunas ideas y no hables hasta que las obtengas.

Esto, sin embargo, no es lo que el viejo ama de llaves de Nueva Inglaterra solía llamar "presuntuoso". La verdadera solución del problema de qué hacer con una cabeza vacía es nunca dejar que se vacíe. En los pozos artesianos de Dakota, el agua se precipita a la superficie y salta a unos metros del suelo. El secreto de este flujo exuberante es, por supuesto, la gran oferta que se encuentra debajo, llena de gente para salir.

¿De qué sirve detenerse para preparar una bomba mental cuando puede llenar su vida con los recursos para un pozo artesiano? No es suficiente tener simplemente suficiente; debes tener más que suficiente. Entonces, la presión de su masa de pensamiento y sentimiento mantendrá su flujo de discurso y le dará la confianza y el equilibrio que denotan poder de reserva. ¡Estar lejos de casa con la tarifa exacta de devolución deja mucho en las circunstancias!

El poder de reserva es magnético. No consiste en dar la idea de que tienes algo en reserva, sino en la sugerencia de que la audiencia está obteniendo la esencia de tu observación, lectura, experiencia, sentimiento, pensamiento. Para tener poder de reserva, por lo tanto, debe tener suficiente leche de material a mano para suministrar suficiente crema.

¿Pero cómo conseguiremos la leche? Hay dos formas: la primera es la de la vaca, el otro es de segunda mano, del lechero.

El ojo que ve

Algunos sabios han dicho: "Para mil hombres que pueden hablar, solo hay uno que puede pensar; para mil hombres que pueden pensar, solo hay uno que puede ver". Ver y pensar es obtener la leche de tu propia vaca.

Cuando aparece el único hombre en un millón que puede ver, lo llamamos Maestro. El viejo Sr. Holbrook, de "Cranford", preguntó a su invitado de qué color eran los capullos de ceniza en marzo; ella confesó que no sabía, a lo que el anciano respondió: "Sabía que no lo sabías. ¡Nunca más lo hice, un viejo tonto que soy!", hasta que este joven vino y me dijo: "Negro como los capullos de ceniza en marzo". Y he vivido toda mi vida en el campo. Más vergüenza para mí no saberlo. Negros; son negros como el azabache, señora ".

"Este joven" al que se refería el Sr. Holbrook era Tennyson.

Henry Ward Beecher dijo: "No creo que haya conocido a un hombre en la calle que no haya recibido de él algún elemento para un sermón. Nunca veo nada en la naturaleza que no funcione para aquello por lo que doy fortaleza de mi vida. El material para mis sermones es todo el tiempo siguiéndome y pululando a mi alrededor".

En lugar de decir que solo un hombre en un millón puede ver, sería más cercano a la verdad decir que ninguno de nosotros ve con una comprensión perfecta más de una fracción de lo que pasa ante nuestros ojos, sin embargo, esta facultad de observación aguda y precisa es tan importante que ningún hombre ambicioso para liderar puede descuidarlo. La próxima vez que estés en un automóvil, mira a quienes se sientan frente a ti y ve lo que puedes descubrir sobre sus hábitos, ocupaciones, ideales, nacionalidades, entornos, educación, etc. Es posible que no vea mucho la primera vez, pero la práctica revelará resultados sorprendentes. Transmuta cada incidente de tu día en un tema para un discurso o una ilustración. Traduce todo lo que ves a los términos del habla. Cuando puedes describir todo lo que has visto en palabras definidas, estás viendo claramente. Te estás convirtiendo en el millonésimo hombre.

Según la descripción que hace Maupassant de un autor, también debe encajar el orador público: "Su ojo es como una bomba de succión, que absorbe todo; como la mano de un carterista, siempre en el trabajo. Nada se le escapa. Constantemente está recolectando material, levantando miradas, gestos, intenciones, todo lo que sucede en su presencia: la más mínima mirada, el menor acto, el más mínimo truco ". De Maupassant fue él mismo al hombre millonésimo, al Maestro.

"Ruskin tomó un cristal de roca común y vio escondido dentro de sus impacientes lecciones de corazón que aún no han dejado de conmover la vida de los hombres. Beecher permaneció durante horas frente a la ventana de una joyería pensando en analogías entre las joyas y las almas de los hombres. Gough vio en una sola gota de agua, suficiente verdad para saciar la sed de cinco mil almas. Thoreau se quedó tan quieto en los bosques sombríos que pájaros e insectos vinieron y abrieron sus vidas secretas a sus ojos. Emerson observó el alma de un hombre tanto tiempo que al final podría decir: "No puedo escuchar lo que dices, por ver lo que eres". Preyer estudió durante tres años la vida de su bebé y se convirtió en una autoridad sobre la mente del niño. ¡Observación! La mayoría de los hombres son ciegos. Hay mil veces más verdades ocultas y hechos no descubiertos sobre nosotros hoy que han hecho famosos a los descubridores. hechos que esperan que alguien 'saque el corazón de su misterio'. Pero mientras los hombres realicen la búsqueda con ojos que no ven, estas perlas escondidas yacerán en sus conchas. No es un orador, pero quién podría señalar y emplumar sus ejes con mayor eficacia si buscara la naturaleza en lugar de las bibliotecas. 'sermones en piedras' y 'libros en los arroyos' porque están tan acostumbrados a ver simplemente sermones en libros y solo piedras en los arroyos. Sir Philip Sidney tenía un dicho: 'Mira en tu corazón y escribe'. Massillon explicó su astuto conocimiento del corazón humano diciendo: "Lo aprendí estudiándome a mí mismo". Byron dice de John Locke que "todo su conocimiento de la comprensión humana se derivó del estudio de su propia mente". Dado que la naturaleza multiforme se trata de nosotros, la originalidad no debería ser tan rara ".

La mente pensante

Pensar es hacer aritmética mental con hechos. Agrega este hecho a eso y llegarás a una cierta conclusión. Resta esta verdad de otra y tendrás un resultado definitivo. Multiplica este hecho por otro y tendrás un producto preciso. Ve cuántas veces ocurre esto en ese espacio de tiempo y ha alcanzado un dividendo calculable. En los procesos de pensamiento, tú realizas todos los problemas conocidos de aritmética y álgebra. Es por eso que las matemáticas son tan excelentes gimnasia mental. Pero de la misma manera, pensar es trabajo. Pensar requiere energía. Pensar requiere tiempo, paciencia, amplia información y claridad mental. Más allá de un miserable rasguño superficial, pocas personas realmente piensan en absoluto, solo uno de cada mil, según el experto ya citado. Mientras prevalezca el sistema actual de educación y se enseñe a los niños a través del oído en lugar de a través del ojo, mientras se espere que recuerden los pensamientos de los demás en lugar de pensar por sí mismos, esta proporción continuará: un hombre en un millón te hará poder ver, y uno de cada mil, pensar.

Pero, por más irreflexiva que haya sido una mente, hay una promesa de mejores cosas tan pronto como la mente detecte su propia falta de poder de pensamiento. El primer paso es dejar de considerar el pensamiento como "la magia de la mente", usar la expresión de Byron, y verlo como el pensamiento realmente es: sopesar las ideas y colocarlas en relaciones entre sí. Reflexiona sobre esta definición y ve si has aprendido a pensar de manera eficiente.

El pensamiento habitual es solo eso, un hábito. El hábito viene de hacer algo repetidamente. Los hábitos más bajos se adquieren fácilmente, los más altos requieren surcos más profundos para que persistan. Entonces encontramos que el hábito del pensamiento viene solo con una práctica resuelta; sin embargo, ningún esfuerzo generará dividendos más ricos. Persiste en la práctica, y aunque has podido pensar solo un centímetro en un tema, pronto encontrarás que puedes penetrarlo un pie.

Quizás esta metáfora hogareña sugiera cómo comenzar la práctica del pensamiento consecutivo, con lo que queremos decir soldar una serie de enlaces de pensamiento separados en una cadena que se mantendrá.

Toma un enlace a la vez, ve que cada uno pertenece naturalmente con los que tienes, y recuerda que un solo enlace faltante significa que no hay cadena.

Pensar es el ejercicio mental más fascinante y estimulante. Una vez que te des cuenta de que tu opinión sobre un tema no representa la elección que ha hecho entre lo que el Dr. Cerebrum ha escrito y el Profesor Cerebellum ha dicho, sino que es el resultado de su propia energía cerebral aplicada con seriedad, y ganará confianza en tu habilidad para hablar sobre ese tema que nada podrá sacudir. Tu pensamiento te habrá dado tanto poder como poder de reserva.

Alguien ha condensado la relación del pensamiento con el conocimiento en estas líneas penetrantes y hogareñas:

"No me des el hombre que cree que piensa, no me des el hombre que cree que sabe, sino dame el hombre que sabe que piensa, ¡y tengo al hombre que sabe que sabe!"

Leer como un estímulo para el pensamiento

Sin embargo, no importa cuán seca sea la vaca, ni cuán pobre sea nuestra capacidad para ordeñar, todavía existe el lechero: podemos leer lo que otros han visto, sentido y pensado. A menudo, de hecho, tales registros encenderán dentro de nosotros esa chispa pre-esencial y vital, el deseo de ser un pensador.

La siguiente selección está tomada de una de las conferencias del Dr. Newell Dwight Hillis, como se da en "El valor de un hombre para la sociedad". El Dr. Hillis es un orador muy fluido, nunca se refiere a las notas. Él tiene poder de reserva. Su mente es un verdadero tesoro de hechos e ideas. Ve cómo se basa en el conocimiento de quince temas generales o especiales diferentes: geología, vida vegetal, Palestina, química, esquimales, mitología, literatura, El Nilo, historia, derecho, ingenio, evolución, religión, biografía y electricidad. Seguramente, no necesita ser sabio para descubrir que el secreto del poder de reserva de este hombre es el viejo secreto de nuestro pozo artesiano cuya abundancia surge de profundidades invisibles.

LOS USOS DE LOS LIBROS Y LA LECTURA

Cada Kingsley se acerca a una piedra como un joyero se acerca a un ataúd para desbloquear las gemas ocultas. Geikie hace que el trozo de carbón duro desenrolle el brote jugoso, las hojas espesas y olorosas, las ramas picantes, hasta que el trozo de carbono se agrande en la belleza de un bosque tropical.

Ese pequeño libro de Grant Allen llamado "Cómo crecen las plantas" exhibe árboles y arbustos como comer, beber y casarse.

Vemos ciertas arboledas de dátiles en Palestina, y otras arboledas de dátiles en el desierto a cien millas de distancia, y el polen de uno de ellos arrastraba los vientos alisios hacia las ramas del otro. Vemos el árbol con su extraño sistema de obras hidráulicas, bombeando la savia a través de tuberías y tuberías principales; vemos el laboratorio químico en las ramas mezclando el sabor de la naranja en una rama, mezclando los jugos de la piña en otra; contemplamos el árbol como una madre preparando cada bellota infantil contra el largo invierno, envolviéndola en hileras suaves y cálidas como mantas de lana, envolviéndola con prendas impermeables a la lluvia y finalmente deslizando la bellota infantil en un saco de dormir, como los que los esquimales le dieron al Dr. Kane.

Finalmente llegamos a sentir que los griegos no estaban muy equivocados al pensar que cada árbol tenía una dríada, animándolo, protegiéndolo contra la destrucción, muriendo cuando el árbol se marchitaba. Algunos Faraday nos muestran que cada gota de agua es una envoltura para fuerzas eléctricas suficientes para cargar 800,000 frascos Leyden, o conducir un motor de Liverpool a Londres. Algunos sir William Thomson nos cuentan cómo el gas de hidrógeno masticará una gran espiga de hierro a medida que los molares de un niño mastiquen el extremo de un caramelo. Así, cada nuevo libro abre un reino de la naturaleza nuevo y hasta ahora inexplorado. Así, los libros cumplen con la leyenda del maravilloso vidrio que mostró a su dueño todo lo distante y todo lo oculto. A través de los libros, nuestro mundo se convierte en "un brote de la glorieta de la belleza de Dios; el sol como una chispa de la luz de su sabiduría; el cielo como una burbuja en el mar de su poder". Por lo tanto, las palabras de la Sra. Browning dicen: "Ningún niño puede ser llamado sin padre que tenga a Dios y a su madre; ningún joven puede ser llamado sin amigos que tiene a Dios y la compañía de buenos libros".

Los libros también nos benefician porque exhiben la unidad del progreso, la solidaridad de la raza y la continuidad de la historia. Los autores nos guían de regreso por el camino de la ley, la libertad o la religión, y nos colocan frente al gran hombre en cuyo cerebro surgió el principio. A medida que el descubridor nos conduce desde la desembocadura del Nilo hasta las cabeceras de Nyanza, los libros exhiben grandes ideas e instituciones, a medida que avanzan, cada vez más amplias y profundas, como algunos Nilo alimentando a muchas civilizaciones. Para todas las reformas de hoy, regresemos a alguna reforma de ayer. El arte del hombre se remonta a Atenas y Tebas. Las leyes del hombre se remontan a Blackstone y Justiniano. Los segadores y arados del hombre vuelven al salvaje que rasca el suelo con su palo bifurcado, atraído por el buey salvaje. Los héroes de la libertad marchan hacia adelante en una columna sólida. Lincoln agarra la mano de Washington. Washington recibió sus armas a manos de Hampden y Cromwell. Los grandes puritanos se juntan con Luther y Savonarola.

La procesión ininterrumpida nos lleva por fin a Aquel cuyo Sermón del Monte fue la verdadera carta de la libertad. Nos pone bajo un hechizo divino percibir que todos somos compañeros de trabajo con los grandes hombres y, sin embargo, hilos únicos en la urdimbre y la trama de la civilización. Y cuando los libros nos han relacionado con nuestra propia época, y todas las épocas relacionadas con Dios, cuya providencia es la corriente del golfo de la historia, estos maestros continúan para estimularnos a nuevos y mayores logros. Solo, el hombre es una vela apagada. La mente necesita algún libro para encender sus facultades. Antes de que Byron comenzara a escribir, solía dedicar media hora a leer algún pasaje favorito. La idea de un gran escritor nunca dejó de encender a Byron en un resplandor creativo, incluso cuando un fósforo enciende las llamas en la parrilla. En estos estados de ánimo ardientes y luminosos, la mente de Byron hizo su mejor trabajo. El verdadero libro estimula la mente ya que ningún vino puede acelerar la sangre. Es la lectura lo que nos da lo mejor de nosotros y estimula a cada facultad a su vida más vigorosa.

Reconocemos esto como crema pura, y si al principio parece tener su fuente secundaria en el amable lechero, no olvidemos que el tema es "Los usos de los libros y la lectura". El Dr. Hillis ve y piensa.

Ahora está de moda denunciar el valor de la lectura. Leemos, nos dicen, para evitar la necesidad de pensar por nosotros mismos. Los libros son para los vagos mentales.

Aunque esto es solo una verdad a medias, el elemento de verdad que contiene es lo suficientemente grande como para hacernos detener. Hazte un buen autoexamen presbiteriano de búsqueda de almas presbiterianas, y si leer de la pereza mental es uno de tus pecados, confiésalo. Nadie puede encogerte de eso, sino tú mismo. Haz penitencia usando tus propios cerebros, porque es una transgresión que eclipsa el crecimiento del pensamiento y destruye la libertad mental. Al principio la penitencia lo intentará, pero al final te alegrarás.

La lectura debe entretener, dar información o estimular el pensamiento. Aquí, sin embargo, nos preocupa principalmente la información y la estimulación del pensamiento.

¿Qué debo leer para obtener información?

La amplia página de conocimiento, como nos dice Gray, es "rica en el botín del tiempo", y estos son nuestros por el precio de una entrada de teatro.

Puede ordenarle a Sócrates y a Marco Aurelio que se sienten a su lado y discutan sobre su elección, escuchen a Lincoln en Gettysburg y Pericles en Atenas, asalten el Bastile con Hugo y vaguen por el paraíso con Dante. Puede explorar el África más oscura con Stanley, penetrar el corazón humano con Shakespeare, conversar con Carlyle sobre héroes y profundizar con el apóstol Pablo en los misterios de la fe. El conocimiento general y las ideas inspiradoras que los hombres han recopilado a través de años de trabajo y experimentación son suyos para pedir. The Sage of Chelsea tenía razón: "La verdadera universidad de estos días es una colección de libros".

Dominar un libro que vale la pena es dominar mucho más; pocos de nosotros, sin embargo, hacemos la conquista perfecta de un volumen sin primero poseerlo físicamente. Leer un libro prestado puede ser una alegría, pero asignarle a su propio libro un lugar propio en sus propios estantes, ya sean pocos o muchos, amar el libro y sentir su cubierta gastada, hojearlo lentamente por página, para dibujar sus márgenes de acuerdo o en protesta, para sonreír o emocionarse con sus acusaciones recordadas, ningún simple prestatario de libros podría sentir todo ese deleite.

El lector que posee libros en este doble sentido también encuentra que sus libros lo poseen, y los volúmenes que más firmemente agarran su vida son probablemente aquellos que le han costado algún sacrificio. Estos títulos poco conocidos, que el Sr. Fatpurse selecciona, tal vez por poder, apenas pueden interpretar a la guía, filósofo y amigo en momentos cruciales, como lo hacen los libros, codiciados, alcanzados con alegría, que son bienvenidos en la vida, y no simplemente las bibliotecas, de nosotros otros que somos a la vez más pobres y más ricos.

Por lo tanto, no es demasiado decir que de todas las formas en que un libro propio, un masterizado, es como un amigo humano, las formas más verdaderas son estas: vale la pena hacer sacrificios por un amigo, tanto para ganar como para mantener ; y nuestros amores son muy queridos para aquellos en cuyas vidas más íntimas hemos entrado sinceramente.

Cuando no tenga la ventaja de la prueba del tiempo para juzgar los libros, investigue lo más a fondo posible la autoridad de los libros que lee. Mucho de lo que se imprime y pasa corriente es falso. "Lo leí en un libro" es para muchos una garantía suficiente de la verdad, pero no para el pensador. "¿Que libro?" pregunta la mente cuidadosa. "¿Quién lo escribió? ¿Qué sabe sobre el tema y qué derecho tiene para hablar sobre él? ¿Quién lo reconoce como autoridad? ¿Con qué otras autoridades reconocidas está de acuerdo o en desacuerdo?" Ser atrapado tratando de pasar dinero falsificado, incluso sin querer, es una situación desagradable. Ten cuidado para que no circules monedas espurias.

Sobre todo, busca una lectura que te haga usar tus propios cerebros. Dicha lectura debe estar viva con nuevos puntos de vista, repleta de conocimientos especiales y tratar temas de interés vital. No limites tu lectura a lo que ya sabes con lo que estarás de acuerdo. La oposición despierta a uno. El otro camino puede ser mejor, pero nunca lo sabrás a menos que "le des una vuelta". No hagas todo tu pensamiento e investigación frente a "Q.E.D." dados; simplemente reuniendo razones para completar tu teorema y lo que quieres probar no te llevará a ninguna parte. Aborde cada tema con una mente abierta y, una vez que esté seguro de haberlo pensado exhaustiva y honestamente, tenga el coraje de cumplir con la decisión de su propio pensamiento. Pero no presumas de eso después.

Ningún libro sobre hablar en público le permitirá hablar sobre la tarifa si no sabe nada sobre la tarifa. Saber más sobre eso que el otro hombre será tu única esperanza para que el otro hombre te escuche.

Tome un grupo de hombres discutiendo una política gubernamental de la cual alguien dice: "Es socialista". Eso recomendará la política al Sr. A., que cree en el socialismo, pero la condenará al Sr. B., que no lo hace. Puede ser que ninguno de los dos haya considerado la política más allá de darse cuenta de que su color de superficie era socialista. Además, es probable que ni el Sr. A. ni el Sr. B. tengan una idea definitiva de lo que realmente es el socialismo, ya que, como dice Robert Louis Stevenson, "el hombre no vive sólo de pan sino principalmente de palabras". Si usted pertenece a este grupo de hombres, y ha observado esta propuesta de política gubernamental, la ha investigado y pensado, lo que tiene que decir no puede dejar de exigir su respeto y aprobación, ya que les habrá demostrado que posee un comprensión de su tema y, para adoptar un poco de jerga extremadamente expresiva, algo más.

PREGUNTAS Y EJERCICIOS

1. Robert Houdin entrenó a su hijo para dar una rápida mirada al escaparate y poder informar con precisión un sorprendente número de su contenido. Intenta esto varias veces en diferentes ventanas e informa el resultado.

2. ¿Qué efecto tiene el poder de reserva en una audiencia?

3. ¿Cuáles son los mejores métodos para adquirir energía de reserva?

4. ¿Cuál es el peligro de leer demasiado?

5. Analiza un discurso que hayas leído o escuchado y observa cuánta información real contiene. Compáralo con el discurso del Dr. Hillis en "Brave Little Belgium", página 394.

6. Escribe un discurso de tres minutos sobre cualquier tema que elija. ¿Cuánta información y qué nuevas ideas contiene? Compare su discurso con el extracto de la página 191 de "Los usos de los libros y la lectura" del Dr. Hillis.

7. ¿Alguna vez has leído un libro sobre la práctica del pensamiento? Si es así, da sus impresiones de su valor.

NOTA: Existen varios libros excelentes sobre el tema del pensamiento y la gestión del pensamiento. Se recomienda lo siguiente como especialmente útil: "Pensar y aprender a pensar", Nathan C. Schaeffer; "Charlas con estudiantes sobre el arte de estudiar", Cramer; "Como un hombre piensa", Allen.

8. Definir (a) lógica; (b) filosofía mental (o ciencia mental); (c) psicología; (d) resumen.

NOTAS AL PIE:

Cómo atraer y mantener una audiencia, J. Berg Esenwein.
Usado con permiso.

CAPÍTULO XVIII

ASUNTO Y PREPARACIÓN

Adapte sus temas a su fuerza, y medite bien su tema y su extensión; Tampoco levante su carga, antes de darse cuenta del peso que soportarán o no sus hombros.

—Byron, **Pistas de Horace.**

Mira hasta el día de hoy, porque es la vida, la vida misma de la vida. En su breve curso yacen todas las verdades y realidades de su existencia: la dicha del crecimiento, la gloria de la acción, el esplendor de la belleza. Porque ayer ya es un sueño y mañana es solo una visión; pero hoy, bien vivido, hace que cada ayer sea un sueño de felicidad y cada mañana una visión de esperanza. Mira bien, por lo tanto, hasta el día de hoy. Tal es el saludo del alba.

—Desde el sánscrito.

En el capítulo anterior hemos visto la influencia del "Pensamiento y el poder de reserva" en la preparación general para el discurso público. Pero la preparación consiste en algo más definido que el cultivo del poder del pensamiento, ya sea de fuentes originales o prestadas, implica una actitud específicamente adquisitiva de toda la vida. Si te conviertes en un alma llena, debes asimilar y asimilar constantemente, porque de esa manera sólo puedes esperar dar lo que vale la pena escuchar; pero no confundas la adquisición de información general con el dominio de conocimientos específicos. La información consiste en un hecho o un grupo de hechos; el conocimiento es información organizada; el conocimiento conoce un hecho en relación con otros hechos.

Ahora, lo importante aquí es que debes configurar todas tus facultades para asimilar las cosas sobre ti con el objeto particular

213

de correlacionarlas y almacenarlas para su uso en el discurso público. Debes escuchar con el oído del orador, ver con el ojo del orador y elegir libros y acompañantes y vistas y sonidos con el propósito del orador a la vista. Al mismo tiempo, prepárate para recibir conocimiento no planificado. Uno de los elementos fascinantes en su vida como orador público será el crecimiento consciente en el poder que traen las experiencias cotidianas casuales. Si sus ojos están alertas, descubrirá constantemente hechos, ilustraciones e ideas sin haber salido a buscarlos. Todos estos pueden convertirse en cuenta en la plataforma; Incluso los acontecimientos plomizos de la vida cotidiana del tambor zumbido pueden fundirse en balas para futuras batallas.

Conservación del tiempo en preparación

Pero, dices, tengo muy poco tiempo para prepararme; mi mente debe ser absorbida por otros asuntos. Daniel Webster nunca dejó pasar la oportunidad de reunir material para sus discursos. Cuando era un niño que trabajaba en un aserradero, leía un libro en una mano y se ocupaba de alguna tarea mecánica con la otra. En la juventud, Patrick Henry deambulaba por los campos y bosques en soledad durante días, recogiendo inconscientemente material e impresiones para su posterior servicio como orador. El Dr. Russell H. Conwell, el hombre que, según el difunto Charles A. Dana, se había dirigido a más oyentes que cualquier hombre vivo, solía memorizar largos pasajes de Milton mientras cuidaba las sartenes de jarabe hirviendo en los silencios bosques de Nueva Inglaterra por la noche. . El empleador moderno despediría a un Webster de hoy por desatención al deber, y sin duda estaría justificado, y Patrick Henry parecía solo un tipo ocioso incluso en esos días fáciles; pero la verdad permanece: aquellos que toman el poder y tienen el propósito de usarlo eficientemente algún día ganarán el lugar en el que ese poder acumulado girará grandes ruedas de influencia.

Napoleón dijo que un cuarto de hora decide el destino de las naciones. ¡Cuántos cuartos de hora dejamos pasar sin rumbo! Robert Louis Stevenson conservó todo su tiempo; cada experiencia se convirtió en capital para su trabajo, ya que el capital puede definirse como "los resultados del trabajo almacenado para ayudar a la producción futura". Continuamente trató de poner en un lenguaje adecuado las escenas y acciones que eran evidentes sobre él. Emerson dice: "Mañana será como hoy. La vida se desperdicia mientras nos preparamos para vivir".

¿Por qué esperar una temporada más conveniente para esta amplia preparación general? Los quince minutos que pasamos en el automóvil podrían convertirse de manera rentable en un discurso de capital.

Obtén una edición barata de discursos modernos, y cortando algunas páginas cada día, y leyéndolas durante el minuto inactivo aquí y allá, observa cuán pronto puedes familiarizarte con los mejores discursos del mundo. Si no deseas mutilar tu libro, llévalo contigo, la mayoría de los libros de época ahora se imprimen en pequeños volúmenes. El desperdicio diario de gas natural en los campos de Oklahoma es igual a diez mil toneladas de carbón. Solo alrededor del tres por ciento de la potencia del carbón que ingresa al horno se difunde de su bombilla eléctrica como luz; el otro noventa y siete por ciento se desperdicia. Sin embargo, estos desechos no son más grandes, ni más que lamentarse que la tremenda pérdida de tiempo que, si se conserva, aumentaría los poderes del hablante en su enésimo grado. Los científicos están haciendo crecer tres mazorcas de maíz donde uno crecía antes; Los ingenieros de eficiencia están eliminando movimientos y productos inútiles de nuestras fábricas; capta el espíritu de la era y aplica la eficiencia al uso del activo más valioso que posees: el tiempo. ¿Qué haces mentalmente con el tiempo que pasas vistiéndote o afeitándote? Toma un tema y concentra tus energías en él durante una semana utilizando solo los momentos libres que de otra forma se desperdiciarían. Te sorprenderá el resultado. Un pasaje al día del Libro de los Libros, un lingote de oro de una mente maestra, un pensamiento propio completamente poseído, por lo tanto, podría agregarse al tesoro de su vida. No pierdas tu tiempo de manera que no te beneficie nada. Llena "el minuto implacable" con "sesenta segundos de distancia recorrida" y en la plataforma serás inconcebiblemente el ganador.

Sin embargo, ni una palabra de esto parece denunciar el valor de la recreación. Nada es más vital para un trabajador que el descanso; sin embargo, nada es tan viciado para el shirker. Asegúrate de que su recreación se recrea. Una pausa en medio del trabajo reúne fuerzas para un nuevo esfuerzo. El error es hacer una pausa demasiado larga o llenar tus pausas con ideas que hacen la vida flácida.

Elegir un tema

El tema y los materiales se influyen enormemente entre sí.

"Esto surge del hecho de que hay dos formas distintas en que un sujeto puede ser elegido: por elección arbitraria, o por el desarrollo del pensamiento y la lectura.

"La elección arbitraria ... de un tema entre un número implica tantas consideraciones importantes que ningún hablante nunca deja de apreciar el tono de satisfacción en el que anuncia triunfalmente: '¡Tengo un tema!'

"'¡Dame un tema!' Con qué frecuencia el profesor cansado de la escuela escucha ese grito. Luego se sugiere una lista de temas, se revisa, se considera y, en la mayoría de los casos, se rechaza, porque el maestro puede saber, pero imperfectamente, lo que piensa el alumno. de esta manera es como tratar de descubrir la calle en la que vive un niño perdido, nombrando varias calles hasta que le suena familiar al oído del pequeño.

"La elección por desarrollo es un proceso muy diferente. No pregunta, ¿qué debo decir? Hace girar la mente sobre sí misma y pregunta: ¿qué pienso? Por lo tanto, se puede decir que el sujeto se elige a sí mismo, porque en el proceso El pensamiento o la lectura de un tema se convierte en prominencia y se convierte en un germen vivo, que pronto se convertirá en un discurso. El que no ha aprendido a reflexionar no está realmente familiarizado con sus propios pensamientos, por lo tanto, sus pensamientos no son productivos. y la reflexión proporcionará a la mente del hablante una gran cantidad de temas de los cuales él ya sabe algo por la lectura y la reflexión que dio origen a su tema. Esto no es una paradoja, sino una verdad sobria.

"Ya debe ser evidente que la elección de un tema por el desarrollo saborea más la colección que la selección consciente. El tema "aparece en la mente". ... En el intelecto del pensador capacitado, concentra, mediante un proceso que hemos visto como inducción, los hechos y verdades de los que ha estado leyendo y pensando. Esto es a menudo un proceso gradual. Las ideas dispersas pueden ser pero vagamente conectados al principio, pero cada vez más se concentran y toman una sola forma hasta que finalmente una idea fuerte parece agarrar el alma con una fuerza irresistible y gritar en voz alta: '¡Levántate, soy tu tema! De ahora en adelante, hasta que tú transmúteme por la alquimia de tu fuego interno en lenguaje vital, ¡no conocerás descanso! Feliz, entonces, es ese orador, porque ha encontrado un tema que lo atrapa.

"Por supuesto, los oradores experimentados usan ambos métodos de selección. Incluso un hombre lector y reflexivo a veces se ve obligado a buscar un tema de Dan a Beersheba, y luego la tarea de reunir materiales se vuelve seria. Pero incluso en ese caso hay es un sentido en el que la selección viene por desarrollo, porque ningún orador cuidadoso se conforma con un tema que no representa al menos algún pensamiento maduro ".

Decidir sobre el tema

Incluso cuando su tema ha sido elegido por usted por otra persona, le queda un campo considerable para elegir el tema. Las mismas consideraciones, de hecho, que lo gobernarían al elegir un tema deben guiarlo en la selección del material. Pregúntate a ti mismo, o a alguien más, preguntas como estas:

¿Cuál es la naturaleza precisa de la ocasión? ¿Qué tan grande se puede esperar una audiencia? ¿De qué ámbitos de la vida vienen? ¿Cuál es su actitud probable hacia el tema? ¿Quién más hablará? ¿Hablo primero, último o dónde en el programa? ¿De qué van a hablar los otros oradores? ¿Cuál es la naturaleza del auditorio? ¿Hay un escritorio? ¿Se podría manejar el tema de manera más efectiva si se modifica un poco? Precisamente, ¿cuánto tiempo tengo para llenar?

Es evidente que muchos problemas de habla del sujeto, el hablante, la ocasión y el lugar se deben a la imposibilidad de formular preguntas tan pertinentes. Lo que debe decirse, por quién y en qué circunstancias, constituye el noventa por ciento de eficiencia en el discurso público. No importa quién te pregunte, rehúsate a ser una clavija cuadrada en un agujero redondo.

Preguntas de proporción

La proporción en un discurso se logra mediante un buen ajuste del tiempo. Cuán completamente puede tratar su tema, no siempre es para usted decirlo. Deje que diez minutos no signifiquen ni nueve ni once, aunque sea mejor nueve que once, en todo caso. No robarías el reloj de un hombre; nunca más deberías robar el tiempo del orador siguiente o el de la audiencia. No es necesario sobrepasar los límites de tiempo si hace que su preparación sea adecuada y divida su tema para dar a cada pensamiento su debida proporción de atención, y nada más. Bienaventurado el hombre que hace discursos cortos, porque será invitado a hablar de nuevo.

Otro asunto de gran importancia es qué parte de su dirección exige más énfasis. Una vez decidido, sabrá dónde colocar esa sección fundamental para darle el mayor valor estratégico, y qué grado de preparación se debe dar a ese pensamiento central para que la parte vital no pueda ser sumergida por elementos no esenciales. Muchos oradores se han despertado para descubrir que ha quemado ocho minutos de un discurso de diez minutos con solo levantar el vapor. Es como gastar el ochenta por ciento de tu dinero de construcción en el vestíbulo de la casa.

El mismo sentido de la proporción debe decirle que se detenga precisamente cuando haya terminado, y es de esperar que descubra la llegada de ese período antes de que lo haga su audiencia.

Aprovechar fuentes originales

La forma más segura de dar vida al material del habla es reunir sus datos de primera mano. Sus palabras vienen con el peso de la autoridad cuando puede decir: "He examinado las listas de empleo de cada fábrica en este distrito y encuentro que el treinta y dos por ciento de los niños empleados son menores de edad". Ninguna cita de autoridades puede igualar eso. Debe adoptar los métodos del reportero y conocer los hechos subyacentes a su argumento o apelación. Hacerlo puede resultar laborioso, pero no debería ser molesto, ya que el gran mundo de los hechos está lleno de interés y, sobre todo, es la sensación de poder que surgirá de la investigación original. Ver y sentir los hechos que está discutiendo reaccionará sobre ti mucho más poderosamente que si tuviera que asegurar los hechos de segunda mano.

Vive una vida activa entre las personas que hacen cosas que valen la pena, mantén los ojos y los oídos y la mente y el corazón abiertos para absorber la verdad, y luego cuenta las cosas que sabes, como si las supieras. El mundo escuchará, porque el mundo no ama nada más que la vida real.

Cómo usar una biblioteca

Tesoros insospechados se encuentran en la biblioteca más pequeña. Incluso cuando el propietario ha leído hasta la última página de sus libros, sólo en raras ocasiones tiene índices completos de todos ellos, ya sea en su mente o en papel, para poner a disposición la gran cantidad de temas variados que se abordan o tratado en volúmenes cuyos títulos nunca sugerirían tales temas.

Por esta razón, es bueno tomarse una hora impar de vez en cuando para navegar. Baja un volumen tras otro y mira su tabla de contenido y su índice. (Es un reproche a cualquier autor de un libro serio que no haya proporcionado un índice completo, con referencias cruzadas). Luego, mira las páginas, tomando notas, mentales o físicas, de material que parezca interesante y útil. La mayoría de las bibliotecas contienen volúmenes que el propietario "leerá algún día". Una familiaridad incluso con el contenido de dichos libros en sus propios estantes le permitirá consultarlos cuando necesite ayuda. Los escritos leídos hace mucho tiempo deben tratarse de la misma manera: en cada capítulo, alguna sorpresa acecha para deleitarte.

Al buscar un tema, no te desanimes si no lo encuentras indexado o delineado en la tabla de contenido; está bastante seguro de descubrir algún material bajo un título relacionado.

Supón que te pones a trabajar de alguna manera de este modo para recopilar referencias sobre "Pensar:" Primero, mira los títulos de sus libros, y está "Pensar y aprender a pensar" de Schaeffer. Cerca de allí están las "Conversaciones con los estudiantes sobre el arte de estudiar" de Kramer, que probablemente proporcionen algo de material, y lo hace. Naturalmente, piensas a continuación de su libro sobre psicología, y allí hay ayuda. Si tiene un volumen sobre el intelecto humano, ya habrá recurrido a él. De repente recuerdas tu enciclopedia y tu diccionario de citas, y ahora el material llueve bastante sobre ti; El problema es qué no usar. En la enciclopedia recurre a cada referencia que incluye o toca o incluso sugiere "pensar"; y en el diccionario de citas haces lo mismo. El último volumen le resulta particularmente útil porque le sugiere varios volúmenes que se encuentran en sus propios estantes; nunca habría pensado buscar referencias en este tema en ellos. Incluso la ficción proporcionará ayuda, pero especialmente libros de ensayos y biografías. Tenga en cuenta sus propios recursos.

Hacer un índice general a su biblioteca elimina la necesidad de indexar volúmenes individuales que aún no están indexados.

Para empezar, ten un cuaderno de notas tuyo; o pequeñas tarjetas y recortes de papel en tu bolsillo y en tu escritorio también servirán. El mismo cuaderno que registra las impresiones de tus propias experiencias y pensamientos se enriquecerá con las ideas de los demás.

Sin duda, este hábito de cuaderno significa trabajo, pero recuerda que se han echado a perder más discursos por una preparación poco entusiasta que por falta de talento. La pereza es un hermano propio de la confianza excesiva, y ambos son tus enemigos empedernidos, aunque pretenden ser amigos relajantes.

Conserve su material indexando todas las buenas ideas en tarjetas, por lo tanto:

Socialismo

Progreso de S., Env. dieciséis

S. una falacia, 96/210

Artículo general sobre S., Howells ', diciembre de 1913

"Socialismo y la franquicia", Forbes

"Socialismo en la vida antigua", Sra. Original,

Env. 102

En la tarjeta ilustrada arriba, los recortes se indexan dando el número del sobre en el que están archivados. Los sobres pueden ser de cualquier tamaño deseado y mantenerse en cualquier receptáculo conveniente. En el ejemplo anterior, "Progreso de S., Sobre 16", representará un recorte, archivado en el Sobre 16, que, por supuesto, está numerado arbitrariamente.

Las fracciones se refieren a libros en su biblioteca: el numerador es el número de libro, el denominador se refiere a la página. Por lo tanto, "S. una falacia, 96/210" se refiere a la página 210 del volumen 96 en su biblioteca. Con algún signo arbitrario, digamos tinta roja, incluso puede indexar una referencia en un libro de la biblioteca pública.

Si conserva sus revistas, los artículos importantes pueden indexarse por mes y año. Un volumen completo sobre un tema puede indicarse como el libro imaginario de "Forbes". Si recorta los artículos, es mejor indexarlos de acuerdo con el sistema de sobres.

Sus propios escritos y notas pueden archivarse en sobres con los recortes o en una serie separada.

Otro buen sistema de indexación combina el índice de la biblioteca con el sistema de "recorte" o recorte haciendo que el exterior del sobre tenga el mismo propósito que la tarjeta para la indexación de libros, revistas, recortes y manuscritos, las dos últimas clases de material estar encerrado en los sobres que los indexan, y todos archivados alfabéticamente.

Cuando sus tarjetas se acumulan para dificultar la referencia en un solo alfabeto, puede subdividir cada letra por tarjetas de guía subordinadas marcadas con las vocales, A, E, I, O, U. Por lo tanto, las "Antigüedades" se archivarían bajo i en A, porque A comienza la palabra, y la segunda letra, n, viene después de la vocal i en el alfabeto, pero antes de o. De la misma manera, "Beecher" se archivaría bajo e en B; e "Hidrógeno" vendría debajo de ti en H.

Delineando la dirección

Nadie puede aconsejarle cómo preparar las notas para una dirección. Algunos oradores obtienen los mejores resultados mientras salen y rumian, anotando notas mientras hacen una pausa en su caminata. Otros nunca ponen lápiz a papel hasta que todo el discurso ha sido pensado. Sin embargo, la gran mayoría tomará notas, las clasificará, escribirá un primer borrador apresurado y luego revisará el discurso. Prueba cada uno de estos métodos y elije el que sea mejor para ti. No permitas que ningún hombre te obligue a trabajar en su camino; pero no descuides considerar su camino, porque puede ser mejor que el tuyo.

Para aquellos que toman notas y con su ayuda escriben el discurso, estas sugerencias pueden resultar útiles:

Después de haber leído y pensado lo suficiente, clasifica tus notas colocando los pensamientos centrales y grandes de su material en tarjetas o pedazos de papel separados. Estos tendrán la misma relación con su tema que los capítulos con un libro.

Luego, organiza estas ideas principales o cabezas en un orden tal que conduzcan efectivamente al resultado que tiene en mente, de modo que el discurso pueda surgir en una discusión, en interés, en poder, acumulando un hecho o apelando a otro hasta el clímax Se ha alcanzado el punto de mayor influencia en su audiencia.

Luego, agrupa todas tus ideas, hechos, anécdotas e ilustraciones debajo de los encabezados principales anteriores, cada uno de los cuales pertenece naturalmente.

Ahora tiene un esqueleto o un esquema de su dirección que, en su forma pulida, puede servir como notas breves o manuscritas para el discurso o como el esquema de guía que ampliará a la dirección escrita, si está escrito para ser escrito. .

Imagina cada una de las ideas principales en el resumen de la página 213 como separadas; luego imagina tu mente clasificándolas y ordenándolas; finalmente, conciba cómo completaría los hechos y ejemplos debajo de cada encabezado, dando especial importancia a aquellos que desea enfatizar y sometiendo a aquellos de menos momento.

Al final, tienes el esquema completo. Sin embargo, la forma más simple de esquema, no muy adecuada para usar en la plataforma, es la siguiente:

POR QUÉ VIENE LA PROSPERIDAD

Qué significa prosperidad. Las pruebas reales de prosperidad. Su base en el suelo. El progreso agrícola estadounidense. Nuevo interés en la agricultura. Valor enorme de nuestros productos agrícolas. Efecto recíproco en el comercio. Países extranjeros afectados. Efectos de nuestra nueva economía interna, la regulación de la banca y las "grandes empresas", sobre la prosperidad. Efectos de nuestra actitud revisada hacia los mercados extranjeros, incluida nuestra marina mercante. Resumen.

Obviamente, este esquema muy simple es capaz de una expansión considerable bajo cada encabezado mediante la adición de hechos, argumentos, inferencias y ejemplos.

Aquí hay un esquema organizado con más consideración para el argumento:

LA INMIGRACIÓN EXTRANJERA DEBE SER RESTRINGIDA

I. Hecho como causa: muchos inmigrantes son prácticamente indigentes. (Pruebas de estadísticas o declaraciones de autoridades).

II Hecho como efecto: Tarde o temprano llenan nuestras casas de limosnas y se convierten en cargos públicos. (Pruebas de estadísticas o declaraciones de autoridades).

III. Hecho como causa: algunos de ellos son criminales. (Ejemplos de casos recientes).

IV. Hecho como efecto: refuerzan las clases criminales. (Efectos en nuestra vida cívica).

V. Hecho como causa: muchos de ellos no saben nada de los deberes de la ciudadanía libre. (Ejemplos)

VI. Hecho como efecto: tales inmigrantes reclutan el peor elemento en nuestra política. (Pruebas)

A continuación se muestra una agrupación más ordenada de temas y subtemas:

NUESTRA NACIÓN CRISTIANA

I. Introducción: por qué el tema es oportuno. Influencias operativas contra este argumento hoy.

II El cristianismo presidió la historia temprana de América.

1. Primer descubrimiento práctico por un explorador cristiano. Colón adoró a Dios en el nuevo suelo.

2. Los caballeros.

3. Los colonos católicos franceses.

4. Los hugonotes.

5. Los puritanos.

III. El nacimiento de nuestra nación fue bajo auspicios cristianos.

1. Carácter cristiano de Washington.

2. Otros patriotas cristianos.

3. La Iglesia en nuestra lucha revolucionaria. Muhlenberg

IV. NUESTRA HISTORIA POSTERIOR SÓLO HA DESTACADO NUESTRA ACTITUD NACIONAL. Ejemplos de tratos con naciones extranjeras muestran la magnanimidad cristiana. Devolviendo la indemnización china; fomentando la Cruz Roja; actitud hacia Bélgica.

V. NUESTRAS FORMAS GUBERNAMENTALES Y MUCHAS DE NUESTRAS LEYES SON DE TEMPLO CRISTIANO.

1. El uso de la Biblia en formas públicas, juramentos, etc.

2. La Biblia en nuestras escuelas.

3. Los capellanes cristianos ministran a nuestros cuerpos legisladores, a nuestro ejército y a nuestra armada.

4. El sábado cristiano es oficial y generalmente reconocido.

5. La familia cristiana y el sistema cristiano de moralidad son la base de nuestras leyes.

VI. LA VIDA DE LAS PERSONAS TESTIFICA EL PODER DEL CRISTIANISMO. Caridades, educación, etc., tienen un tono cristiano.

VII. Otras naciones nos consideran como pueblo cristiano.

VIII Conclusión: La actitud que razonablemente se puede esperar de todos los buenos ciudadanos hacia preguntas que tocan la preservación de nuestra posición como nación cristiana.

Redacción y revisión

Una vez que se ha perfeccionado el esquema, llega el momento de escribir el discurso; si lo escribes, debes hacerlo. Luego, hagas lo que hagas, escríbelo a fuego blanco, sin pensar demasiado en nada más que en la expresión fuerte y atractiva de tus ideas.

La etapa final es la reducción gradual, la re-visión, la visión de nuevo, como lo implica la palabra, cuando todas las partes del discurso deben ser examinadas imparcialmente para obtener claridad, precisión, fuerza, efectividad, idoneidad, proporción, clímax lógico; y en todo esto debes imaginarte ante la audiencia, ya que un discurso no es un ensayo y lo que convencerá y despertará en uno no prevalecerá en el otro.

El título

A menudo, por último, vendrá lo que en cierto sentido es lo primero: el título, el nombre por el cual se conoce el discurso. A veces será el tema simple de la dirección, como "El nuevo americanismo", de Henry Watterson; o puede ser un poco de simbolismo que tipifica el espíritu de la dirección, como "Acres of Diamonds", de Russell H. Conwell; o puede ser una buena frase tomada del cuerpo de la dirección, como "Pass Prosperity Around", por Albert J. Beveridge. En general, por cualquier motivo que se elija, deje que el título sea nuevo, corto, adecuado para el tema y que pueda despertar interés.

PREGUNTAS Y EJERCICIOS

1. Define (a) introducción; (b) clímax; (c) peroración.

2. Si un discurso de treinta minutos requeriría tres horas para una preparación específica, ¿esperaría poder hacer la misma justicia que un discurso un tercio del tiempo en un tercio del tiempo de preparación? Da razones.

3. Relata brevemente cualquier experiencia personal que hayas tenido para ahorrar tiempo para leer y pensar.

4. A la manera de un reportero o investigador, salga y obtenga información de primera mano sobre algún tema de interés para el público. Organiza los resultados de tu investigación en forma de resumen o breve.

5. De una biblioteca privada o pública, reúne suficiente material autorizado sobre una de las siguientes preguntas para elaborar un esquema para una dirección de veinte minutos. Toma un lado definido de la pregunta, (a) "La vivienda de los pobres"; (b) "La forma de la Comisión de Gobierno para las ciudades como remedio para el fraude político"; (c) "La prueba del sufragio de la mujer en Occidente"; (d) "Tendencias actuales del gusto público en lectura"; (e) "Arte municipal"; (f) "¿El teatro se está volviendo más elevado en tono?" (g) "Los efectos de la revista en la literatura"; (h) "¿La vida moderna destruye los ideales?" (i) "¿La competencia es la vida del comercio?" (j) "El béisbol es demasiado absorbente para ser un juego nacional saludable"; (k) "Béisbol de verano y aficionado de pie"; (l) "¿La capacitación universitaria no es apta para una mujer para la vida doméstica?" (m) "¿La competencia de la mujer con el hombre en los negocios opaca el espíritu de caballería?" (n) "¿Los estudios optativos son adecuados para los cursos de secundaria?" (o) "¿Prepara la universidad moderna a los hombres para un liderazgo preeminente?" (p) "El Y.M.C.A. en su relación con el

problema laboral"; (q) "Hablar en público como capacitación en ciudadanía".

6. Construye el bosquejo, examinándolo cuidadosamente por interés, carácter convincente, proporción y clímax de la disposición.

NOTA: —Este ejercicio debe repetirse hasta que el alumno muestre facilidad en disposición sintética.

7. Entrega la dirección, si es posible ante una audiencia.

8. Haz un informe de trescientas palabras sobre los resultados, lo mejor que puedas estimar.

9. Di algo sobre los beneficios de usar un índice periódico (o acumulativo).

10. Da una serie de citas, adecuadas para el uso de un orador, que hayas memorizado en momentos de inactividad.

11. En la forma del esquema en la página 213, analiza la dirección en las páginas 78-79, "La historia de la libertad".

12. Da un análisis general, de notas o memoria, de una dirección o sermón que haya escuchado para este propósito.

13. Critica la dirección desde un punto de vista estructural.

14. Inventa títulos para cinco de los temas del ejercicio 5.

15. Critica los títulos de cinco capítulos de este libro, sugiriendo otros mejores.

16. Critica el título de cualquier conferencia o dirección que conozca.

NOTAS AL PIE:

Cómo atraer y mantener una audiencia, J. Berg Esenwein.
   Adaptado de Competition-Rhetoric, Scott y Denny, p. 241.

CAPÍTULO XIX

INFLUENCIA POR EXPOSICIÓN

No hable en absoluto, de ninguna manera, hasta que tenga algo que hablar; no se preocupe por la recompensa de su discurso, sino simplemente y con mente indivisa por la verdad de su discurso.

—Thomas Carlyle, *Ensayo sobre biografía.*

Una discusión completa de la estructura retórica de los discursos públicos requiere un tratado más completo que el que se puede emprender en un trabajo de esta naturaleza, aún en este capítulo, y en los siguientes sobre "Descripción", "Narración", "Argumento" y " Suplicando, "los principios subyacentes se dan y explican tan completamente como sea necesario para un conocimiento práctico, y se dan referencias de libros adecuadas para aquellos que se perfeccionarían en el arte retórico.

La naturaleza de la exposición

En la palabra "exponer" —desnudar, descubrir, mostrar la verdadera interioridad de— vemos la idea fundamental de "Exposición". Es la exposición clara y precisa de lo que realmente es el sujeto, es una explicación.

La exposición no dibuja una imagen, ya que sería una descripción. Decir en términos exactos qué es el automóvil, nombrar sus partes características y explicar su funcionamiento, sería una exposición; también lo haría una explicación de la naturaleza del "miedo". Pero crear una imagen mental de un automóvil en particular, con su cuerpo brillante, líneas elegantes y gran velocidad, sería una descripción; y también lo haría una imagen del miedo actuando sobre las emociones de un niño en la noche. La exposición y la descripción a menudo se entremezclan y se superponen, pero fundamentalmente son distintas. Sus diferencias serán tratadas nuevamente en el capítulo sobre "Descripción".

Además, la exposición no incluye un relato de cómo ocurrieron los acontecimientos, es decir, la narración. Cuando Peary dio una conferencia sobre sus descubrimientos polares, explicó los instrumentos utilizados para determinar la latitud y la longitud, eso fue exposición. Al imaginar su equipo utilizó la descripción. Al contar sus aventuras día a día, empleó la narración. Al apoyar algunas de sus afirmaciones, utilizó argumentos. Sin embargo, mezcló todas estas formas a lo largo de la conferencia.

Tampoco la exposición trata con razones e inferencias, ese es el campo de discusión. Una serie de declaraciones conectadas destinadas a convencer a un posible comprador de que un automóvil es mejor que otro, o pruebas de que apelar al miedo es un método de disciplina incorrecto, no sería una exposición. Los hechos simples que se exponen en el habla o escritura expositiva son casi siempre la base de la discusión, pero los procesos no son uno. Es cierto que la declaración de un solo hecho significativo sin la adición de otra palabra puede ser convincente, pero un momento de pensamiento mostrará que la inferencia, que completa una cadena de razonamiento, se hace en la mente del oyente y presupone otros hechos sostenidos. en consideración

De la misma manera, es obvio que el campo de la persuasión no está abierto a la exposición, ya que la exposición es completamente un proceso intelectual, sin ningún elemento emocional.

La importancia de la exposición

La importancia de la exposición en el discurso público es precisamente la importancia de exponer un asunto tan claramente que no puede ser malinterpretado.

"Dominar el proceso de exposición es convertirse en un pensador claro. 'Lo sé, cuando no me preguntas' , respondió un caballero cuando se le pidió que definiera una idea muy compleja. Ahora, algunos conceptos grandes desafían la definición explícita; pero ninguna mente debería refugiarse detrás de tales excepciones, ya que cuando la definición falla, otras formas tienen éxito. A veces nos sentimos seguros de que tenemos un dominio perfecto de una idea, pero cuando llega el momento de expresarla, la claridad se convierte en una neblina. Exposición, entonces , es la prueba de una comprensión clara. Para hablar de manera efectiva, debe poder ver su tema de manera clara y completa, y hacer que su audiencia lo vea como lo hace".

Hay dificultades en ambos lados de este camino. Explicar muy poco dejará a tu audiencia en duda sobre lo que quieres decir. Es inútil argumentar una pregunta si no está perfectamente claro qué significa la pregunta.

¿Nunca has llegado a un carril ciego en la conversación al descubrir que estabas hablando de un aspecto de un asunto mientras tu amigo pensaba en otro? Si dos no están de acuerdo en sus definiciones de Músico, es inútil disputar sobre el derecho de cierto hombre a reclamar el título.

Al otro lado del camino se encuentra el abismo de explicar tediosamente demasiado. Eso ofende porque impresiona a los oyentes que no respetas su inteligencia o estás tratando de convertir una brisa en un tornado. Estima cuidadosamente el conocimiento probable de su audiencia, tanto en general como del punto particular que estás explicando. Al tratar de simplificar, es fatal "silenciar". Explicar más de lo necesario para los propósitos de tu argumento o apelación es desperdiciar energía por todas partes. En tus esfuerzos por ser explícito, no presiones la exposición al grado de dulzura: los confines no están muy lejos y puede llegar antes de darse cuenta.

Algunos propósitos de exposición

Por lo que se ha dicho, debe quedar claro que, principalmente, la exposición teje un cordón de entendimiento entre tú y tu audiencia. Además, establece una base de hecho sobre la cual construir declaraciones, argumentos y apelaciones posteriores. En los discursos científicos y puramente "informativos", la exposición puede existir por sí misma y para sí misma, como en una conferencia sobre biología o psicología; pero en la gran mayoría de los casos se usa para acompañar y preparar el camino para las otras formas de discurso.

Claridad, precisión, exactitud, unidad, verdad y necesidad: estos deben ser los estándares constantes mediante los cuales se prueba la eficiencia de tus exposiciones y, de hecho, la de cada declaración explicativa. Este dictamen debe escribirse en tu cerebro con las letras más claras. Y deja que esto se aplique no solo a los propósitos de exposición, sino en igual medida.

Métodos de Exposición

Es probable que las diversas formas en que un hablante pueda avanzar en la exposición se toquen de vez en cuando, e incluso cuando no se encuentran y se superponen, corren tan paralelas que las carreteras a veces son distintas en teoría más que en la práctica.

La definición, el método expositivo primario, es una declaración de límites precisos. Obviamente, aquí se debe tener el mayor cuidado de que los términos de definición no exijan por sí mismos demasiada definición; que el lenguaje debe ser conciso y claro; y que la definición no debe excluir ni incluir demasiado. El siguiente es un ejemplo simple:

Exponer es exponer la naturaleza, el significado, las características y la relación de una idea o un grupo de ideas.

—Arlo Bates, *Charlas sobre escritura en inglés.*

Contraste y antítesis a menudo se usan efectivamente para amplificar la definición, como en esta oración, que sigue inmediatamente a la definición citada anteriormente:

Por lo tanto, la exposición difiere de la descripción en que trata directamente con el significado o la intención de su sujeto en lugar de con su apariencia.

Esta antítesis forma una expansión de la definición y, como tal, podría haberse ampliado aún más. De hecho, esta es una práctica frecuente en el discurso público, donde las mentes de los oyentes a menudo piden reiteración y una declaración ampliada para ayudarlos a comprender un tema en sus diversos aspectos. Este es el corazón mismo de la exposición: amplificar y aclarar todos los términos por los cuales se define un asunto.

El ejemplo es otro método para amplificar una definición o para exponer una idea más completamente. Las siguientes oraciones suceden inmediatamente a la definición y el contraste del Sr. Bates que acabamos de citar:

Una buena oferta a la que estamos acostumbrados a llamar descripciones es realmente una exposición. Supón que tu hijo pequeño desea saber cómo funciona un motor y él debería decir: "Por favor, descríbeme la máquina de vapor". Si insistes en tomar sus palabras literalmente, y estás dispuesto a correr el riesgo de su indignación por ser malinterpretado intencionalmente, lo mejor que puedas le presentarás esta máquina familiarmente maravillosa. Si se lo explicas, no lo estás describiendo, sino exponiéndolo.

El principal valor del ejemplo es que aclara lo desconocido al referir la mente a lo conocido. La disposición de la mente para hacer comparaciones iluminadoras y aptas en aras de la claridad es uno de los principales recursos del orador en la plataforma: es el mayor de todos los dones de enseñanza. Es un regalo, además, que responde a la cultivación. Lee los tres extractos de Arlo Bates como su autor los entregó, como un pasaje, y vea cómo se funden en uno, complementando cada parte con la otra más útil.

La analogía, que llama la atención sobre relaciones similares en objetos que no son similares, es uno de los métodos de exposición más útiles. El siguiente ejemplar llamativo es del discurso de Beecher en Liverpool:

Un salvaje es un hombre de una historia, y esa historia es una bodega. Cuando un hombre comienza a ser civilizado, plantea otra historia. Cuando cristianizas y civilizas al hombre, pones historia tras historia, porque desarrollas facultad tras facultad; y tienes que proporcionar cada historia con tus producciones.

El descarte es una forma menos común de explicación de la plataforma. Consiste en aclarar las ideas asociadas para que la atención pueda centrarse en el pensamiento principal a discutir. Realmente, es un factor negativo en la exposición, aunque es uno de los más importantes, ya que es fundamental para la consideración de un asunto intrincadamente relacionado que las preguntas subordinadas y secundarias deben dejarse de lado para resaltar el problema principal. Aquí hay un ejemplo del método:

No puedo permitirme dejar de lado el único tema ante este jurado. No es pertinente considerar que este prisionero es el esposo de una mujer con el corazón roto y que sus bebés atravesarán el mundo bajo la sombra de la pena más extrema de la ley sobre su padre. Debemos olvidar al venerable padre y a la madre a quienes el cielo se compadeció antes de que ella supiera de la desgracia de su hijo. ¿Qué tienen estos asuntos de corazón, qué tienen los rostros mezclados de sus amigos, qué tiene que decir la larga y honorable carrera del prisionero ante este bar cuando jura sopesar solo la evidencia directa ante usted? La única pregunta para que usted decida sobre la evidencia es si este hombre cometió con venganza el asesinato que cada testigo imparcial ha presentado solemnemente en su puerta.

La clasificación asigna un sujeto a su clase. Por una extensión permitida de la definición, se puede decir que la asigna también a su orden, género y especie. La clasificación es útil en el discurso público para reducir el problema a una fase deseada. Es igualmente valioso para mostrar una cosa en su relación con otras cosas, o en correlación. La clasificación es muy similar a la definición y la división.

Esta cuestión del tráfico de licores, señores, ocupa su lugar junto a los graves problemas morales de todos los tiempos. Cualquiera que sea su importancia económica, y quién está allí para cuestionarlo, cualquier importancia vital que tenga sobre nuestro sistema político, y ¿hay alguien que lo niegue? La cuestión del salón con licencia debe resolverse rápidamente como el mundo en su avance. ha resuelto las cuestiones del gobierno constitucional para las masas, el tráfico de opio, el siervo y el esclavo, no como cuestiones de conveniencia económica y política, sino como cuestiones de lo correcto y lo incorrecto.

El análisis separa a un sujeto en sus partes esenciales. Esto lo puede hacer por varios principios; por ejemplo, el análisis puede seguir el orden del tiempo (eras geológicas), el orden del lugar (hechos geográficos), el orden lógico (un esquema de sermón), el orden de interés creciente o la procesión a un clímax (una conferencia sobre poetas del siglo XX); y así. Un ejemplo clásico de exposición analítica es el siguiente:

En filosofía, las contemplaciones del hombre penetran en Dios, se circunscriben a la naturaleza o se reflejan o vuelven sobre sí mismo. De las cuales surgen varias indagaciones surgen tres conocimientos: filosofía divina, filosofía natural y filosofía humana o humanidad. Porque todas las cosas están marcadas

y estampadas con este triple carácter, del poder de Dios, la diferencia de la naturaleza y el uso del hombre.
—Lord Bacon, *El avance del aprendizaje.*
Este es uno de los dispositivos más efectivos en el repertorio del orador público.

Toma un cilindro hueco, la parte inferior cerrada mientras la parte superior permanece abierta, y vierte agua a la altura de unas pocas pulgadas. Luego cubre el agua con una placa plana o pistón, que se ajuste perfectamente al interior del cilindro; luego aplica calor al agua, y seremos testigos de los siguientes fenómenos. Después del lapso de algunos minutos, el agua comenzará a hervir, y el vapor que se acumula en la superficie superior dejará espacio para sí mismo al levantar ligeramente el pistón. A medida que continúa la ebullición, se formará más y más vapor, y elevará el pistón más y más, hasta que toda el agua se hierva y no quede más que vapor en el cilindro. Ahora esta máquina, que consta de cilindro, pistón, agua y fuego, es la máquina de vapor en su forma más elemental. Para una máquina de vapor puede definirse como un aparato para realizar trabajos mediante calor aplicado al agua; y dado que elevar un peso tal que el pistón es una forma de hacer trabajo, este aparato, por torpe e inconveniente que sea, responde con precisión a la definición.

La referencia a la experiencia es uno de los principios más vitales en la exposición, como en cualquier otra forma de discurso.

Referencia a la experiencia, como se usa aquí, significa referencia a lo conocido. Lo conocido es lo que el oyente ha visto, escuchado, leído, sentido, creído o hecho, y que todavía existe en su conciencia: su reserva de conocimiento. Abarca todos esos pensamientos, sentimientos y acontecimientos que para él son reales. La referencia a la experiencia, entonces, significa entrar en la vida del oyente.

Los vastos resultados obtenidos por la ciencia no son ganados por facultades místicas, ni por procesos mentales, aparte de aquellos que practicamos cada uno de nosotros en los asuntos más humildes y mezquinos de la vida. Un policía detective descubre a un ladrón a partir de las marcas hechas por su zapato, mediante un proceso mental idéntico al que Cuvier restauró a los animales extintos de Montmartre a partir de fragmentos de sus huesos. Tampoco ese proceso de inducción y deducción por el cual una mujer, al encontrar una mancha de un tipo particular en su vestido, concluye que alguien ha alterado el soporte de tinta al respecto, difiere en modo alguno de aquel por el cual Adams y Leverrier descubrieron un nuevo planeta. El hombre de ciencia, de hecho, simplemente usa con escrupulosa exactitud los métodos que todos habitualmente, y en todo momento, usamos descuidadamente.

—Thomas Henry Huxley, *Laicos sermones.*

¿Pones tu nombre en el pergamino de la juventud, que está escrito antiguo con todos los caracteres de la edad? ¿No tienes un ojo húmedo? una mano seca? una mejilla amarilla? una barba blanca? una pierna decreciente? un vientre cada vez mayor? ¿no está rota tu voz? tu viento corto? tu barbilla doble? tu ingenio soltero? y cada parte de ti arruinada con la antigüedad? ¿Y todavía te llamarás joven? Fie, fie, fie, Sir John!

Shakespeare, *Las alegres esposas de Windsor.*

Finalmente, al preparar material expositivo, hazte estas preguntas con respecto a tu tema:

¿Qué es y qué no es?

¿Cómo es y a diferencia de?

¿Cuáles son sus causas y efectos?

¿Cómo se dividirá?

¿Con qué temas está correlacionado?

¿Qué experiencias recuerdas?

¿Qué ejemplos lo ilustran?

PREGUNTAS Y EJERCICIOS

1. ¿Cuál sería el efecto de adherirse a cualquiera de las formas de discurso en un discurso público?

2. ¿Alguna vez has escuchado tal dirección?

3. Inventa una serie de ejemplos ilustrativos de las distinciones hechas en las páginas 232 y 233.

4. Haz una lista de diez temas que podrían tratarse en gran medida, si no completamente, por exposición.

5. Nombra los seis estándares por los cuales se debe intentar la escritura expositiva.

6. Define cualquiera de los siguientes: (a) batería de almacenamiento; (b) "una mano libre"; (c) velero; (d) "El Gran Palo"; (e) sin sentido; (f) "un buen deporte"; (g) cuento; (h) novela; (i) periódico; (j) político; (k) celos; (l) verdad; (m) niña matinée; (n) sistema de honor universitario; (o) moda; (p) barrio bajo; (q) trabajo de liquidación; (r) forense.

7. Amplifica la definición por antítesis.

8. Inventa dos ejemplos para ilustrar la definición (pregunta 6).

9. Inventa dos analogías para el mismo tema (pregunta 6).

10. Haz un discurso breve basado en uno de los siguientes: (a) sueldos y salarios; (b) maestro y hombre; (c) guerra y paz; (d) hogar y pensión; (e) lucha y victoria; (f) ignorancia y ambición.

11. Realiza un discurso de diez minutos sobre cualquiera de los temas mencionados en la pregunta 6, utilizando todos los métodos de exposición ya mencionados.

12. Explica qué se entiende por descartar temas colaterales y subordinados a un tema.

13. Reescribe el discurso del jurado en la página 224.

14. Define correlación.

15. Escribe un ejemplo de "clasificación" en cualquier asunto político, social, económico o moral del día.

16. Haz una breve declaración analítica del "The Race Problem" de Henry W. Grady, página 36.

17. ¿Con qué principio analítico procediste? (Ver página 225.)

18. Escribe un discurso breve y cuidadosamente generalizado a partir de una gran cantidad de datos sobre uno de los siguientes temas: (a) El problema de la sirvienta; (b) gatos; (c) la moda del béisbol; (d) reforma de las administraciones; (e) sociedades de costura; (f) coeducación; (g) el vendedor ambulante.

19. Observa este pasaje del "Habla efectiva" de Newton:

"Ese hombre es un cínico. No ve la bondad en ninguna parte. Se burla de la virtud, se burla del amor; para él, la doncella que le arma la mano es un intrigante ingenioso, y no ve en el beso de la madre nada más que una convencionalidad vacía".

Escribe, compromete y entrega dos pasajes similares basados en su elección de esta lista: (a) "el egoísta"; (b) "el sensualista"; (c) "el hipócrita"; (d) "el hombre tímido"; (e) "el bromista"; (f) "el coqueteo"; (g) "la mujer ingrata"; (h) "el hombre triste". En ambos casos, utilice el principio de "Referencia a la experiencia".

20. Escribe un pasaje sobre cualquiera de los personajes anteriores, imitando el estilo de la caracterización de Shakespeare de Sir John Falstaff, página 227.

NOTAS AL PIE:

La argumentación se describirá completamente en el capítulo siguiente.

The Working Principles of Rhetoric, J.F. Genung.

Cómo atraer y mantener una audiencia, J. Berg Esenwein.

Sobre los distintos tipos de definición, ver cualquier manual universitario de Retórica.

Citado en The Working Principles of Rhetoric, J.F. Genung.

Citado en The Working Principles of Rhetoric, J.F. Genung.

G.C.V. Holmes, citado en Specimens of Exposition, H. Lamont.

Hablando eficazmente, Arthur Edward Phillips. Este trabajo cubre la preparación del discurso público de una manera muy útil.

CAPÍTULO XX

INFLUENCIA POR DESCRIPCIÓN

Las arboledas del Edén se desvanecieron tanto tiempo, en vivo en la descripción, y se ve verde en la canción.
—Alexander Pope, *Bosque de Windsor*.

En el momento en que nuestro discurso se eleva por encima de la línea de base de hechos familiares, y se inflama con pasión o pensamiento exaltado, se viste de imágenes. Un hombre que conversa en serio, si observa sus procesos intelectuales, encontrará que siempre aparece en su mente una imagen material, más o menos luminosa, contemporánea con cada pensamiento, que proporciona la vestimenta del pensamiento ... Esta imagen es espontáneo. Es la combinación de la experiencia con la acción presente de la mente. Es una creación adecuada. Ralph Waldo Emerson, Nature.

Al igual que otros recursos valiosos en hablar en público, la descripción pierde su poder cuando se lleva al extremo. La ornamentación excesiva hace que el tema sea ridículo. Un paño de polvo es algo muy útil, pero ¿por qué bordarlo? Si la descripción debe ser restringida dentro de sus límites apropiados e importantes, o si debe alentarse a que se desenfrene, es la elección personal que se presenta ante cada hablante, ya que la primera tendencia literaria del hombre es representar.

La naturaleza de la descripción

Describir es llamar una imagen en la mente del oyente. "Al hablar de la descripción, naturalmente hablamos de retratar, delinear, colorear y todos los dispositivos del pintor de imágenes. Describir es visualizar, por lo tanto, debemos ver la descripción como un proceso pictórico, ya sea que el escritor trate con material o espiritual objetos "

Si te pidieran que describieras el arma de fuego rápido, podrías hacerlo de dos maneras: dar una explicación técnica fría de su mecanismo, en su totalidad y en detalle, o describirlo como un terrible motor de matanza, insistiendo en sus efectos más que sobre su estructura.

El primero de estos procesos es la exposición, el último es la descripción verdadera. La exposición trata más de lo general, mientras que la descripción debe tratar de lo particular. La exposición aclara las ideas, la descripción trata de las cosas. La exposición trata de lo abstracto, la descripción de lo concreto. La exposición tiene que ver con lo interno, la descripción con lo externo. La exposición es enumerativa, la descripción literaria. La exposición es intelectual, la descripción sensorial. La exposición es impersonal, la descripción es personal.

Si la descripción es un proceso de visualización para el oyente, en primer lugar es para el hablante: no puede describir lo que nunca ha visto, ya sea físicamente o de manera elegante. Es esta cualidad personal, esta cuestión del ojo personal que ve las cosas que luego se describirán, lo que hace que la descripción sea tan interesante en el discurso público. Dado un hablante de personalidad, y estamos interesados en su punto de vista personal, su punto de vista se suma al interés natural de la escena, e incluso puede ser la única fuente de ese interés para sus auditores.

El ojo que vio ha sido elogiado en un capítulo anterior (sobre "Sujeto y preparación") y la imaginación será tratada en uno posterior (sobre "Montar el caballo alado"), pero aquí debemos considerar la mente imaginativa: la mente que forma el doble hábito de ver las cosas con claridad, ya que vemos más con la mente que con el ojo físico, y luego volver a imaginar estas cosas con el propósito de ponerlas ante los ojos de los oyentes. Ningún hábito es más útil que el de visualizar claramente el objeto, la escena, la situación, la acción, la persona, a punto de ser descrita. A menos que ese proceso primario se lleve a cabo claramente, la imagen será borrosa para el oyente-espectador.

En un trabajo de esta naturaleza, nos ocupamos del análisis retórico de la descripción y de sus métodos, solo en la medida en que sea necesario para los fines prácticos del hablante. La siguiente agrupación, por lo tanto, no se considerará completa, ni será necesario agregar más que una palabra de explicación:

Descripción para oradores públicos:

Objetos   { Todavía
Objetos   { En moción
Escenas   { Todavía
Escenas   { Incluyendo la acción
Situaciones { Cambio precedente
Situaciones { Durante el cambio
Situaciones { Después del cambio
Acciones   { Mentales
Acciones   {Físicas
Personas   { Interna
Personas   { Externa

Algunos de los procesos anteriores se superpondrán, en ciertos casos, y es más probable que todos se encuentren combinados que solos.

Cuando la descripción está destinada únicamente a proporcionar información precisa, como para delinear la apariencia, no la construcción técnica, de la última aeronave Zeppelin, se denomina "descripción científica" y es similar a la exposición. Cuando se pretende presentar una imagen gratuita con el fin de causar una impresión vívida, se llama "descripción artística". Con ambos, el orador público tiene que lidiar, pero más frecuentemente con la última forma. Los retóricos hacen aún más distinciones.

Métodos de descripción

Al hablar en público, la descripción debe ser principalmente por sugerencia, no solo porque la descripción sugestiva es mucho más compacta y rápida, sino porque es muy vívida. Las expresiones sugerentes connotan más de lo que literalmente dicen: sugieren ideas e imágenes a la mente del oyente que complementan las palabras directas del hablante. Cuando Dickens, en su "Cuento de Navidad", dice: "Entró la señora Fezziwig, una gran sonrisa sustancial", nuestras mentes completan la imagen tan hábilmente iniciada, un proceso mucho más efectivo que el de una descripción minuciosamente detallada porque deja un impresión unificada, vívida, y eso es lo que necesitamos. Aquí hay una sugerencia actual: "El general Trinkle era un hombre retorcido, áspero, sólido y seguro; siempre sabías dónde encontrarlo". Dickens presenta a la señorita Peecher como: "Un pequeño cojín de alfileres, una pequeña ama de casa, un pequeño libro, una pequeña caja de trabajo, un pequeño juego de mesas, pesas y medidas, y una pequeña mujer, todo en uno". En su "Historia de Nueva York" de Knickerbocker, Irving retrata a Wouter van Twiller como "un barril de cerveza robusto, parado sobre patines".

Independientemente de las formas de descripción que descuides, asegúrate de dominar el arte de la sugerencia.

La descripción puede ser por simple sugerencia. Lowell observa un ejemplo feliz de este tipo de imágenes por intimidación cuando dice de Chaucer: "A veces describe ampliamente por la mera indirecta, como donde el fraile, antes de sentarse, ahuyenta al gato. Sabemos sin necesidad de más palabras que ha elegido el rincón más cómodo ".

La descripción puede representar una cosa por sus efectos. "Cuando el ojo del espectador está deslumbrado y lo sombrea", dice Mozley en sus "Ensayos", "formamos la idea de un objeto espléndido; cuando su rostro se pone pálido, de uno horrible; por su rápida maravilla y admiración, formar la idea de una gran belleza; de su asombro silencioso, de gran majestad ".

Breve descripción puede ser por epíteto. "Ojos azules", "armados de blanco", "amantes de la risa", ahora son compuestos convencionales, pero eran lo suficientemente frescos cuando Homer los unió por primera vez. Los siglos aún no han mejorado sobre "Ruedas redondas, descaradas, de ocho radios" o "Escudos lisos, hermosos, descarados, bien martillados". Observe el uso efectivo del epíteto en "The Fighting Death", de Will Levington Comfort, cuando habla de soldados en una escaramuza filipina como "sanguijuelas contra una roca".

La descripción usa figuras del habla. Cualquier retórica avanzada discutirá sus formas y dará ejemplos de orientación. Este asunto es lo más importante, tenga la seguridad. Un estilo figurativo brillante pero cuidadosamente restringido, un estilo marcado por comparaciones y caracterizaciones breves, penetrantes, ingeniosas y humorísticas, es un recurso maravilloso para todo tipo de trabajo en plataformas.

La descripción puede ser directa. Esta afirmación es bastante clara sin exposición. Utiliza tu propio criterio para determinar si es mejor pasar de una vista general a los detalles, o primero dar los detalles y, de este modo, construir la imagen general, pero por supuesto SÉ BREVE.

Ten en cuenta la vívida compacidad de estas delineaciones de "Knickerbocker" de Washington Irving:

Era un viejo caballero bajo, cuadrado y musculoso, con mentón doble, boca de mastín y nariz ancha de cobre, que en aquellos días se suponía que había adquirido su tono ardiente del vecindario constante de su pipa de tabaco.

Tenía exactamente cinco pies y seis pulgadas de altura y seis pies y cinco pulgadas de circunferencia. Su cabeza era una esfera perfecta, y de dimensiones tan estupendas, que Dame Nature, con todo el ingenio de su sexo, se habría quedado perplejo para construir un cuello capaz de soportarlo; por lo que ella sabiamente rechazó el intento y lo colocó firmemente en la parte superior de su columna vertebral, justo entre los hombros. Su cuerpo era de forma oblonga, particularmente espacioso en la parte inferior; que fue ordenado sabiamente por Providence, al ver que era un hombre de hábitos sedentarios y muy reacio a la inactiva labor de caminar.

Lo anterior es demasiado largo para la plataforma, pero es tan alegre, tan lleno de exageración deliciosa, que bien puede servir como modelo de representación de personajes humorísticos, porque aquí inevitablemente se ve al hombre interior en el exterior.

La descripción directa para el uso de la plataforma puede hacerse vívida por el uso moderado del "presente histórico". El siguiente pasaje dramático, acompañado de la acción más animada, ha permanecido en la mente durante treinta años después de escuchar la conferencia del Dr. T. De Witt Talmage sobre "Big Blunders". El crack del murciélago suena claro incluso hoy:

Prepara los murciélagos y toma tus posiciones. Ahora, danos la pelota. Demasiado baja. No golpees Demasiado alto. No golpees Ahí viene como un rayo. Huelga! ¡Lejos se dispara! ¡Mayor! ¡Mayor! ¡Correr! ¡Otra base! ¡Más rápido! ¡Más rápido! ¡Bueno! ¡Todo a la vez!

Observa la forma notable en que el conferenciante fusionó al orador, la audiencia, los espectadores y los jugadores en un todo excitado y extático, tal como se encuentra comenzando a avanzar en su asiento en la entrega de la pelota con "tres y dos abajo" en la novena entrada. Observa también cómo, tal vez inconscientemente, Talmage pintó la escena con el estilo característico de Homero: no como si ya hubiera sucedido, sino como sucediendo ante sus ojos.

Si has asistido a muchas charlas de viaje, debes haber quedado impresionado por los extremos dolorosos a los que llegan los profesores, con algunas excepciones notables, su lenguaje es excesivamente ornamentado o tosco. Si aprendieras el poder de las palabras para hacer paisajes, sí, incluso casas, palpitar con poesía y atractivo humano, lee Lafcadio Hearn, Robert Louis Stevenson, Pierre Loti y Edmondo De Amicis.

Lejana al azul, una montaña de piedra tallada apareció ante ellos: el Templo, alzando al cielo su desierto de pináculos cincelados, arrojando al cielo el rocío dorado de su decoración.

—Lafcadio Hearn, *Fantasmas Chinos.*

Las estrellas eran claras, coloreadas y como joyas, pero no heladas. Un tenue vapor plateado representaba la Vía Láctea. A mi alrededor, las puntas de abeto negro estaban erguidas y quietas. Por la blancura de la silla de montar, pude ver a Modestine dando vueltas y vueltas a lo largo de su atadura; podía escucharla constantemente masticando; pero no hubo otro sonido salvo la indescriptible y silenciosa charla del runnel sobre las piedras.

—Robert Louis Stevenson, *Viaja con un burro.*

Era pleno otoño ahora, a finales de otoño, con las oscuras noches oscuras, y todas las cosas oscurecían temprano en la vieja cabaña, y toda la tierra bretona se veía sombría también. Los mismos días parecían un crepúsculo; nubes inmensurables, que pasaban lentamente, de repente traerían oscuridad al mediodía. El viento gemía constantemente: era como el sonido de un gran órgano de la catedral a la distancia, pero tocando aires profanos o cantos fúnebres desesperados; otras veces se acercaba a la puerta y levantaba un aullido como bestias salvajes. Pierre Loti, un pescador de Islandia.

Veo el gran refectorio, donde un batallón podría haber perforado; veo las largas mesas, las quinientas cabezas dobladas sobre los platos, el movimiento rápido de quinientas horquillas, de mil manos y dieciséis mil dientes; el enjambre de sirvientes corriendo aquí y allá, llamados, regañados, apresurados, a cada lado a la vez; escucho el ruido de los platos, el ruido ensordecedor, las voces ahogadas con la comida que grita: "¡Pan, pan!" y siento una vez más el formidable apetito, la fuerza hercúlea de la mandíbula, la vida exuberante y los espíritus de esos días lejanos.

—Edmondo De Amicis, *Amigos de la Universidad.*

Sugerencias para el uso de la descripción

Decide, al comenzar una descripción, qué punto de vista deseas que tomen tus oyentes. No se puede ver una montaña o un hombre por todos lados a la vez. Establece un punto de vista y no cambies sin dar aviso.

Elige una actitud hacia tu tema, ¿será idealizada? ¿caricaturizado? ¿ridiculizado? ¿exagerado? ¿defendido? ¿o descrito imparcialmente?

Asegúate también de tu estado de ánimo, ya que colorearás el tema que describirás. La melancolía hará que un jardín de rosas se vea gris.

Adopta un orden en el que procedas: no cambies hacia adelante y hacia atrás de cerca a lejos, de remoto a cercano en el tiempo, de general a particular, de grande a pequeño, de importante a sin importancia, de concreto a abstracto, de físico a mental; pero sigue el orden elegido. Las observaciones dispersas y cambiantes producen impresiones borrosas al igual que una cámara en movimiento arruina la exposición al tiempo. No entres en minuciosidades innecesarias. Algunos detalles identifican una cosa con su clase, mientras que otros detalles la diferencian de su clase. Elige solo las características significativas y sugestivas y resalta con claridad viva. Aprende una lección de los pocos trazos utilizados por el artista del póster.

Al determinar qué describir y qué simplemente nombrar, intenta leer el conocimiento de tu audiencia. La diferencia para ellos entre lo desconocido y lo conocido también es vital para ti.

Recorta implacablemente todas las ideas y palabras que no sean necesarias para producir el efecto que deseas. Cada elemento en una imagen mental ayuda o dificulta. Asegúrate de que no obstaculicen, ya que no pueden estar pasivamente presentes en ningún discurso.

Las interrupciones de la descripción para hacer comentarios secundarios son tan poderosas para destruir la unidad como lo son las frases descriptivas dispersas. La única impresión visual que puede ser efectiva es la que está unificada.

Al describir, trata de invocar las emociones que sentiste cuando viste por primera vez la escena, y luego intenta reproducir esas emociones en tus oyentes. La descripción es principalmente emocional en su atractivo; nada puede ser más aburrido que un contorno frío y sin emociones, mientras que nada deja una impresión más cálida que una descripción brillante y enérgica.

Da una visión general rápida y vívida al final de la representación. Las primeras y últimas impresiones siguen siendo las más largas. La mente puede ser entrenada para captar los puntos característicos de un sujeto, para ver en una sola escena, acción, experiencia o personaje, una impresión unificada del todo.

Para describir una cosa como un todo, primero debes verla como un todo. Domina ese arte y has dominado la descripción hasta el último grado.

SELECCIONES PARA LA PRÁCTICA

LAS CASAS DE LAS PERSONAS

El otro día fui a Washington y me paré en el Capitolio; mi corazón latía rápido mientras miraba el imponente mármol del Capitolio de mi país y la niebla se acumuló en mis ojos al pensar en su tremendo significado, y los ejércitos y el tesoro, y los jueces y el presidente, y el Congreso y los tribunales , y todo lo que se reunió allí. Y sentí que el sol en todo su curso no podía mirar hacia abajo a una vista mejor que el majestuoso hogar de una república que había enseñado al mundo sus mejores lecciones de libertad. Y sentí que si el honor, la sabiduría y la justicia permanecieran allí, el mundo finalmente se lo debía a esa gran casa en la que se aloja el arca del pacto de mi país, su elevación final y su regeneración.

Dos días después, fui a visitar a un amigo en el campo, un hombre modesto, con una casa de campo tranquila. Era solo una casa simple, sin pretensiones, rodeada de grandes árboles, rodeada de praderas y campos ricos en la promesa de la cosecha. La fragancia de la rosa y la malva en el patio delantero se mezclaba con el aroma del huerto y de los jardines, y resonaba con el ruido de las aves y el zumbido de las abejas.

Dentro había tranquilidad, limpieza, ahorro y comodidad. Estaba el viejo reloj que había acogido, en medida constante, a todos los recién llegados a la familia, que había marcado el solemne réquiem de los muertos y había hecho compañía con el observador al lado de la cama. Allí estaban las camas grandes y relajantes y la vieja chimenea abierta, y la vieja Biblia familiar, manoseada con los dedos de las manos desde hacía mucho tiempo, y húmeda con las lágrimas de los ojos cerradas desde hacía mucho tiempo, sosteniendo los simples archivos de la familia, el corazón y la conciencia del hogar.

Afuera, estaba mi amigo, el maestro, un hombre sencillo y recto, sin hipoteca en su techo, sin gravamen sobre sus cultivos, dueño de su tierra y dueño de sí mismo. Estaba su viejo padre, un hombre viejo y tembloroso, pero feliz en el corazón y en la casa de su hijo. Y cuando se dirigían a su casa, las manos del anciano se posaron sobre el hombro del joven, colocando allí la bendición indescriptible del padre honrado y agradecido y ennobleciéndolo con el título de caballero del quinto mandamiento.

Y cuando llegaron a la puerta, la anciana madre llegó con la puesta de sol cayendo sobre su rostro e iluminando sus ojos profundos y pacientes, mientras que sus labios, temblando con la rica música de su corazón, pidieron a su esposo e hijo que fueran bienvenidos a su hogar. Más allá estaba la ama de casa, ocupada con los cuidados de su hogar, limpia de corazón y de conciencia, el escudo y la ayuda de su marido. Al final del camino llegaron los niños, que se dirigían en tropel a casa tras las vacas, buscando como las aves ausentes hacen el silencio de su nido.

Y vi caer la noche en esa casa, cayendo suavemente mientras las alas de lo invisible se zambullían. Y el viejo, mientras un pájaro sobresaltado llamaba desde el bosque y los árboles chillaban con el grito del grillo y las estrellas pululaban en el cielo, atrajo a la familia a su alrededor y, tomando la Biblia vieja de la mesa, llamó poniéndose de rodillas, el pequeño bebé escondido en los pliegues del vestido de su madre, mientras él cerraba el registro de ese simple día al invocar la bendición de Dios sobre esa familia y ese hogar. Y mientras miraba, la visión del Capitolio de mármol se desvaneció. Se olvidaron sus tesoros y su majestad y dije: "Oh, seguramente aquí, en los hogares de la gente, se alojan por fin la fuerza y la responsabilidad de este

gobierno, la esperanza y la promesa de esta república". —Henry
W. Grady.

ESCENAS SUGERIDAS

Una cosa en la vida requiere otra; hay un gimnasio en eventos
y lugares. La vista de un cenador agradable nos hace pensar en
sentarnos allí. Un lugar sugiere trabajo, otra ociosidad, un tercer
levantamiento temprano y largas caminatas en el rocío. El efecto
de la noche, de cualquier agua que fluye, de las ciudades
iluminadas, del pío del día, de los barcos, del océano abierto,
recuerda en la mente un ejército de anónimos deseos y placeres.
Algo, creemos, debería suceder; no sabemos qué, pero
procedemos en su búsqueda. Y muchas de las horas más felices
de la vida nos acompañan en esta vana asistencia al genio del
lugar y el momento. Es así que los tractos de abetos jóvenes y las
rocas bajas que alcanzan sonidos profundos, particularmente me
deleitan y torturan. Algo debe haber sucedido en esos lugares, y
tal vez hace mucho tiempo, a los miembros de mi raza; y cuando
era niño traté de inventar juegos apropiados para ellos, como
todavía intento, igual de vano, adaptarlos a la historia adecuada.
Algunos lugares hablan claramente. Ciertos jardines húmedos
lloran en voz alta por un asesinato; ciertas casas antiguas exigen
ser embrujadas; ciertas costas se reservan para naufragio. Otros
lugares nuevamente parecen cumplir su destino, sugerente e
impenetrable, "mallecho miching". La posada en el puente de
Burford, con sus cenadores y su jardín verde y su río silencioso
y agitado, aunque ya es conocido como el lugar donde Keats
escribió algo de su Endymion y Nelson se separó de su Emma,
todavía parece esperar la llegada de la leyenda apropiada. Dentro
de estas paredes cubiertas de hiedra, detrás de estas viejas
persianas verdes, algunos negocios adicionales arden, esperando
su hora. El viejo Hawes Inn en el ferry de Queen hace un llamado
similar a mi gusto. Allí se encuentra, aparte de la ciudad, al lado

del muelle, en un clima propio, mitad tierra adentro, mitad marina; en frente, el ferry burbujeando con la marea y el barco de guardia balanceándose hacia su ancla; Detrás, el viejo jardín con los árboles. Los estadounidenses ya lo buscan por el amor de Lovel y Oldbuck, que cenaron allí al comienzo del Anticuario. Pero no necesitas decirme, eso no es todo; hay una historia, no registrada o aún no completa, que debe expresar el significado de esa posada más completamente ... He vivido tanto en Hawes como en Burford en un aleteo perpetuo, en el talón, como parecía, de alguna aventura. eso debería justificar el lugar; pero aunque la sensación me hizo acostarme de noche y me llamó de nuevo por la mañana en una ronda ininterrumpida de placer y suspenso, nada me llamó la atención. El hombre o la hora aún no habían llegado; pero algún día, creo, un bote se alejará del ferry de la Reina, cargado de un cargamento querido, y alguna noche helada, un jinete, en un trágico recado, traqueteará con el látigo sobre las persianas verdes de la posada de Burford.

—R.L. Stevenson, *Un chisme sobre el romance.*

DE "MEDIANOCHE EN LONDRES"

¡Sonido metálico! ¡Sonido metálico! ¡Sonido metálico! las campanas de fuego! Bing! Bing! Bing! ¡la alarma! En un instante, el silencio se convierte en alboroto —un estallido de ruido, emoción, clamor— se desató el alboroto; Bing! Bing! Bing! Sonajero, choque y ruido. Abrir volar las puertas; hombres valientes montan sus cajas. ¡Bing! ¡Bing! ¡Bing! ¡Están fuera! Los caballos corren por la calle como locos. ¡Bing! ¡Bing! ¡Bing! ¡va el gong!

"¡Sal de la pista! ¡Los motores están llegando! ¡Por el amor de Dios, arrebata a ese niño de la carretera!"

Adelante, salvajemente, resueltamente, vuelen locamente los corceles. Bing! Bing! el gong Lejos lanzan los caballos sobre las alas de la furia febril. En remolinos, la máquina, por las calles, en las esquinas, por esta avenida y por la otra, hacia las entrañas de la oscuridad, resoplando, jadeando, disparando un millón de chispas de la pila, allanando el camino de la noche asustada con una galaxia de estrellas. . Sobre las copas de las casas al norte, una ráfaga de llamas volcánicas se dispara, eructando con un efecto cegador. El cielo está en llamas. Se incendia una casa de vecindad. Quinientas almas están en peligro. ¡Cielo misericordioso! ¡Ahórrate a las víctimas! ¿Vienen los motores? Sí, aquí están, corriendo calle abajo. ¡Mira! los caballos cabalgan sobre el viento; ojos saltones como bolas de fuego; fosas nasales bien abiertas. Una ola de fuego palpitante, rodando, hundiéndose, saltando, subiendo, bajando, hinchándose, agitando, y con pasión loca estallando sus costados al rojo vivo, extendiendo sus brazos, rodeando, apretando, agarrando, tragándose todo ante el calor. , codiciosa boca de un monstruo espantoso.

¡Cómo corren los caballos a la vuelta de la esquina! El instinto animal te dice? Sí, más. Razón bruta.

"¡Suban las escaleras, hombres!"

El imponente edificio está enterrado en bancos hinchados de elementos salvajes y penetrantes. Las lenguas bifurcadas salen y entran, esquivan aquí y allá, arriba y abajo, y enrollan sus filos alrededor de cada objeto. Un choque, un sonido sordo y explosivo, y una nube de humo salta. En el punto más alto sobre el techo se encuentra una figura oscura en un estrecho desesperado, las manos haciendo gestos frenéticos, los brazos balanceándose violentamente, y luego el cuerpo se dispara hacia el espantoso espacio, cayendo sobre el pavimento con un ruido sordo. El brazo del hombre golpea a un espectador mientras se lanza. La multitud se estremece, se balancea y profiere un bajo murmullo de piedad y horror. Los espectadores de corazón débil ocultan sus rostros. Una mujer se desvanece.

"¡Pobre amigo! ¡Muerto!" exclama un trabajador, mientras mira el cuerpo del hombre.

"¡Sí, Joe, y yo también lo conocía bien! Vivía al lado mío, cinco vuelos de regreso. Deja a una madre viuda y dos pequeños trozos de huérfanos. Lo ayudé a enterrar a su esposa hace quince días. ¡Ah, Joe! pero son líneas duras para los huérfanos ".

Una hora espantosa avanza, arrastrando su regimiento de pánico en su camino y dejando manchas carmesí de crueldad a lo largo del camino de la noche.

"¿Están todos fuera, bomberos?"

"¡Ya ya señor!"

"¡No, no lo están! ¡Hay una mujer en la ventana superior sosteniendo a un niño en sus brazos, allá en la esquina derecha! ¡Las escaleras, allí! ¡Cien libras para el hombre que hace el rescate!"

Una docena de comienzo. Un hombre más flexible que los demás, e imprudente en su valentía, trepa hasta el último peldaño de la escalera.

"¡Demasiado corto!" el llora. "¡Alza otro!"

Arriba se va. Se monta en la ventana, ata la cuerda, azota a la madre y al bebé, los empuja hacia el vacío feo y los deja caer para que sean rescatados por sus camaradas.

"¡Bravo, bombero!" grita la multitud.

Un estruendo rompe el alboroto de las maderas crujientes.

"¡Mira vivo, allá arriba! ¡Dios mío! ¡El techo se ha caído!"

Las paredes se balancean, se mecen y caen con un rugido ensordecedor. Los espectadores dejan de respirar. La fría verdad se revela. El bombero ha sido llevado al horno hirviendo. Una anciana, doblada por el peso de la edad, se apresura a través de la línea de fuego, chillando, delirando y retorciéndose las manos y abriendo su corazón de dolor.

"¡Pobre John! ¡Era todo lo que tenía! ¡Y también era un muchacho valiente! Pero ahora se fue. Perdió su propia vida al salvar a dos más, y ahora, ¡ahora está allí, lejos!" repite, señalando al cruel horno.

Los motores hacen su trabajo. Las llamas se apagan. Una espeluznante penumbra se cierne sobre las ruinas como una palidez formidable y ennegrecida.

Y pasa el mediodía de la noche.— Ardennes Jones-Foster.

PREGUNTAS Y RESPUESTAS

1. Escribe dos párrafos sobre uno de estos: el caballo de carreras, el bote a motor, el golf, el tenis; que la primera sea pura exposición y la segunda pura descripción.

2. Selecciona tu propio tema y haz lo mismo en dos breves discursos extemporáneos.

3. Entrega una dirección original corta en el estilo excesivamente ornamentado.

4. (a) Señala tus defectos; (b) refundelo en un estilo más efectivo; (c) muestra cómo uno supera al otro.

5. Haz una lista de diez temas que se prestan a la descripción en el estilo que prefieras.

6. Entrega un discurso de dos minutos sobre cualquiera de ellos, utilizando principalmente, pero no únicamente, la descripción.

7. Durante un minuto, mira cualquier objeto, escena, acción, imagen o persona que elijas, tómate dos minutos para organizar tus pensamientos y luego haz una breve descripción, todo sin hacer notas escritas.

8. ¿En qué sentido la descripción es más personal que la exposición?

9. Explica la diferencia entre una descripción científica y una artística.

10. Al estilo de Dickens e Irving (páginas 234, 235), escribe cinco oraciones separadas que describan cinco caracteres por medio de sugerencias, una oración para cada uno.

11. Describe un personaje por medio de una pista, a la manera de Chaucer (p. 235).

12. Lee en voz alta lo siguiente con especial atención al gesto:
Su misma garganta era moral. Viste mucho de eso. Miraste por encima de una cerca muy baja de corbata blanca (de la cual

ningún hombre había visto la corbata, porque la abrochó por detrás), y allí yacía, un valle entre dos alturas sobresalientes, sereno y sin bigotes delante de ti. Parecía decir, por parte del Sr. Pecksniff, "No hay engaño, damas y caballeros, todo es paz, una santa calma me invade". También lo hizo su cabello, simplemente canoso con un gris hierro, que estaba todo cepillado de su frente, y estaba erizado, o ligeramente caído en acción parecida con sus pesados párpados. También lo hizo su persona, que era elegante aunque libre de corpulencia. También lo hizo su actitud, que era suave y aceitosa. En una palabra, incluso su sencillo traje negro, su estado de viudo y sus colgantes lentes dobles, todos tendían al mismo propósito y gritaban en voz alta: "¡He aquí el Pecksniff moral!"

—Charles Dickens, Martin Chuzzlewit.

13. ¿Cuál de las siguientes opciones prefieres y por qué?

Era una muchacha floreciente de dieciocho años fresca, regordeta como una perdiz, madura y derretida, con las mejillas sonrosadas como uno de los duraznos de su padre.

—Irving.

Era una muchacha espléndidamente femenina, tan sana como una niña de noviembre, y no más misteriosa que un cristal de ventana.

—O. Enrique.

Pequeña, brillante, ordenada, metódica y exuberante era la señorita Peecher; mejillas de cereza y melodiosa voz.

—Dickens.

14. Inventa cinco epítetos y aplícalos como quieras (pág. 235).

15. (a) Haz una lista de cinco figuras retóricas; (b) defínelas; (c) da un ejemplo, preferiblemente original, debajo de cada uno.

16. Elige las figuras retóricas en la dirección de Grady, en la página 240.

17. Inventa una figura original para tomar el lugar de cualquiera en el discurso de Grady.

18. ¿Qué tipo de figuras encuentras en la selección de Stevenson, en la página 242?

19. ¿Qué métodos de descripción pareces preferir?

20. Escribe y entrega, sin notas y con gestos descriptivos, una descripción en imitación de cualquiera de los autores citados en este capítulo.

21. Reexamina uno de tus discursos pasados y mejora el trabajo descriptivo. Informa sobre qué fallas encontraste que existen.

22. Ofrece un discurso extemporáneo que describa cualquier escena dramática al estilo de "Midnight in London".

23. Describa un evento en tu deporte favorito al estilo del Dr. Talmage. Ten cuidado para que la entrega sea efectiva.

24. Critica, favorable o desfavorablemente, las descripciones de cualquier conversación de viaje que hayas escuchado recientemente.

25. Entrega una breve charla de viaje original, como si estuvieras mostrando imágenes.

26. Reenvía la charla y entrégala "sin imágenes".

NOTAS AL PIE:

Escribiendo el cuento, J. Berg Esenwein.

Para un tratamiento más completo de la Descripción, ver Principios de trabajo de la retórica de Genung, Escritura descriptiva de Albright, Charlas de Bates sobre la escritura en inglés, primera y segunda serie, y cualquier retórica avanzada.

Ver también The Art of Versification, J. Berg Esenwein y Mary Eleanor Roberts, págs. 28-35; y Writing the Short-Story, J. Berg Esenwein, págs. 152-162; 231-240.

En el Colegio Militar de Módena.

Esta figura retórica se conoce como "Visión".

CAPÍTULO XXI

INFLUENCIA POR NARRACIÓN

El arte de la narración es el arte de escribir con ganchos y ojos. El principio consiste en hacer que el pensamiento apropiado siga el pensamiento apropiado, el hecho apropiado el hecho apropiado; en primer lugar, preparar la mente para lo que está por venir y luego dejar que venga.

—Walter Bagehot, *Estudios literarios*.

Nuestro propio discurso es curiosamente histórico. Puedes observar que la mayoría de los hombres solo hablan para narrar; no para impartir lo que han pensado, que a menudo era un asunto muy pequeño, sino para exhibir lo que han experimentado o visto, que es bastante ilimitado, los conversadores se dilatan. Apartaos de la narrativa, ¡cómo la corriente de conversación, incluso entre los más sabios, languidecería en puñados separados, y entre los necios se evaporaría por completo! Por lo tanto, como no hacemos nada más que promulgar Historia, decimos poco pero lo recitamos.

—Thomas Carlyle, *Sobre Historia*.

Solo un pequeño segmento del gran campo de la narración ofrece sus recursos al orador público, y eso incluye la anécdota, los hechos biográficos y la narración de eventos en general.

La narración, más fácilmente definida que dominada, es el recital de un incidente, o un grupo de hechos y sucesos, de tal manera que produce el efecto deseado.

Las leyes de la narración son pocas, pero su práctica exitosa involucra más del arte de lo que parece a primera vista; tanto, de hecho, que ni siquiera podemos tocar su técnica aquí, sino que debemos contentarnos con un examen de algunos ejemplos de narración como utilizado en discurso público.

De manera preliminar, observa cuán radicalmente el uso de la narrativa por parte del orador público difiere del uso del narrador en el ámbito más limitado, la ausencia de diálogo extendido y el dibujo de personajes, y la libertad de la elaboración de detalles, que caracterizan la narrativa de la plataforma. Por otro lado, hay varias similitudes de método: la combinación frecuente de narración con exposición, descripción, argumentación y súplica; el cuidado ejercido en la disposición del material para producir un fuerte efecto al cierre (clímax); la práctica muy general de ocultar el "punto" (desenlace) de una historia hasta el momento efectivo; y la supresión cuidadosa de detalles innecesarios y, por lo tanto, hirientes.

Entonces vemos que, ya sea para una revista o plataforma, el arte de la narración implica mucho más que el recital de anales; La sucesión de eventos registrados requiere un plan para que se realicen con efecto real.

También se notará que es probable que el estilo literario en la narración de plataformas sea menos pulido y más dramático que en el que se pretende publicar, o más ferviente y de tono elevado. Sin embargo, en este último aspecto, la mejor plataforma de la que se habla hoy difiere de los modelos de la generación anterior, en la que se pensaba que un estilo muy digno y a veces pomposo era el único vestido apropiado para una liberación pública. Genial, noble y conmovedor, ya que estos maestros mayores se mostraban en su elevada y elocuente apasionada, a veces nos sentimos oprimidos cuando leemos sus períodos de sonido durante un período de tiempo considerable, incluso teniendo en cuenta todo lo que perdemos al perder la presencia, la voz y la voz del hablante. fuego. Así que modelemos nuestra narración de plataforma, como nuestras otras formas de discurso, sobre las direcciones efectivas de los modernos, sin disminuir nuestra admiración por la escuela más antigua.

La anécdota

Una anécdota es una narración breve de un solo evento, contada como lo suficientemente llamativa como para resaltar un punto. Cuanto más agudo sea el punto, más condensada será la forma, y cuanto más repentinamente la aplicación llegue al oyente, mejor será la historia.

Considerar una anécdota como una ilustración, una imagen interpretativa, ayudará a mantenernos en su verdadero propósito, ya que una historia sin propósito es la más estúpida de todas las ofensas en la plataforma. Una broma perfectamente mayúscula fracasará cuando la nuca la arrastre sin evidenciar el tema en discusión. Por otro lado, una anécdota apropiada ha salvado muchos discursos del fracaso.

"No hay mejor oportunidad para la exhibición de tacto que en la introducción de historias ingeniosas o humorísticas en un discurso. El ingenio es entusiasta y como un estoque, penetra profundamente, a veces incluso en el corazón. El humor es de buen carácter, y no herida, que se funda en el descubrimiento repentino de una relación insospechada que existe entre dos ideas. El humor trata las cosas fuera de relación, con lo incongruente. Fue ingenioso en Douglass Jerrold replicar sobre el ceño fruncido de un extraño cuyo hombro había abofeteado familiarmente. , confundiéndolo con un amigo: "Perdón, pensé que te conocía, pero me alegro de no saberlo". Era humorístico en el orador del sur, John Wise, comparar el placer de pasar una noche con una niña puritana a la de sentarse en un bloque de hielo en invierno, rompiendo granizo entre sus dientes ".

La cita anterior se ha introducido principalmente para ilustrar la primera y más simple forma de anécdota: la oración única que incorpora un dicho punzante.

Otra forma simple es la que transmite su significado sin necesidad de "aplicación", como solían decir los viejos predicadores. George Ade ha citado este como el mejor chiste que haya escuchado:

Dos caballeros de aspecto solemne viajaban juntos en un vagón de ferrocarril. Un caballero le dijo al otro: "¿Tu esposa es entretenida este verano?" A lo que el otro caballero respondió: "No mucho".

Otras anécdotas necesitan aprovechar la verdad particular que el hablante desea transmitir en su discurso. A veces, la solicitud se realiza antes de contar la historia y el público está preparado para hacer la comparación, punto por punto, a medida que se cuenta la ilustración. Henry W. Grady usó este método en una de las anécdotas que contó al pronunciar su gran discurso extemporáneo, "The New South".

La edad no dota a todas las cosas de fuerza y virtud, ni todas las cosas nuevas deben ser despreciadas. El zapatero que colocó sobre su puerta, "La tienda de John Smith, fundada en 1760", fue más que igualado por su joven rival al otro lado de la calle que colgó este letrero: "Bill Jones. Establecido en 1886. No hay cosas viejas en esta tienda".

En dos anécdotas, contadas también en "The New South", el Sr. Grady ilustró otra forma de hacer cumplir la solicitud: en ambos casos dividió la idea que deseaba conducir a casa, aportando parte antes y parte después del recital de la historia. El hecho de que el hablante haya citado erróneamente las palabras del Génesis en el que se describe el Arca no pareció restarle valor al humor burlesco de la historia.

Os hablo al máximo de tu cortesía esta noche. No estoy preocupado por aquellos de quienes vengo. Te acuerdas del hombre cuya esposa lo envió a un vecino con una jarra de leche, quien, tropezando con el escalón superior, cayó, con interrupciones casuales como los aterrizajes permitidos, en el sótano y, mientras se levantaba, tuvo el placer de escuchar a su esposa gritar:

"John, ¿rompiste el lanzador?"

"No, no lo hice", dijo John, "pero me molestarán si no lo hago".

Entonces, mientras que aquellos que me llaman desde atrás pueden inspirarme con energía, si no con coraje, les pido una audiencia indulgente. Le ruego que traiga su plena fe en la justicia y la franqueza estadounidenses para juzgar lo que diré. Hubo un viejo predicador una vez que les contó a algunos muchachos la lección bíblica que iba a leer en la mañana. Los niños, al encontrar el lugar, pegaron las páginas de conexión. A la mañana siguiente, leyó en la parte inferior de una página: "Cuando Noé tenía ciento veinte años, tomó para sí una esposa, que era" —y luego pasó la página— "ciento cuarenta codos de largo, cuarenta codos de ancho, construido en madera de gopher y cubierto con brea por dentro y por fuera". Estaba naturalmente perplejo por esto. Lo leyó de nuevo, lo verificó, y luego dijo: "Mis amigos, esta es la primera vez que me encuentro con esto en la Biblia, pero lo acepto como evidencia de la afirmación de que estamos hechos con temor y maravillosamente". Si pudiera lograr que mantuvieras esa fe esta noche, podría proceder alegremente a la tarea que de otro modo abordaría con un sentido de consagración.

De vez en cuando, un orador se sumerge sin introducción en una anécdota, dejando que la aplicación siga. Lo siguiente ilustra este método:

Una gran oscuridad de patas giratorias se apoyaba en la esquina de la estación de ferrocarril en una ciudad de Texas cuando sonó el silbido del mediodía en la fábrica de conservas y las manos se apresuraron, llevando sus cubos de comida. El oscuro escuchó, con la cabeza hacia un lado hasta que el eco se había disipado. Luego lanzó un profundo suspiro y se dijo a sí mismo:

"Dar, ella se va. Hora de cenar para algunas personas, ¡pero las 12 en punto me pelean!"

Esa es la situación en miles de fábricas estadounidenses, grandes y pequeñas, hoy. ¿Y por qué? etcétera etcétera.

Sin duda, el uso de plataforma más frecuente de la anécdota es en el púlpito. Sin embargo, la "ilustración" del sermón no siempre es estrictamente narrativa en su forma, sino que tiende a una comparación extendida, como lo siguiente del Dr. Alexander Maclaren:

Los hombres se pararán como los fakires indios, con los brazos sobre la cabeza hasta que se pongan rígidos allí. Se posarán sobre pilares como Simeon Stylites, durante años, hasta que las aves construyan sus nidos en sus cabellos. Medirán toda la distancia desde Cape Comorin hasta el templo de Juggernaut con sus cuerpos a lo largo del camino polvoriento. Usarán camisas para el cabello y se azotarán. Ayunarán y se negarán a sí mismos. Construirán catedrales y dotarán de iglesias. Harán lo mismo que muchos de ustedes, trabajarán a medida y comenzarán a través de sus vidas en la interminable tarea de prepararse para el cielo y ganarlo por obediencia y justicia. Harán todas estas cosas y las harán con gusto, en lugar de escuchar el mensaje humilde que dice: "No es necesario que hagas nada, lávate". ¿Es tu lavado o el agua lo que te limpiará? Lavar y estar limpio! La limpieza de Naamán fue solo una prueba de su obediencia, y una muestra de que fue Dios quien lo limpió. No había poder en las aguas de Jordania para quitar la mancha de la lepra. Nuestra limpieza está en esa sangre de Jesucristo que tiene el poder de quitar todo pecado y hacer que el más sucio entre nosotros sea puro y limpio.

Una última palabra debe decirse sobre la introducción a la anécdota. Una introducción torpe e inapropiada es fatal, mientras que una sola frase acertada o ingeniosa despertará interés y preparará una audiencia favorable. La siguiente ilustración extrema, realizada por el humorista inglés, el Capitán Harry Graham, satiriza bien la manera de tropezar:

La mejor historia que escuché fue una que me contaron una vez en el otoño de 1905 (o podría haber sido 1906), cuando estaba visitando Boston, al menos, creo que fue Boston; Puede haber sido Washington (mi memoria es muy mala).

Me encontré con un hombre muy divertido cuyo nombre olvido: Williams, Wilson o Wilkins; algún nombre como ese, y él me contó esta historia mientras esperábamos un tranvía.

Todavía puedo recordar cuán sinceramente me reí en ese momento; y otra vez, esa noche, después de acostarme, cómo me reí para dormir recordando el humor de esta historia increíblemente humorística. Fue realmente extraordinariamente divertido. De hecho, puedo afirmar sinceramente que es la historia más divertida que he tenido el privilegio de escuchar. Lamentablemente, lo he olvidado.

Hechos biográficos

Hablar en público tiene mucho que ver con personalidades; naturalmente, por lo tanto, la narración de una serie de detalles biográficos, incluidas anécdotas entre el recital de hechos interesantes, juega un papel importante en el elogio, el discurso conmemorativo, el discurso político, el sermón, la conferencia y otras entregas de plataformas. Direcciones completas pueden estar formadas por detalles biográficos, como un sermón sobre "Moisés" o una conferencia sobre "Lee".

El siguiente ejemplo es en sí mismo una anécdota expandida, formando un eslabón en una cadena:

MARIO EN LA PRISIÓN

La peculiar sublimidad de la mente romana no se expresa ni se busca en su poesía. La poesía, según el ideal romano de ella, no era un órgano adecuado para los movimientos más grandiosos de la mente nacional. La sublimidad romana debe buscarse en los actos romanos y en los dichos romanos. ¿Dónde, de nuevo, encontrarás una expresión más adecuada de la majestad romana, que en el dicho de Trajano —Imperatorem oportere stantem mori— de que César debería morir de pie?; ¡Un discurso de grandeza imperativa! Implicando que él, que era "el hombre más destacado de todo este mundo", y, con respecto a todas las demás naciones, el representante de los suyos, "debe expresar su virtud característica en su acto de despedida", debe morir en procincta, y debe conoce al último enemigo como el primero, con semblante romano y en actitud de soldado. Si esto tuviera un imperativo, lo que sigue tenía una majestad consular, y es casi la historia más grandiosa registrada.

Mario, el hombre que llegó a ser siete veces cónsul, estaba en una mazmorra, y un esclavo fue enviado con la comisión para matarlo. Estas eran las personas, las dos extremidades de la humanidad exaltada y desamparada, su vanward y su hombre atrasado, un cónsul romano y un esclavo abyecto. Pero sus relaciones naturales entre sí estaban, por el capricho de la fortuna, invertidas monstruosamente: el cónsul estaba encadenado; el esclavo fue por un momento el árbitro de su destino. ¿Con qué hechizos, qué magia, Mario se restableció en sus prerrogativas naturales? ¿Por qué maravillas extraídas del cielo o de la tierra, él, en un abrir y cerrar de ojos, nuevamente se invirtió con el púrpura y colocó entre él y su asesino una gran cantidad de licores sombríos? Por la simple supremacía en blanco de las grandes mentes sobre las débiles. Fascinaba al esclavo, como una serpiente de cascabel a un pájaro. De pie "como Teneriffe", lo golpeó con el ojo y dijo: ",¿*Tune, homo, audes occidere C. Marium?"* — "¿Usted, amigo, presume matar a Cayo *Mario?"* Mientras que, el reptil, temblando bajo la voz, sin atreverse a ofender el ojo consular, se dejó caer suavemente al suelo, giró sobre sus manos y pies, y, saliendo de la prisión como cualquier otra alimaña, dejó a Marios de pie en la soledad, firme e inamovible como el capitolio.

—Thomas De Quincy.

Aquí hay un ejemplo similar, precedido por una declaración histórica general y concluyendo con detalles autobiográficos:

UNA REMINISCENCIA DE LEXINGTON

Una cruda mañana de primavera, serán ochenta años el día 19 de este mes, Hancock y Adams, Moisés y Aarón de esa Gran Liberación, estaban ambos en Lexington; También habían "obstruido a un oficial" con palabras valientes. Soldados británicos, de mil efectivos, vinieron a capturarlos y llevarlos al mar para ser juzgados, y así cortar el brote de libertad que se abre auspiciosamente a principios de la primavera. La milicia del pueblo se reunió antes del amanecer, "para entrenar". Un gran hombre alto, con una cabeza grande y una ceja alta y ancha, su capitán, uno que había "visto el servicio", los reunió en línea, numerando solo setenta y ordenó "cada hombre cargue su pieza con pólvora y pelota. Voy a ordenar que el primer hombre dispare y se escape ", dijo, cuando algunos vacilaron. "No dispares a menos que te disparen, pero si quieren tener una guerra, que comience aquí".

Señores, ustedes saben lo que siguió; esos granjeros y mecánicos "dispararon el disparo que se escucha en todo el mundo". Un pequeño monumento cubre los huesos de los que antes habían prometido su fortuna y su sagrado honor a la Libertad de América, y ese día también le dio la vida. Nací en ese pequeño pueblo y crecí en medio de los recuerdos de ese día. Cuando un niño, mi madre me levantó, un domingo, en sus brazos religiosos y patrióticos, y me abrazó mientras leía la primera línea monumental que vi: "Sagrado para la libertad y los derechos de la humanidad".

Desde entonces he estudiado las canicas conmemorativas de Grecia y Roma, en muchas ciudades antiguas; no, en los obeliscos egipcios han leído lo que se escribió antes de que el Eterno levantara a Moisés para sacar a Israel de Egipto; pero ninguna piedra cincelada me ha conmovido nunca con tanta emoción como estos nombres rústicos de hombres que cayeron "En la Sagrada Causa de Dios y su País".

Los caballeros, el Espíritu de la Libertad, el Amor de la Justicia, pronto se avivaron en una llama en mi corazón juvenil. Ese monumento cubre los huesos de mis propios parientes; fue su sangre la que enrojeció la hierba larga y verde en Lexington. Era mi propio nombre el que estaba cincelado en esa piedra; el alto capitán que reunió a sus compañeros granjeros y mecánicos en una serie severa, y pronunció palabras tan valientes y peligrosas como la que abrió la guerra de la independencia americana, —el último en abandonar el campo— era el padre de mi padre. Aprendí a leer en su Biblia, y con un mosquete que ese día capturó del enemigo, aprendí otra lección religiosa: "Rebelión a los tiranos es obediencia a Dios". Los mantengo a ambos "Sagrado para la Libertad y los Derechos de la Humanidad", para usarlos a ambos "En la Sagrada Causa de Dios y mi País" —Theodore Parker.

Narración de eventos en general

En esta narración más amplia y emancipada, encontramos muchas mezclas de otras formas de discurso, en gran medida en beneficio del discurso, ya que esta verdad no puede enfatizarse demasiado: el hablante eficiente se libera de la forma en aras de un gran efecto libre. Los análisis actuales no tienen otro propósito que familiarizarlo con la forma: no permitas que ninguno de esos modelos cuelgue como un peso sobre tu cuello.

La siguiente narración pura de eventos, de "Paul Revere's Ride" de George William Curtis, varía el recital biográfico en otras partes de su famosa oración:

Esa noche, a las diez en punto, ochocientas tropas británicas, bajo el mando del teniente coronel Smith, tomaron un bote al pie del Common y cruzaron hacia la costa de Cambridge. Gage pensó que su secreto había sido guardado, pero Lord Percy, que había escuchado a la gente decir en el Común que las tropas no alcanzarían su objetivo, lo engañó. Gage ordenó instantáneamente que nadie debería abandonar la ciudad. Pero mientras las tropas cruzaban el río, Ebenezer Dorr, con un mensaje para Hancock y Adams, cabalgaba sobre el cuello hacia Roxbury, y Paul Revere remaba sobre el río hacia Charlestown, habiendo acordado con su amigo, Robert Newman, mostrar linternas. del campanario de la Iglesia del Viejo Norte: "Uno si es por tierra y dos si es por mar", como una señal de la marcha de los británicos.

Lo siguiente, de la misma oración, combina maravillosamente la descripción con la narración:

Fue una noche brillante. El invierno había sido inusualmente templado y la primavera muy avanzada. Las colinas ya eran verdes. El grano temprano ondeaba en los campos, y el aire era dulce con los huertos florecientes. Los petirrojos ya silbaban, los pájaros azules cantaban y la bendición de la paz descansaba sobre el paisaje. Bajo la luna sin nubes, los soldados marcharon silenciosamente, y Paul Revere cabalgó rápidamente, galopando a través de Medford y West Cambridge, despertando todas las casas mientras salía espoleando a Lexington, Hancock y Adams, y evadiendo a las patrullas británicas que habían sido enviadas para detener las noticias. .

En el siguiente extracto de otra de las direcciones del Sr. Curtis, tenemos un uso gratuito de la alegoría como ilustración:

EL LIDERAZGO DE LOS HOMBRES EDUCADOS

Hay una imagen inglesa moderna que el genio de Hawthorne podría haber inspirado. El pintor lo llama "Cómo se conocieron". Un hombre y una mujer, demacrados y cansados, vagando perdidos en un bosque sombrío, de repente se encuentran con las sombrías figuras de un joven y una criada. Alguna fascinación misteriosa fija la mirada y calma los corazones de los vagabundos, y su asombro se profundiza en asombro a medida que gradualmente se reconocen a sí mismos como lo fueron antes; la suave floración de la juventud en sus mejillas redondeadas, la luz húmeda de la esperanza en sus ojos confiados, exultante de confianza en su paso brusco, ellos mismos alegre y radiante con la gloria del amanecer. Hoy, y aquí, nos encontramos. No solo a estas escenas familiares: allá en el verde universitario con sus tradiciones reverendas; la cala halcyon del Seekonk, sobre la cual el recuerdo de Roger Williams se cría como un pájaro tranquilo; la bahía histórica, que late para siempre con los remos amortiguados de Barton y de Abraham Whipple; aquí, la ciudad zumbante de los vivos; allí, la pacífica ciudad de los muertos; no solo a estos o principalmente regresamos, sino a nosotros mismos como alguna vez fuimos. No son los estudiantes de primer año sonrientes del año, son sus propios rostros sin barba y sin arrugas, los que miran desde las ventanas del University Hall y del Hope College. Debajo de los árboles sobre la colina, son ustedes mismos a quienes ven caminar, llenos de esperanzas y sueños, brillando con poder consciente y "alimentando a una juventud sublime"; y en este templo familiar, que seguramente nunca ha hecho eco con una elocuencia tan ferviente e inspiradora como la de sus oraciones de apertura, no son los jóvenes de las galerías quienes, como creen con cariño, susurran a las criadas de allí; son ustedes mismos los más jóvenes quienes, en los días que ya no existen, están murmurando a las madres y abuelas más hermosas de esas criadas.

Felices, el hombre y la mujer cansados y cansados de la imagen podrían haber sentido que sus ojos mayores aún brillaban con esa luz anterior, y que sus corazones aún latían con simpatía y aspiración no disminuidas. Felices nosotros, hermanos, cualquier cosa que se haya logrado, lo que queda por hacer, si, volviendo a la casa de nuestros primeros años, traemos con nosotros la esperanza ilimitada, la resolución no enfriada, la fe inextinguible de la juventud.

—George William Curtis.

PREGUNTAS Y EJERCICIOS

1. Recorta diez anécdotas de cualquier fuente e indica qué verdades se pueden usar para ilustrar.

2. Entrega cinco de estos en tu propio idioma, sin hacer ninguna solicitud.

3. De los diez, entrega uno para hacer la solicitud antes de contar la anécdota.

4. Entrega otro para dividir la aplicación.

5. Entrega otro para hacer la aplicación después de la narración.

6. Entrega otro de tal manera que haga innecesaria una aplicación específica.

7. Da tres formas de presentar una anécdota, diciendo dónde la escuchaste, etc.

8. Entrega una ilustración que no sea estrictamente una anécdota, al estilo del discurso de Curtis en la página 259.

9. Entrega una dirección en cualquier carácter público, utilizando los formularios ilustrados en este capítulo.

10. Entrega una dirección sobre algún evento histórico de la misma manera.

11. Explica cómo las simpatías y el punto de vista del hablante darán color a una anécdota, una biografía o un relato histórico.

12. Ilustra cómo la misma anécdota, o una sección de una dirección histórica, puede recibir dos efectos diferentes por prejuicio personal.

13. ¿Cuál sería el efecto de cambiar el punto de vista en medio de una narración?

14. ¿Cuál es el peligro de usar demasiado humor en una dirección?

NOTAS AL PIE:

Cómo atraer y mantener una audiencia, J. Berg Esenwein.

CAPÍTULO XXII

INFLUENCIA POR SUGERENCIA

A veces, la sensación de que una forma determinada de ver las cosas es indudablemente correcta impide que la mente piense en absoluto ... En vista de los obstáculos que ciertos tipos o grados de sentimiento arrojan a la forma de pensar, se puede inferir que El pensador debe suprimir el elemento del sentimiento en la vida interior. No se pudo cometer un error mayor. Si el Creador dotó al hombre con el poder de pensar, sentir y querer, estas diversas actividades de la mente no están diseñadas para estar en conflicto, y siempre y cuando ninguna de ellas esté pervertida o permitida correr en exceso, necesariamente ayuda y fortalece a los demás en sus funciones normales.

—Nathan C. Schaeffer, *Pensando y aprendiendo a pensar.*

Cuando pensamos, comparamos y decidimos sobre el valor de cualquier idea dada, razonamos; cuando una idea produce en nosotros una opinión o una acción, sin ser objeto de deliberación, nos conmueve la sugerencia.

Antes se pensaba que el hombre era un animal de razonamiento, basando sus acciones en las conclusiones de la lógica natural. Se suponía que antes de formarse una opinión o decidir un curso de conducta, sopesó al menos algunas de las razones a favor y en contra del asunto, y realizó un proceso de razonamiento más o menos simple. Pero la investigación moderna ha demostrado que todo lo contrario es cierto. La mayoría de nuestras opiniones y acciones no se basan en razonamientos conscientes, sino que son el resultado de sugerencias. De hecho, algunas autoridades declaran que un acto de razonamiento puro es muy raro en la mente promedio. Se toman decisiones momentáneas, se determinan acciones de gran alcance, principalmente por la fuerza de la sugestión.

Observa que la palabra "principalmente", para un pensamiento simple, e incluso un razonamiento maduro, a menudo sigue una sugerencia aceptada en la mente, y el pensador supone con cariño que su conclusión se basa de principio a fin en una lógica fría.

La base de la sugerencia

Debemos pensar en la sugerencia como un efecto y como una causa. Considerado como un efecto, u objetivamente, debe haber algo en el oyente que lo predisponga a recibir sugerencias; considerado como una causa, o subjetivamente, debe haber algunos métodos por los cuales el hablante puede moverse sobre esa actitud particularmente susceptible del oyente. Nuestro problema es hacerlo honesta y justamente: hacerlo de manera deshonesta y engañosa, utilizar la sugerencia para lograr convicción y acción sin una base de verdad y verdad y en una mala causa, es asumir la terrible responsabilidad que debe recaer sobre el campeón del error. Jesús despreciaba no usar sugerencias para poder mover a los hombres en su beneficio, pero cada tramposo vicioso ha adoptado los mismos medios para llegar a los extremos de la base. Por lo tanto, los hombres honestos examinarán bien sus motivos y la verdad de su causa, antes de tratar de influir en los hombres por sugerencia.

Tres condiciones fundamentales nos hacen susceptibles a las sugerencias:

Naturalmente respetamos la autoridad. En cada mente, esto es solo una cuestión de grado, que va desde el sujeto que es fácilmente hipnotizado hasta la mente obstinada que se fortalece más con cada asalto a su opinión. El último tipo es casi inmune a las sugerencias.

Una de las cosas singulares de la sugerencia es que rara vez es una cantidad fija. La mente que es receptiva a la autoridad de cierta persona puede resultar inflexible a otra; los estados de ánimo y ambientes que producen hipnosis fácilmente en un caso pueden ser completamente inoperantes en otro; y algunas mentes apenas pueden moverse así. Sin embargo, sabemos que el sentimiento del sujeto de que la autoridad (influencia, poder, dominación, control, como quiera llamarlo) reside en la persona del sugestor, es la base de toda sugerencia.

La fuerza extrema de esta influencia se demuestra en el hipnotismo. Al sujeto hipnótico se le dice que está en el agua; él acepta la afirmación como verdadera y hace movimientos de natación. Le dicen que una banda marcha por la calle, tocando "The Star Spangled Banner"; declara que escucha la música, se levanta y se para con la cabeza descubierta.

Del mismo modo, algunos oradores pueden lograr un efecto hipnótico modificado sobre sus audiencias. Los oyentes aplaudirán medidas e ideas que, después de la reflexión individual, repudiarán a menos que tal reflexión traiga la convicción de que la primera impresión es correcta.

Un segundo principio importante es que nuestros sentimientos, pensamientos y voluntades tienden a seguir la línea de menor resistencia. Una vez que se abre la mente al dominio de un sentimiento, se requiere un mayor poder de sentimiento, pensamiento o voluntad, o incluso los tres, para desbancarlo. Nuestros sentimientos influyen en nuestros juicios y voliciones mucho más de lo que queremos admitir. Tan cierto es que es una tarea sobrehumana lograr que el público razone de manera justa sobre un tema en el que se siente profundamente, y cuando se logra este resultado, el éxito se vuelve notable, como en el caso del discurso de Henry Ward Beecher en Liverpool. Las ideas emocionales una vez aceptadas pronto se aprecian, y finalmente se convierten en nuestro ser más íntimo. Las actitudes basadas solo en sentimientos son prejuicios.

Lo que es cierto de nuestros sentimientos, a este respecto, se aplica a nuestras ideas: todos los pensamientos que entran en la mente tienden a ser aceptados como verdad a menos que surja un pensamiento más fuerte y contradictorio.

El orador experto en llevar a los hombres a la acción logra dominar las mentes de su audiencia con sus pensamientos al prohibir sutilmente el entretenimiento de ideas hostiles a las suyas. La mayoría de nosotros somos capturados por el último ataque fuerte, y si podemos ser inducidos a actuar bajo el estrés de ese último pensamiento insistente, perdemos de vista las influencias contrarias. El hecho es que casi todas nuestras decisiones, si implican algún pensamiento, son de este tipo: en el momento de la decisión, el curso de acción, entonces bajo contemplación, usurpa la atención, y las ideas en conflicto se descartan.

El jefe de una gran editorial comentó recientemente que el noventa por ciento de las personas que compraron libros por suscripción nunca los leyeron. Compran porque el vendedor presenta sus productos con tanta destreza que toda consideración, excepto el atractivo del libro, desaparece de la mente, y ese pensamiento provoca acción. Cada idea que ingrese a la mente resultará en acción a menos que surja un pensamiento contradictorio para prohibirla. Piensa en cantar la escala musical y resultará en su canto a menos que el contrapeso de su inutilidad o absurdo inhiba tu acción. Si vendas y "cuidas" el pie de un caballo, se volverá cojo. No se puede pensar en tragar, sin que los músculos utilizados en ese proceso se vean afectados. No se puede pensar en decir "hola" sin un ligero movimiento de los músculos del habla. Advertir a los niños que no deben meterse los frijoles en la nariz es el método más seguro para lograr que lo hagan. Cada pensamiento invocado en la mente de tu audiencia funcionará a favor o en contra de ti. Los pensamientos no son materia muerta; irradian energía dinámica: todos los pensamientos tienden a pasar a la acción. "Pensar es otro nombre para el destino". Domina los pensamientos de tus oyentes, disipa todas las ideas contradictorias y las influirás como desees.

Las voliciones, así como los sentimientos y pensamientos tienden a seguir la línea de menor resistencia. Eso es lo que hace el hábito. Sugiérele a un hombre que es imposible cambiar de opinión y en la mayoría de los casos se hace más difícil hacerlo, la excepción es el hombre que salta naturalmente a lo contrario. La contra sugerencia es la única forma de comunicarse con él. Sugiere sutil y persistentemente que las opiniones de aquellos en la audiencia que se oponen a sus puntos de vista están cambiando, y se requiere un esfuerzo de la voluntad, de hecho, una invocación de las fuerzas del sentimiento, el pensamiento y la voluntad para detener la marea de cambio que se ha establecido inconscientemente.

Pero, no solo nos mueve la autoridad, y tendemos hacia canales de menor resistencia: todos estamos influenciados por nuestros entornos. Es difícil elevarse por encima del dominio de una multitud: sus entusiasmos y temores son contagiosos porque son sugerentes. Lo que muchos sienten, nos decimos, debe tener alguna base en la verdad. Diez veces diez son más de cien. Haz que diez hombres hablen a diez audiencias de diez hombres cada uno, y compara el poder agregado de esos diez hablantes con el de un hombre que se dirige a cien hombres. Los diez oradores pueden ser más convincentes desde el punto de vista lógico que el único orador, pero las posibilidades están fuertemente a favor de que un hombre alcance un mayor efecto total, ya que los cien hombres irradiarán convicción y resolución como diez grupos pequeños no podrían. Todos conocemos la verdad sobre el entusiasmo de los números. (Ve el capítulo sobre "Influir en la multitud").

El medio ambiente nos controla a menos que se sugiera lo contrario. Un día sombrío, en una habitación monótona, escasamente alquilada por los oyentes, invita al desastre de la plataforma. Todos lo sienten en el aire. Pero deja que el orador se dirige directamente al tema y sugiere, con todos tus sentimientos, modales y palabras, que será una gran reunión en todos los sentidos vitales, y ve cómo el poder sugerente del entorno retrocede antes del avance de un sistema más potente. sugerencia: si es así, el orador puede hacerlo.

Ahora, estos tres factores (respeto por la autoridad, tendencia a seguir líneas de menor resistencia y susceptibilidad al medio ambiente) ayudan a llevar al auditor a un estado mental favorable a las influencias sugestivas, pero también reaccionan en el hablante, y ahora debemos considerar las fuerzas personalmente causales o subjetivas que te permiten utilizar la sugerencia de manera efectiva.

Cómo puede hacer efectiva la sugerencia el orador

Hemos visto que, bajo la influencia de una sugerencia autorizada, la audiencia se inclina a aceptar la afirmación del orador sin argumentos y críticas. Pero el público no está en este estado mental a menos que tenga una confianza implícita en el orador. Si carecen de fe en él, cuestionan sus motivos o conocimientos, o incluso se oponen a sus modales, no se sentirán conmovidos por su conclusión más lógica y no podrán darle una audiencia justa. Todo es cuestión de su confianza en él. Ya sea que el orador lo encuentre ya en la mirada cálida y expectante de sus oyentes, o deba vencerlo contra la oposición o la frialdad, debe ganar ese gran punto de ventaja antes de que sus sugerencias

tomen el poder en los corazones de sus oyentes. La confianza es
la madre de la convicción.

Observe en la apertura del discurso de Henry W. Grady
después de la cena cómo intentó asegurar la confianza de su
audiencia. Creó una atmósfera receptiva con una historia
humorística; expresó su deseo de hablar con seriedad y
sinceridad; reconoció "los vastos intereses involucrados";
desaprobó su "brazo no probado" y profesó su humildad. ¿No
le daría esa introducción confianza al orador, a menos que se
opusiera firmemente a él? E incluso entonces, ¿no desarmaría en
parte tu antagonismo?

Sr. Presidente: "Invitado por su invitación a una discusión
sobre el problema racial", prohibido por la ocasión de hacer un
discurso político, aprecio, al tratar de conciliar las órdenes con
la propiedad, la perplejidad de la pequeña sirvienta, que ordenó
aprender nadar, todavía estaba contentado, "Ahora, ve, mi amor;
cuelga tu ropa en una rama de nogal y no te acerques al agua".

El apóstol más valiente de la Iglesia, dicen, es el misionero, y
el misionero, dondequiera que despliegue su bandera, nunca se
encontrará en una necesidad más profunda de unción y dirección
que yo, le ordené esta noche plantar el estándar de un Demócrata
del Sur en Boston. sala de banquetes, y para discutir el problema
de las carreras en la casa de Phillips y Sumner. Pero, señor
presidente, si es un propósito hablar con perfecta franqueza y
sinceridad; si la comprensión sincera de los vastos intereses
involucrados; si un sentido de consagración de qué desastre
puede seguir más malentendidos y extrañamientos; si esto puede
contarse para un discurso firme e indisciplinado y para fortalecer
un brazo no probado, entonces, señor, encontraré el coraje para
continuar.

Observa también el intento del Sr. Bryan de asegurar la
confianza de su audiencia en la siguiente introducción a su

discurso de "Cruz de Oro" pronunciado antes de la Convención Nacional Democrática en Chicago, 1896. Afirma su propia incapacidad para oponerse al "distinguido caballero"; él mantiene la santidad de su causa; y declara que hablará en interés de la humanidad, sabiendo que es probable que la humanidad tenga confianza en el defensor de sus derechos. Esta introducción dominó por completo a la audiencia, y el discurso hizo famoso al Sr. Bryan.

Señor presidente y señores de la Convención: Sería presuntuoso presentarme ante los distinguidos señores a quienes han escuchado si esto fuera una mera medición de habilidades; pero esto no es un concurso entre personas. El ciudadano más humilde de toda la tierra, cuando está vestido con la armadura de una causa justa, es más fuerte que todos los anfitriones del error. Vengo a hablarles en defensa de una causa tan santa como la causa de la libertad: la causa de la humanidad.

Algunos oradores pueden engendrar confianza por su propia manera, mientras que otros no.

Para asegurar la confianza, ten confianza. ¿Cómo puedes esperar que otros acepten un mensaje en el que carece, o parece que le falta, la fe? La confianza es tan contagiosa como la enfermedad. Napoleón reprendió a un oficial por usar la palabra "imposible" en su presencia. El orador que no tendrá idea de la derrota engendra en sus oyentes la idea de su victoria. Lady Macbeth confiaba tanto en el éxito que Macbeth cambió de opinión acerca de emprender el asesinato. Colón estaba tan seguro en su misión que la reina Isabel empeñó sus joyas para financiar su expedición. Afirma tu mensaje con seguridad implícita, y tu propia creencia actuará como una pólvora para llevarlo a casa.

Los anunciantes han utilizado durante mucho tiempo este principio. "La máquina que eventualmente comprará",

"Pregúntele al hombre que posee una", "Tiene la fuerza de Gibraltar", son lemas publicitarios tan llenos de confianza que generan confianza en la mente del lector.

Debería, ¡pero puede que no! - sin decir que la confianza debe tener una base sólida de mérito o habrá una caída ridícula. Está muy bien que el "hechizador" reclame todos los precintos: el recuento oficial está justo por delante. La reacción contra la excesiva confianza y la sugestión excesiva debería advertir a aquellos cuyo principal activo es un simple farol.

Si por la confianza de un orador, se puede hacer que los hombres inteligentes crean teorías tan absurdas como esta, ¿dónde cesará el poder de la autosuficiencia cuando se consideren proposiciones plausibles, desarrolladas con todo el poder de un discurso convincente?

Ten en cuenta la total seguridad en estas selecciones:

No sé qué curso pueden tomar los demás, pero en cuanto a mí, dame libertad o dame la muerte.

—Patrick Henry.

Nunca te pediré cuarto, y nunca seré tu esclavo; Pero nadaré en el mar de la matanza, hasta que me hunda bajo su ola.

—Zueco.

Llegado uno viene todos. Esta roca volará desde su base firme tan pronto como yo.

—Sir Walter Scott

INVICTO

Fuera de la noche que me cubre, negro como el pozo de polo a polo, agradezco a los dioses que sean por mi alma invencible.

En el embrague de las circunstancias, no me estremecí ni lloré en voz alta; Bajo los golpes del azar Mi cabeza está ensangrentada, pero sin arquearse.

Más allá de este lugar de ira y lágrimas se cierne pero el Horror de la sombra, Y sin embargo, la amenaza de los años Me encuentra y me encontrará sin miedo.

No importa cuán estrecha sea la puerta, cuán cargada de castigos el pergamino, soy el dueño de mi destino; Soy el capitán de mi alma.

—William Ernest Henley.

La autoridad es un factor de sugerencia. Generalmente aceptamos como verdad, y sin críticas, las palabras de una autoridad. Cuando habla, rara vez surgen ideas contradictorias en la mente para inhibir la acción que sugiere. Un juez de la Corte Suprema tiene el poder de sus palabras multiplicado por la virtud de su posición. Las ideas del Comisionado de Inmigración de los Estados Unidos sobre este tema son mucho más efectivas y poderosas que las de un fabricante de jabón, aunque este último puede ser un economista capaz.

Este principio también se ha utilizado en publicidad. Se nos dice que los médicos de dos reyes han recomendado a Sanatogen. Se nos informa que el banco más grande de América, Tiffany and Co., y los departamentos de Estado, Guerra y Armada, todos usan la Enciclopedia Británica. El astuto promotor entrega acciones en su empresa a banqueros influyentes u hombres de negocios de la comunidad para que pueda usar sus ejemplos como argumento de venta.

Si desea influir en su audiencia a través de sugerencias, si desea que sus declaraciones sean aceptadas sin críticas ni argumentos, debe aparecer a la luz de una autoridad, y ser uno. La ignorancia y la credulidad permanecerán sin cambios a menos que la sugerencia de autoridad sea seguida rápidamente por los hechos. No reclames autoridad a menos que lleves su licencia en tu bolsillo. Dea que la razón apoye la posición que ha asumido la sugerencia.

La publicidad ayudará a establecer tu reputación: depende de ti mantenerla. Un orador descubrió que su reputación como escritor de revistas era un activo espléndido como orador. La publicidad del Sr. Bryan, obtenida por tres nominaciones a la presidencia y su posición como Secretario de Estado, lo ayuda a comandar grandes sumas como orador. Pero, para colmo, es un gran orador. Los anuncios en los periódicos, todo tipo de publicidad, formalidad, presentaciones impresionantes, todos tienen un efecto capital en la actitud de la audiencia. ¡Pero qué ridículos son todos estos si una pistola de juguete se anuncia como una pistola de dieciséis pulgadas!

Observa cómo se usa la autoridad a continuación para respaldar la fortaleza de la apelación del orador:

El profesor Alfred Russell Wallace acaba de celebrar su 90 cumpleaños. Compartiendo con Charles Darwin el honor de descubrir la evolución, el profesor Wallace ha recibido recientemente muchos y honores de las sociedades científicas. En la cena que le dieron en Londres, su dirección estaba compuesta en gran parte de reminiscencias. Revisó el progreso de la civilización durante el siglo pasado e hizo una serie de contrastes brillantes y sorprendentes entre la Inglaterra de 1813 y el mundo de 1913. Afirmó que nuestro progreso solo es aparente y no real. El profesor Wallace insiste en que los pintores, los escultores, los arquitectos de Atenas y Roma eran tan superiores a los hombres modernos que los fragmentos de sus canicas y templos son la desesperación de los artistas actuales. Nos dice que el hombre ha mejorado su telescopio y sus anteojos, pero que está perdiendo la vista; ese hombre está mejorando sus telares, pero endureciendo sus dedos; mejorando su automóvil y su locomotora, pero perdiendo sus piernas; mejorando sus alimentos, pero perdiendo su digestión. Agrega que el tráfico moderno de esclavos blancos, los asilos para huérfanos y la vida en casas de vecinos en las ciudades de fábricas, hacen una página negra en la historia del siglo XX.

Las opiniones del profesor Wallace se ven reforzadas por el informe de la comisión del Parlamento sobre las causas del deterioro de las personas de clase industrial. En nuestro propio país, el profesor Jordan nos advierte contra la guerra, la intemperancia, el exceso de trabajo, la alimentación insuficiente de los niños pobres y perturba nuestra satisfacción con su "Cosecha de sangre". El profesor Jenks es más pesimista. Él piensa que el ritmo, el clima y el estrés de la vida en la ciudad han destruido al puritano, que en otro siglo nuestras viejas familias se extinguirán, y que la inundación de la inmigración significa un Niágara de aguas fangosas que ensucian las fuentes puras de la vida americana. En su discurso en New Haven, el profesor Kellogg llama a la lista de signos de degeneración racial y nos dice que este deterioro incluso indica una tendencia hacia la extinción racial.

—Newell Dwight Hillis.

De todos lados vienen advertencias al pueblo estadounidense. Nuestras revistas médicas están llenas de señales de peligro; nuevos libros y revistas, recién salidos de la prensa, nos dicen claramente que nuestra gente está enfrentando una crisis social. El Sr. Jefferson, quien alguna vez fue considerado como una buena autoridad demócrata, parece haber diferido en opinión del caballero que se dirigió a nosotros por parte de la minoría. Quienes se oponen a esta proposición nos dicen que el tema del papel moneda es una función del banco, y que el gobierno debería abandonar el negocio bancario. Estoy con Jefferson en lugar de con ellos, y les digo, como él lo hizo, que la cuestión del dinero es una función del gobierno, y que los bancos deberían salir del negocio gubernamental.

—William Jennings Bryan.

La autoridad es el gran arma contra la duda, pero incluso su fuerza rara vez puede prevalecer contra los prejuicios y la persistente desviación. Si algún orador ha sido capaz de forjar una espada que está justificada para armar esa armadura, que bendiga a la humanidad compartiendo su secreto con sus hermanos de la plataforma en todas partes, porque hasta ahora está solo en su gloria.

Hay un punto medio entre la sugerencia de autoridad y la confesión de debilidad que ofrece una amplia gama de tacto en el hablante. Nadie puede aconsejarle cuándo lanzar su "sombrero en el ring" y decir desafiante desde el principio: "Caballeros, ¡estoy aquí para pelear!" Theodore Roosevelt puede hacer eso: Beecher habría sido acosado si hubiera comenzado con ese estilo en Liverpool. Es tu propia decisión decidir si utilizarás la gracia desarmante de la presentación de Henry W. Grady que acaba de citarse (incluso la broma gastada por el tiempo fue ingenua y parecía decir: "Caballeros, vengo a ustedes sin monedas cuidadosamente manoseadas "), o si la solemne gravedad del Sr. Bryan antes de la Convención demostrará ser más efectiva. Solo asegúrate de que tu actitud de apertura esté bien pensada, y si cambia a medida que te calientas con tu tema, no permitas que el cambio lo abra a una repulsión de sentimientos en su audiencia.

El ejemplo es un poderoso medio de sugerencia. Como vimos al pensar en el medio ambiente en sus efectos sobre una audiencia, hacemos, sin la habitual vacilación y crítica, lo que otros están haciendo. Paris usa ciertos sombreros y vestidos; el resto del mundo imita. El niño imita las acciones, acentos y entonaciones del padre. Si un niño nunca oyera a nadie hablar, nunca adquiriría el poder del habla, a menos que esté bajo el entrenamiento más arduo, e incluso entonces sólo de manera imperfecta. Uno de los grandes almacenes más grandes de los Estados Unidos gasta fortunas en un eslogan publicitario: "Todos van a la gran tienda". Eso hace que todos quieran ir.

Puede reforzar el poder de su mensaje demostrando que ha sido ampliamente aceptado. Las organizaciones políticas subsidian los aplausos para crear la impresión de que las ideas de sus oradores son calurosamente recibidas y aprobadas por la audiencia. Los defensores de la forma de comisión del gobierno de las ciudades, los defensores de los votos para las mujeres, reservan como sus argumentos más fuertes el hecho de que varias ciudades y estados ya han aceptado con éxito sus planes. Los anuncios utilizan el testimonio por su poder de sugerencia.

Observa cómo se ha aplicado este principio en las siguientes selecciones y utilizalo en todas las ocasiones posibles en tus intentos de influir mediante la sugerencia:

La guerra ha comenzado realmente. El próximo vendaval que se extiende desde el norte traerá a nuestros oídos el choque de los rotundos brazos. Nuestros hermanos ya están en el campo. ¿Por qué te quedas aquí ocioso?

—Patrick Henry.

Con un celo cercano al celo que inspiró a los cruzados que siguieron a Pedro el Ermitaño, nuestros demócratas de plata salieron de victoria en victoria hasta que ahora están reunidos, no para discutir, no para debatir, sino para entrar en el juicio ya dictado por la llanura. gente de este país En este concurso, hermano se ha enfrentado a hermano, padre contra hijo. Se han

ignorado los lazos más cálidos de amor, amistad y asociación; los
viejos líderes han sido descartados cuando se negaron a expresar
los sentimientos de aquellos a quienes liderarían, y nuevos líderes
surgieron para dar dirección a esta causa de la verdad. Así se ha
librado el concurso, y nos hemos reunido aquí bajo instrucciones
tan vinculantes y solemnes como se impusieron a
los representantes del pueblo.
—William Jennings Bryan.

El lenguaje figurativo e indirecto tiene una fuerza sugestiva,
porque no hace declaraciones que puedan ser directamente
disputadas. No despierta ideas contradictorias en las mentes de
la audiencia, cumpliendo así uno de los requisitos básicos de
sugerencia. Al implicar una conclusión en lenguaje indirecto o
figurado, a menudo se afirma con más fuerza.

Ten en cuenta que a continuación el Sr. Bryan no dijo que el
Sr. McKinley sería derrotado. Lo implicó de una manera mucho
más efectiva:

El Sr. McKinley fue nominado en St. Louis en una
plataforma que declaró el mantenimiento del patrón oro hasta
que pueda ser transformado en bimetalismo por acuerdo
internacional. El Sr. McKinley era el hombre más popular entre
los republicanos, y hace tres meses todos en el partido
republicano profetizaron su elección. ¿Cómo es hoy? Porque, el
hombre que una vez estuvo complacido de pensar que se parecía
a Napoleón, ese hombre se estremece hoy cuando recuerda que
fue nominado en el aniversario de la batalla de Waterloo. No
solo eso, sino que mientras escucha puede oír con una claridad
cada vez mayor el sonido de las olas cuando golpean las costas
solitarias de Santa Elena.

Si Thomas Carlyle hubiera dicho: "Un hombre falso no
puede encontrar una religión", sus palabras no habrían sido tan

sugerentes ni tan poderosas, ni tan recordadas por mucho tiempo como su implicación en estas sorprendentes palabras:

¿Un hombre falso encontró una religión? ¡Porque un falso hombre no puede construir una casa de ladrillos! Si no conoce y sigue verdaderamente las propiedades del mortero, la arcilla quemada y en qué más trabaja, no es una casa lo que hace, sino un montón de basura. No resistirá durante doce siglos albergar ciento ochenta millones; se caerá de inmediato. Un hombre debe conformarse a las leyes de la Naturaleza, estar verdaderamente en comunión con la Naturaleza y la verdad de las cosas, o la Naturaleza le responderá, ¡No, para nada!

Observa cómo la imagen que Webster dibuja aquí es mucho más enfática y contundente que cualquier simple afirmación:

Señor, no sé cómo se sentirán los demás, pero en cuanto a mí mismo cuando veo mi alma mater rodeada, como César en la casa del Senado, por aquellos que reiteran puñalada tras puñalada, no quisiera que esta mano derecha me volviera y di: "¡Y tú también, hijo mío!" —Webster.

Un discurso debe construirse sobre bases lógicas sólidas, y ningún hombre debe atreverse a hablar en nombre de una falacia. Argumentar un tema, sin embargo, necesariamente despertará ideas contradictorias en la mente de tu audiencia. Cuando se desea la acción inmediata o la persuasión, la sugerencia es más eficaz que el argumento: cuando ambos se mezclan juiciosamente, el efecto es irresistible.

PREGUNTAS Y EJERCICIOS

1. Haz un resumen breve del contenido de este capítulo.

2. Revisa la introducción a cualquiera de tus direcciones escritas, teniendo en cuenta las enseñanzas de este capítulo.

3. Da dos ejemplos originales del poder de sugestión tal como lo ha observado en cada uno de estos campos: (a) publicidad; (b) política; (c) sentimiento público.

4. Da ejemplos originales de discurso sugerente, ilustrando dos de los principios establecidos en este capítulo.

5. ¿Qué razones puedes dar para refutar la afirmación general de este capítulo?

6. ¿Qué razones no dadas te parecen apoyarlo?

7. ¿Qué efecto tienen tus propias sugerencias en el propio orador?

8. ¿Pueden surgir sugerencias de la audiencia? Si es así, muestra cómo.

9. Selecciona dos instancias de sugerencia en los discursos que se encuentran en el Apéndice.

10. Cambia dos pasajes en el mismo u otro discurso para utilizar la sugerencia de manera más efectiva.

11. Entrega esos pasajes en la forma revisada.

12. Al elegir tu propio tema, prepara y pronuncia un discurso breve en gran parte con un estilo sugerente.

CAPÍTULO XXIII

INFLUENCIA POR ARGUMENTO

El sentido común es el sentido común de la humanidad. Es el producto de la observación y la experiencia comunes. Es modesto, sencillo y poco sofisticado. Ve con los ojos de todos y oye con los oídos de todos. No tiene distinciones caprichosas, ni perplejidades, ni misterios. Nunca se equivoca, y nunca es insignificante. Su lenguaje es siempre inteligible. Es conocido por la claridad del habla y la solidez del propósito.

—George Jacob Holyoake, *discurso público y debate.*

El nombre de la lógica es asombroso para la mayoría de los hablantes jóvenes, pero tan pronto como se den cuenta de que sus procesos, incluso cuando son más intrincados, son meras declaraciones técnicas de las verdades impuestas por el sentido común, perderán sus terrores. De hecho, la lógica es un tema fascinante, que bien merece el estudio del orador público, ya que explica los principios que rigen el uso de argumentos y pruebas.

La argumentación es el proceso de producir convicción por medio del razonamiento. Existen otras formas de producir convicción, en particular la sugerencia, como acabamos de mostrar, pero ningún medio es tan elevado, tan digno de respeto, como la presentación de razones sólidas en apoyo de una disputa.

Dado que debe considerarse más de un lado de un tema antes de que podamos afirmar que lo hemos deliberado de manera justa, debemos pensar en la argumentación en dos aspectos: construir un argumento y derribar un argumento; es decir, no sólo debes examinar la estabilidad de tu estructura de argumento para que puedas apoyar la proposición que pretendes sondear y, sin embargo, ser tan sólida que los oponentes no puedan derrocarla, sino que también debes estar ansioso por detectar defectos en el argumento para que puedas demoler los argumentos más débiles de quienes argumentan en tu contra.

Podemos considerar la argumentación sólo en general, dejando discusiones minuciosas y técnicas para trabajos tan excelentes como "Los principios de la argumentación" de George P. Baker y "Discurso y debate público" de George Jacob Holyoake.

Cualquier buena retórica universitaria también brindará ayuda sobre el tema, especialmente los trabajos de John Franklin Genung y Adams Sherman Hill. Se insta al alumno a familiarizarse con al menos uno de estos textos.

Se espera que la siguiente serie de preguntas sirva para un triple propósito: sugerir las formas de prueba junto con las formas en que pueden usarse; el de ayudar al orador a probar la fuerza de sus argumentos; y el de permitir que el hablante ataque los argumentos de su oponente con agudeza y justicia.

PRUEBA DE UN ARGUMENTO

I. La cuestión en discusión

1. ¿Está claramente establecido?

(a) ¿Los términos de la declaración significan lo mismo para cada disputante? (Por ejemplo, el significado del término "caballero" puede no acordarse mutuamente)

(b) ¿Es probable que surja confusión en cuanto a tu propósito?

2. ¿Está dicho de manera justa?

(a) ¿Incluye suficiente?

(b) ¿Incluye demasiado?

(c) ¿Está indicado para contener una trampa?

3. ¿Es una pregunta discutible?

4. ¿Cuál es el punto central en toda la pregunta?

5. ¿Cuáles son los puntos subordinados?

II La evidencia

1. Los testigos en cuanto a hechos

(a) ¿Es imparcial cada testigo? ¿Cuál es su relación con el sujeto en cuestión?

(b) ¿Es mentalmente competente?

(c) ¿Es moralmente creíble?

(d) ¿Está en condiciones de conocer los hechos? ¿Es él un testigo ocular?

(e) ¿Es un testigo dispuesto?

(f) ¿Se contradice su testimonio?

(g) ¿Está corroborado su testimonio?

(h) Es su testimonio contrario a hechos conocidos o generales principios?

(i) ¿Es probable?

2. Las autoridades citadas como prueba

(a) ¿La autoridad está bien reconocida como tal?

(b) ¿Qué lo constituye una autoridad?

(c) ¿Es su interés en el caso imparcial?

(d) ¿Expresa su opinión de manera positiva y clara?

(e) ¿Se citan las autoridades no personales (libros, etc.) confiable y sin prejuicios?

3. Los hechos aducidos como prueba

(a) ¿Son suficientes en número para constituir prueba?

(b) ¿Tienen el peso suficiente en carácter?

(c) ¿Están en armonía con la razón?

(d) ¿Son mutuamente armoniosos o contradictorios?

(e) ¿Son admitidos, dudados o disputados?

4. Los principios aducidos como evidencia.

(a) ¿Son axiomáticos?

(b) ¿Son verdades de la experiencia general?

(c) ¿Son verdades de experiencia especial?

(d) ¿Son verdades obtenidas por experimento?

¿Fueron tales experimentos especiales o generales?

¿Los experimentos fueron autoritarios y concluyentes?

III. El razonamiento

1. Inducciones

(a) ¿Son los hechos lo suficientemente numerosos como para justificar la aceptación de generalización como concluyente?

(b) ¿Los hechos coinciden sólo cuando se consideran a la luz de esta explicación como conclusión?

(c) ¿Has pasado por alto algún hecho contradictorio?

(d) ¿Se explican suficientemente los hechos contradictorios cuando esta inferencia se acepta como verdadera?

(e) ¿Se muestra que todas las posiciones contrarias son relativamente insostenible?

(f) ¿Has aceptado meras opiniones como hechos?

2. Deducciones

(a) ¿Es la ley o principio general bien establecido?

(b) ¿La ley o principio incluye claramente el hecho que deseas deducir de esto, o has forzado la inferencia?

(c) ¿La importancia de la ley o principio lo justifica importante una inferencia?

(d) ¿Se puede demostrar que la deducción prueba demasiado?

3. Casos paralelos

(a) ¿Los casos son paralelos en puntos suficientes para garantizar una inferencia de causa o efecto similar?

(b) ¿Los casos son paralelos en el punto vital en cuestión?

(c) ¿Se ha tensado el paralelismo?

(d) ¿No hay otros paralelos que apunten a un

¿Conclusión contraria más fuerte?

4. Inferencias

(a) ¿Son las condiciones antecedentes tales como las que harían alegato probable? (Carácter y oportunidades del acusado, por ejemplo.)

(b) ¿Están claros los signos que apuntan a la inferencia?

o lo suficientemente numeroso como para garantizar su aceptación como un hecho?

(c) ¿Son los signos acumulativos y agradables uno con el otro?

(d) ¿Podrían hacerse los signos para señalar una conclusión contraria?

5. Silogismos

(a) ¿Se han omitido algunos pasos en los silogismos?

(Tal como en un silogismo en entimema). Si es así, prueba cualquiera de ellos mediante

rellenando los silogismos.

(b) ¿Has sido culpable de establecer una conclusión que realmente no sigue? (Un non sequitur.)

(c) ¿Puede su silogismo reducirse a un absurdo? (Reducción al absurdo.)

PREGUNTAS Y EJERCICIOS

1. Muestra por qué una afirmación no admitida no es un argumento.

2. Ilustra cómo se puede hacer que un hecho irrelevante parezca apoyar un argumento.

3. ¿Qué inferencias pueden hacerse justamente de lo siguiente?

Durante la Guerra Boer se descubrió que el inglés promedio no estaba a la altura de los estándares de reclutamiento y el soldado promedio en el campo manifestaba un bajo nivel de vitalidad y resistencia. El Parlamento, alarmado por las desastrosas consecuencias, instituyó una investigación. La comisión designada trajo un hallazgo de que la intoxicación alcohólica era la gran causa de la degeneración nacional. Las investigaciones de la comisión se han complementado con investigaciones de organismos científicos y científicos individuales, todos llegando a la misma conclusión. Como consecuencia, el Gobierno británico ha colocado carteles en las calles de un centenar de ciudades con carteles publicitarios que exponen la naturaleza destructiva y degenerativa del alcohol y hacen un llamamiento a las personas en nombre de la nación para que desistan de beber bebidas alcohólicas. Bajo los esfuerzos dirigidos por el gobierno, el ejército británico se está convirtiendo rápidamente en un ejército de abstemios totales.

Los gobiernos de la Europa continental siguieron el ejemplo del gobierno británico. El gobierno francés ha señalado a Francia con llamamientos a la gente, atribuyendo la disminución de la tasa de natalidad y el aumento de la tasa de mortalidad al uso generalizado de bebidas alcohólicas. La experiencia del gobierno alemán ha sido la misma. El emperador alemán ha declarado claramente que el liderazgo en la guerra y en la paz estará en manos de la nación que elimina el alcohol. Se ha comprometido a eliminar incluso el consumo de cerveza, en la medida de lo posible, del ejército y la marina alemanes. Richmond Pearson Hobson, antes del Congreso de los Estados Unidos.

4. Dado que la carga de la prueba recae en el que ataca una posición o defiende un cambio en los asuntos, ¿cómo es probable que tu oponente dirija su propia parte de un debate?

5. Definir (a) silogismo; (b) refutación; (c) "pidiendo la pregunta"; (d) premisa; (e) réplica; (f) réplica sur; (g) dilema; (h) inducción; (i) deducción; (j) a priori; (k) a posteriori; (l) inferencia.

6. Critica este razonamiento:

Los hombres no deben fumar tabaco, porque hacerlo es contrario a la mejor opinión médica. Mi médico ha condenado expresamente la práctica y es una autoridad médica en este país.

7. Critica este razonamiento:

Los hombres no deberían jurar profanamente, porque está mal. Está mal porque es contrario a la Ley Moral, y es contrario a la Ley Moral porque es contrario a las Escrituras. Es contrario a las Escrituras porque es contrario a la voluntad de Dios, y sabemos que es contrario a la voluntad de Dios porque está mal.

8. Critica este silogismo:

PREMISA PRINCIPAL: Todos los hombres que no se preocupan son felices.

PREMISA MENOR: Los hombres descuidados son descuidados.

CONCLUSIÓN: Por lo tanto, los hombres descuidados son felices.

9. Critica las siguientes premisas principales o fundamentales:

No todo lo que brilla es oro.

Todo el frío puede ser expulsado por el fuego.

10. Critica la siguiente falacia (no sequitur):

PREMISA PRINCIPAL: Todos los hombres fuertes admiran la fuerza.

PREMISA MENOR: Este hombre no es fuerte.

CONCLUSIÓN: Por lo tanto, este hombre no admira la fuerza.

11. Critica estas afirmaciones:

El sueño es beneficioso debido a sus cualidades soporíferas.

Las historias de Fiske son auténticas porque contienen relatos precisos de la historia estadounidense, y sabemos que son relatos verdaderos porque de lo contrario no estarían contenidos en estas obras auténticas.

12. ¿Qué entiendes de los términos "razonamiento de efecto a causa" y "de causa a efecto"? Da ejemplos.

13. ¿Qué principio empleó Richmond Pearson Hobson en lo siguiente?

¿Cuál es el poder policial de los Estados? Se ha definido el poder policial del Gobierno Federal o del Estado, cualquier Estado soberano. Toma la definición dada por Blackstone, que es:

La debida regulación y el orden interno del Reino, por el cual los habitantes de un Estado, como los miembros de una familia bien gobernada, están obligados a conformar su comportamiento general a las reglas de propiedad, vecindad y buenos modales, y a ser decentes, laborioso e inofensivo en sus respectivas estaciones.

¿Esta enmienda interferiría con algún Estado que promueva su orden interno?

O puede tomar la definición en otra forma, en la cual es dada por el Sr. Tiedeman, cuando dice:

El objetivo del gobierno es imponer ese grado de restricción sobre las acciones humanas que es necesario para un disfrute uniforme y razonable de los derechos privados. El poder del gobierno para imponer esta restricción se llama poder policial.

El juez Cooley dice del tráfico de licor:

El negocio de fabricación y venta de licor es uno que afecta los intereses públicos de muchas maneras y conduce a muchos trastornos. Tiene una tendencia a aumentar la pobreza y el crimen. Hace que una gran fuerza de oficiales de paz sea esencial, y se suma a los gastos de los tribunales y de casi todas las ramas de la administración civil.

El juez Bradley, de la Corte Suprema de los Estados Unidos, dice:

Las licencias pueden ser requeridas adecuadamente en la búsqueda de muchas profesiones y pasatiempos, que requieren habilidades especiales y capacitación o supervisión para el bienestar público. La profesión o vocación está abierta a todos los que se preparen con las calificaciones requeridas o brinden la seguridad necesaria para preservar el orden público. Esto está en armonía con la proposición general de que las actividades ordinarias de la vida, que constituyen el mayor porcentaje de las actividades industriales, son y deben ser libres y abiertas a todos, sujetas sólo a tales regulaciones generales, que se aplican por igual a todos, como el bien general puede exigir.

Todas estas regulaciones son totalmente competentes para que la legislatura las haga y no son, en ningún sentido, una limitación de la igualdad de derechos de los ciudadanos. Pero una licencia para hacer lo que es odioso y contra el derecho común es necesariamente un ultraje contra la igualdad de derechos de los ciudadanos.

14. ¿Qué método empleó Jesús en lo siguiente?

Vosotros sois la sal de la tierra; pero si la sal ha perdido su sabor, ¿con qué será salada? En adelante, es bueno para nada más que ser expulsado y ser pisoteado bajo los pies de los hombres.

He aquí las aves del aire; porque no siembran, ni cosechan ni se reúnen en graneros; sin embargo, tu Padre celestial los alimenta. ¿No sois mucho mejores que ellos?

¿Y por qué pensar en vestimenta? Considere los lirios del campo; cómo crecen; Ellos trabajan no, tampoco ellos hacen girar; Y, sin embargo, te digo que incluso Salomón en toda su gloria no estaba vestido como uno de estos. Por lo tanto, si Dios viste así la hierba del campo, que es hoy, y mañana se echa al horno, ¿no te vestirá mucho más, oh vosotros de poca fe?

¿O qué hombre hay de ti, a quien si su hijo le pide pan, le dará una piedra? O si le pide un pez, ¿le dará una serpiente? Si entonces, siendo malvados, saben dar buenos regalos a sus hijos, ¿cuánto más su Padre que está en los cielos dará buenas cosas a los que le piden?

15. Realiza cinco silogismos originales en los siguientes modelos:

Premisa mayor: el que administra arsénico da veneno. Premisa menor: el prisionero administró arsénico a la víctima. Conclusión: Por lo tanto, el prisionero es un envenenador.

Premisa mayor: todos los perros son cuadrúpedos. Premisa menor: este animal es bípedo. Conclusión: Por lo tanto, este animal no es un perro.

16. Prepara el lado positivo o negativo de la siguiente pregunta para debate: El retiro de jueces debe ser adoptado como un principio nacional.

17. ¿Es discutible esta pregunta? Benedict Arnold era un caballero. Justifica tu respuesta.

18. Critica cualquier argumento en la calle o en la mesa que haya escuchado recientemente.

19. Prueba el razonamiento de cualquiera de los discursos dados en este volumen.

20. Haz un discurso breve argumentando a favor de la instrucción en hablar en público en las escuelas públicas nocturnas.

21. (a) Recorta un editorial de periódico en el que el razonamiento es débil. (b) Criticalo. (c) Corrígelo.

22. Haz una lista de tres temas para debate, seleccionados de las revistas mensuales.

23. Haz lo mismo con los periódicos.

24. Al elegir tu propia pregunta y tu lado, prepara un resumen adecuado para un debate de diez minutos. Los siguientes modelos de escritos pueden ayudarte:

DEBATE

Resuelto: Que una intervención armada no es justificable por parte de ninguna nación para cobrar, en nombre de particulares, reclamos financieros contra cualquier nación estadounidense.

Resumen del argumento afirmativo

Primer orador: Chafee

Intervención armada para el cobro de reclamos privados de cualquier estadounidense

No es justificable, porque

1. Está mal en principio, porque

(a) Viola los principios fundamentales del derecho internacional para un causa muy leve

(b) Es contrario a la función apropiada del Estado, y es contrario a la justicia, ya que las reclamaciones son exageradas.

Segundo orador: Hurley

2. Es desastroso en sus resultados, porque

(a) Incurre en peligro de graves complicaciones internacionales

(b) Tiende a aumentar la carga de la deuda en América del Sur

(c) Fomenta el despilfarro de la capital mundial, y

(d) Altera la paz y la estabilidad en América del Sur.

Tercer orador: Bruce

3. No es necesario recolectar de esta manera, porque

(a) Los métodos pacíficos han tenido éxito

(b) Si estos fallaran, las reclamaciones deberían ser resueltas por el tribunal

(c) La falla siempre ha sido con los Estados europeos cuando la fuerza ha sido usada, y

(d) En cualquier caso, no se debe utilizar la fuerza, ya que contrarresta el movimiento hacia la paz.

Escrito de argumento negativo

Primer orador: Rama

Intervención armada para el cobro de reclamos financieros privados contra algunos Estados americanos es justificable, porque

1. Cuando otros medios de recolección han fallado, intervención armada contra cualquier nación es esencialmente apropiado, porque

(a) La justicia siempre debe estar asegurada

(b) La no ejecución del pago otorga una prima a la deshonestidad

(c) La intervención para este propósito es sancionada por la mejor autoridad internacional

(d) El peligro de recolección indebida es leve y puede evitarse por completo mediante presentación de reclamos al Tribunal antes de intervenir.

Segundo orador: Stone

2. La intervención armada es necesaria para garantizar la justicia en zonas tropicales de América porque

(a) Los gobiernos de esta sección repudian constantemente las deudas justas

(b) Insisten en que la decisión final sobre las reclamaciones recaerá en sus propios tribunales corruptos

(c) Se niegan a arbitrar a veces.

Tercer orador: Dennett

3. La intervención armada es beneficiosa en sus resultados, porque

(a) Inspira responsabilidad

(b) Al administrar casas personalizadas, elimina la tentación de las revoluciones

(c) Da confianza al capital deseable.

Entre otros, se utilizaron los siguientes libros en la preparación de los argumentos:

N. "La Doctrina Monroe", de T.B. Edgington Capítulos 22-28.

"Recopilación de Derecho Internacional", por J.B. Moore. Informe de Penfield de procedimientos ante el Tribunal de La Haya en 1903.

"Anuario del estadista" (para estadísticas).

A. Llamamiento del Ministro Drago a los Estados Unidos, en Foreign

Relaciones de Estados Unidos, 1903.

Mensaje del presidente Roosevelt, 1905, pp. 33-37.

Y artículos en las siguientes revistas (entre muchas otras):

"Journal of Political Economy", diciembre de 1906.

"Atlantic Monthly", octubre de 1906.

"North American Review", vol. 183, p. 602.

Todos estos contienen material valioso para ambos lados, excepto los marcados "N" y "A", que son útiles solo para lo negativo y afirmativo, respectivamente.

Nota: La práctica en el debate es de gran ayuda para el orador público, pero si es posible, cada debate debe estar bajo la supervisión de alguna persona cuya palabra sea respetada, de modo que los debatientes puedan mostrar respeto por la cortesía, la precisión, el razonamiento efectivo y el necesidad de una cuidadosa preparación. El Apéndice contiene una lista de preguntas para debate.

25. ¿Se consideran bien los siguientes puntos?

El impuesto de sucesiones no es una buena medida de reforma social

A. No ataca la raíz del mal

1. Las fortunas no son una amenaza en sí mismas Una fortuna de $ 500,000 puede ser un mal social mayor que uno de $ 500,000,000

2. El peligro de la riqueza depende de su acumulación y uso incorrectos

3. El impuesto de sucesiones no impedirá reembolsos, monopolios, discriminación, soborno, etc.

4. Las leyes destinadas a la acumulación injusta y al uso de la riqueza proporcionan verdadero remedio

B. Sería evadido

1. Se evaden las tasas bajas

2. La tasa debe ser alta para dar como resultado la distribución de grandes fortunas.

26. Ejercicios de clase: simulacro de juicio por (a) algún delito político grave; (b) un delito burlesco.

NOTAS AL PIE:

La lógica de McCosh es un volumen útil, y no demasiado técnico para el principiante. Un breve resumen de los principios lógicos aplicados a hablar en público se encuentra en Cómo atraer y mantener una audiencia, por J. Berg Esenwein.

Para aquellos que harían un estudio más detallado del silogismo, se dan las siguientes reglas: 1. En un silogismo sólo debe haber tres términos. 2. De estos tres, solo uno puede ser el término medio. 3. Una premisa debe ser afirmativa. 4. La conclusión debe ser negativa si cualquiera de las premisas es negativa. 5. Para probar un negativo, una de las premisas debe ser negativa.

Resumen de principios reguladores: 1. Los términos que concuerdan con lo mismo concuerdan entre sí; y cuando solo uno de los dos términos está de acuerdo con un tercer término, los dos términos no están de acuerdo entre sí. 2. "Lo que se afirma de una clase se puede afirmar de todos los miembros de esa clase" y "Lo que se niega de una clase se puede negar de todos los miembros de esa clase".

Todos los oradores eran de la Universidad de Brown. Los resúmenes afirmativos se utilizaron en el debate con el equipo del Dartmouth College, y los resúmenes negativos se utilizaron en el debate con el equipo del Williams College. Del orador, con permiso.

CAPÍTULO XXIV

INFLUENCIA POR PERSUASIÓN

Ella tiene arte próspero Cuando jugará con la razón y el discurso, Y bien, ella puede persuadir.
—Shakespeare, *medida por medida.*

A él lo llamamos un artista que interpretará a una asamblea de hombres como maestro en las teclas de un piano, que al ver a la gente furiosa, los ablandará y los compondrá, los dibujará, cuando lo desee, para reír y llorar. Tráigalo a su audiencia y, sean quienes sean, groseros o refinados, complacidos o disgustados, malhumorados o salvajes, con sus opiniones en la custodia de un confesor o con sus opiniones en sus cajas fuertes bancarias, las tendrá complacido y de buen humor como él elige; y llevarán y ejecutarán lo que él les ordene.
—Ralph Waldo Emerson, *Ensayo sobre la elocuencia.*

La persuasión ha producido más bien y más mal que cualquier otra forma de discurso. Es un intento de influir mediante la apelación a algún interés particular que el oyente considera importante. Su motivo puede ser alto o bajo, justo o injusto, honesto o deshonesto, tranquilo o apasionado, y, por lo tanto, su alcance no tiene paralelo en hablar en público.

Este "instinto de convicción", para usar la expresión de Matthew Arnold, es naturalmente un proceso complejo en el sentido de que generalmente incluye argumentación y a menudo emplea sugerencias, como lo ilustrará el próximo capítulo. De hecho, se habla poco en público y merece un nombre que no sea en parte persuasivo, ya que los hombres rara vez hablan únicamente para alterar las opiniones de los hombres; el propósito oculto es casi siempre la acción.

La naturaleza de la persuasión no es solo intelectual, sino que es en gran medida emocional. Utiliza cada principio de hablar en público, y cada "forma de discurso", para usar la expresión de un retórico, pero el argumento complementado por un atractivo especial es su cualidad peculiar. Esto lo podemos ver mejor al examinar

Los métodos de persuasión

Los oradores de mentalidad alta a menudo buscan mover a sus oyentes a la acción apelando a sus motivos más elevados, como el amor a la libertad. El senador Hoar, al pedir acción sobre la cuestión filipina, utilizó este método:

¿Cuál ha sido la habilidad política práctica que proviene de tus ideales y tus sentimentales? Has desperdiciado casi seiscientos millones de tesoros. Has sacrificado casi diez mil vidas estadounidenses, la flor de nuestra juventud. Has devastado provincias. Has matado a miles de personas a las que deseas beneficiar. Has establecido campos de reconcentración. Sus generales regresan a casa de su cosecha trayendo gavillas con ellos, en la forma de otros miles de enfermos, heridos y locos para arrastrar vidas miserables, destrozadas en cuerpo y mente. Haces de la bandera estadounidense ante los ojos de numerosas personas el emblema del sacrilegio en las iglesias cristianas, y de la quema de viviendas humanas, y del horror de la tortura del agua. Su práctica de estadista que desdeña tomar a George Washington y Abraham Lincoln o los soldados de la Revolución o de la Guerra Civil como modelos, ha mirado en algunos casos a España para su ejemplo. Creo, no, lo sé, que en general nuestros oficiales y soldados son humanos. Pero en algunos casos han continuado su guerra con una mezcla de ingenio estadounidense y crueldad castellana.

Su práctica política ha logrado convertir a un pueblo que hace tres años estaba listo para besar el dobladillo de la prenda del estadounidense y darle la bienvenida como un libertador, que abarrotó a sus hombres, cuando aterrizaron en esas islas, con bendición y gratitud. , en enemigos hoscos e irreconciliables, poseídos por un odio que siglos no pueden erradicar.

Señor Presidente, esta es la ley eterna de la naturaleza humana. Puede luchar contra él, puede tratar de escapar, puede persuadirse a sí mismo de que sus intenciones son benévolas, que su yugo será fácil y su carga será ligera, pero se reafirmará nuevamente. El gobierno sin el consentimiento de los gobernados, autoridad que el cielo nunca dio, solo puede ser apoyado por medios que el cielo nunca puede sancionar.

El pueblo estadounidense tiene esta pregunta para responder. Pueden responderlo ahora; pueden tomar diez años, o veinte años, o una generación, o un siglo para pensarlo. Pero no bajará. Deben responder al final: ¿Puede comprar legalmente con dinero, u obtener por fuerza bruta de armas, el derecho de sujetar a un pueblo poco dispuesto y de imponerles la constitución que usted, y no ellos, piensen mejor para ellos? ¿ellos?

El senador Hoar luego hizo otro tipo de apelación: la apelación a los hechos y la experiencia:

Hemos respondido esta pregunta muchas veces en el pasado. Los padres respondieron en 1776 y fundaron la República sobre su respuesta, que ha sido la piedra angular. John Quincy Adams y James Monroe respondieron nuevamente en la Doctrina Monroe, que John Quincy Adams declaró que era solo la doctrina del consentimiento de los gobernados. El partido republicano respondió cuando tomó posesión de la fuerza del gobierno al comienzo del período más brillante de toda la historia legislativa.

Abraham Lincoln respondió cuando, en ese viaje fatal a Washington en 1861, lo anunció como la doctrina de su credo político, y declaró, con visión profética, que estaba listo para ser asesinado por ello si fuera necesario. Lo respondieron de nuevo cuando dijeron que Cuba, que no tenía más título que el pueblo de las Islas Filipinas para su independencia, debería ser libre e independiente.

—George F. Hoar.

Apelar a las cosas que el hombre aprecia es otra forma potente de persuasión.

Joseph Story, en su gran discurso de Salem (1828) utilizó este método de manera más dramática:

Os invoco, padres, por las sombras de vuestros antepasados, por las queridas cenizas que descansan en este precioso suelo, por todo lo que sois y por lo que esperas ser, resiste cada objeto de desunión, resiste toda intrusión en tus libertades, resista todo intento de enredar sus conciencias, sofocar sus escuelas públicas o extinguir su sistema de instrucción pública.

Las invoco, madres, por lo que nunca falla en la mujer, el amor de su descendencia; enséñeles, mientras suben las rodillas, o se apoyan en sus senos, las bendiciones de la libertad. Júralos en el altar, como con sus votos bautismales, para que sean fieles a su país y nunca la olviden ni la abandonen.

Les pido, jóvenes, que recuerden de quién son hijos; cuya herencia posees. La vida nunca puede ser demasiado corta, lo que solo trae desgracia y opresión. La muerte nunca llega demasiado pronto, si es necesario en defensa de las libertades de su país.

Os llamo, viejos, por vuestros consejos, y vuestras oraciones, y vuestras bendiciones. Que tus canas no caigan tristes hasta la tumba, con el recuerdo de que has vivido en vano. Que tu último sol no se hunda en el oeste sobre una nación de esclavos.

No; leí en el destino de mi país esperanzas mucho mejores, visiones mucho más brillantes. Nosotros, que ahora estamos reunidos aquí, pronto debemos reunirnos con la congregación de otros días. El momento de nuestra partida está cerca, para dar paso a nuestros hijos en el teatro de la vida. Que Dios los acelere a ellos y a los suyos. Que el que, a la distancia de otro siglo, permanezca aquí para celebrar este día, todavía mire a su alrededor a un pueblo libre, feliz y virtuoso. Que tenga razón para exultarse como nosotros. Que él, con todo el entusiasmo de la verdad y de la poesía, exclame que aquí todavía está su país. —Joseph Story.

La apelación al prejuicio es efectiva, aunque no siempre, si alguna vez, justificable; sin embargo, mientras exista un alegato especial, se recurrirá a este tipo de persuasión. Rudyard Kipling utiliza este método, al igual que muchos otros en ambos lados, al discutir la gran guerra europea. Mezclado con la apelación al prejuicio, el Sr. Kipling utiliza la apelación al interés propio; aunque no es el más alto, es un motivo poderoso en todas nuestras vidas. Observa cómo, por fin, el defensor llega al terreno más alto que puede tomar. Este es un ejemplo notable de atractivo progresivo, que comienza con un motivo bajo y termina con uno alto de tal manera que conlleva toda la fuerza del prejuicio y al mismo tiempo gana todo el valor del fervor patriótico.

Sin culpa ni deseo nuestro, estamos en guerra con Alemania, el poder que debe su existencia a tres guerras bien pensadas; el poder que, durante los últimos veinte años, se ha dedicado a organizar y prepararse para esta guerra; el poder que ahora lucha por conquistar el mundo civilizado.

Durante las últimas dos generaciones, a los alemanes en sus libros, conferencias, discursos y escuelas se les ha enseñado cuidadosamente que nada menos que esta conquista mundial fue el objeto de sus preparativos y sus sacrificios. Se han preparado cuidadosamente y se han sacrificado mucho.

Debemos tener hombres y hombres y hombres, si nosotros, con nuestros aliados, vamos a controlar la avalancha de la barbarie organizada.

No te hagas ilusiones. Estamos tratando con un enemigo fuerte y magníficamente equipado, cuyo objetivo declarado es nuestra completa destrucción. La violación de Bélgica, el ataque a Francia y la defensa contra Rusia, son solo pasos por cierto. El verdadero objetivo de la alemana, como siempre nos ha dicho, es Inglaterra, y la riqueza, el comercio y las posesiones mundiales de Inglaterra.

Si asume, por un instante, que el ataque será exitoso, Inglaterra no se verá reducida, como dicen algunas personas, al rango de un poder de segunda categoría, pero dejaremos de existir como nación. Nos convertiremos en una provincia periférica de Alemania, para ser administrados con la severidad que requieren la seguridad y el interés alemanes.

Estamos en contra de tal destino. Entramos en una nueva vida en la que todos los hechos de la guerra que habíamos dejado atrás u olvidado durante los últimos cien años, han vuelto al frente y nos ponen a prueba al igual que a nuestros padres. Será un camino largo y difícil, plagado de dificultades y desalientos, pero lo caminamos juntos y lo haremos juntos hasta el final.

Nuestras pequeñas divisiones y barreras sociales han sido barridas al comienzo de nuestra poderosa lucha. Todos los intereses de nuestra vida de hace seis semanas están muertos. Ahora tenemos un solo interés, y eso toca el corazón desnudo de cada hombre en esta isla y en el imperio.

Si queremos ganar el derecho para nosotros y para la libertad de existir en la tierra, cada hombre debe ofrecerse a sí mismo por ese servicio y ese sacrificio.

A partir de estos ejemplos, se verá que la forma particular en que los oradores apelaron a sus oyentes fue acercándose a sus intereses y mostrando sus emociones, dos principios muy importantes que deben tener constantemente en mente.

Para lograr lo primero se requiere un profundo conocimiento del motivo humano en general y una comprensión de la audiencia particular a la que se dirige. ¿Cuáles son los motivos que motivan a los hombres a la acción? Piensa en ellos con seriedad, colocalos en las tabletas de tu mente, estudia cómo atraerlos dignamente. Entonces, ¿qué motivos podrían atraer a tus oyentes? ¿Cuáles son sus ideales e intereses en la vida? Un error en tu estimación puede costarte el caso. Apelar al orgullo en la apariencia haría reír a un grupo de hombres; tratar de despertar simpatía por los judíos en Palestina sería un esfuerzo perdido entre otros. Estudia a tu audiencia, siente su camino, y cuando hayas despertado una chispa, avívala con cada recurso honesto que poseas.

Cuanto mayor sea tu audiencia, más seguro estarás de encontrar una base universal de apelación. Una pequeña audiencia de solteros no se entusiasmará con la importancia del seguro de muebles; la mayoría de los hombres pueden ser despertados para defender la libertad de prensa.

El anuncio de medicina de patentes generalmente comienza hablando de sus dolores, comienzan por sus intereses. Si primero discutieran el tamaño y la calificación de su establecimiento, o la eficacia de su remedio, nunca leería el "anuncio". Si pueden hacerte pensar que tienes problemas nerviosos, incluso pedirás un remedio, no tendrán que intentar venderlo.

Los médicos especialistas en patentes están suplicando, pidiéndote que inviertas tu dinero en sus productos básicos, sin embargo, no parecen estar haciéndolo. Se acercan a tu lado de la valla y despiertan el deseo de sus narices apelando a tus propios intereses.

Recientemente, un vendedor de libros entró en la oficina de un abogado en Nueva York y preguntó: "¿Quieres comprar un libro?" Si el abogado hubiera querido un libro, probablemente lo habría comprado sin esperar a que llamara un vendedor de libros. El abogado cometió el mismo error que el representante que hizo su acercamiento con: "Quiero venderle una máquina de coser". Ambos hablaron solo en términos de sus propios intereses. El defensor exitoso debe convertir sus argumentos en términos de la ventaja de sus oyentes. La humanidad sigue siendo egoísta, está interesada en lo que les servirá. Elimina de tu dirección tu propia preocupación personal y presenta su apelación en términos del bien general, y para hacerlo no necesitas ser sincero, ya que es mejor que no defiendas ninguna causa que no sea para el bien de los oyentes. Observa cómo el senador Thurston en su petición de intervención en Cuba y el Sr. Bryan en su discurso "Cruz de oro" se constituyeron a sí mismos los apóstoles de la humanidad.

La exhortación es una forma de apelación muy apasionada que el púlpito usa con frecuencia en los esfuerzos para despertar a los hombres a un sentido del deber e inducirlos a decidir sus cursos personales, y por consejo para tratar de influir en un jurado. Los grandes predicadores, como los grandes juristas, siempre han sido maestros de la persuasión.

Observa la diferencia entre estas cuatro exhortaciones y analiza los motivos apelados a:

¡Venganza! ¡Buscar! ¡Quemar! ¡Fuego! ¡Matar! ¡Matar! ¡Que no viva un traidor!

—Shakespeare, *Julius Cæsar*.

¡Huelga, hasta que expire el último enemigo armado, huelga, por sus altares y sus fuegos, huelga, por las tumbas verdes de sus padres, Dios, y su tierra natal!

—Fitz-Greene Halleck, *Marco Bozzaris*.

Crean, caballeros, si no fuera por esos niños, él no vendría hoy a buscar esa remuneración; si no fuera así, por su veredicto, puede evitar que esos pequeños desgraciados defraudados inocentes se conviertan en mendigos errantes, así como huérfanos en la faz de esta tierra. Oh, sé que no necesito pedir este veredicto desde tu misericordia; No necesito extorsionarlo de tu compasión; Lo recibiré de tu justicia. Los conjuro, no como padres, sino como esposos: no como esposos, sino como ciudadanos: no como ciudadanos, sino como hombres: no como hombres, sino como cristianos: por todas sus obligaciones, públicas, privadas, moral y religiosa; por el hogar profanado; por la casa desolada; por los cánones del Dios viviente despreciado injustamente: ¡salva, oh: salva tus fogatas del contagio, tu país del crimen, y quizás miles, aún no nacidos, de la vergüenza, el pecado y la tristeza de este ejemplo!

—Charles Phillips, *apelación al jurado en nombre de Guthrie.*

Así que apelo a los hombres con mangas de seda que bailaron con música hecha por esclavos y lo llamaron libertad, a los hombres con sombreros de campana que llevaron a Hester Prynne a su vergüenza y lo llamaron religión, a ese americanismo que extiende sus brazos para hiere mal con la razón y la verdad, seguro en el poder de ambos. Apelo de los patriarcas de Nueva Inglaterra a los poetas de Nueva Inglaterra; de Endicott a Lowell; de Winthrop a Longfellow; de Norton a Holmes; y apelo en nombre y por los derechos de esa ciudadanía común, de ese origen común, tanto de los puritanos como de los caballeros, a los que todos debemos nuestro ser. Dejemos que el pasado muerto, consagrado por la sangre de sus mártires, no por sus odios salvajes, oscurecido por la artesanía del rey y el sacerdocio, que el pasado muerto entierre a sus muertos. Deja que el presente y el futuro suenen con la canción de los cantantes. Benditas sean las lecciones que enseñan, las leyes que hacen. Bendito sea el ojo para ver, la luz para revelar. Bendito sea la tolerancia, sentado siempre a la diestra de Dios para guiar el camino con palabras amorosas, como bendito sea todo lo que nos acerca a la meta de la verdadera religión, el verdadero republicanismo y el verdadero patriotismo, la desconfianza de las consignas y las etiquetas, las farsas y los héroes , creencia en nuestro país y en nosotros mismos. No fue Cotton Mather, sino John Greenleaf Whittier, quien lloró:

Querido Dios y Padre de todos nosotros, perdona nuestra fe en mentiras crueles, perdona la ceguera que niega.

¡Derriba nuestros ídolos, derriba nuestros altares sangrientos, haz que nos veamos en tu humanidad!

—Henry Watterson, *puritano y caballero*.

Goethe, al ser reprochado por no haber escrito canciones de guerra contra los franceses, respondió: "En mi poesía nunca me he avergonzado. ¿Cómo podría haber escrito canciones de odio sin odio?" Tampoco es posible alegar con plena eficacia una causa por la que no se siente profundamente. El sentimiento es contagioso como la creencia es contagiosa. El orador que suplica con un sentimiento real de sus propias convicciones inculcará sus sentimientos en sus oyentes. Sinceridad, fuerza, entusiasmo y, sobre todo, sentimiento: estas son las cualidades que mueven multitudes y hacen que los llamamientos sean irresistibles. Son de mucha mayor importancia que los principios técnicos de entrega, gracia de gesto o enunciado pulido, importante ya que todos estos elementos sin duda deben considerarse. Base su atractivo en la razón, pero no termine en el sótano: deje que el edificio se levante, lleno de profunda emoción y noble persuasión.

PREGUNTAS Y EJERCICIOS

1. (a) ¿Qué elementos de apelación encuentras a continuación? (b) ¿Es demasiado florido? (c) ¿Es este estilo igualmente poderoso hoy? (d) ¿Son las oraciones demasiado largas e involucradas para claridad y fuerza?

Oh, caballeros, ¿soy este día solo el consejo de mi cliente? No no; Soy el defensor de la humanidad, de ustedes mismos, de sus hogares, de sus esposas, de sus familias, de sus pequeños hijos. Me alegra que este caso exhiba tanta atrocidad; no marcado por ninguna característica mitigadora, puede detener el espantoso avance de esta calamidad; ahora se cumplirá y se marcará con venganza. Si no es así, adiós a las virtudes de tu país; adiós a toda confianza entre hombre y hombre; adiós a esa ternura insospechada y recíproca, sin la cual el matrimonio no es más que una maldición consagrada. Si se van a violar los juramentos, se ignoran las leyes, se traiciona la amistad, se pisotea a la humanidad, se mancha el honor nacional e individual, y si un jurado de padres y maridos les da a esos delincuentes un pasaporte a sus hogares, esposas e hijas, adiós a ¡todo lo que queda de Irlanda! Pero no arrojaré tanta duda sobre el carácter de mi país. Contra el desprecio del enemigo, y el escepticismo del extranjero, aún señalaré las virtudes domésticas, que ninguna perfidia puede intercambiar, y que no puede comprar el soborno, que con un uso romano, al mismo tiempo embellece y consagra a los hogares, dando a la sociedad del hogar toda la pureza del altar; Que aún persisten en el palacio y la cabaña, esparcidos por esta tierra, la reliquia de lo que ella era, la fuente quizás de lo que ella podría ser, los monumentos solitarios, majestuosos y magníficos, que crían su majestad. En medio de las ruinas circundantes, sirva de inmediato como hitos de la gloria difunta y los modelos por los cuales se puede erigir el futuro.

Preserva esas virtudes con una vestal fidelidad; marca este día, con tu veredicto, tu horror de su profanación; y créanme, cuando la mano que registra ese veredicto será polvo, y la lengua que lo pregunta, sin dejar rastro en la tumba, muchos hogares felices bendecirán sus consecuencias, y muchas madres le enseñarán a su pequeño hijo a odiar la traición impía de adulterio.

—Charles Phillips.

2. Analiza y critica las formas de apelación utilizadas en las selecciones de Hoar, Story y Kipling.

3. ¿Cuál es el tipo de persuasión utilizada por el senador Thurston (página 50)?

4. Cita dos ejemplos cada uno, de las selecciones en este volumen, en el que los oradores trataron de ser persuasivos asegurando la simpatía de los oyentes (a) por sí mismos; (b) simpatía con sus sujetos; (c) autocompasión.

5. Haz una dirección corta usando la persuasión.

6. ¿Qué otros métodos de persuasión que los mencionados aquí puedes nombrar?

7. ¿Es más fácil persuadir a los hombres para que cambien su curso de conducta que persuadirlos para que continúen en un curso dado? Da ejemplos para apoyar tu creencia.

8. ¿En qué medida estamos justificados para hacer un llamamiento al interés propio a fin de llevar a los hombres a adoptar un curso determinado?

9. ¿El mérito del curso tiene alguna relación con el mérito de los métodos utilizados?

10. Ilustra un método indigno de usar la persuasión

11. Ofrece un discurso breve sobre el valor de la habilidad en la persuasión.

12. ¿La persuasión efectiva siempre produce convicción?

13 ¿La convicción siempre resulta en acción?

14. ¿Es justo que un abogado recurra a las emociones de un jurado en un juicio por asesinato?

15. ¿Debería el juez usar la persuasión para hacer su acusación?

16. Di cómo la autoconciencia puede obstaculizar el poder de persuasión en un hablante.

17. ¿La emoción sin palabras es siempre persuasiva? Si es así, ilustra.

18. ¿Pueden los gestos sin palabras ser persuasivos? Si es así, ilustra.

19. ¿La postura en un orador tiene algo que ver con la persuasión? Discutelo.

20. ¿Tiene voz? Discutelo.

21. ¿Tiene modales? Discutir.

22. ¿Qué efecto tiene el magnetismo personal en producir convicción?

23. Discute la relación de persuasión con (a) descripción; (b) narración; (c) exposición; (d) razón pura.

24. ¿Cuál es el efecto de la persuasión excesiva?

25. Haz un discurso breve sobre el efecto del uso constante de la persuasión sobre la sinceridad del hablante mismo.

26. Muestra con el ejemplo cómo una declaración general no es tan persuasiva como un ejemplo concreto que ilustra el punto que se está discutiendo.

27. Muestra con el ejemplo cómo la brevedad es valiosa en la persuasión.

28. Discute la importancia de evitar una actitud antagónica en la persuasión.

29. ¿Cuál es el pasaje más persuasivo que has encontrado en las selecciones de este volumen? ¿En qué basas tu decisión?

30. Cita un pasaje persuasivo de alguna otra fuente. Léelo o recítalo en voz alta.

31. Haz una lista de las bases emocionales de apelación, calificándolas de menor a mayor, según tu estimación.

32. ¿Las circunstancias harían alguna diferencia en tal clasificación? Si es así, da ejemplos.

33. Entrega un breve y apasionado llamamiento a un jurado, pidiendo justicia a una viuda pobre.

34. Haz un breve llamamiento a los hombres para que renuncien a algún mal camino.

35. Critica la estructura de la oración que comienza con la última línea de la página 296.

CAPÍTULO XXV

INFLUYENDO A LA MULTITUD

El éxito en los negocios, en última instancia, se convierte en tocar la imaginación de las multitudes. La razón por la que los predicadores en esta generación actual tienen menos éxito en lograr que las personas quieran bondad que los hombres de negocios en lograr que quieran automóviles, sombreros y pianolas, es que los hombres de negocios como clase son estudiantes más cercanos y desesperados de la naturaleza humana, y se han afinado más al arte de tocar la imaginación de las multitudes.—Gerald Stanley Lee, Multitudes.

A principios de julio de 1914, una colección de franceses en París, o alemanes en Berlín, no era una multitud en un sentido psicológico. Cada individuo tenía sus propios intereses y necesidades especiales, y no había una idea común poderosa para unificarlos. Un grupo entonces representaba sólo una colección de individuos. Un mes después, cualquier grupo de franceses o alemanes formaba una multitud: el patriotismo, el odio, un miedo común, un dolor generalizado, habían unificado a los individuos.

La psicología de la multitud es muy diferente de la psicología de los miembros personales que la componen. La multitud es una entidad distinta. Los individuos restringen y someten muchos de sus impulsos a los dictados de la razón. La multitud nunca razona. Solo se siente. Como personas, existe un sentido de responsabilidad asociado a nuestras acciones que verifica muchas de nuestras incitaciones, pero el sentido de responsabilidad se pierde en la multitud debido a su número. La multitud es extremadamente sugestionable y actuará sobre las ideas más salvajes y extremas. La mente de la multitud es primitiva y animará planes y realizará acciones que sus miembros repudiarían por completo.

Una muchedumbre es solo una multitud altamente forjada. La descripción de Ruskin es adecuada: "Puedes convencer a una multitud de cualquier cosa; sus sentimientos pueden ser, generalmente lo son, en general, generosos y correctos, pero no tiene ningún fundamento para ellos, no tienen control sobre ellos, nada a su gusto. Piensa por infección, en su mayor parte, captando una opinión como un resfriado, y no hay nada tan pequeño que no se rugirá, cuando el ajuste está encendido, nada tan bueno pero olvidará en una hora cuando el ajuste ha pasado ".

La historia nos mostrará cómo funciona la mente de la multitud. La mente medieval no fue dada al razonamiento; el hombre medieval atribuía gran peso a la emisión de autoridad; su religión tocó principalmente las emociones. Estas condiciones proporcionaron un terreno rico para la propagación de la mente de la multitud cuando, en el siglo XI, los monjes predicaron la flagelación, una autolimpieza voluntaria. Los reformadores defendieron la sustitución de la flagelación por recitar salmos penitenciales. Se dibujó una escala, haciendo mil trazos equivalentes a diez salmos, o quince mil a todo el salterio. Esta locura se extendió a pasos agigantados y multitudes. Fraternidades flagelantes surgieron. Los sacerdotes que portaban pancartas conducían por las calles grandes procesiones que rezaban oraciones y azotaban sus cuerpos ensangrentados con tangas de cuero provistas de cuatro puntas de hierro. El Papa Clemente denunció esta práctica y varios de los líderes de estas procesiones tuvieron que ser quemados en la hoguera antes de que el frenesí pudiera ser desarraigado.

Toda la Europa occidental y central se convirtió en una multitud por la predicación de los cruzados, y millones de seguidores del Príncipe de la Paz se apresuraron a Tierra Santa para matar a los paganos. Incluso los niños comenzaron una cruzada contra los sarracenos. El espíritu de la mafia era tan fuerte que los afectos domésticos y la persuasión no podían prevalecer contra él y miles de simples bebés murieron en sus intentos de alcanzar y redimir al Sagrado Sepulcro.

En la primera parte del siglo XVIII, la South Sea Company se formó en Inglaterra. Gran Bretaña se convirtió en una multitud especulativa. Las acciones de South Sea Company aumentaron de 128-1 / 2 puntos en enero a 550 en mayo, y obtuvieron 1,000 en julio. Se vendieron cinco millones de acciones con esta prima. La especulación se amotinó. Se organizaron cientos de empresas. Uno se formó "para una rueda de movimiento perpetuo". Otro nunca se molestó en dar ninguna razón para tomar el efectivo de sus suscriptores: simplemente anunció que estaba organizado "para un diseño que en adelante se promulgará". Los propietarios comenzaron a vender, la mafia captó la sugerencia, se produjo un pánico, las acciones de South Sea Company cayeron 800 puntos en unos pocos días y más de mil millones de dólares se evaporaron en esta era de especulación frenética.

La quema de las brujas en Salem, la locura de oro de Klondike y las cuarenta y ocho personas que fueron asesinadas por multitudes en los Estados Unidos en 1913, son ejemplos familiares para nosotros en Estados Unidos.

La multitud debe tener un líder

El líder de la multitud o la turba es su factor determinante. Se autoinnocta con la idea que unifica a sus miembros, su entusiasmo es contagioso y también el de ellos. La multitud actúa como él sugiere. La gran masa de personas no tiene conclusiones muy definidas sobre ningún tema fuera de sus pequeñas esferas, pero cuando se convierten en una multitud, están perfectamente dispuestos a aceptar opiniones preconcebidas. Seguirán a un líder a toda costa: en los problemas laborales a menudo siguen a un líder en lugar de obedecer a su gobierno, en la guerra arrojarán la autoconservación a los arbustos y seguirán a un líder frente a las armas que disparan catorce veces por segundo . La mafia se despoja de la fuerza de voluntad y ciegamente obediente a su dictador. El gobierno ruso, reconociendo la amenaza de la mente de la multitud a su autocracia, prohibió anteriormente las reuniones públicas. La historia está llena de instancias similares.

Cómo se crea la multitud

Hoy la multitud es un factor tan real en nuestra vida socializada como lo son los magnates y los monopolios. Es un problema demasiado complejo simplemente para condenarlo o alabarlo; debe ser considerado y dominado. El problema actual es cómo aprovechar al máximo el espíritu de la multitud, y el orador público considera que esta es su propia pregunta. Su influencia se multiplica si solo puede transmutar a su audiencia en una multitud. Sus afirmaciones deben ser sus conclusiones.

Esto se puede lograr unificando las mentes y las necesidades de la audiencia y despertando sus emociones. Se debe jugar con sus sentimientos, no con su razón, "depende de él" hacer esto noblemente. El argumento tiene su lugar en la plataforma, pero incluso sus potencias deben mantener el plan de ataque del hablante para ganar la posesión de su audiencia.

Vuelva a leer el capítulo sobre "Sentimiento y entusiasmo". Es imposible hacer que una audiencia sea una multitud sin apelar a sus emociones. ¿Te imaginas que el grupo promedio se convierta en una multitud al escuchar una conferencia sobre Dry Fly Fishing o sobre el arte egipcio? Por otro lado, no habría requerido una elocuencia mundialmente famosa para haber convertido a cualquier audiencia en Ulster, en 1914, en una multitud al discutir la Ley de la Regla Interior. El espíritu de multitud depende en gran medida del tema utilizado para fusionar sus individualidades en un todo brillante.

Observe cómo Antony jugó con los sentimientos de sus oyentes en la famosa oración fúnebre dada por Shakespeare en "Julius Cæsar". De las unidades murmurantes, los hombres se convirtieron en una unidad, en una multitud.

LA ORACIÓN DE ANTONIO SOBRE EL CUERPO DE CÆSAR

¡Amigos, romanos, compatriotas! Préstame tus orejas; Vengo a enterrar a César, no a alabarlo. El mal que hacen los hombres vive después de ellos; Lo bueno a menudo se entierra con sus huesos: ¡que así sea con César! El noble Bruto Hath te dijo que César era ambicioso. Si fuera así, fue una falta grave, y César lo ha respondido gravemente. Aquí, bajo licencia de Bruto, y el resto ... Porque Bruto es un hombre honorable, también lo son todos, todos hombres honorables. Ven a hablar en el funeral de César. Era mi amigo, fiel y justo para mí: pero Bruto dice que era ambicioso; Y Bruto es un hombre honorable. Él ha traído a muchos cautivos a su hogar en Roma. ¿De quién fueron los rescates que llenaron las arcas generales? ¿Esto en César parecía ambicioso? Cuando los pobres lloraron, César lloró; la ambición debería estar hecha de cosas más severas: Sin embargo, Bruto dice que era ambicioso; y Bruto es un hombre honorable. Todos ustedes vieron que, en el Lupercal, tres veces le presenté una corona real, que él rechazó tres veces. ¿Era esta ambición? Sin embargo, Bruto dice que era ambicioso; y claro, él es un hombre honorable. Hablo para no refutar lo que Bruto dijo, pero aquí estoy para hablar lo que sé. Todos ustedes lo amaron una vez, no sin causa; ¿Qué causa te retiene a llorar por él? ¡Oh, juicio, has huido a bestias brutales, y los hombres han perdido su razón! Ten cuidado conmigo; mi corazón está en el ataúd allí con César, y debo detenerme hasta que vuelva a mí.

1 ple. Creo que hay muchas razones en sus dichos.

2 ple. Si considera correctamente el asunto, César se ha equivocado mucho.

3 ple. ¿Él, maestro? Me temo que habrá algo peor en su lugar.

4 ple. ¿Has marcado sus palabras? Él no tomaría la corona; Por lo tanto, es cierto, no era ambicioso.

1 ple. Si se encuentra así, algunos querrán acatarlo.

2 ple. Pobre alma, sus ojos están rojos como el fuego con llanto.

3 ple. No hay hombre más noble en Roma que Antonio.

4 ple. Ahora márquelo, comienza de nuevo a hablar.

Antony. Pero ayer, la palabra de César podría haberse opuesto al mundo: ahora él yace allí, y nadie tan pobre para hacerle reverencia.

¡Oh, maestros! Si estuviera dispuesto a agitar tus corazones y mentes al motín y la rabia, debería hacer mal a Bruto y a Cassius, que, todos ustedes saben, son hombres honorables. No los haré mal; prefiero maltratar a los muertos, a mí mismo y a ti, que maltratar a hombres tan honorables. Pero aquí hay un pergamino, con el sello de César; Lo encontré en su armario; es su voluntad: dejar que los comunes escuchen este testamento, que, perdón, no quiero leer, y se iban y besaban las heridas de César, y mojaban las servilletas en su sangre sagrada; sí, suplicarle un poco de memoria, y, muriendo, mencionarlo dentro de sus testamentos, legándolo como un rico legado a su problema.

4 ple. Escucharemos el testamento: léelo, Mark Antony.

Todos. ¡La voluntad! ¡la voluntad! escucharemos la voluntad de César.

Antony. Tengan paciencia, gentiles amigos: no debo leerlo; no es un encuentro, sabes cómo Cæsar te amaba. No eres madera, no eres piedras, sino hombres; y, siendo hombres, escuchando la voluntad de César, te inflamará, te volverá loco: Es bueno que no sepas que eres su heredero; Porque si deberías, ¡oh, qué saldría de eso!

4 ple. Lee el testamento; ¡lo escucharemos, Antony! ¡Nos leerás el testamento! ¡La voluntad de César!

Antony. ¿Serás paciente? ¿Te quedarás un rato? Me he dado un tiro, para contarte. Me temo equivocarme con los honorables hombres cuyas dagas han apuñalado a César; Lo temo

4 ple. Eran traidores: ¡hombres honorables!

Todos. ¡La voluntad! ¡el testamento!

2 ple. ¡Eran villanos, mutantes! ¡La voluntad! ¡Lee el testamento!

Antony. ¿Me obligarás a leer el testamento? Luego, haz un anillo sobre el cadáver de César, y déjame mostrarte al que hizo el testamento. ¿Debo descender? ¿Y me darás permiso?

Todos. Baja.

3 ple. Tendrás que irte.

1 ple. Párate del coche fúnebre, párate del cuerpo.

2 ple. ¡Espacio para Antony! ¡Muy noble Antony!

Antony. No, no me presionen tanto; parense lejos

Todos. ¡Un paso atrás! ¡Hagan espacio! ¡Tengan cuidado!

Antony. Si tienes lágrimas, prepárate para derramarlas ahora; Todos ustedes conocen este manto: recuerdo la primera vez que Cæsar se lo puso; fue en una tarde de verano, en su tienda, ese día venció al Nervii. Mire, en este lugar, atravesó la daga de Cassius: vea, qué arriendo hizo la envidiosa Casca: a través de esto, el amado Bruto apuñaló; y mientras arrancaba su maldito acero, ¡Mark cómo lo seguía la sangre de César! - Como salir corriendo por las puertas, para resolverse si Bruto golpeaba tan cruelmente, o no; para Bruto, como saben, era el ángel de César: ¡Juez, oh Dioses, cómo lo amaba César! ¡Este fue el corte más descuidado de todos! Porque cuando el noble César lo vio apuñalar, Ingratitud, más fuerte que los brazos de los traidores, lo venció por completo: luego estalló su poderoso corazón; Y en su manto que le tapaba la cara, incluso en la base de la estatua de Pompeyo, que todo el tiempo corría sangre, cayó el gran César. ¡Oh, qué caída hubo allí, mis compatriotas! Entonces tú y yo, y todos nosotros, caímos, mientras la sangrienta traición florecía sobre nosotros. Oh! ahora lloras; y percibo que sientes la fuerza de la piedad; Estas son gotas graciosas. ¡Almas amables! ¿qué, llorar, cuando solo ves la vestidura de Nuestro César herida? ¡Mírate aquí! Aquí está él mismo, estropeado, como puede ver, por traidores.

    1 ple. ¡Oh, espectáculo lamentable!

    2 ple. ¡Oh noble César!

    3 ple. ¡Oh, qué día!

    4 ple. ¡Oh, traidores, villanos!

    1 ple. ¡Oh, la vista más sangrienta!

    2 ple. ¡Nos vengaremos!

    Todos. ¡Venganza! buscar, quemar, disparar, matar ¡Que no viva un traidor!

    Antony. Quédense, compatriotas.

    1 ple. ¡Paz allí! Escucha al noble Antony.

    2 ple. Lo escucharemos, lo seguiremos, moriremos con él.

    Antony. Buenos amigos, dulces amigos, no dejen que les provoque a un torrente tan repentino de motín: los que han hecho este acto son honorables: ¡qué penas privadas tienen, por desgracia! No sé, eso los hizo hacerlo; son sabios y honorables, y te responderán sin duda con razones. No vengo, amigos, a robar vuestros corazones; No soy un orador, como lo es Brutus; Pero como todos ustedes me conocen, un hombre franco y franco, que ama a mi amigo, y que lo saben muy bien, eso me dio permiso público para hablar de él: porque no tengo ni ingenio, ni palabras, ni valor, acción, ni expresión, ni el poder del habla, para agitar la sangre de los hombres. Solo hablo bien: les digo lo que ustedes mismos saben; Muestra tus dulces heridas de César, pobres, pobres, bocas tontas, y haz que hablen por mí. Pero si yo fuera Brutus, y Brutus Antony, había un Antony que revolvería tus espíritus y pondría una lengua en cada herida de César, que debería mover las piedras de Roma para levantarse y amotinarse.

Todos. ¡Nos amotinaremos!

1 ple. Quemaremos la casa de Bruto.

3 ple. ¡Fuera, entonces! Ven, busca a los conspiradores.

Antony. Sin embargo, escúchenme, compatriotas; Y todavía escúchenme hablar.

Todos. ¡Paz! Escuchen a Antony, el noble más noble.

Antony. ¿Por qué, amigos? Ustedes no saben qué. ¿En qué ha merecido César sus amores? ¡Pobre de mí! ¡No lo saben! —Debo decírselo entonces. Han olvidado la voluntad que les dije.

Ple. Muy cierto; ¡el testamento! Quedémonos y escuchemos el testamento.

Antony. Aquí está la voluntad, y bajo el sello de César. A cada ciudadano romano que da, a cada hombre, setenta y cinco dracmas.

2 ple. ¡El más noble César! Vengaremos su muerte.

3 ple. ¡Oh, César real!

Antony. Escúchenme con paciencia.

Todos. ¡Paz!

Antony. Además, les ha dejado todos sus paseos, sus cenadores privados y los huertos recién plantados, a este lado del Tíber; te ha dejado a ti y a tus herederos para siempre, placeres comunes, para ir al extranjero y recrearse. ¡Aquí había un César! ¿Cuándo viene tal otro?

1 ple. ¡Nunca, nunca! ¡Ven, lejos, lejos! Quemaremos su cuerpo en el lugar sagrado, y con las marcas incendiaremos las casas de los traidores. Toma el cuerpo.

2 ple. Ve a buscar fuego.

3 ple. Arrancar bancos.

4 ple. Arranca formularios, ventanas, cualquier cosa.

Antony. Ahora déjalos trabajar. La travesura está en marcha, ¡tomen el rumbo que quieran!

Para unificar a los auditores individuales en una multitud, expresar sus necesidades, aspiraciones, peligros y emociones comunes, transmitir su mensaje para que los intereses de uno parezcan ser los intereses de todos. La convicción de un hombre se intensifica en proporción a medida que encuentra a otros compartiendo sus creencias y sentimientos. Antony no se detiene con decirle a la población romana que César cayó; hace que la tragedia sea universal:

Entonces yo, tú y todos nosotros caímos, mientras la sangrienta traición florecía sobre nosotros.

Los aplausos, generalmente un signo de sentimiento, ayudan a unificar a una audiencia. La naturaleza de la multitud se ilustra con el contagio de aplausos. Recientemente, una multitud en una película de Nueva York y en una casa de vodevil había estado aplaudiendo varias canciones, y cuando apareció un anuncio de faldas personalizadas en la pantalla, alguien comenzó los aplausos, y la multitud, como ovejas, imitó a ciegas, hasta que alguien vio el chiste y se rió; entonces la multitud nuevamente siguió a un líder y se rió y aplaudió su propia estupidez.

Los actores a veces comienzan a aplaudir sus líneas chasqueando los dedos. Alguien en las primeras filas lo confundirá con un leve aplauso, y todo el teatro intervendrá.

Un auditor observador estará interesado en notar los diversos dispositivos que usará un monólogo para obtener la primera ronda de risas y aplausos. Trabaja muy duro porque sabe que una audiencia de unidades es una audiencia de críticos indiferentes, pero una vez hace que se rían juntos y cada risa barre a varios otros con él, hasta que todo el teatro está alborotado y el artista ha marcado. Sin duda, se trata de esquemas meramente tristes y no saborean en lo más mínimo la inspiración, pero las multitudes no han cambiado en su naturaleza en mil años y la única ley es válida para el predicador más grande y el orador de tocón más pequeño: debe fusionarse su audiencia o no le agradarán su mensaje. Los dispositivos del gran orador pueden no ser tan obvios como los del monólogo del vodevil, pero el principio es el mismo: trata de tocar una nota universal que hará que todos sus oyentes se sientan iguales al mismo tiempo.

El evangelista lo sabe cuando hace que el solista canta una canción conmovedora justo antes de la dirección. O hará que toda la congregación cante, y esa es la psicología de "¡Ahora todos canten!" porque él sabe que aquellos que no se unirán a la canción aún están fuera de la multitud. Muchas veces el evangelista popular se detuvo en medio de su charla, cuando sintió que sus oyentes eran unidades en lugar de una masa fundida (y un orador sensible puede sentir esa condición de manera más deprimente) y de repente exigió que todos se levantaran y cantaran, o repetir en voz alta un pasaje familiar, o leer al unísono; o quizás ha dejado sutilmente el hilo de su discurso para contar una historia que, por larga experiencia, sabía que no dejaría de llevar a sus oyentes a un sentimiento común.

Estas cosas son recursos importantes para el hablante, y feliz es el que las usa dignamente y no como un despreciable charlatán. La diferencia entre un demagogo y un líder no es tanto una cuestión de método como de principio. Incluso el orador más digno debe reconocer las leyes eternas de la naturaleza humana. De ninguna manera se le insta a convertirse en un tramposo en la plataforma, ¡ni mucho menos! Pero no mate su discurso con dignidad. Ser gélidamente correcto es tan tonto como despotricar. No lo hagas, pero apela a esos elementos de tu audiencia que han sido reconocidos por todos los grandes oradores, desde Demóstenes hasta Sam Small, y asegúrate de que nunca degrades tus poderes al despertar a tus oyentes indignamente.

Es tan difícil encender el entusiasmo en una audiencia dispersa como encender un fuego con palos dispersos. Una audiencia que se convertirá en una multitud debe hacerse aparecer como una multitud. Esto no se puede hacer cuando están ampliamente dispersos en un gran espacio para sentarse o cuando muchos bancos vacíos separan al orador de sus oyentes. Haz que tu audiencia se siente compacta. ¡Cuántos predicadores han lamentado el enorme edificio sobre el cual lo que normalmente sería una gran congregación se ha dispersado en una fría y soledad solemne domingo tras domingo! El propio obispo Brooks no podría haber inspirado una congregación de mil almas sentadas en la inmensidad de San Pedro en Roma. En ese colosal santuario es solo en grandes ocasiones que resaltan las multitudes que el servicio es ante el altar mayor, en otras ocasiones se usan las capillas laterales más pequeñas.

Las ideas universales cargadas de sentimientos ayudan a crear la atmósfera de la multitud. Ejemplos: libertad, carácter, rectitud, coraje, fraternidad, altruismo, país y héroes nacionales. George Cohan estaba haciendo que la psicología fuera práctica y rentable cuando introdujo la bandera y las canciones de bandera en sus comedias musicales. Los regimientos de Cromwell rezaron antes de la batalla y se pusieron a pelear cantando himnos. El cuerpo francés, cantando la Marsellesa en 1914, acusó a los alemanes como un solo hombre. Dichos dispositivos unificadores despiertan sentimientos, hacen que los soldados sean fanáticos fanáticos y, por desgracia, asesinos más eficientes.

NOTAS AL PIE:

Sésamo y lirios.

CAPÍTULO XXVI

MONTANDO EL CABALLO CON ALAS

Pensar y sentir constituyen las dos grandes divisiones de los hombres geniales: los hombres de razonamiento y los hombres de imaginación.

—Isaac Disraeli, *personaje literario de Men of Genius.*

Y a medida que la imaginación se desarrolla las formas de las cosas desconocidas, la pluma del poeta las convierte en formas y no da a la nada aireado. Una habitación local y un nombre.

—Shakespeare, el sueño de una noche de verano.

Es común, entre aquellos que se ocupan principalmente de los aspectos prácticos de la vida, pensar que la imaginación tiene poco valor en comparación con el pensamiento directo. Sonríen con tolerancia cuando Emerson dice que "la ciencia no conoce su deuda con la imaginación", porque estas son las palabras de un ensayista especulativo, un filósofo, un poeta. Pero cuando Napoleón, el soldador indomable de los imperios, declara que "la raza humana está gobernada por su imaginación", la palabra autoritaria exige su respeto.

Recordemos que la facultad de formar imágenes mentales es un engranaje tan eficiente como se puede encontrar en toda la máquina mental. Es cierto que debe encajar en ese otro engranaje vital, el pensamiento puro, pero cuando lo hace, puede cuestionarse cuál es el más productivo de los resultados importantes para la felicidad y el bienestar del hombre. Esto debería hacerse más evidente a medida que avanzamos.

I. ¿QUÉ ES LA IMAGINACIÓN?

No busquemos una definición, se puede encontrar una puntuación de varias, sino que comprendamos este hecho: por imaginación nos referimos a la facultad o al proceso de formación de imágenes mentales.

El tema de la imaginación puede ser realmente existente en la naturaleza, o en absoluto real, o una combinación de ambos; puede ser físico o espiritual, o ambos: la imagen mental es a la vez el niño más sin ley y más respetuoso de la ley que jamás haya nacido de la mente.

En primer lugar, como su nombre lo indica, el proceso de la imaginación —porque ahora lo estamos considerando como un proceso más que como una facultad— es la memoria en el trabajo. Por lo tanto, debemos considerarlo principalmente como

1. Imaginación reproductiva

Vemos o escuchamos, sentimos, saboreamos u olemos algo y la sensación desaparece. Sin embargo, somos conscientes de una mayor o menor capacidad para reproducir tales sentimientos a voluntad. Dos consideraciones, en general, regirán la viveza de la imagen evocada de este modo: la fuerza de la impresión original y el poder reproductivo de una mente en comparación con otra. Sin embargo, toda persona normal podrá evocar imágenes con cierto grado de claridad.

El hecho de que no todas las mentes posean esta facultad de imágenes en igual medida tendrá una influencia importante en el estudio del orador público sobre esta cuestión. Es probable que ningún hombre que no sienta al menos algunos impulsos poéticos aspire seriamente a ser un poeta, pero muchos cuyas facultades de imagen son tan inactivas que parecen realmente muertas aspiran a ser oradores públicos. A todos ellos les decimos con la mayor seriedad: Despierta tu regalo de creación de imágenes, ya que incluso en el discurso más frío y lógico, seguramente será un gran servicio. Es importante que descubra de inmediato cuán llena y cuán confiable es su imaginación, ya que es capaz de cultivarse, así como de abuso.

Francis Galton dice: "Los franceses parecen poseer la facultad de visualización en un alto grado. La habilidad peculiar que muestran en la organización previa de ceremonias y fiestas de todo tipo y su indudable genio para la táctica y la estrategia muestran que son capaces de prever efectos con una claridad inusual. Su ingenio en todos los artilugios técnicos es un testimonio adicional en la misma dirección, y también lo es su singular claridad de expresión. Su frase figura, o imagen para usted mismo, parece expresar su modo dominante de percepción. Nuestro equivalente, de 'imagen', es ambiguo ".

Pero los individuos difieren a este respecto tan marcadamente como, por ejemplo, lo hacen los holandeses de los franceses. Y esto es cierto no solo para aquellos que sus amigos clasifican como imaginativos o poco imaginativos, sino también para aquellos cuyos dones o hábitos no son bien conocidos.

Tomemos como experimento seis de los tipos de imágenes más conocidos y veamos en la práctica cómo surgen en nuestras propias mentes.

Por todos los pronósticos, el tipo más común es, (a) la imagen visual. Los psicólogos llaman a los niños que recuerdan más fácilmente las cosas vistas que las oídas, "con la vista puesta", y la mayoría de nosotros estamos inclinados en esta dirección. Cierra los ojos ahora y vuelve a llamar, la palabra con guión es más sugerente, la escena alrededor de la mesa del desayuno de esta mañana. Posiblemente no haya nada sorprendente en la situación y, por lo tanto, la imagen no es sorprendente. Luego imagina cualquier escena de mesa notable en tu experiencia, cuán vívidamente se destaca, porque en ese momento sentiste la impresión fuertemente. En ese momento, es posible que no haya sido consciente de cuán fuertemente la escena se apoderó de usted, ya que a menudo estamos tan concentrados en lo que vemos que no pensamos en particular en el hecho de que nos está impresionando. Puede sorprenderle saber con qué precisión puede obtener imágenes de una escena cuando ha transcurrido mucho tiempo entre el enfoque consciente de su atención en la imagen y el momento en que vio el original.

(b) La imagen auditiva es probablemente la siguiente más vívida de nuestras experiencias recordadas. Aquí la asociación es potente para sugerir similitudes. Cierre todo el mundo y escuche el peculiar sonido de madera contra madera del fuerte trueno entre las montañas rocosas: el golpe de la pelota contra los diez pines puede sugerirlo. O la imagen (la palabra es imperfecta, ya que parece sugerir solo el ojo) el sonido de cuerdas desgarradas cuando un peso precioso cuelga en peligro. O recuerde la bahía de un sabueso casi sobre usted en su búsqueda: elija su propio sonido y vea cuán agradable o terriblemente real se vuelve cuando se le imagina en su cerebro.

(c) La imagen del motor es un competidor cercano con el auditivo para el segundo lugar. ¿Alguna vez te has despertado en la noche, con todos los músculos tensos y luchando, para sentirte tenso contra la línea de fútbol opuesta que se sostenía como un muro de piedra, o tan firmemente como la cabecera de tu cama? O recuerde voluntariamente el movimiento del bote cuando gritó internamente: "¡Todo está conmigo!" La peligrosa sacudida de un tren, el hundimiento repentino de un ascensor o el vuelco inesperado de una mecedora pueden servir como otros experimentos.

(d) La imagen gustativa es bastante común, como lo atestiguará la idea de comer limones. A veces, el recuerdo placentero de una cena deliciosa hará que se le haga agua la boca años después, o la "imagen" de una medicina particularmente atroz arrugará la nariz mucho después de que un día en la niñez fuera miserable.

(e) La imagen olfativa es aún más delicada. Hay algunos que se ven afectados por la enfermedad por el recuerdo de ciertos olores, mientras que otros experimentan las sensaciones más deliciosas por el aumento de imágenes olfativas agradables.

(f) La imagen táctil, por no mencionar otras, es casi tan potente. ¿Te estremeces al pensar en el terciopelo frotado por las puntas de los dedos de uñas cortas? ¿O alguna vez te "quemaste" al tocar una estufa helada? O, recuerdo más feliz, ¿aún puedes sentir el toque de una mano ausente muy querida?

Recordemos que pocas de estas imágenes están presentes en nuestras mentes, excepto en combinación: la vista y el sonido de la avalancha que se estrella son uno; también lo son el flash y el informe del arma del cazador que estuvo tan cerca de "hacer por nosotros".

Por lo tanto, la creación de imágenes, especialmente la imaginación reproductiva consciente, se convertirá en una parte valiosa de nuestros procesos mentales en proporción a medida que la dirijamos y controlemos.

2. *Imaginación productiva*

Todos los ejemplos anteriores, y sin duda también muchos de los experimentos que usted mismo puede originar, son meramente reproductivos. Por agradables u horribles que sean, son mucho menos importantes que las imágenes evocadas por la imaginación productiva, aunque eso no infiere una facultad separada.

Recordemos, nuevamente para experimentar, alguna escena cuyo comienzo una vez viste representado en una esquina de la calle pero que pasó antes de que el desenlace estuviera listo para ser revelado. Recordemos todo, hasta aquí la imagen es reproductiva. ¿Pero qué siguió? Deja que tu fantasía deambule por el placer: las escenas siguientes son productivas, porque has inventado más o menos conscientemente lo irreal sobre la base de lo real.

Y justo aquí, el ficcionista, el poeta y el orador público verán el valor de las imágenes productivas. Es cierto que los pies del ídolo que construyes están en el suelo, pero su cabeza atraviesa las nubes, es un hijo de la tierra y del cielo.

Es importante señalar aquí un hecho: las imágenes son un valioso activo mental en proporción, ya que están controladas por el poder intelectual superior de la razón pura. El niño no instruido de la naturaleza piensa en gran medida en las imágenes y, por lo tanto, les atribuye una importancia indebida. Él confunde fácilmente lo real con lo irreal; para él son de igual valor. Pero el hombre de entrenamiento distingue fácilmente el uno del otro y evalúa cada uno con algo, si no con justicia perfecta.

Por lo tanto, vemos que las imágenes sin restricciones pueden producir un vapor sin timón, mientras que la facultad entrenada es la graciosa balandra, que roza los mares a voluntad de su patrón, su curso se estabiliza con el timón de la razón y sus alas luminosas capturan cada aire del cielo.

El juego del ajedrez, el plan táctico del señor de la guerra, la evolución de un teorema geométrico, el diseño de una gran campaña comercial, la eliminación de desperdicios en una fábrica, el desenlace de un poderoso drama, la superación de un obstáculo económico, el El esquema para un poema sublime, y el convincente asedio de una audiencia pueden, de hecho, deben ser concebidos en una imagen y llevados a la realidad de acuerdo con los planes y especificaciones establecidos en el tablero de caballete por algún imaginativo Hiram moderno. El agricultor que estaría contento con la semilla que posee no tendría cosecha. No descanses satisfecho con la capacidad de recordar imágenes, cultiva tu imaginación creativa construyendo "lo que podría ser" sobre la base de "lo que es".

II LOS USOS DE IMAGEN EN HABLAR EN PÚBLICO

En este momento ya habrás hecho alguna aplicación general de estas ideas al arte de la plataforma, pero ahora debemos referirnos a varios usos específicos.

1. Imágenes en la preparación del habla

(a) Establece la imagen de tu audiencia ante ti mientras te preparas. La decepción puede estar al acecho aquí, y no puedes estar preparado para cada emergencia, pero en general debes conocer a tu audiencia antes de que realmente lo hagas: imagina su probable estado de ánimo y actitud hacia la ocasión, el tema y el orador.

(b) Concibe tu discurso como un todo mientras estás preparando sus partes, de lo contrario no puedes ver —imagen— cómo se enmarcarán entre sí sus partes.

(c) Imagina el idioma que utilizarás, en la medida en que lo dicte un discurso escrito o extemporáneo. El hábito de la imagen te dará la opción de diferentes formas de hablar, para recordar que una dirección sin nuevas comparaciones es como un jardín sin flores. No te contentes con la primera figura trillada que llega a tu punta de lápiz, sueña hasta que lo sorprendente, lo inusual, pero la comparación vívidamente real señale que tu pensamiento como el acero hace la punta de la flecha.

Tenga en cuenta la frescura y la eficacia de la siguiente descripción de la apertura de la historia de O. Henry, "The Harbinger".

Mucho antes de que se sienta la marea primaveral en el aburrido seno del yokel, el hombre de la ciudad sabe que la diosa verde hierba está sobre su trono. Se sienta a la hora del desayuno con huevos y tostadas, mendigados por paredes de piedra, abre su periódico matutino y ve que el periodismo deja vernalismo en el correo.

Mientras que los correos de Spring alguna vez fueron la evidencia de nuestros sentidos más delicados, ahora la Associated Press hace el truco.

El trino del primer petirrojo en Hackensack, la agitación de la savia de arce en Bennington, el florecimiento de los sauces a lo largo de la calle principal de Siracusa, el primer canto del pájaro azul, el canto del cisne del punto azul, el tornado anual en St. Louis, la queja del pesimista melocotón de Pompton, Nueva Jersey, la visita regular del ganso salvaje domesticado con una pierna rota al estanque cerca de Bilgewater Junction, el intento básico del Drug Trust para aumentar el precio de la quinina frustrado la Cámara del congresista Jinks, el primer álamo alto alcanzado por un rayo y los aturdidores habituales que se habían refugiado, la primera grieta de la jamba de hielo en el río Allegheny, el hallazgo de una violeta en su lecho cubierto de musgo por el corresponsal en Round Corners —Estas son las señales avanzadas de la floreciente temporada que están conectadas a la sabia ciudad, mientras que el granjero no ve más que el invierno en sus lúgubres campos.

Pero estos son meros externos. El verdadero heraldo es el corazón. Cuando Strephon busca a su Chloe y Mike a su Maggie, solo llega Spring y se confirma el informe del periódico sobre el traqueteo de cinco pies asesinado en el pasto de Squire Pettregrew.

Un escritor trillado probablemente habría dicho que el periódico le contó al hombre de la ciudad acerca de la primavera antes de que el granjero pudiera ver alguna evidencia de ello, pero que el verdadero presagio de la primavera era el amor y que "en la primavera la fantasía de un joven se convierte ligeramente en pensamientos de amor."

2. Imágenes en el discurso de entrega

Cuando una vez que la pasión de hablar se apodera de ti y estás "caliente", tal vez golpeando hasta que el hierro esté caliente para que no puedas dejar de golpear cuando hace calor, tu estado de ánimo será de visión.

Luego (a) Vuelve a imaginar las emociones pasadas, de las cuales más en otra parte. El actor vuelve a llamar a los viejos sentimientos cada vez que presenta sus líneas reveladoras.

(b) Reconstruye en imagen las escenas que debes describir.

(c) Imagina los objetos en la naturaleza cuyo tono está delineando, de modo que el porte, la voz y el movimiento (gesto) reflejen el conjunto de manera convincente. En lugar de simplemente afirmar el hecho de que el whisky arruina las casas, el orador de templanza pinta a un borracho que vuelve a casa para abusar de su esposa y golpear a sus hijos. Es mucho más efectivo que decir la verdad en términos abstractos. Para representar la crueldad de la guerra, no afirmes el hecho de manera abstracta: "La guerra es cruel". Muestra al soldado, un brazo barrido por una cáscara que estalla, tirado en el campo de batalla pidiendo agua; muestra a los niños con los rostros manchados de lágrimas presionados contra el cristal de la ventana rezando para que regrese su padre muerto. Evita los términos generales y prosaicos. Pinta imágenes. Desarrolla imágenes para que la imaginación de tu audiencia se convierta en imágenes propias.

III. CÓMO ADQUIRIR EL HÁBITO DE IMÁGENES

¿Te acuerdas del estadista estadounidense que afirmó que "la forma de reanudar es reanudar"? La aplicación es obvia. Comenzando con los primeros análisis simples de este capítulo, prueba tus propias cualidades de creación de imágenes. Uno por uno practican varios tipos de imágenes; luego agrega —incluso inventa— otras en combinación, ya que muchas imágenes nos llegan en forma compleja, como el ruido combinado, el empuje y el olor caliente de una multitud que lo vitorea.

Después de practicar en imágenes reproductivas, recurra a lo productivo, comenzando con lo reproductivo y agregando características productivas por el bien de cultivar la invención.

Con frecuencia, permite quetus regalos originales se desarrollen completamente tejiendo telas imaginarias completas: imágenes, sonidos, escenas; todo el mundo de fantasía está abierto a los viajes de tu corcel alado.

Del mismo modo, entrenarse en el uso del lenguaje figurativo. Aprende primero a distinguir y luego a usar sus variadas formas. Cuando se usa con moderación, nada puede ser más efectivo que el tropo; pero una vez que la extravagancia se cuela por la ventana, el poder huirá por la puerta.

Con todo, domina tus imágenes, no dejes que ellas te dominen.

PREGUNTAS Y EJERCICIOS

1. Da ejemplos originales de cada tipo de imaginación reproductiva.

2. Construye dos de estos en incidentes imaginarios para el uso de la plataforma, utilizando su imaginación productiva o creativa.

3. Define (a) fantasía; (b) visión; (c) fantástico; (d) fantasmagoría; (e) transfigurar; (f) recuerdo.

4. ¿Qué es una "figura retórica"?

5. Define y proporciona dos ejemplos de cada una de las siguientes figuras retóricas. Al menos uno de los ejemplos debajo de cada tipo sería mejor original. (a) símil; (b) metáfora; (c) metonimia; (d) sinécdoque; (e) apóstrofe; (f) visión; (g) personificación; (h) hipérbole; (i) ironía.

6. (a) ¿Qué es una alegoría? (b) Nombre un ejemplo. (c) ¿Cómo podría usarse una alegoría corta como parte de un discurso público?

7. Escribe una fábula corta para usar en un discurso. Sigue la forma antigua (Æsop) o la moderna (George Ade, Josephine Dodge Daskam).

8. ¿Qué entiendes por "el presente histórico"? Ilustra cómo se puede usar (SOLO ocasionalmente) en una dirección pública.

9. Recuerda alguna perturbación en la calle, (a) Descríbela como lo harías en la plataforma; (b) imagina lo que precedió a la perturbación; (c) imagina lo que le siguió; (d) conecta el todo en una narración breve y dramática para la plataforma y preséntala con cuidadosa atención a todo lo que haya aprendido sobre el arte del orador público.

10. Haz lo mismo con otros incidentes que hayas visto o escuchado, o que hayas leído en los periódicos.

NOTA: Se espera que este ejercicio sea variado y ampliado hasta que el alumno haya adquirido un dominio considerable de la narración imaginativa. (Ver capítulo sobre "Narración")

11. Los experimentos han demostrado que la mayoría de las personas piensan más vívidamente en términos de imágenes visuales. Sin embargo, algunos piensan más fácilmente en términos de imágenes auditivas y motoras. Es un buen plan mezclar todo tipo de imágenes en el curso de su dirección, ya que sin duda tendrá todo tipo de oyentes. Este plan servirá para dar variedad y fortalecer sus efectos al atraer a los diversos sentidos de cada oyente, así como a interesantes auditores diferentes. Para el ejercicio, (a) proporciona varios ejemplos originales de imágenes compuestas, y (b) construye breves descripciones de las escenas imaginadas. Por ejemplo, la caída de un puente en proceso de construcción.

12. Lee lo siguiente con atención:

Los huelguistas sufrieron una pobreza extrema el invierno pasado en Nueva York.

El invierno pasado, una mujer que visitaba el East Side de Nueva York vio a otra mujer saliendo de una casa de vecindad retorciéndose las manos. Al preguntar, el visitante descubrió que un niño se había desmayado en uno de los apartamentos. Entró y vio al niño enfermo y en harapos, mientras que el padre, un delantero, era demasiado pobre para proporcionar ayuda médica. Se llamó a un médico y dijo que el niño se había desmayado por falta de comida. La única comida en el hogar era pescado seco. El visitante proporcionó víveres para la familia y ordenó al lechero que les dejara leche diariamente. Un mes después ella regresó. El padre de la familia se arrodilló ante ella y, llamándola ángel, dijo que ella les había salvado la vida, porque la leche que les había proporcionado era toda la comida que habían comido.

En los dos párrafos anteriores tenemos sustancialmente la misma historia, contada dos veces. En el primer párrafo tenemos un hecho en términos generales. En el segundo, tenemos una imagen general de un suceso específico. Ahora expande este esquema en un recital dramático, aprovechando libremente tu imaginación.

NOTAS AL PIE:

Consultas en la facultad humana.

Consulte cualquier buena retórica. Un diccionario íntegro también será de ayuda.

Para una discusión completa de la forma, ver, The Art of Story-Writing, por J. Berg Esenwein y Mary D. Chambers.

CAPÍTULO XXVII

CRECIENDO UN VOCABULARIO

Los muchachos que vuelan cometas arrastran en sus pájaros blancos alados; no puedes hacerlo de esa manera cuando estás volando palabras. "Cuidado con el fuego", es un buen consejo que conocemos, "Cuidado con las palabras", es diez veces más el doble. Pensamientos no expresados, muchos a veces caen muertos; pero Dios mismo no puede matarlos cuando se dicen.

—Will Carleton, *La historia del primer colono.*

El término "vocabulario" tiene un significado especial y general. Es cierto que todos los vocabularios se basan en las palabras cotidianas del idioma, de las cuales crecen los vocabularios especiales, pero cada grupo especializado posee una cantidad de palabras de valor peculiar para sus propios objetos. Estas palabras también pueden usarse en otros vocabularios, pero el hecho de que sean adecuadas para un orden de expresión único las marca como de valor especial para un oficio o vocación en particular.

A este respecto, el orador público no difiere en absoluto del poeta, el novelista, el científico, el viajero. Debe agregar a sus acciones cotidianas palabras de valor para la presentación pública del pensamiento. "Un estudio de los discursos de oradores efectivos revela el hecho de que les gustan las palabras que significan poder, amplitud, velocidad, acción, color, luz y todos sus opuestos. Con frecuencia emplean palabras que expresan las diversas emociones. Palabras descriptivas, los adjetivos utilizados en nuevas relaciones con sustantivos y epítetos aptos, se emplean libremente. De hecho, la naturaleza del discurso público permite el uso de palabras levemente exageradas que, cuando hayan llegado al juicio del oyente, dejarán solo una impresión justa ".

Forma el hábito de las notas

Poseer una palabra implica tres cosas: conocer sus significados especiales y más amplios, conocer su relación con otras palabras y poder usarla. Cuando veas o escuches una palabra familiar usada en un sentido desconocido, anótala, búscala y domínala. Tenemos en mente un hablante de logros superiores que adquirió su vocabulario al notar todas las palabras nuevas que escuchó o leyó. Los dominó y los puso en práctica. Pronto su vocabulario se hizo grande, variado y exacto. Usa una nueva palabra con precisión cinco veces y es suya. El profesor Albert E. Hancock dice: "El vocabulario de un autor es de dos tipos, latente y dinámico: latente, esas palabras que entiende; dinámico, aquellas que puede usar fácilmente. Todo hombre inteligente sabe todas las palabras que necesita, pero puede que no tenga todos ellos listos para el servicio activo. El problema de la dicción literaria consiste en convertir lo latente en dinámico ". Tu vocabulario dinámico es el que debes cultivar especialmente.

En su ensayo sobre "A College Magazine" en el volumen, Memorias y retratos, Stevenson muestra cómo pasó de la imitación a la originalidad en el uso de las palabras. Tenía una referencia particular a la formación de su estilo literario, pero las palabras son la materia prima del estilo, y su excelente ejemplo puede ser seguido juiciosamente por el orador público. Las palabras en sus relaciones son mucho más importantes que las palabras consideradas individualmente.

Cada vez que leo un libro o un pasaje que me agrada especialmente, en el que se dice algo o se produce un efecto con propiedad, en el que hay una fuerza notable o alguna distinción feliz en el estilo, debo sentarme de inmediato y establecer yo mismo para imitar esa cualidad. No tuve éxito y lo sabía; e intenté nuevamente, y nuevamente fracasé, y siempre fracasé; pero al menos en estos combates vanos aprendí algo de ritmo, armonía, construcción y coordinación de partes.

Así he jugado el simio sediento a Hazlitt, a Lamb, a Wordsworth, a Sir Thomas Browne, a Defoe, a Hawthorne, a Montaigne.

Esa, nos guste o no, es la forma de aprender a escribir; si me he beneficiado o no, ese es el camino. Fue la forma en que Keats aprendió, y nunca hubo un temperamento más fino para la literatura que el de Keats.

Es el gran punto de estas imitaciones que aún brilla más allá del alcance del estudiante, su modelo inimitable. Déjelo intentar como le plazca, todavía está seguro del fracaso; y es un viejo y muy cierto dicho que el fracaso es el único camino al éxito.

Forme el hábito del libro de referencia

No te conformes con el conocimiento general de una palabra: presiona su estudio hasta que hayas dominado sus matices individuales de significado y uso. La mera fluidez seguramente se volverá despreciable, pero la precisión nunca. El diccionario contiene el uso cristalizado de gigantes intelectuales. Nadie que escriba efectivamente se atrevería a despreciar sus definiciones y discriminaciones. Piensa, por ejemplo, en los diferentes significados de manto, modelo o cantidad. Cualquier edición tardía de un diccionario íntegro es buena y vale la pena hacer sacrificios.

Los libros de sinónimos y antónimos, usados con precaución, ya que hay pocos sinónimos perfectos en cualquier idioma, serán de gran ayuda. Considera las sombras de los significados entre grupos de palabras como ladrón, peculador, moroso, desfalcador, bandido, merodeador, pirata y muchos más; o las distinciones entre hebreo, judío, israelita y semita. Recuerda que ningún libro de sinónimos es confiable a menos que se use con un diccionario. "Un tesauro del idioma inglés", del Dr. Francis A. March, es costoso, pero completo y autoritario. De los libros más pequeños de sinónimos y antónimos hay muchos. Estudia los conectivos del habla inglesa. El libro de Fernald sobre este título es una mina de gemas. Las trampas inesperadas se encuentran en el uso suelto de y, o, por, mientras, y en un sinnúmero de pequeños y difíciles conectivos.

Las derivaciones de palabras son ricas en sugestión. Nuestro inglés le debe mucho a las lenguas extranjeras y ha cambiado tanto con los siglos que direcciones enteras pueden surgir de una sola idea raíz oculta en un antiguo origen de palabras. La traducción, también, es un excelente ejercicio en el dominio de las palabras y se combina bien con el estudio de las derivaciones.

Los libros de frases que muestran el origen de expresiones familiares nos sorprenderán al mostrar cuán descuidadamente se usa el habla cotidiana. "Un diccionario de frases y fábulas" de Brewer, "Palabras, hechos y frases" de Edwards, y "Un glosario americano" de Thornton, todos son buenos, el último, un trabajo costoso en tres volúmenes.

Un prefijo o sufijo puede cambiar esencialmente la fuerza del tallo, como en magistral y magistralmente, despreciable y despreciable, envidioso y envidiable. Por lo tanto, estudiar palabras en grupos, de acuerdo con sus raíces, prefijos y sufijos, es dominar sus matices de significado y presentarnos otras palabras relacionadas.

No favorezca un conjunto o tipo de palabras más que otro

"Hace sesenta años y más, Lord Brougham, dirigiéndose a los estudiantes de la Universidad de Glasgow, estableció la regla de que la parte nativa (anglosajona) de nuestro vocabulario debía ser favorecida a expensas de la otra parte que proviene del latín y el griego. La regla era imposible, y Lord Brougham nunca intentó seriamente observarla; ni, en verdad, ningún gran escritor hizo el intento. No solo nuestro lenguaje es altamente compuesto, sino que las palabras que lo componen tienen, en la frase de De Quincey, "felizmente fusionados". Es fácil bromear con palabras en -osidad y -ation, como palabras de 'diccionario', y similares. Pero incluso a Lord Brougham le habría resultado difícil prescindir de la pomposidad y la imaginación ".

El breve y vigoroso anglosajón siempre será preferido para pasajes de empuje y fuerza especiales, así como el latín continuará proporcionándonos expresiones fluidas y suaves; mezclar todo tipo, sin embargo, dará variedad, y eso es lo más deseable.

Discute palabras con los que las conocen

Dado que el lenguaje de la plataforma sigue de cerca la dicción del habla cotidiana, se pueden adquirir muchas palabras útiles en la conversación con hombres cultos, y cuando dicha discusión toma la forma de una disputa sobre los significados y usos de las palabras, resultará doblemente valioso. El desarrollo de las marchas del poder de las palabras con el crecimiento de la individualidad.

Busque fielmente la palabra correcta

Los libros de referencia tienen un valor triplicado cuando a su propietario le apasiona sacar los granos de sus caparazones. Diez minutos al día harán maravillas para el cascanueces. "Estoy cada vez más enojado con mi escritura", dice Flaubert. "Soy como un hombre cuya oreja es verdadera, pero que toca falsamente el violín: sus dedos se niegan a reproducir precisamente esos sonidos de los que tiene el sentido interno. Luego, las lágrimas caen de los ojos del pobre raspador y cae el arco de su mano ".

El mismo brillante francés envió este consejo a su alumno, Guy de Maupassant: "Sea lo que sea lo que uno quiera decir, solo hay una palabra para expresarlo, solo un verbo para animarlo, solo un adjetivo para calificarlo. "Es esencial buscar esta palabra, este verbo, este adjetivo, hasta que se descubran, y no quedar satisfechos con nada más".

Walter Savage Landor escribió una vez: "Odio las palabras falsas y busco con cuidado, dificultad y mal humor las que encajan". Lo mismo hizo Sentimental Tommy, según lo relatado por James M. Barrie en su novela con el nombre de su héroe como título. ¡No es de extrañar que T. Sandys se convirtiera en autor y león!

Tommy, con otro muchacho, está escribiendo un ensayo sobre "Un día en la iglesia", en competencia por una beca universitaria. Se lleva bien hasta que se detiene por falta de una palabra. Durante casi una hora, busca esta cosa evasiva, hasta que de repente le dicen que se acabó el tiempo asignado y ¡ha perdido! Barrie puede decirle al resto:

¡Ensayo! No era más un ensayo que una ramita es un árbol, porque se había quedado atascado en medio de su segunda página. Sí, atascado es la expresión correcta, como su profesor disgustado tuvo que admitir cuando el niño fue interrogado. No había estado "haciendo algunos de sus trucos"; se había quedado, y sus explicaciones, como admitirán, simplemente enfatizaban su incapacidad.

Se había llevado al desprecio público por falta de una palabra. ¿Qué palabra? preguntaron irritadamente; pero incluso ahora no podía decirlo. Quería una palabra escocesa que significara cuántas personas había en la iglesia, y estaba en la punta de su lengua, pero no llegaría más lejos. *Puckle* era casi la palabra, pero no significaba tanta gente como él quiso decir. La hora había pasado como un guiño; se había olvidado del tiempo mientras buscaba la palabra en su mente.

Los otros cinco [examinadores] estaban furiosos ... "Pequeña tattie doolie", rugió Cathro, "¿no había una docena de palabras de las que hablar si tuvieras mala voluntad para fruncir el ceño?" "

"Pensé en *manzy*", respondió Tommy, lamentablemente, porque estaba avergonzado de sí mismo, "pero, pero *manzy* es un enjambre. Significaría que la gente en el kirk zumbaba como abejas, en lugar de quedarse quietos".

"Incluso si eso significa", dijo el Sr. Duthie, con impaciencia, "¿cuál era la necesidad de ser tan particular? Seguramente el arte de escribir ensayos consiste en usar la primera palabra que viene y apresurarse".

"Así fue como lo hice", dijo el orgulloso McLauchlan [el exitoso competidor de Tommy] ...

"Ya veo", intervino el Sr. Gloag, "que McLauchlan habla de que hay una máscara de personas en la iglesia. Máscara es una buena palabra escocesa".

"Pensé en la máscara", gimoteó Tommy, "pero eso significaría que el kirk estaba abarrotado, y solo quería decir que estaba medio lleno".

"*Flujo* habría sido", sugirió el Sr. Lonimer.

"El flujo no es más que un puñado", dijo Tommy.

"¡Curran, entonces, jackanapes!"

"Curran no es suficiente".

El señor Lorrimer levantó las manos desesperado.

"Quería algo entre el curran y la máscara", dijo Tommy, obstinado, pero casi por el llanto.

El Sr. Ogilvy, que había estado ocultando su admiración con dificultad, extendió una red para él. "Dijiste que querías una palabra que significara medio lleno. Bueno, ¿por qué no dijiste medio lleno o máscara caída?"

"¿Sí, por qué no?" exigieron los ministros, inconscientemente atrapados en la red.

"Quería una palabra", respondió Tommy, evitándola inconscientemente.

"¡Joya!" murmuró el Sr. Ogilvy en voz baja, pero el Sr. Cathro habría golpeado la cabeza del niño si los ministros no hubieran interferido.

"También es muy fácil encontrar la palabra correcta", dijo Gloag.

"No, es difícil golpear a una ardilla", gritó Tommy, y nuevamente el Sr. Ogilvy asintió con aprobación.

Y luego sucedió algo extraño. Mientras se preparaban para salir de la escuela [Cathro había atropellado a Tommy por el cuello], la puerta se abrió un poco y apareció en la abertura la cara de Tommy, manchada de lágrimas pero excitada. "Ahora entiendo la palabra", exclamó, "se me ocurrió de inmediato; ¡es *cruel*!"

El Sr. Ogilvy ... se dijo en éxtasis a sí mismo: "Tenía que pensarlo hasta que lo consiguió, y lo consiguió. ¡El muchacho es un genio!"

PREGUNTAS Y EJERCICIOS

1. ¿Cuál es la derivación de la palabra vocabulario?

2. Discute brevemente cualquier discurso completo dado en este volumen, con referencia a (a) exactitud, (b) variedad y (c) encanto, en el uso de palabras.

3. Da ejemplos originales de los tipos de estudios de palabras mencionados en las páginas 337 y 338.

4. Entrega una breve charla sobre cualquier tema, usando al menos cinco palabras que no hayan estado previamente en tu vocabulario "dinámico".

5. Haz una lista de las palabras desconocidas que se encuentran en cualquier dirección que puedas seleccionar.

6. Entrega un discurso extemporáneo breve dando sus opiniones sobre los méritos y deméritos del uso de palabras inusuales en hablar en público.

7. Trata de encontrar un ejemplo del uso excesivo de palabras inusuales en un discurso.

8. ¿Has usado libros de referencia en estudios de palabras? Si es así, indica con qué resultado.

9. Encuentra tantos sinónimos y antónimos como sea posible para cada una de las siguientes palabras: Exceso, Raro, Severo, Hermoso, Claro, Feliz, Diferencia, Cuidado, Experto, Involucrar, Enemigo, Beneficio, Absurdo, Evidente, Débil, Amistoso, Armonía, Odio, Honesto, Inherente.

NOTAS AL PIE:

Cómo atraer y mantener una audiencia, J. Berg Esenwein.

Se está preparando un libro de sinónimos y antónimos para esta serie, "The Writer's Library".

Composición y retórica, J.M. Hart.

CAPÍTULO XXVIII

ENTRENAMIENTO DE MEMORIA

Acurrucado en las innumerables cámaras del cerebro, nuestros pensamientos están unidos por muchas cadenas ocultas; ¡Despierta solo uno, y he aquí! ¡Qué miríadas se levantan! ¡Cada uno estampa su imagen mientras el otro vuela!

¡Salve, memoria, salve! en tu mina inagotable ¡De edad en edad, brillan tesoros innumerables! ¡El pensamiento y su sombría cría tu llamado obedecen, y el lugar y el tiempo están sujetos a tu influencia!

—Samuel Rogers, *Placeres de la memoria*.

Muchos oradores, como Thackeray, han hecho la mejor parte de su discurso para sí mismos, camino a casa desde la sala de conferencias. La presencia de la mente, que Mark Twain mantuvo para observar, se fomenta en gran medida por la ausencia del cuerpo. Un agujero en la memoria no es menos una queja común que una angustiosa.

Henry Ward Beecher pudo entregar una de las mejores direcciones del mundo en Liverpool debido a su excelente memoria. Al hablar de la ocasión, el Sr. Beecher dijo que todos los eventos, argumentos y apelaciones que había escuchado, leído o escrito alguna vez parecían pasar ante su mente como armas oratorias, y allí estaba, pero solo tenía que extender la mano y "agarrar". las armas mientras iban fumando ". Ben Jonson pudo repetir todo lo que había escrito. Scaliger memorizó la Ilíada en tres semanas. Locke dice: "Sin memoria, el hombre es un niño perpetuo". Quintiliano y Aristóteles lo consideraban una medida de genio.

Ahora todo esto es muy bueno. Todos estamos de acuerdo en que una memoria confiable es una posesión invaluable para el hablante. Nunca discrepamos por un momento en que solemnemente se nos dice que su memoria debe ser un depósito del cual, a gusto, pueda dibujar hechos, fantasías e ilustraciones. Pero, ¿se puede entrenar la memoria para actuar como el guardián de todas las verdades que hemos obtenido del pensamiento, la lectura y la experiencia? Y si es así, ¿cómo? Dejanos ver.

Hace veinte años, un niño inmigrante pobre, empleado como lavaplatos en Nueva York, entró en la Cooper Union y comenzó a leer una copia de "El progreso y la pobreza" de Henry George. Su pasión por el conocimiento se despertó y se convirtió en un lector habitual. Pero descubrió que no podía recordar lo que leía, por lo que comenzó a entrenar su memoria naturalmente pobre hasta que se convirtió en el mejor experto en memoria del mundo. Este hombre era el difunto Sr. Felix Berol. Berol podía decirle a la población de cualquier ciudad del mundo, de más de cinco mil habitantes. Podía recordar los nombres de cuarenta extraños que acababan de ser presentados y pudo decir cuál había sido presentado tercero, octavo, decimoséptimo o en cualquier orden. Él conocía la fecha de cada evento importante en la historia, y no solo podía recordar una variedad interminable de hechos, sino que podía correlacionarlos perfectamente.

Hasta qué punto la memoria notable del Sr. Berol fue natural y requirió solo atención, para su desarrollo, parece imposible de determinar con exactitud, pero la evidencia indica claramente que, por inútiles que fueran muchas de sus hazañas de memoria, se desarrolló una memoria muy retentiva donde antes solo existía "una buena falsificación".

No vale la pena luchar por la memoria anormal, pero definitivamente lo es una buena memoria de trabajo. Su poder como orador dependerá en gran medida de su capacidad para retener impresiones y convocarlas cuando la ocasión lo requiera, y ese tipo de memoria es como un músculo: responde al entrenamiento.

Qué no hacer

Es un gran esfuerzo mal dirigido comenzar a memorizar aprendiendo palabras de memoria, ya que eso está comenzando a construir una pirámide en el ápice. Durante años, nuestras escuelas fueron maldecidas por este sistema vicioso, vicioso no solo porque es ineficiente sino por la razón más importante por la que daña la mente. Es cierto que algunas mentes están dotadas de forma nativa de una maravillosa facilidad para recordar cadenas de palabras, hechos y cifras, pero rara vez son buenas mentes razonantes; la persona normal debe esforzarse y forzar la memoria para adquirir de esta manera artificial.

Nuevamente, es doloroso forzar la memoria en horas de debilidad física o cansancio mental. La salud es la base de la mejor acción mental y el funcionamiento de la memoria no es una excepción.

Finalmente, no te conviertas en esclavo de un sistema. El conocimiento de algunos hechos simples de la mente y la memoria lo pondrá a trabajar en el extremo derecho de la operación. Use estos principios, estén o no incluidos en un sistema, pero no te limites a un método que tiende a poner más énfasis en la forma de recordar que en el desarrollo de la memoria misma. Es poco menos que ridículo memorizar diez palabras para recordar un hecho.

Las leyes naturales de la memoria

La atención concentrada en el momento en que desea almacenar la mente es el primer paso para memorizar, y el más importante con diferencia. Olvidaste el cuarto de la lista de artículos que tu esposa te pidió que llevaras a casa principalmente porque permitiste que tu atención flaqueara por un instante cuando te lo estaba diciendo. La atención puede no ser atención concentrada. Cuando un sifón se carga con gas, se llena lo suficiente con el vapor de ácido carbónico para hacer sentir su influencia; una mente cargada con una idea es cargada en un grado suficiente para sostenerla. Demasiada carga hará explotar el sifón; demasiada atención a las pequeñeces conduce a la locura. La atención adecuada, entonces, es el secreto fundamental para recordar.

En general, no prestamos atención adecuada a un hecho cuando no parece importante. Casi todos han visto cómo las semillas en una manzana apuntan y han memorizado la fecha de la muerte de Washington. La mayoría de nosotros, quizás sabiamente, nos hemos olvidado de ambos. La pequeña muesca en la corteza de un árbol se cura y se borra en una estación, pero las cortaduras en los árboles alrededor de Gettysburg todavía son evidentes después de cincuenta años. Las impresiones que se recogen a la ligera pronto se borran. Solo se pueden recuperar impresiones profundas a voluntad. Henry Ward Beecher dijo: "Una hora intensa hará más que años de ensueño". Para memorizar ideas y palabras, concéntrate en ellas hasta que estén fijadas firme y profundamente en tu mente y concédeles su verdadera importancia. Escucha con la mente y recordarás.

¿Cómo te concentrarás? ¿Cómo aumentarías la efectividad de combate de un buque de guerra? Una forma vital sería aumentar el tamaño y el número de sus armas. Para fortalecer su memoria, aumente tanto el número como la fuerza de sus impresiones mentales atendiéndolas intensamente. Los hábitos de lectura sueltos, descuidados y desviados de lectura destruyen el poder de la memoria. Sin embargo, como la mayoría de los libros y periódicos no garantizan ningún otro tipo de atención, no servirá del todo condenar este método de lectura; pero evítalo cuando intentes memorizar.

El ambiente tiene una fuerte influencia sobre la concentración, hasta que hayas aprendido a estar solo en una multitud y sin ser molestado por el clamor. Cuando se propone memorizar un hecho o un discurso, puede encontrar la tarea más fácil lejos de todos los sonidos y objetos en movimiento. Deben eliminarse todas las impresiones ajenas a la que desea corregir en su mente.

El siguiente gran paso en la memorización es elegir los elementos esenciales del tema, organizarlos en orden y reflexionar sobre ellos con atención. Piensa claramente en cada elemento esencial, uno tras otro. Pensar algo, no permitir que la mente divague hacia lo no esencial, es realmente memorizar.

La asociación de ideas es universalmente reconocida como esencial en el trabajo de memoria; de hecho, sistemas completos de entrenamiento de la memoria se han fundado en este principio.

Muchos oradores memorizan solo los contornos de sus direcciones, completando las palabras en el momento de hablar. Algunos han encontrado útil recordar un esquema asociando los diferentes puntos con objetos en la habitación. Hablando de "Paz", es posible que desee detenerse en el costo de la crueldad y el fracaso de la guerra, y así conducir a la justicia del arbitraje. Antes de subir a la plataforma si asociará cuatro divisiones de su esquema con cuatro objetos en la sala, esta asociación puede ayudarlo a recordarlos. Puede ser propenso a olvidar su tercer punto, pero recuerda que una vez que estaba hablando, las luces eléctricas fallaron, por lo que arbitrariamente el globo de luz eléctrica lo ayudará a recordar el "fallo". Tales asociaciones, al ser únicas, tienden a quedarse en la mente. Mientras hablaba recientemente sobre los seis tipos de imaginación, el escritor actual los convirtió en un acróstico: visual, auditivo, motor, gustativo, olfativo y táctil, proporcionó la palabra sin sentido vamgot, pero los seis puntos se recordaron fácilmente.

De la misma manera que a los niños se les enseña a recordar la ortografía de las palabras burlonas (separarse viene de separarse) y cuando un conductor de automóvil recuerda que dos C y luego dos H lo conducen a Castor Road, Cottman Street, Haynes Street y Henry Street, entonces Los puntos importantes en la dirección pueden ser reparados por símbolos arbitrarios inventados por ti mismo. El trabajo mismo de diseñar el esquema es una acción de memoria. El proceso psicológico es simple: consiste en observar atentamente los pasos por los cuales un hecho, una verdad o incluso una palabra han llegado a ti. Aproveche esta tendencia de la mente para recordar por asociación.

La repetición es una poderosa ayuda para la memoria. Thurlow Weed, el periodista y líder político, estaba preocupado porque olvidaba fácilmente los nombres de las personas que conocía día a día. Corrigió la debilidad, relata el profesor William James, formando el hábito de atender cuidadosamente los nombres que había escuchado durante el día y luego repitiéndolos a su esposa todas las noches. Sin duda, la Sra. Weed fue heroicamente paciente, pero el dispositivo funcionó admirablemente.

Después de leer un pasaje que recordarías, cierra el libro, reflexiona y repite el contenido, en voz alta, si es posible.

Muchos consideran que leer en voz alta es una práctica útil para la memoria.

Escribe lo que deseas recordar. Esta es simplemente una forma más de aumentar el número y la fuerza de sus impresiones mentales utilizando todas sus vías de impresión. Ayudará a arreglar un discurso en su mente si lo hablas en voz alta, lo escuchas, lo escribes y lo miras atentamente. Luego lo has impreso en tu mente mediante impresiones vocales, auditivas, musculares y visuales.

Algunas personas tienen recuerdos auditivos peculiarmente distintos; son capaces de recordar cosas escuchadas mucho mejor que las vistas. Otros tienen la memoria visual; son más capaces de recordar impresiones visuales. Al recordar un paseo que has tomado, ¿puedes recordar mejor las imágenes o los sonidos? Descubre qué tipo de impresiones retiene mejor tu memoria y úsalas más. Para arreglar una idea en mente, usa todo tipo de impresión posible.

El hábito diario es un gran cultivador de memoria. Aprende una lección del corredor de maratón. El ejercicio regular, aunque nunca tan poco a diario, fortalecerá tu memoria en una medida sorprendente. Trata de describir en detalle el vestido, el aspecto y la manera de las personas que pasas en la calle. Observa la habitación en la que te encuentras, cierra los ojos y describe su contenido. Ve de cerca el paisaje y escribe una descripción detallada del mismo. ¿Cuánto olvidaste? Observa el contenido de los escaparates en la calle; ¿Cuántas funciones puedes recordar? La práctica continua en esta hazaña puede desarrollar en ti una habilidad notable como lo hizo en Robert Houdin y su hijo.

La memorización diaria de un hermoso pasaje en la literatura no solo le dará fuerza a la memoria, sino que almacenará la mente con gemas para la cita. Pero ya sea por poco o mucho, agrega diariamente a tu memoria el poder mediante la práctica.

Memoriza al aire libre. La flotabilidad del bosque, la orilla o la noche de tormenta en las calles desiertas puede refrescar tu mente como lo hace con la mente de muchos otros.

Por último, expulsa el miedo. Di para ti mismo que puedes recordar y recordarás. Por puro ejercicio del autismo afirma tu dominio. Estás obsesionado con el miedo a olvidar y no puedes recordar. Practica lo contrario. Desecha las muletas de tus manuscritos: puedes caerte una o dos veces, pero lo que importa es que aprenderás a caminar, saltar y correr.

Memorizar un discurso

Ahora intentemos poner en práctica las sugerencias anteriores. Primero, vuelve a leer este capítulo, señalando las nueve formas en que puede ayudar la memorización.

Luego lee la siguiente selección de Beecher, aplicando tantas sugerencias como sea posible. Obtén el espíritu de la selección firmemente en tu mente. Toma nota mental de todo, escribe, si es necesario, la sucesión de ideas. Ahora memoriza el pensamiento. Luego memoriza el esquema, el orden en que se expresan las diferentes ideas. Finalmente, memoriza la redacción exacta.

No, cuando hayas hecho todo esto, con la atención más fiel a las instrucciones, no te resultará fácil memorizar, a menos que hayas entrenado previamente tu memoria, o sea naturalmente retentiva. Solo mediante la práctica constante la memoria se fortalecerá y solo al observar continuamente estos mismos principios se mantendrá fuerte. Sin embargo, habrás hecho un comienzo, y eso no es una cuestión de importancia.

EL REINO DE LAS PERSONAS COMUNES

No creo que si fuera a ver el experimento de autogobierno en Estados Unidos, tendría una opinión muy alta. Yo tampoco, si solo miro la superficie de las cosas. Por qué, los hombres dirán: "Es lógico pensar que 60,000,000 ignorantes de la ley, ignorantes de la historia constitucional, ignorantes de la jurisprudencia, de las finanzas, y de los impuestos y aranceles y formas de moneda, 60,000,000 de personas que nunca estudiaron estas cosas, no son aptos para regla." Su diplomacia es tan complicada como la nuestra, y es la más complicada en la tierra, ya que todas las cosas crecen en complejidad a medida que se desarrollan hacia una condición superior. ¿Qué condición física hay en estas personas? Bueno, no es democracia simplemente; es una democracia representativa. Nuestra gente no vota en masa por nada; escogen capitanes de pensamiento, escogen a los hombres que sí saben y los envían a la Legislatura para que piensen por ellos, y luego la gente los ratifica o rechaza.

Pero cuando vienes a la Legislatura estoy obligado a confesar que la cosa no parece mucho más animada en el exterior. ¿Realmente seleccionan a los mejores hombres? Sí; en tiempos de peligro, lo hacen de manera muy general, pero en el tiempo ordinario, "besarse es un favor". Sabes cuál es el deber de un legislador republicano-demócrata regular. Es para volver el próximo invierno. ¿Su segundo deber es qué? Su segundo deber es someterse a esa providencia extraordinaria que se encarga de los salarios de los legisladores. El viejo milagro del profeta y la comida y el aceite es inmensamente superado en nuestros días, porque van allí pobres un año y se van a casa ricos; en cuatro años se convierten en prestamistas, todo por la confianza en esa graciosa providencia que se encarga de los salarios de los legisladores. Su próximo deber después de eso es servir a la parte que los envió, y luego, si queda algo de ellos, pertenece a la comunidad. Alguien ha dicho muy sabiamente que si un hombre que viaja desea saborear su cena, es mejor que no vaya a la cocina para ver dónde se cocina; Si un hombre desea respetar y obedecer la ley, es mejor que no vaya a la Legislatura para ver dónde se cocina.

—Henry Ward Beecher.

De una conferencia pronunciada en Exeter Hall, Londres, 1886, cuando realizaba su última gira por Gran Bretaña.

En caso de problemas

Pero, ¿qué debes hacer si, a pesar de todos sus esfuerzos, olvidas tus puntos y tu mente, por el momento, queda en blanco? Esta es una condición deplorable que a veces surge y debe ser tratada. Obviamente, puedes sentarte y admitir la derrota. Tal consumación debe ser devotamente rechazada.

Caminar lentamente por la plataforma puede darle tiempo para agarrarse, componer sus pensamientos y evitar el desastre. Quizás el método más seguro y práctico es comenzar una nueva oración con su última palabra importante. Esto no se recomienda como un método para componer un discurso; es simplemente una medida extrema que puede salvarlo en circunstancias difíciles. Es como el departamento de bomberos: cuanto menos lo use, mejor. Si se sigue este método durante mucho tiempo, es probable que te encuentres hablando del budín de ciruela o el Gordon chino de la manera más inesperada, por lo que, por supuesto, volverás a tus líneas en el primer momento en que tus pies golpeen la plataforma.

Veamos cómo funciona este plan, obviamente, sus palabras improvisadas carecerán de algo de brillo, pero en tal caso la crueldad es mejor que el fracaso.

Ahora has llegado a un muro muerto después de decir: "Juana de Arco luchó por la libertad". Por este método puede obtener algo como esto:

"La libertad es un privilegio sagrado por el cual la humanidad siempre tuvo que luchar. Estas luchas [Platitude — pero seguir adelante] llenan las páginas de la historia. La historia registra el triunfo gradual del siervo sobre el señor, el esclavo sobre el maestro. El maestro tiene continuamente trató de usurpar poderes ilimitados. El poder durante la época medieval le correspondía al dueño de la tierra con una lanza y un castillo fuerte; pero el castillo y la lanza fuertes fueron de poca utilidad después del descubrimiento de la pólvora. La pólvora fue la mayor bendición de esa libertad había sabido alguna vez ".

Hasta ahora, ha vinculado una idea con otra de manera bastante obvia, pero ahora está recibiendo su segundo impulso y puede aventurarse a relajar su control sobre la cadena demasiado evidente; y entonces dices:

"Con la pólvora, el siervo más humilde de toda la tierra podría poner fin a la vida del tirónico barón detrás de los muros del castillo. La lucha por la libertad, con la pólvora como ayuda, destruyó imperios y construyó una nueva era para toda la humanidad". "

En un momento más has vuelto a tu esquema y el día está salvado.

Practicar ejercicios como los anteriores no solo te fortalecerá contra la muerte de tu discurso cuando tu memoria no dispara, sino que también te proporcionará un excelente entrenamiento para hablar con fluidez. Abastecerse de ideas.

PREGUNTAS Y EJERCICIOS

1. Elige y expón brevemente las nueve ayudas para memorizar sugeridas en este capítulo.

2. Informa sobre cualquier éxito que hayas tenido con cualquiera de los planes para la cultura de la memoria sugeridos en este capítulo. ¿Alguno ha tenido menos éxito que otros?

3. Critica libremente cualquiera de los métodos sugeridos.

4. Da un ejemplo original de memoria por asociación de ideas.

5. Enumera en orden las ideas principales de cualquier discurso en este volumen.

6. Repítelos de memoria.

7. Expande en un discurso, usando tus propias palabras.

8. Ilustra prácticamente qué harías, si en medio de un discurso sobre Progreso, tu memoria te fallara y te detienes de repente en la siguiente oración: "El siglo pasado vio un progreso maravilloso en diversas líneas de actividad".

9. ¿Cuántas citas que encajan bien en el cofre de herramientas del orador puedes recordar de memoria?

10. Memoriza el poema en la página 42. ¿Cuánto tiempo requiere?

CAPÍTULO XXIX

PENSAMIENTO CORRECTO Y PERSONALIDAD

Cualquier cosa que aplasta la individualidad es despotismo, por cualquier nombre que se pueda llamar. John Stuart Mill, Sobre la libertad.

El pensamiento correcto se adapta a la vida completa al desarrollar el poder de apreciar lo bello en la naturaleza y el arte, el poder de pensar lo verdadero y lo bueno, el poder de vivir la vida del pensamiento, la fe, la esperanza y el amor.

—CAROLINA DEL NORTE. Schaeffer, *Pensar y aprender a pensar.*

La posesión más valiosa del hablante es la personalidad, ese algo indefinible e imponderable que resume lo que somos y nos hace diferentes de los demás; esa fuerza distintiva del yo que opera apreciablemente en aquellos cuyas vidas tocamos. Es solo la personalidad la que nos hace añorar las cosas superiores. Nos roba nuestro sentido de la vida individual, con sus ganancias y pérdidas, sus deberes y alegrías, y nos arrastramos. "Pocas criaturas humanas", dice John Stuart Mill, "consentirían ser transformadas en cualquiera de los animales inferiores por la promesa de la máxima tolerancia de los placeres de una bestia; ningún ser humano inteligente consentiría en ser un tonto, ninguna persona instruida lo haría". ser un ignorante, ninguna persona de sentimiento y conciencia sería egoísta y de base, a pesar de que debería estar convencido de que el tonto, o el burro, o el bribón está mejor satisfecho con su suerte que ellos con la de ellos ... Es mejor ser un ser humano insatisfecho que un cerdo satisfecho, mejor ser un Sócrates insatisfecho que un tonto satisfecho. Y si el tonto o el cerdo tienen una opinión diferente, es solo porque conocen su propio lado de la cuestión. la otra parte de la comparación conoce a ambas partes ".

Ahora es precisamente porque el tipo de persona Sócrates vive en el plan de pensamiento correcto y sentimiento moderado y dispuesto que prefiere su estado al del animal.

Todo lo que un hombre es, toda su felicidad, su tristeza, sus logros, sus fracasos, su magnetismo, su debilidad, son en gran medida los resultados directos de su pensamiento. El pensamiento y el corazón se combinan para producir el pensamiento correcto: "Como un hombre piensa en su corazón, así es él". Como él no piensa en su corazón, nunca puede llegar a ser.

Como esto es cierto, la personalidad se puede desarrollar y sus poderes latentes se pueden obtener mediante un cultivo cuidadoso. Hace mucho tiempo que dejamos de creer que estamos viviendo en un reino de azar. Tan claras y exactas son las leyes de la naturaleza que pronosticamos, con muchos años de anticipación, la aparición de cierto cometa y pronosticamos al minuto un eclipse de sol. Y entendemos esta ley de causa y efecto en todos nuestros reinos materiales. No plantamos papas y esperamos arrancar jacintos. La ley es universal: se aplica a nuestros poderes mentales, a la moral, a la personalidad, tanto como a los cuerpos celestes y al grano de los campos. "Todo lo que el hombre sembrare, eso también segará", y nada más.

El carácter siempre ha sido considerado como uno de los principales factores del poder del hablante. Cato definió al orador como vir bonus dicendi peritus, un buen hombre experto en hablar. Phillips Brooks dice: "Nadie puede realmente ser un profeta ante el mundo, a menos que esté profundamente viviendo y pensando seriamente". El "carácter", dice Emerson, "es un poder natural, como la luz y el calor, y toda la naturaleza coopera con él. La razón por la que sentimos la presencia de un hombre y no la de otro es tan simple como la gravedad. La verdad es la cumbre de ser: la justicia es su aplicación a los asuntos. Todas las naturalezas individuales se sitúan en una escala, de acuerdo con la pureza de este elemento en ellas. La voluntad de lo puro desciende a otras naturalezas, a medida que el agua desciende de un nivel superior a uno inferior. buque. Esta fuerza natural no se puede resistir más que cualquier otra fuerza natural ... El carácter es la naturaleza en su forma más elevada ".

Es absolutamente imposible que los pensamientos impuros, bestiales y egoístas se conviertan en hábitos amorosos y altruistas. Las semillas de cardo producen solo el cardo. Por el contrario, es completamente imposible que los pensamientos continuos altruistas, comprensivos y serviciales produzcan un carácter bajo y vicioso. Los pensamientos o sentimientos preceden y determinan todas nuestras acciones. Las acciones se convierten en hábitos, los hábitos constituyen el carácter y el carácter determina el destino. Por lo tanto, proteger nuestros pensamientos y controlar nuestros sentimientos es dar forma a nuestros destinos. El silogismo es completo y, por viejo que sea, sigue siendo cierto.

Dado que "el carácter es la naturaleza en la forma más elevada", el desarrollo del carácter debe proceder en líneas naturales. El jardín dejado solo producirá malas hierbas y plantas escuálidas, pero los macizos de flores nutridos cuidadosamente se convertirán en fragancia y belleza.

A medida que el estudiante que ingresa a la universidad determina en gran medida su vocación al elegir entre los diferentes cursos del plan de estudios, también elegimos nuestros personajes al elegir nuestros pensamientos. Estamos subiendo constantemente hacia lo que más deseamos, o constantemente hundiéndonos al nivel de nuestros bajos deseos. Lo que apreciamos secretamente en nuestros corazones es un símbolo de lo que recibiremos. Nuestros trenes de pensamientos nos están apurando hacia nuestro destino. Cuando ves la bandera ondeando hacia el sur, sabes que el viento viene del norte. Cuando ves las pajas y los papeles que se llevan al norte, te das cuenta de que el viento sopla del sur. Es tan fácil determinar los pensamientos de un hombre observando la tendencia de su carácter.

Que no se sospeche por un momento que todo esto es simplemente una predicación sobre la cuestión de la moral. Es eso, pero mucho más, porque afecta a todo el hombre: su naturaleza imaginativa, su capacidad para controlar sus sentimientos, el dominio de sus facultades de pensamiento y, quizás lo más importante, su poder de voluntad y de llevar sus voliciones a la práctica. acción.

El pensamiento correcto supone constantemente que la voluntad se sienta entronizada para ejecutar los dictados de la mente, la conciencia y el corazón. Nunca toleres por un instante la sugerencia de que tu voluntad no es absolutamente eficiente. El camino a la voluntad es la voluntad, y la primera vez que te sientes tentado a romper una resolución digna, y lo estarás, puedes estar seguro de eso, haz tu pelea allí mismo. No puedes permitirte perder esa pelea. Debes ganarlo, no desviarte por un instante, pero mantén esa resolución si te mata. No lo hará, pero debes luchar como si la vida dependiera de la victoria; ¡y de hecho su personalidad puede estar en la balanza!

Su éxito o fracaso como orador estará determinado en gran medida por sus pensamientos y su actitud mental. El escritor actual hizo que un estudiante de educación limitada ingresara a una de sus clases en oratoria. Él demostró ser un orador muy pobre; y el instructor podía hacer poco a conciencia pero señalar fallas. Sin embargo, se advirtió al joven que no se desanime. Con tristeza en su voz y la esencia de la seriedad radiante de sus ojos, respondió: "¡No me desanimaré! ¡Tengo tantas ganas de saber hablar!" Era cálido, humano y desde el corazón. Y siguió intentándolo, y se convirtió en un orador acreditado.

No hay poder bajo las estrellas que pueda derrotar a un hombre con esa actitud. Quien en lo profundo de su corazón anhela sinceramente tener facilidad para hablar y está dispuesto a hacer los sacrificios necesarios, alcanzará su objetivo. "Pide y recibirás; busca y encontrarás; llama y se te abrirá", de hecho es aplicable a aquellos que adquirirían el poder del habla. No te darás cuenta del premio que deseas lánguidamente, pero seguramente alcanzarás el objetivo que comienzas a alcanzar con el espíritu de la vieja guardia que muere pero nunca se rinde.

Tu creencia en su capacidad y tu disposición a hacer sacrificios por esa creencia son el doble índice de sus logros futuros. Lincoln soñó con sus posibilidades como orador. Transmutó ese sueño en vida únicamente porque caminó muchas millas para pedir prestados libros que leía junto al resplandor de la chimenea. Sacrificó mucho para realizar su visión. Livingstone tenía una gran fe en su habilidad para servir a las razas ignorantes de África. Para actualizar esa fe, abandonó todo. Al salir de Inglaterra hacia el interior del Continente Oscuro, dio el golpe mortal a las ganancias de Europa del comercio de esclavos. Juana de Arco tenía una gran confianza en sí misma, glorificada por una capacidad infinita de sacrificio. Ella condujo al inglés más allá del Loira, y se paró junto a Charles mientras él era coronado.

Todos estos se dieron cuenta de sus deseos más fuertes. La ley es universal. Desea grandemente, y lo lograrás; sacrifica mucho, y obtendrás.

Stanton Davis Kirkham ha expresado bellamente este pensamiento: "Puede que esté llevando cuentas, y en este momento saldrá por la puerta que durante tanto tiempo le ha parecido la barrera de sus ideales, y se encontrará ante una audiencia, la pluma todavía detrás de la oreja, la tinta mancha sus dedos, y entonces derramará el torrente de su inspiración. Puede estar conduciendo ovejas, y vagará a la ciudad, bucólico y con la boca abierta; vagará bajo la guía intrépida del espíritu al estudio del maestro, y después de un tiempo él dirá: "No tengo nada más que enseñarte". Y ahora te has convertido en el maestro, quien recientemente soñó con grandes cosas mientras manejaba ovejas. Deberás soltar la sierra y el avión para asumir la regeneración del mundo ".

PREGUNTAS Y EJERCICIOS

1. ¿Qué es, con tus propias palabras, personalidad?

2. ¿Cómo te afecta la personalidad de un hablante como oyente?

3. ¿De qué maneras se muestra la personalidad en un hablante?

4. Ofrece un breve discurso sobre "El poder de la voluntad en el orador público".

5. Entrega una dirección breve basada en cualquier oración que elijas de este capítulo.

CAPÍTULO XXX

Los discursos ocasionales ofrecen buenas oportunidades para el humor, particularmente la historia divertida, porque el humor con un punto genuino no es trivial. Pero no gires una madeja completa de hilos humorísticos sin más conexión que la estúpida y gastada "Y eso me recuerda". Una anécdota sin porte puede ser divertida, pero una menos divertida que se ajuste al tema y la ocasión es mucho mejor. No hay forma, salvo el puro poder de expresión, que seguramente conduzca al corazón de una audiencia como un humor rico y apropiado. Los comensales dispersos en un gran salón de banquetes, el letargo después de la cena, la ansiedad por acercarse al horario del último tren, la lista completa de oradores en exceso, todos lanzan un desafío al orador para que haga todo lo posible para ganar un audiencia interesada. Y cuando llega el éxito, generalmente se debe a una feliz mezcla de seriedad y humor, ya que el humor por sí solo rara vez es tan importante como los dos combinados, mientras que el discurso completamente grave nunca lo hace en esas ocasiones.

Si hay un lugar más que otro donde las opiniones de segunda mano y los lugares comunes no son bienvenidos, es en el discurso posterior a la cena. Ya sea que sea un maestro de brindis o el último orador en tratar de contener a la multitud menguante a la medianoche, sea lo más original posible. ¿Cómo es posible resumir las cualidades que componen el buen discurso después de la cena, cuando recordamos la inimitable seriedad de Mark Twain, la dulce elocuencia sureña de Henry W. Grady, la gravedad fúnebre del humorístico Charles Battell? ¿Loomis, el encanto de Henry Van Dyke, la genialidad de F. Hopkinson Smith y la delicia de Chauncey M. Depew? Estados Unidos es, literalmente, rico en esos oradores deslumbrantes, que puntúan el sentido real con tonterías, y hacen que ambos sean efectivos.

Las ocasiones conmemorativas, las revelaciones, los comienzos, las dedicatorias, los elogios y todo el tren de reuniones públicas especiales, ofrecen oportunidades raras para la exhibición de tacto y buen sentido en el manejo de ocasiones, temas y audiencias. Cuándo ser digno y cuándo coloquial, cuándo elevarse y cuándo divagar del brazo con sus oyentes, cuándo flamear y cuándo calmar, cuándo instruir y cuándo divertirse, en una palabra, todo el asunto de la APROPIEDAD debe ser constantemente en mente para que no escriba su discurso en el agua.

Finalmente, recuerde la bienaventuranza: Bienaventurado el hombre que hace discursos cortos, porque será invitado a hablar de nuevo.

SELECCIONES PARA ESTUDIO
ÚLTIMOS DÍAS DE LA CONFEDERACIÓN
(Extracto)

El Rapidan sugiere otra escena a la que a menudo se ha hecho alusión desde la guerra, pero que, como ilustrativo también del espíritu de ambos ejércitos, se me puede permitir recordar a este respecto. En el suave crepúsculo de un día de abril, los dos ejércitos celebraban sus desfiles en las colinas opuestas que bordean el río. Al final del desfile, una magnífica banda de música del ejército de la Unión tocó con gran espíritu los aires patrióticos "Hail Columbia" y "Yankee Doodle". Con lo cual las tropas federales respondieron con un grito patriótico. Luego, la misma banda tocó las conmovedoras cepas de "Dixie", a las que llegó una poderosa respuesta de diez mil tropas sureñas. Unos momentos más tarde, cuando las estrellas habían salido como testigos y cuando toda la naturaleza estaba en armonía, vino de la misma banda la vieja melodía "Home, Sweet Home". Mientras sus notas familiares y patéticas rodaban sobre el agua y emocionaban a través de los espíritus de los soldados, las colinas reverberaron con una respuesta atronadora de las voces unidas de ambos ejércitos. ¿Qué había en esta vieja, vieja música, para tocar los acordes de la simpatía, para emocionar tanto a los espíritus y hacer temblar de emoción a los hombres valientes? Era el pensamiento del hogar. Para miles, sin duda, era el pensamiento de ese Hogar Eterno al que la próxima batalla podría ser la puerta de entrada. Para miles de personas, era la idea de sus queridos hogares terrenales, donde los seres queridos a esa hora del crepúsculo se inclinaban alrededor del altar familiar y le pedían a Dios que cuidara al niño soldado ausente.

—General J.B. Gordon, C.s.a.

BIENVENIDO A KOSSUTH

(Extracto)

Déjame pedirte que imagines que el concurso, en el que Estados Unidos afirmó su independencia de Gran Bretaña, no tuvo éxito; que nuestros ejércitos, a través de la traición o una liga de tiranos contra nosotros, se habían roto y dispersado; que los grandes hombres que los dirigieron y que influyeron en nuestros consejos —nuestro Washington, nuestro Franklin y el venerable presidente del Congreso estadounidense— habían sido expulsados como exiliados. Si hubiera existido en ese día, en cualquier parte del mundo civilizado, una República poderosa, con instituciones apoyadas en los mismos fundamentos de libertad que nuestros propios compatriotas intentaron establecer, habría habido en esa República una hospitalidad demasiado cordial, alguna simpatía demasiado profunda, ¿algún celo por su gloriosa pero desafortunada causa, demasiado ferviente o demasiado activo para mostrarse hacia estos ilustres fugitivos? Señores, el caso que he supuesto está delante de ustedes. Los Washington, los Franklins, los Hancocks de Hungría, expulsados por una tiranía mucho peor de la que jamás haya sufrido aquí, son vagabundos en tierras extranjeras. Algunos de ellos han buscado un refugio en nuestro país, uno se sienta con esta compañía nuestro invitado esta noche, y debemos medir el deber que les debemos según el mismo estándar que habríamos aplicado a la historia, si nuestros antepasados se hubieran reunido con un destino como el de ellos.

—William Cullen Bryant.

LA INFLUENCIA DE LAS UNIVERSIDADES
(Extracto)

Cuando la emoción de la guerra del partido presiona peligrosamente cerca de nuestras salvaguardas nacionales, el conservadurismo inteligente de nuestras universidades y colegios advertiría a los concursantes en tonos impresionantes contra los peligros de una violación imposible de reparar.

Cuando el descontento popular y la pasión son estimulados por el arte de diseñar partisanos a un nivel peligrosamente cercano al odio de clase o la ira seccional, quiero que nuestras universidades y colegios hagan sonar la alarma en nombre de la fraternidad y la dependencia fraterna estadounidenses.

Cuando se intenta engañar a la gente para que crea que sus sufragios pueden cambiar el funcionamiento de las leyes nacionales, quisiera que nuestras universidades y colegios proclamen que esas leyes son inexorables y están muy alejadas del control político.

Cuando el interés egoísta busca beneficios privados indebidos a través de la ayuda gubernamental, y los lugares públicos se reclaman como recompensas por el servicio del partido, quisiera que nuestras universidades y colegios convencieran a la gente de que renunciara a la demanda de botín de fiesta y los exhortara a un amor desinteresado y patriótico. de su gobierno, cuya operación no pervertida asegura a cada ciudadano su parte justa de la seguridad y la prosperidad que tiene reservada para todos.

Tendría la influencia de estas instituciones del lado de la religión y la moral. Quisiera que enviaran entre la gente que no se avergonzara de reconocer a Dios y proclamar su interposición en los asuntos de los hombres, ordenando tal obediencia a sus leyes que manifieste el camino de la perpetuidad y prosperidad nacional.

—Grover Cleveland, *entregado en el Princeton Sesqui-Centennial, 1896.*

EULOGIA DE GARFIELD

(Extracto)

Grande en la vida, fue increíblemente grande en la muerte. Sin motivo alguno, en el mismo frenesí de desenfreno y maldad, por la mano roja del asesinato, fue empujado por la marea completa del interés de este mundo, desde sus esperanzas, sus aspiraciones, sus victorias, hacia la presencia visible de la muerte, y No codornizó. No solo por el breve momento en que, aturdido y aturdido, pudo abandonar la vida, apenas consciente de su abandono, sino a través de días de languidez mortal, a través de semanas de agonía, que no fue menos agonía porque silenciosamente soportado, con la vista clara y calmado coraje, miró en su tumba abierta. ¡Qué tristeza y ruina se encontraron con sus ojos angustiados, cuyos labios pueden decir: qué planes brillantes y rotos, qué ambiciones desconcertantes, qué ambición de amistades fuertes, cálidas y masculinas, qué amargo desgarro de dulces lazos familiares! Detrás de él, una nación orgullosa y expectante, una gran cantidad de amigos que la sostienen, una madre querida y feliz, que luce todos los honores de sus primeros trabajos y lágrimas; la esposa de su juventud, cuya vida entera yacía en la suya; los niños aún no habían salido del día de la fiesta de la infancia; la bella joven hija; los robustos hijos simplemente saltando a la compañía más cercana, reclamando cada día y cada día recompensando el amor y el cuidado de un padre; y en su corazón el ansioso y alegre poder de satisfacer todas las demandas. ¡Ante él, desolación y gran oscuridad! Y su alma no fue sacudida. Sus compatriotas quedaron encantados con una simpatía instantánea, profunda y universal. Maestro en su debilidad mortal, se convirtió en el centro del amor de una nación, consagrado en las oraciones de un mundo. Pero todo el amor y toda la simpatía no podían compartir con él su sufrimiento. Pisó la prensa de vino solo. Con el frente inquebrantable se enfrentó a la muerte. Con ternura inagotable se despidió de la vida. Por encima del silbido demoníaco de la bala del asesino oyó la voz de Dios. Con simple resignación, se inclinó ante el decreto divino.

—James G. Blaine, *entregado en el servicio conmemorativo celebrado por el Senado y la Cámara de Representantes de los Estados Unidos.*

EULOGIA DE LEE

(Extracto)

En el fondo de todo heroísmo verdadero se encuentra el desinterés. Su máxima expresión es el sacrificio. El mundo sospecha de los héroes jactanciosos. Pero cuando el verdadero héroe ha llegado, y sabemos que aquí está en verdad, ¡ah! ¡Cómo saltan los corazones de los hombres para saludarlo! con qué adoración damos la bienvenida a la obra más noble de Dios: el hombre fuerte, honesto, valiente y recto. En Robert Lee, ese héroe era para nosotros y para la humanidad, y si consideramos que él declina el mando del ejército federal para luchar en las batallas y compartir las miserias de su propio pueblo; proclamando en las alturas frente a Gettysburg que la culpa del desastre fue suya; cargos principales en la crisis de combate; caminando bajo el yugo de la conquista sin un murmullo de queja; o rechazando la fortuna de venir aquí y entrenar a la juventud de su país en los caminos del deber, siempre es el mismo espíritu manso, grandioso y sacrificado. Aquí exhibió cualidades no menos dignas y heroicas que las exhibidas en el amplio y abierto teatro del conflicto, cuando los ojos de las naciones observaban cada una de sus acciones. Aquí, en el tranquilo descanso de los deberes civiles y domésticos, y en la rutina de las tareas incesantes, vivió una vida tan alta como cuando, día a día, reunía y conducía sus delgadas y gastadas líneas, y dormía de noche en el campo. eso debía volver a empaparse de sangre al día siguiente. Y ahora se ha desvanecido de nosotros para siempre. ¿Y esto es todo lo que queda de él, este puñado de polvo debajo de la piedra de mármol? ¡No! las eras responden a medida que se elevan de los abismos del tiempo, donde yacen los restos de los reinos y propiedades, sosteniendo en sus manos como sus únicos trofeos, los nombres de aquellos que han forjado al hombre en el amor y el temor de Dios, y en amor, inquebrantable por sus semejantes. ¡No! el presente responde, inclinándose junto a su tumba. ¡No! El futuro responde cuando el aliento de la mañana aviva su ceja radiante y su alma bebe dulces inspiraciones de la encantadora vida de Lee. ¡No! Creo que los mismos cielos resuenan, mientras se funden en sus profundidades las palabras de amor reverente que expresan los corazones de los hombres a las estremecedoras estrellas.

Ven, pues, hoy en día con amor leal para santificar nuestros recuerdos, para purificar nuestras esperanzas, para fortalecer todas las buenas intenciones mediante la comunión con el espíritu de aquel que, habiendo muerto, aún habla. Ven, niña, en tu inocencia impecable; ven, mujer, en tu pureza; ven, joven, en tu mejor momento; ven, hombre, en tu fuerza; ven, envejece, en tu madura sabiduría; ven, ciudadano; ven, soldado; arrojemos las rosas y los lirios de junio alrededor de su tumba, porque él, como ellos, exhaló en su vida la beneficencia de la naturaleza, y la tumba ha consagrado esa vida y nos la ha dado a todos;

coronaremos su tumba con el roble, el emblema de su fuerza, y con el laurel el emblema de su gloria, y dejemos que estas armas, cuyas voces conocía de la antigüedad, despierten los ecos de las montañas, para que la naturaleza misma pueda unirse. su solemne réquiem.

Ven, porque aquí descansa, y en este banco verde, junto a esta corriente justa, colocamos hoy una piedra votiva, ¿Ese recuerdo puede redimir sus obras? Cuando, como nuestros padres, nuestros hijos se han ido.

—John Warwick Daniel, *sobre la inauguración de la estatua de Lee en Washington y Lee University, Lexington, Virginia, 1883.*

PREGUNTAS Y EJERCICIOS

1. ¿Por qué el humor debe encontrar un lugar para hablar después de cenar?

2. Brevemente da tus impresiones de cualquier dirección notable después de la cena que hayas escuchado.

3. Brevemente describe una ocasión imaginaria de cualquier tipo y da tres temas apropiados para las direcciones.

4. Entrega una de esas direcciones, que no exceda los diez minutos de duración.

5. ¿Qué proporción de ideas emocionales encuentras en los extractos dados en este capítulo?

6. Se utilizó el humor en algunas de las direcciones anteriores, ¿en qué otras habría sido inapropiado?

7. Prepara y pronuncia un discurso después de la cena adecuado para una de las siguientes ocasiones, y asegúrate de usar el humor:

Un banquete lodge.

Una cena de partido político.

Una cena en el club de hombres de la iglesia.

Un banquete de asociación cívica.

Un banquete en honor de una celebridad.

Cena anual del club de mujeres.

Una cena de asociación de hombres de negocios.

Una cena del club de fabricantes.

Un banquete de ex alumnos.

Una vieja barbacoa en casa.

NOTAS AL PIE:

Véase también la página 205.

CAPÍTULO XXXI

HACIENDO EFICAZ LA CONVERSACIÓN

En la conversación, evite los extremos de franqueza y reserva.
—Cato.

La conversación es el laboratorio y taller del alumno.
—Emerson, *Ensayos: círculos*.

El padre de W.E. Gladstone consideraba que la conversación era tanto un arte como un logro. Alrededor de la mesa de su casa, se discutía constantemente algún tema de interés local o nacional, o alguna cuestión debatida. De esta manera surgió una rivalidad amistosa por la supremacía en la conversación entre la familia, y un incidente observado en la calle, una idea extraída de un libro, una deducción de la experiencia personal, se almacenó cuidadosamente como material para el intercambio familiar. Así, sus primeros años de práctica en una conversación elegante prepararon al Gladstone más joven para su carrera como líder y orador.

Hay un sentido en el que la capacidad de conversar efectivamente es hablar en público de manera eficiente, ya que nuestra conversación a menudo es escuchada por muchos, y ocasionalmente las decisiones de gran momento dependen del tono y la calidad de lo que decimos en privado.

De hecho, la conversación en conjunto probablemente ejerza más poder que la prensa y la plataforma combinadas. Sócrates enseñó sus grandes verdades, no desde los rostros públicos, sino en la conversación personal. Los hombres hicieron peregrinaciones a la biblioteca de Goethe y a la casa de Coleridge para ser encantados e instruidos por su discurso, y la cultura de muchas naciones fue influenciada inconmensurablemente por los pensamientos que surgieron de esas ricas fuentes.

La mayoría de los discursos conmovedores del mundo se hacen en el curso de la conversación. Las conferencias de diplomáticos, los argumentos comerciales, las decisiones de las juntas directivas, las consideraciones de política corporativa, que influyen en los mapas políticos, mercantiles y económicos del mundo, suelen ser el resultado de una conversación cuidadosa aunque informal, y el hombre cuyas opiniones Pesar en tales crisis es el que primero ha meditado cuidadosamente las palabras de antagonista y protagonista.

Por muy importante que sea lograr el autocontrol en una conversación social ligera, o sobre la mesa familiar, es indudablemente vital tener el control perfecto mientras se participa en una conferencia trascendental. Luego, las sugerencias que hemos dado sobre el equilibrio, el estado de alerta, la precisión de la palabra, la claridad de la declaración y la fuerza de expresión, con respecto al discurso público, son igualmente aplicables a la conversación.

La forma de egoísmo nervioso —porque es ambas cosas— que de repente termina en nerviosismo justo cuando las palabras vitales necesitan ser pronunciadas, es el signo de la próxima derrota, ya que una conversación es a menudo una competencia. Si siente que esta tendencia lo avergüenza, asegúrese de escuchar los consejos de Holmes:

Y cuando te aferres a las conversaciones, no derrames tu camino con esas temibles *urs*.

Aquí pon tu voluntad en acción, porque tu problema es una atención errante. Debes obligar a tu mente a persistir en la línea de conversación elegida y rechazar resueltamente ser desviado por cualquier tema o suceso que pueda aparecer inesperadamente para distraerte. Fracasar aquí es perder efectividad por completo.

La concentración es la nota clave del encanto y la eficiencia de la conversación. El azaroso hábito de expresión que usa el tiro de pájaro cuando se necesita una bala asegura que se pierde el juego, ya que la diplomacia de todo tipo se basa en la aplicación precisa de palabras precisas, particularmente, si se puede parafrasear a Tallyrand, en esas crisis cuando el idioma ya no es solía ocultar el pensamiento.

Con frecuencia podemos obtener nueva luz sobre temas antiguos al observar derivaciones de palabras. La conversación significa en el original un intercambio de ideas, pero la mayoría de las personas parecen considerarlo como un monólogo. Bronson Alcott solía decir que muchos podrían discutir, pero pocos conversan. Lo primero que debe recordarse en la conversación, entonces, es que escuchar (escucha respetuosa, comprensiva y alerta) no solo se debe a nuestro compañero de conversación, sino a nosotros mismos. Muchas respuestas pierden su punto porque el orador está tan interesado en lo que está a punto de decir que realmente no es una respuesta, sino una irrelevancia irritante y humillante.

La autoexpresión es estimulante. Esto explica el impulso eterno de decorar tótems y pintar cuadros, escribir poesía y exponer filosofía. Una de las principales delicias de la conversación es la oportunidad que brinda para la autoexpresión. Un buen conversador que monopoliza toda la conversación, será votado aburrido porque niega a otros el disfrute de la autoexpresión, mientras que un hablador mediocre que escucha con interés puede ser considerado un buen conversador porque permite que sus compañeros se complazcan a través de la autoexpresión. . Son alabados los que quieren: complacen a los que escuchan bien.

El primer paso para remediar los hábitos de confusión de manera, porte incómodo, vaguedad en el pensamiento y falta de precisión en la expresión, es reconocer sus fallas. Si estás serenamente inconsciente de ellos, nadie, y menos tú mismo, puede ayudarte. Pero una vez que diagnostique sus propias debilidades, puede superarlas haciendo cuatro cosas:

1. *VOLUNTAD* para vencerlos y seguir dispuesto.

2. Manténte asegurándote de que sabes exactamente lo que debes decir. Si no puedes hacer eso, permanece callado hasta que tengas claro este punto vital.

3. Una vez que te hayas asegurado, expulsa el miedo de aquellos que te escuchan: son humanos y respetarán tus palabras si realmente tienes algo que decir y lo dices breve, simple y claramente.

4. Ten el coraje de estudiar el idioma inglés hasta que domines al menos sus formas más simples.

Consejos conversacionales

Elige algún tema que resulte de interés general para todo el grupo. No expliques el mecanismo de un motor de gas en un té de la tarde o la cultura de los hollyhocks en una despedida de soltero.

No se considera de buen gusto que un hombre muestre su brazo en público y muestre cicatrices o deformidades. Es igualmente una mala forma para él hacer alarde de sus propios problemas, o la deformidad del carácter de otra persona. El público exige obras de teatro e historias que terminen felizmente. Todo el mundo está buscando la felicidad. Durante mucho tiempo no pueden estar interesados en sus enfermedades y problemas. George Cohan se hizo millonario antes de cumplir treinta años escribiendo obras de teatro alegres. Una de sus reglas es generalmente aplicable a la conversación: "Siempre déjalas reír cuando digas adiós".

Dinamita el "yo" de tu conversación. Ningún hombre de novecientos siete puede hablar de sí mismo sin ser aburrido. El hombre que puede realizar esa hazaña puede lograr maravillas sin hablar de sí mismo, por lo que el "yo" eterno no está permitido incluso en su discurso.

Si habitualmente construyes tu conversación en torno a tus propios intereses, puede resultar muy agotador para tu oyente. Puedes estar pensando en perros de caza o en la pesca con mosca seca mientras estás discutiendo la cuarta dimensión, o los méritos de una loción de pepino. El encantador conversador está preparado para hablar en términos del interés de su oyente. Si su oyente pasa su tiempo libre investigando el ganado Guernsey o agitando reformas sociales, el conversador discriminante da forma a sus comentarios en consecuencia. Richard Washburn Child dice que conoce a un hombre de habilidad mediocre que puede encantar a los hombres mucho más capaces que él cuando habla de iluminación eléctrica. Este mismo hombre probablemente aburriría y se aburriría si se viera obligado a conversar sobre música o Madagascar.

Evita lugares comunes y frases trilladas. Si te encuentras con un amigo de Keokuk en State Street o en Pike's Peak, no es necesario observar: "¡Qué pequeño es este mundo después de todo!" Esta observación, sin duda, se realizó antes de la formación de Pike's Peak. "Este viejo mundo está mejorando cada día". "Las esposas de Fanner no tienen que trabajar tan duro como antes". "No es tanto el alto costo de la vida como el costo de la alta vida". Estas observaciones, como estas, provocan el mismo grado de admiración que la apariencia de un auto de turismo modelo 1903. Si no tienes nada nuevo o interesante, siempre puedes permanecer en silencio. ¿Cómo te gustaría leer un periódico que aparecía en titulares en negrita "Buen tiempo que estamos teniendo", o que diariamente le dio columnas al mismo material antiguo que había estado leyendo semana tras semana?

PREGUNTAS Y EJERCICIOS

1. Da un breve discurso describiendo el aburrimiento conversacional.

2. En pocas palabras, da tu idea de un conversador encantador.

3. Qué cualidades del orador no deben usarse en la conversación.

4. Da una breve descripción humorística del "oráculo" conversacional.

5. Cuenta su primer día observando una conversación a su alrededor.

6. Dé cuenta del esfuerzo de un día para mejorar su propia conversación.

7. Dé una lista de los temas que escuchó discutidos durante cualquier período reciente que pueda seleccionar.

8. ¿Qué se entiende por "toque elástico" en la conversación?

9. Haga una lista de "bromuros", como Gellett Burgess llama a esas expresiones raídas que "nos aburren": un bromuro.

10. ¿Qué hace que una frase se vuelva trillada?

11. Define las palabras, (a) trillado; (b) solecismo; (c) coloquialismo; (d) argot; (e) vulgarismo; (f) neologismo.

12. ¿Qué constituye una charla pretenciosa?

APÉNDICES

APÉNDICE A

CINCUENTA PREGUNTAS PARA DEBATE

1. ¿El sindicalismo laboral ha justificado su existencia?

2. ¿Deberían imprimirse todas las impresiones de la iglesia bajo la etiqueta de la Unión?

3. ¿Open Shop es un beneficio para la comunidad?

4. ¿Debería hacerse obligatorio el arbitraje de conflictos laborales?

5. ¿La participación en los beneficios es una solución al problema salarial?

6. ¿Es deseable una ley de salario mínimo?

7. ¿Debería el día de ocho horas hacerse universal en América?

8. ¿Debería el estado compensar a quienes sufren pérdidas comerciales irreparables debido a la promulgación de leyes que prohíben la fabricación y venta de bebidas embriagantes?

9. ¿Los servicios públicos deben ser propiedad del municipio?

10. ¿Debería prohibirse el comercio marginal de acciones?

11. ¿Debería el gobierno nacional establecer un sistema obligatorio de seguro de vejez al gravar los ingresos de los beneficiarios?

12. ¿El triunfo de los principios socialistas resultaría en una ambición personal apabullante?

13. ¿Es el sistema presidencial una mejor forma de gobierno para los Estados Unidos que el sistema parlamentario?

14. ¿Debería nuestra legislación orientarse hacia el abandono gradual de la tarifa de protección?

15. ¿Debería el gobierno de las ciudades más grandes ser investido únicamente en una comisión de no más de nueve hombres elegidos por los votantes en general?

16. ¿Debería permitirse a los bancos nacionales emitir, sujeto a impuestos y supervisión gubernamental, notas basadas en sus activos generales?

17. ¿Debería darse la boleta electoral a las mujeres sobre la base del sufragio para los hombres?

18. ¿Debería restringirse la base actual del sufragio?

19. ¿Es la ilusión de la paz mundial permanente un engaño?

20. ¿Deberían los Estados Unidos enviar un representante diplomático al Vaticano?

21. ¿Deberían las potencias del mundo sustituir una policía internacional por ejércitos nacionales permanentes?

22. ¿Deberían los Estados Unidos mantener la Doctrina Monroe?

23. ¿Debería adoptarse la revocación de jueces?

24. ¿Deberían adoptarse la Iniciativa y el Referéndum como principio nacional?

25. ¿Es deseable que el gobierno nacional sea dueño de todos los ferrocarriles que operan en territorio interestatal?

26. ¿Es deseable que el gobierno nacional sea dueño de sistemas de telégrafos y teléfonos interestatales?

27. ¿Es la prohibición nacional del tráfico de licores una necesidad económica?

28. ¿Debería fortalecerse enormemente el ejército y la armada de los Estados Unidos?

29. ¿Deberían obtenerse los mismos estándares de altruismo en las relaciones de las naciones que en las de los individuos?

30. ¿Debería nuestro gobierno estar más altamente centralizado?

31. ¿Debería Estados Unidos continuar su política de oponerse a la combinación de ferrocarriles?

32. En caso de lesiones personales a un trabajador derivadas de su empleo, si su empleador es responsable de una compensación adecuada y se le prohíbe establecer como defensa un motivo de negligencia contributiva por parte del trabajador, o la negligencia de un compañero de trabajo?

33. ¿Debería exigirse a todas las corporaciones que hacen negocios interestatales que obtengan una licencia federal?

34. ¿Debería la ley limitar la cantidad de propiedad que puede transferirse por herencia?

35. ¿Debería prevalecer universalmente la compensación igual por igual trabajo, entre mujeres y hombres?

36. ¿El sufragio igual tiende a disminuir el interés de la mujer en su hogar?

37. ¿Debería Estados Unidos aprovechar la debilidad comercial e industrial de las naciones extranjeras, provocada por la guerra, tratando de arrebatarles sus mercados en América Central y del Sur?

38. ¿Deben seleccionarse los maestros de niños pequeños en las escuelas públicas de entre las madres?

39. ¿Debería restringirse el fútbol a las universidades, en aras de la seguridad física?

40. ¿Deben los estudiantes universitarios que reciben una compensación por jugar béisbol de verano ser excluidos de la posición de aficionados?

41. ¿Deberían acortarse las horas escolares diarias y las vacaciones escolares?

42. ¿Debería abolirse el estudio en el hogar para los alumnos de las escuelas primarias y sustituir las horas escolares más largas?

43. ¿Debería adoptarse el sistema de honor en los exámenes en las escuelas secundarias públicas?

44. ¿Deberían todas las universidades adoptar el sistema de autogobierno para sus estudiantes?

45. ¿Deberían clasificarse las universidades según la ley y la supervisión nacionales, y los requisitos de ingreso y graduación uniformes mantenidos por cada universidad en una clase en particular?

46. ¿Debería exigirse a los ministros que pasen un período de años en algún oficio, negocio o profesión antes de convertirse en pastores?

47. Es el Y.M.C.A. perdiendo su poder espiritual?

48. ¿Está perdiendo la iglesia su dominio sobre las personas pensantes?

49. ¿La gente de los Estados Unidos está más dedicada a la religión que nunca?

50. ¿La lectura de revistas contribuye a la superficialidad intelectual?

APÉNDICE B

TREINTA TEMAS PARA DISCURSOS

Con referencias de origen para material.

1. El parentesco, una piedra fundamental de la civilización.
"El Estado", Woodrow Wilson.

2. Iniciativa y referéndum.
"La Iniciativa Popular y el Referéndum", O.M. Barnes

3. Reciprocidad con Canadá.
Artículo en Independiente, 53: 2874; artículo en el norte
American Review, 178: 205.

4. ¿Está progresando la humanidad?
Libro del mismo título, M.M. Ballou

5. Moisés, el líder sin igual.
Conferencia de John Lord, en "Beacon Lights of History".
NOTA: Este conjunto de libros contiene una vasta tienda de
material para discursos.

6. El sistema de botín.
Sermón del reverendo Dr. Henry van Dyke, informó
en el New York Tribune, 25 de febrero de 1895.

7. El negro en los negocios.
Parte III, Informe Anual del Secretario del Interior
Asuntos, Pensilvania, 1912.

8. Inmigración y degradación.
"¿Americanos o extranjeros?" Howard B. Grose.

9. ¿Qué está haciendo el teatro por América?
"El drama de hoy", Charlton Andrews.

10. Superstición.
"Curiosidades de la costumbre popular", William S. Walsh.

11. El problema de la vejez.

"Vejez diferida", Arnold Lorand.

12. ¿Quién es el vagabundo?

Artículo en Century, 28:41.

13. Dos hombres adentro.

"Dr. Jekyll y Mr. Hyde", R.L. Stevenson.

14. El derrocamiento de la pobreza.

"La panacea para la pobreza", Madison Peters.

15. La moral y los modales.

"Los hábitos de un cristiano", Robert E. Speer.

16. Judío y cristiano.

"Jesús el judío", Harold Weinstock.

17. La educación y la imagen en movimiento.

Artículo de J. Berg Esenwein en "El teatro de Ciencia ", Robert Grau.

18. Los libros como comida.

"Libros y lectura", R.C. Gage y Alfred Harcourt

19. ¿Qué es una novela?

"La técnica de la novela", Charles F. Home.

20. Ficción moderna y vida moderna.

Artículo en Lippincott's, octubre de 1907.

21. Nuestro problema en México.

"El verdadero México", Hamilton Fyfe.

22. La alegría de recibir.

Artículo en Woman's Home Companion, diciembre de 1914.

23. Entrenamiento físico vs. Atletismo universitario.

Artículo en Literary Digest, 28 de noviembre de 1914.

24. Anímate.

"La ciencia de la felicidad", Jean Finot.

25. La clavija cuadrada en el agujero redondo.

"El trabajo, el hombre y el jefe", Katherine

Blackford y Arthur Newcomb.

26. La decadencia de la actuación.

Artículo en Current Opinion, noviembre de 1914.

27. El joven y la iglesia.

"La religión de un joven", N. McGee Waters.

28. Herencia del éxito.

Artículo en Current Opinion, noviembre de 1914.

29. El indio en Oklahoma.

Artículo en Literary Digest, 28 de noviembre de 1914.

30. El odio y la nación.

Artículo en Literary Digest, 14 de noviembre de 1914.

APÉNDICE C

SUJETOS SUGERIDOS PARA DISCURSOS

Con indicios ocasionales sobre el tratamiento
1. Películas y moral.
2. La verdad sobre la mentira.
La esencia de decir la verdad y mentir. Mentiras que no son tan
considerado. Las sutilezas de las distinciones requeridas. Ejemplos de
mentiras implícitas y actuadas.
3. Beneficios que siguen a los desastres.
Beneficios derivados de inundaciones, incendios, terremotos, guerras,
etc.
4. Prisa por el ocio.
Cómo nace la manía de la velocidad de un vano deseo de disfrutar de un ocio
que nunca llega o, por el contrario, cómo la aparente prisa de
el mundo ha dado a los hombres menos horas de trabajo y más tiempo para
descanso, estudio y placer.
5. Mensaje de San Pablo a Nueva York.
Verdades de las epístolas pertinentes a las grandes ciudades de hoy.
6. Educación y delincuencia.
7. La pérdida es la madre de la ganancia.
¿Cuántos hombres se han contentado hasta que, perdiendo todo, ejercieron su

mejores esfuerzos para recuperar el éxito, y lo lograron más que

antes de.

8. Egoísmo vs. Egotismo.

9. Errores de la joven niebla.

10. El desperdicio de los intermediarios en los sistemas de caridad.

El costo de recaudar fondos y administrar ayuda para

necesitado. La debilidad de la filantropía organizada en comparación con

el dar que se da a sí mismo.

11. La economía de la caridad organizada.

El reverso de la medalla.

12. Libertad de prensa.

Las verdaderas fuerzas que controlan dolorosamente demasiados periódicos no son

los de gobiernos arbitrarios pero las influencias corruptoras de

intereses acaudalados y políticos, miedo al poder del licor y el

deseo de complacer a los lectores amantes de las sensaciones.

13. Helen Keller: optimista.

14. De vuelta a la granja.

Un estudio de las razones subyacentes al movimiento.

15. Fue siempre así.

En ridículo al pesimista que nunca se sorprende al ver el fracaso.

16. La escuela secundaria profesional.

Valor de la capacitación directa en comparación con la política de establecer

bases para la construcción posterior. Cómo funcionan las dos teorías en práctica. Cada plan puede aplicarse especialmente en casos que parecen

Necesita un tratamiento especial.

17. Todo tipo de giro hecho aquí.

Una discusión humorística, pero seria, del fracaso, molino de viento

personaje.

18. El altruista egoísta.

La teoría de Herbert Spencer como se discute en "Los datos de la ética".

19. Cómo la ciudad amenaza a la nación.

Peligros económicos en la población masiva. Mostrar también el otro lado.

Señales de que el problema está siendo resuelto.

20. La nota robusta en la poesía moderna.

Una comparación del trabajo de Galsworthy, Masefield y Kipling con

la de algunos poetas anteriores.

21. Los ideales del socialismo.

22. El futuro de la pequeña ciudad.

Cómo los hombres están llegando a ver las ventajas económicas de los pequeños

municipios.

23. Censura para el teatro.

Su relación con la moral y el arte. Sus dificultades y sus beneficios.

24. Para un momento como este.

La expresión de Mardoqueo y su aplicación a las oportunidades en la modernidad

La vida de la mujer.

25. ¿La prensa es venal?

26. La seguridad es lo primero.

27. Menes y extremos.

28. Rubicones y pontones.

Cómo los grandes hombres no solo tomaron decisiones trascendentales sino que crearon significa

para llevarlos a cabo. Un discurso lleno de ejemplos históricos.

29. Economía un ingreso.

30. El patriotismo de protesta contra los ídolos populares.

31. Savonarola, El paria divino.

32. El verdadero político.

Vuelva al significado original de la palabra. Construye el discurso alrededor

Un hombre como el principal ejemplo.

33. Coroneles y conchas.

Liderazgo y "carne de cañón": una protesta contra la guerra en su efecto

en la gente común.

34. ¿Por qué es un militante?

Un examen desapasionado de las afirmaciones del militante británico.

sufragista.

35. Arte y moral.

La diferencia entre el desnudo y el desnudo en el arte.

36. ¿Puede mi país estar equivocado?

Falso patriotismo y verdadero, con ejemplos de patriotas odiados popularmente.

37. Gobierno por partido. Un análisis de nuestro sistema político actual y el movimiento hacia reforma.

38. Los efectos de la ficción en la historia.

39. Los efectos de la historia en la ficción.

40. La influencia de la guerra en la literatura.

41. Gordon chino. Un elogio.

42. Impuestos y educación superior.

¿Deberían todos los hombres ser obligados a contribuir al apoyo de universidades y colegios profesionales?

43. Premio Ganado vs. Premio Bebés.

¿Es la eugenesia una ciencia? ¿Y es practicable?

44. Autocracia benévola.

¿Es un gobierno fuertemente paternal mejor para las masas que mucho

mayor libertad para el individuo?

45. Opiniones de segunda mano.

La tendencia a tragar comentarios en lugar de formar los propios puntos de vista.

46. ¿Paternidad o poder?

Un estudio de qué forma de aristocracia debe prevalecer eventualmente, que de sangre o de talento.

47. La bendición del descontento. Basado en muchos ejemplos de lo que han logrado aquellos que no he "dejado lo suficientemente bien solo".

48. "Corrupto y contento".

Un estudio de la relación del votante apático con el gobierno vicioso.

49. El Moloch del trabajo infantil.

50. Todo hombre tiene derecho al trabajo.

51. Caridad que fomenta el pauperismo.

52. "No en nuestras estrellas sino en nosotros mismos".

Destino versus elección.

53. Medio ambiente versus herencia.

54. La valentía de la duda.

No dudes de la simple incredulidad. Verdaderos motivos para la duda. Qué duda ha llevado

a. Ejemplos. La debilidad de la mera duda. La actitud de los escéptico sano versus el del escéptico mayorista.

55. El espíritu de Monticello.

Un mensaje de la vida de Thomas Jefferson.

56. La estrechez en la especialidad.

Los peligros de especializarse sin poseer primero amplios conocimiento. El ojo demasiado cerca de un objeto. El equilibrio es vital

Requisito previo para la especialización.

57. Responsabilidad de los sindicatos ante la ley.

58. El futuro de la literatura sureña.

Qué condiciones en la historia, el temperamento y el medio ambiente de nuestro

La gente del sur indica un futuro literario brillante.

59. La mujer, la esperanza del idealismo en América.

60. El valor de los clubes de debate.

61. Un ejército de treinta millones.

Elogio de la escuela dominical.

62. El bebé.

Cómo el bebé siempre nuevo sostiene a la humanidad en cursos desinteresados y salva

a todos nos va mal por mucho tiempo.

63. Lo, el pobre capitalista.

Sus pruebas y problemas.

64. Miel y picadura.

Una lección de la abeja.

65. Repúblicas ingratas.

Ejemplos de la historia.

66. "Todo hombre tiene su precio". El comentario cínico de Horace Walpole no es cierto ahora, ni era cierto incluso en su propia era corrupta. ¿De qué tipo son los hombres que no pueden ser comprados? Ejemplos.

67. El erudito en diplomacia.

Ejemplos en la vida americana.

68. Cerraduras y llaves.

Hay una llave para cada cerradura. No hay dificultad tan grande, no hay verdad tan

oscura, no hay problema tan complicado, pero que hay una clave para encajar.

La búsqueda de la clave correcta, la lucha para ajustarla, la vigilancia para retenerlo: estos son algunos de los problemas del éxito.

69. Derecho hace el poder.

70. Alojamiento con un fantasma.

Influencia de la mujer graduada de cincuenta años antes en la universidad

chica que vive en la habitación que alguna vez ocupó el distinguido "viejo graduado".

71. Ningún hecho es un hecho único.

La importancia de sopesar los hechos relativamente.

72. ¿La educación clásica está muerta para no levantarse más?

73. Invectiva contra la filosofía de Nietsche.

74. ¿Por qué tenemos jefes?

Un examen imparcial de los usos y abusos de la política.

"líder."

75. Una petición para el trabajo de liquidación.

76. Credulidad vs. Fe.

77. ¿Qué es el humor?

78. Uso y abuso de la caricatura.

79. El púlpito en la política.

80. ¿Las universidades están creciendo demasiado?

81. El destino del absolutismo.

82. ¿Debería la mujer ayudar a mantener la casa para pueblo, ciudad, estado y nación?

83. La prueba educativa para el sufragio.

84. La prueba de propiedad del sufragio.

85. La amenaza del plutócrata.

86. El costo de vivir bien.

87. El costo de las comodidades.

88. Waste in American Life.

89. El efecto de la Photoplay en el teatro "legítimo".

90. Espacio para el pateador.

100. La necesidad de diplomáticos entrenados.

101. La sombra del canciller de hierro.

102. La tiranía de la multitud.

103. ¿Nuestro juicio por jurado es satisfactorio?

104. El alto costo de asegurar la justicia.

105. La necesidad de juicios judiciales más rápidos.

106. Triunfos del ingeniero estadounidense.

107. Goethals y Gorgas.

108. La educación pública hace que el servicio al público sea un deber.

109. El hombre debe su vida al bien común.

NOTAS AL PIE:

Debe recordarse que la redacción del tema no necesariamente servirá para el título.

APÉNDICE D
DISCURSOS PARA ESTUDIO Y PRÁCTICA

NEWELL DWIGHT HILLIS

BRAVE LITTLE BELGIUM

Entregado en la Iglesia de Plymouth, Brooklyn, Nueva York, 18 de octubre de 1914. Usado con permiso.

Hace mucho tiempo Platón hizo una distinción entre las ocasiones de guerra y las causas de la guerra. Las ocasiones de la guerra yacen en la superficie y son conocidas y leídas por todos los hombres, mientras que las causas de la guerra están incrustadas en antagonismos raciales, en controversias políticas y económicas. Los historiadores narrativos retratan las ocasiones de la guerra; historiadores filosóficos, las causas secretas y ocultas. Por lo tanto, la chispa de fuego que cae es la ocasión de una explosión, pero la causa del caos es la relación entre el carbón, el niter y el salitre. La ocasión de la Guerra Civil fue el disparo contra Fort Sumter. La causa fue la colisión entre los ideales de la Unión presentados por Daniel Webster y la secesión enseñada por Calhoun. La ocasión de la Revolución Americana fue el Impuesto de timbres; la causa fue la convicción por parte de nuestros antepasados de que los hombres que tenían libertad de culto también tenían la capacidad de autogobernarse. La ocasión de la Revolución Francesa fue la compra de un collar de diamantes para la Reina María Antonieta en un momento en que el tesoro estaba agotado; La causa de la revolución fue el feudalismo. De lo contrario, la ocasión del gran conflicto que ahora está sacudiendo nuestra tierra fue el asesinato de un niño y una niña austriacos, pero la causa está incrustada en los antagonismos raciales y la competencia económica.

En cuanto a Rusia, la causa de la guerra fue su deseo de obtener el Bósforo, y un puerto abierto, que es el premio ofrecido por su ataque a Alemania. En cuanto a Austria, la causa de la guerra es su miedo al creciente poder de los Estados de los Balcanes y el corte progresivo de su territorio. En cuanto a Francia, la causa de la guerra es el instinto de autoconservación, que resiste a un huésped invasor. En cuanto a Alemania, la causa es su profunda convicción de que cada país tiene un derecho moral a la desembocadura de su río más grande; incapaz de competir con Inglaterra, por rutas marítimas indirectas y un canal de Kiel, quiere usar la ruta que la naturaleza cavó para ella a través de la desembocadura del Rin. En cuanto a Inglaterra, la patria está luchando por recuperar su sentido de seguridad. Durante las guerras napoleónicas, el segundo William Pitt explicó la cuadruplicación de los impuestos, el aumento de la marina y el envío de un ejército inglés contra Francia, mediante la declaración de que la justificación de esta guerra propuesta es la "Preservación del sentido de seguridad de Inglaterra". " Hace diez años, Inglaterra perdió su sentido de seguridad. Hoy no busca preservar, sino recuperar, la sensación de seguridad perdida. Ella propone hacer esto destruyendo los acorazados de Alemania, desmovilizando su ejército, aniquilando sus fortalezas y la partición de sus provincias. Las ocasiones de la guerra varían, con el color del papel ("blanco" y "gris" y "azul"), pero las causas de esta guerra están incrustadas en antagonismos raciales y diferencias económicas y políticas.

Por qué Little Belgium tiene el centro del escenario

Esta noche nuestro estudio concierne a la pequeña Bélgica, su gente y su parte en este conflicto. Sean las razones que sean, esta pequeña tierra se encuentra en el centro del escenario y ocupa el primer plano. Una vez más, David, armado con una honda, se ha enfrentado a diez Goliat. ¡Es un espectáculo increíble, este, uno de los más pequeños de los Estados, que lucha con el más grande de los gigantes! Bélgica tiene un ejército permanente de 42,000 hombres, y Alemania, con tres reservas, quizás 7,000,000 u 8,000,000. Sin esperar ninguna ayuda, esta pequeña banda belga se enfrentó a 2,000,000. Es como si una abeja melífera hubiera decidido atacar a un águila que viene a saquear su panal. Es como si un antílope se hubiera vuelto contra un león. Bélgica tiene solo 11,000 millas cuadradas de tierra, menos que los estados de Massachusetts, Rhode Island y Connecticut. Su población es de 7,500,000, menos que el estado de Nueva York. Podrías poner veintidós belgas en nuestro único estado de Texas. Gran parte de su tierra es delgada; sus discapacidades son pesadas, pero la industria de su gente ha convertido toda la tierra en un vasto jardín de flores y vegetales. El suelo de Minnesota y las Dakotas es un suelo nuevo, y sin embargo, nuestros agricultores allí promedian solo quince fanegas de trigo por acre. El suelo de Bélgica se ha utilizado durante siglos, pero promedia treinta y siete fanegas de trigo por acre. Si cultivamos veinticuatro fanegas de cebada en un acre de tierra, Bélgica crece cincuenta; ella produce 300 bushels de papas, donde el agricultor de Maine cosecha 90 bushels. La población promedio de Bélgica por milla cuadrada ha aumentado a 645 personas. Si los estadounidenses practicaran la agricultura intensiva; si la población de Texas fuera tan densa como lo es en Bélgica: 100,000,000 de los Estados Unidos, Canadá y América Central podrían mudarse a Texas, mientras que si todo nuestro país estuviera tan densamente poblado como el de Bélgica, todos en el mundo podrían vivir cómodamente Los límites de nuestro país.

La vida de la gente

Y, sin embargo, la pequeña Bélgica no tiene minas de oro o plata, y se le han negado todos los tesoros de cobre y zinc, plomo, antracita y petróleo. El oro está en el corazón de su pueblo. ¡Ninguna otra tierra tiene una carrera más prudente, laboriosa y económica! Es una tierra donde todos trabajan. En el invierno, cuando el sol no sale hasta las siete y media, las cabañas belgas tienen luces en sus ventanas a las cinco y la gente está lista para un día de once horas. Como regla, todos los niños trabajan después de los 12 años de edad. El exquisito encaje puntiagudo que ha hecho famosa a Bélgica, está hecho por mujeres que cumplen las tareas del hogar que realizan las mujeres estadounidenses, y luego comienza su tarea sobre los exquisitos cordones que han enviado su nombre y fama en todo el mundo. Sus salarios son bajos, su trabajo duro, pero su vida es tan pacífica y próspera que pocos belgas emigran a países extranjeros. Últimamente han hecho obligatoria su educación, sus escuelas gratuitas. Es dudoso que algún otro país haya tenido un mayor éxito en su sistema de transporte. Pagará 50 centavos para viajar unas veinte millas hasta Roslyn, en nuestro ferrocarril de Long Island, pero en Bélgica un viajero viaja veinte millas hacia la fábrica y regresa todas las noches y realiza los seis viajes diarios dobles a un costo total de 37-1 / 2 centavos por semana, menos de la cantidad que paga por el viaje de ida por una distancia similar en este país. De esto ha surgido la prosperidad de Bélgica. Ella tiene el dinero para comprar bienes de otros países, y tiene la propiedad para exportar a tierras extranjeras. El año pasado, Estados Unidos, con sus cien millones de personas, importó menos de $ 2,000,000,000 y exportó $ 2,500,000,000. Si nuestra gente hubiera sido tan próspera per cápita como Bélgica, habríamos comprado bienes de otros países por valor de $ 12,000,000,000 y exportado $ 10,000,000,000.

Hemos dependido tanto de Bélgica en gran medida que muchos de los motores utilizados para cavar el Canal de Panamá provienen de las obras de Cockerill que producen dos mil de estos motores cada año en Lieja. A menudo se dice que los belgas tienen los mejores tribunales existentes. El Tribunal Supremo de Little Belgium tiene un solo juez. Sin esperar una apelación, tan pronto como un tribunal inferior haya tomado una decisión, mientras los asuntos aún están frescos y todos los testigos y hechos fácilmente obtenibles, este Juez Supremo revisa todas las objeciones planteadas por ambos lados y sin una moción de cualquiera pasa la decisión de la corte inferior. Por otro lado, los tribunales inferiores están abiertos a una solución inmediata de disputas entre los asalariados, y casi diariamente se ve a los muchachos de prensa y pescadores acudiendo al juez para una decisión sobre una disputa de más de cinco o diez centavos. Cuando el juez ha cuestionado a ambas partes, sin la presencia de abogados, o la necesidad de cumplir un proceso, o recaudar un dólar y un cuarto, como aquí, los más pobres de los pobres tienen sus errores corregidos. Se dice que no se apela una decisión de cada cien, por lo que se pide la existencia de un abogado.

A todas las demás instituciones organizadas en interés del asalariado se ha agregado el sistema de caja de ahorro nacional, que otorga préstamos a hombres de escasos recursos, que permite al agricultor y al trabajador comprar un pequeño jardín y construir una casa, mientras Al mismo tiempo, asegurar al trabajador contra accidentes y enfermedades. Bélgica es un país pobre, se ha dicho, porque las instituciones se han administrado en interés de los hombres de negocios pequeños.

La gran llanura de Bélgica en la historia

Pero las instituciones de Bélgica y la prosperidad industrial de su pueblo no son iguales a la explicación de su heroísmo único. Hace mucho tiempo, en sus Comentarios, Julio César dijo que la Galia estaba habitada por tres tribus, los belgae, los aquitanos, los celtas, "de los cuales los belgas eran los más valientes". La historia mostrará que los belgas tienen el coraje como derecho nativo, ya que solo los valientes podrían haber sobrevivido. La parte sureste de Bélgica es una serie de llanuras rocosas, y si estas llanuras han sido su buena fortuna en tiempos de paz, han amueblado los campos de batalla de Europa occidental durante dos mil años. El norte de Francia y el oeste de Alemania son accidentados, irregulares y boscosos, pero las llanuras belgas eran campos de batalla ideales. Por esta razón, los generales de Alemania y de Francia generalmente se han reunido y luchado por el dominio de estas amplias llanuras belgas. En uno de estos terrenos, Julius Cæsar ganó la primera batalla que se registra. Luego vinieron el rey Clovis y los franceses, con sus campañas; hacia estas llanuras también los sarracenos se apresuraron cuando fueron asaltados por Charles Martel. En las llanuras belgas, los burgueses holandeses y los ejércitos españoles, liderados por Bloody Alva, libraron su batalla. También aquí vino Napoleón, y el gran montículo de Waterloo es el monumento a la victoria del duque de Wellington. También en las llanuras belgas, el general alemán, en agosto pasado, apresuró a sus tropas. Cada universidad y cada ciudad busca un terreno llano donde se pueda celebrar la competencia entre equipos opuestos, y durante más de dos mil años la llanura belga ha sido escenario de las grandes batallas entre las naciones beligerantes de Europa occidental.

Ahora, de todas estas colisiones, ha surgido una raza resistente, insegura y peligrosa, rica en fortaleza, lealtad, paciencia, ahorro, autosuficiencia y fe perseverante. Durante quinientos años, los niños y jóvenes belgas han sido educados sobre los hechos de noble reputación, logrados por sus antepasados. Si Julius Cæsar estuviera aquí hoy, usaría la valentía de Bélgica como una espada brillante, ceñida a su muslo. Y cuando esta pequeña gente valiente, con un ejército permanente de cuarenta y dos mil hombres, desafió a dos millones de alemanes con una sola mano, nos dice que Ajax ha regresado una vez más para desafiar al dios de los relámpagos.

Un capítulo emocionante de la historia de Bélgica

Quizás uno o dos capítulos extraídos de las páginas de la historia de Bélgica nos permitirán comprender su heroísmo actual, así como una rama dorada arrancada del bosque explicará la riqueza del otoño. Recuerdas que Venecia fue una vez el centro financiero del mundo. Luego, cuando los banqueros perdieron la confianza en la armada de Venecia, pusieron sus joyas y oro en alforjas y trasladaron el centro financiero del mundo a Nuremberg, porque sus paredes tenían siete pies de grosor y veinte pies de alto. Más tarde, alrededor del año 1500 d.C., el descubrimiento del Nuevo Mundo convirtió a todos los pueblos en razas de gente de mar, y los capitanes ingleses y holandeses compitieron con los marineros de España y Portugal. Ningún capitán era más próspero que los marineros de Amberes.

En 1568 había 500 mansiones de mármol en esta ciudad en el Mosa. Bélgica se convirtió en un ataúd lleno de joyas. Entonces fue que España volvió los ojos codiciosos hacia el norte. Saciado con sus placeres, quebrado por la indulgencia y la pasión, el emperador Carlos Quinto renunció a su oro y trono a su hijo, el rey Felipe. Al encontrar agotadas sus arcas, Philip envió al duque de Alva, con 10,000 soldados españoles, a una expedición de saqueo. Su enfoque llenó a Amberes de consternación, porque sus comerciantes estaban ocupados con el comercio y no con la guerra. El saqueo de Amberes por los españoles constituye una página repugnante en la historia. En tres días, 8,000 hombres, mujeres y niños fueron masacrados, y los soldados españoles, borrachos con vino y sangre, piratearon, ahogaron y quemaron como demonios que eran. El historiador belga nos dice que 500 residencias de mármol se redujeron a ruinas ennegrecidas. Un incidente hará que el evento se destaque. Cuando los españoles se acercaron a la ciudad, un burgués rico aceleró el día del matrimonio de su hijo. Durante la ceremonia, los soldados derribaron la puerta de la ciudad y cruzaron el umbral de la casa del rico. Cuando habían despojado a los invitados de sus bolsos y gemas, insatisfechos, mataron al novio, mataron a los hombres y llevaron a la novia a la noche. A la mañana siguiente, una mujer joven, enloquecida y medio vestida, fue encontrada en la calle, buscando entre los cadáveres. Por fin encontró a un joven, cuya cabeza levantó sobre sus rodillas, sobre la cual canturró sus canciones, mientras una joven madre calma a su bebé. Un oficial español que pasaba, humillado por el espectáculo, ordenó a un soldado que usara su daga y sacara a la niña de su miseria.

Los horrores de la inquisición

Habiendo saqueado Amberes, el cofre del tesoro de Bélgica, los españoles establecieron la Inquisición como un medio organizado para asegurar la propiedad. Es un hecho extraño que el español se haya destacado en crueldad como otras naciones se han destacado en arte, ciencia o invención. La crueldad de España con los moros y los judíos ricos forma uno de los capítulos más negros de la historia. Los inquisidores se convirtieron en demonios. Los moros estaban hambrientos, torturados, quemados, arrojados a pozos, los banqueros judíos tenían sus lenguas empujadas a través de pequeños anillos de hierro; luego se chamuscó el extremo de la lengua para que se hinchara, y el banquero fue conducido por una cuerda en el ring por las calles de la ciudad. Las mujeres y los niños fueron puestos en balsas que fueron empujadas hacia el mar Mediterráneo. Cuando los cadáveres hinchados llegaron a tierra, estalló la peste, y cuando esa peste negra se extendió por España, parecía la justicia de la naturaleza indignada. La expulsión de los moros fue uno de los golpes más mortales jamás golpeados en la ciencia, el comercio, el arte y la literatura. El historiador rastrea España a través de los continentes por un rastro de sangre. Donde haya caído la mano de España, se ha paralizado. Desde los días de Cortez, donde sea que sus capitanes se hayan comprometido, la lengua que habló ha estado llena de mentiras y traiciones. Las bestias más salvajes no están en la jungla; el hombre es el león que rasga, el hombre es el leopardo que llora, el odio del hombre es la serpiente que envenena, y el español entró en Bélgica para convertir un jardín en un desierto. En un año, 1568, Amberes, que comenzó con 125,000 personas, terminó con 50,000. Muchas multitudes fueron asesinadas por la espada y la estaca, pero muchos, muchos miles huyeron a Inglaterra para comenzar de nuevo sus vidas como fabricantes y marineros; y durante años Bélgica fue un peligro tembloroso, un infierno, cuyos torturadores eran españoles. Al visitante en Amberes todavía se le muestra el estante sobre el cual estiraron a los comerciantes para que pudieran entregar su oro escondido. La Dama pintada puede ser vista. Abriendo los brazos, abraza a la víctima. El español, con su lanza, obligó al comerciante a un abrazo mortal. Mientras los brazos de hierro, cubiertos de terciopelo, se doblaban, una espiga pasaba por cada ojo, otra por la boca y otra por el corazón. Los labios de la Dama Pintada estaban envenenados, por lo que un beso fue fatal. El calabozo cuyos lados estaban unidos por tornillos, de modo que cada día la víctima veía crecer cada vez menos su celda y sabía que pronto sería aplastado hasta la muerte, era otro instrumento de tortura. Literalmente, miles de hombres y mujeres inocentes fueron quemados vivos en el mercado.

No hay tragedia más lamentable en la historia que la historia del declive y la ruina de este país extraordinariamente próspero, literario y artístico, y sin embargo, de las cenizas surgió un nuevo coraje. Quemados, rotos, los belgas y los holandeses no fueron golpeados. Empujados por fin a Holanda, donde unieron sus fortunas con los holandeses, cortaron los diques de Holanda, dejaron entrar el océano y, aferrados a los diques con las puntas de sus dedos, lucharon para regresar a la tierra; pero en cuanto se fueron los últimos españoles, salieron de sus harapos y de la pobreza y fundaron una universidad como un monumento a la providencia de Dios para librarlos de las manos de sus enemigos. Para el siglo XVI, en la forma de un valiente caballero, viste la pequeña Bélgica y Holanda como una rosa roja sobre su corazón.

La muerte de Egmont.

Pero algunos de ustedes dirán que el pueblo belga debe haber sido rebelde y culpable de algún exceso, y que si hubieran permanecido inactivos y no fomentado la traición, ese destino no podría haberlos alcanzado a manos de España. Muy bien. Tomaré un joven que, al principio, creía en Carlos Quinto, un hombre que era tan fiel a sus ideales como la aguja al poste. Un día, el "Consejo Sangriento" decretó la muerte de Egmont y Horn. Inmediatamente después, el duque de Alva envió una invitación a Egmont para que fuera el invitado de honor en un banquete en su propia casa. Esa noche, un criado del palacio entregó al conde un trozo de papel que contenía una advertencia para que tomara el caballo más veloz y huyera de la ciudad, y desde ese momento no comiera ni durmiera sin pistolas a la mano. A todo esto, Egmont respondió que ningún monstruo vivió que pudiera, con una invitación de hospitalidad, engañar a un patriota. Como un hombre valiente, el conde fue al palacio del duque. Encontró a los invitados reunidos, pero cuando le entregó el sombrero y la capa al criado, Alva hizo una señal y, detrás de las cortinas, llegaron mosqueteadores españoles, que exigieron su espada. Porque en lugar de un salón de banquetes, el conde fue llevado a un sótano, equipado como un calabozo. Egmont ya casi había muerto por su país. Había usado sus barcos, su comercio, su oro, para corregir los errores del pueblo. Era un hombre de una familia numerosa, una esposa y once hijos, y la gente lo amaba en cuanto a la idolatría. Pero Alva era inexorable. Había decidido que los mercaderes y los burgueses todavía tenían mucho oro escondido, y si él mataba a sus valientes y mejores, el terror caería sobre todos por igual, y que el oro que necesitaba vendría. Para que todas las personas pudieran presenciar la escena, llevó a sus prisioneros a Bruselas y decidió decapitarlos en la plaza pública. Por la noche, Egmont recibió el aviso de que le cortarían la cabeza al día siguiente. Se erigió un andamio en la plaza pública. Esa noche escribió una carta que es una maravilla de la moderación.

"Señor, he aprendido esta tarde la frase que su majestad se ha complacido de pronunciar sobre mí. Aunque nunca he tenido un pensamiento, y creo que nunca he hecho nada, lo que tendería a perjudicar su servicio, o en detrimento de la verdadera religión, sin embargo, tengo paciencia para soportar lo que le ha gustado al buen Dios permitir, por lo tanto, le ruego a Su Majestad que tenga compasión de mi pobre esposa, mis hijos y mis sirvientes, teniendo en cuenta mi servicio pasado. En cuya esperanza ahora me encomiendo a la misericordia de Dios. Desde Bruselas, listo para morir, este 5 de junio de 1568.

"Lamoral D 'Egmont".

Así murió un hombre que probablemente hizo tanto por Holanda como John Eliot por Inglaterra, o Lafayette por Francia, o Samuel Adams por esta joven república.

El ay de Bélgica

Y ahora, de todo este glorioso pasado, viene el infortunio de Bélgica. La desolación ha llegado como un torbellino y la destrucción como un tornado. Pero hace noventa días y Bélgica era una colmena de industria, y en los campos se escuchaban las canciones de la cosecha. De repente, Alemania golpeó a Bélgica. Todo el mundo tiene una sola voz: "Bélgica tiene manos inocentes". La llevaron como un cordero a la matanza. Cuando se le pide al amante de Alemania que explique la ruptura de Alemania de su solemne tratado sobre la neutralidad de Bélgica, el alemán se queda mudo y sin palabras. Los comerciantes cumplen con sus obligaciones escritas. Los verdaderos ciudadanos consideran su palabra tan buena como su vínculo; Alemania dio un tratado y, en presencia de Dios y del mundo civilizado, firmó un pacto solemne con Bélgica. Hasta el final de los tiempos, el alemán debe esperar esta burla, "tan inútil como un tratado alemán". Apenas menos negros, los dos o tres ejemplos conocidos de crueldad cometidos contra los belgas no resistentes. En Brooklyn vive una mujer belga. Planeaba regresar a casa a fines de julio para visitar a un padre que había sufrido parálisis, una madre anciana y una hermana que cuidaron a ambas. Cuando los alemanes decidieron quemar esa aldea en el este de Bélgica, no quisieron quemar vivo a este anciano e indefenso, por lo que mataron a bayonetas al anciano y a la hija que los cuidaba.

No juzguemos, para que no seamos juzgados. Este es el único ejemplo de atrocidad que usted y yo podríamos demostrar personalmente. Pero cada alemán leal en el país puede responder: "Estos soldados estaban borrachos con vino y sangre. Tal atrocidad tergiversa a Alemania y sus soldados. La ruptura del tratado de Alemania con Bélgica representa la deshonra de un anillo militar, y no la perfidia de 68,000,000 de personas. Pedimos que el juicio se posponga hasta que todos los hechos estén en ". Pero, mientras tanto, el hombre que ama a sus compañeros, a la medianoche en sus sueños, cruza los campos de la Bélgica quebrada. A lo largo del aire nocturno llega el sollozo de Rachel, llorando por sus hijos, porque no lo están. En un estado de amargura, de duda y desesperación, el corazón grita: "¿Cómo podría un Dios justo permitir tal crueldad sobre la inocente Bélgica?" Ningún hombre lo sabe. "Las nubes y la oscuridad son redondas alrededor del trono de Dios". El espíritu del mal causó esta guerra, pero el Espíritu de Dios puede sacar provecho de ella, así como el verano puede reparar los estragos del invierno. Mientras tanto, el corazón sangra por Bélgica. ¡Para Bruselas, la tercera ciudad más bella de Europa! Para Lovaina, una vez rica con sus bibliotecas, catedrales, estatuas, pinturas, misales, manuscritos, ahora es una ruina. ¡Pobre de mí! ¡Por las cosechas arruinadas y los pueblos humeantes! Por desgracia, para la Catedral que es un montón, y la biblioteca que es una ruina. Donde estaba el ángel de la felicidad acechaban Hambruna y Muerte. ¡Se fue la tierra de Grocio! ¡Perecieron las pinturas de Rubens! Arruinada es Lovaina. Donde ondeaba el trigo, ahora las laderas son ondulantes con tumbas. Pero creamos que Dios reina. Quizás Bélgica es asesinada como el Salvador, que el militarismo puede morir como Satanás. Sin derramamiento de sangre inocente no hay remisión de pecados a través de la tiranía y la codicia. No hay vino sin la trituración de las uvas del árbol de la vida. Pronto Liberty, el querido hijo de Dios, se parará dentro de la escena y consolará a los desolados. Al caer sobre las escaleras del altar del gran mundo, en esta hora cuando la sabiduría es ignorancia, y el hombre más fuerte se aferra al polvo y la paja, creamos con fe victorioso sobre las lágrimas, que en algún momento Dios reunirá a la pequeña Bélgica con el corazón roto en sus brazos y consolarla como un padre consuela a su hijo amado.

HENRY WATTERSON

EL NUEVO AMERICANISMO

(Reducido)

Hace ocho años, esta noche, allí estaba parado, ahora un joven georgiano, que, no sin razón, reconoció el "significado" de su presencia aquí y, en palabras cuya elocuencia no puedo recordar, apeló desde el Nuevo Sur a Nueva Inglaterra para un país unido.

Se ha ido ahora. Pero, aunque su vida fue corta, su misión nacida en el cielo se cumplió; el sueño de su infancia se hizo realidad; porque había sido designado por Dios para llevar un mensaje de paz en la tierra, buena voluntad para los hombres, y, hecho esto, desapareció de la vista de los ojos mortales, incluso como la paloma del arca.

Grady nos contó, y nos contó de verdad, acerca de ese típico estadounidense que, en la mente del Dr. Talmage, venía, pero que, en la realidad de Abraham Lincoln, ya había venido. En algunos estudios recientes sobre la carrera de ese hombre, he encontrado muchas confirmaciones sorprendentes de este juicio; y de ese tronco robusto, que se nutre de raíces nudosas, entrelazadas con aerosoles Cavalier y ramas puritanas en lo profundo del suelo, brotarán, brotarán, un árbol bien formado, simétrico en todas sus partes, bajo cuyas ramas protectoras esta nación tendrá el nuevo nacimiento de la libertad Lincoln lo prometió, y la humanidad el refugio que buscaban los antepasados cuando huían de la opresión. Gracias a Dios, el hacha, el patán y la estaca han tenido su día. Se han ido, esperemos, para hacer compañía con las artes perdidas. Se ha demostrado que se pueden reparar grandes errores y se pueden lograr grandes reformas sin derramar una gota de sangre humana; esa venganza no purifica, sino que brutaliza; y esa tolerancia, que en las transacciones privadas se considera una virtud, se convierte en los asuntos públicos en un dogma de la estadista más lejana.

Así que apelo a los hombres con mangas de seda que bailaron con música hecha por esclavos, y lo llamaron libertad, a los hombres con sombreros con corona de campana, que llevaron a Hester Prynne a su vergüenza, y lo llamaron religión, a ese americanismo que se extiende sus brazos para golpear mal con la razón y la verdad, asegurados en el poder de ambos. Apelo de los patriarcas de Nueva Inglaterra a los poetas de Nueva Inglaterra; de Endicott a Lowell; de Winthrop a Longfellow; de Norton a Holmes; y apelo en nombre y por los derechos de esa ciudadanía común, de ese origen común, tanto de los puritanos como de los caballeros, a los que todos debemos nuestro ser. Dejemos que el pasado muerto, consagrado por la sangre de sus mártires, no por sus odios salvajes, oscurecidos por la artesanía del rey y el sacerdocio, deje que el pasado muerto entierre a sus muertos. Deja que el presente y el futuro suenen con la canción de los cantantes. Benditas sean las lecciones que enseñan, las leyes que hacen. Bendito sea el ojo para ver, la luz para revelar. Bendito sea la Tolerancia, sentado siempre a la diestra de Dios para guiar el camino con palabras amorosas, como bendito sea todo lo que nos acerca al objetivo de la verdadera religión, el verdadero republicanismo y el verdadero patriotismo, la desconfianza de las consignas y las etiquetas, las farsas y los héroes , creencia en nuestro país y en nosotros mismos. No fue Cotton Mather, sino John Greenleaf Whittier, quien lloró:

"Querido Dios y Padre de todos nosotros, perdona nuestra fe en mentiras crueles, perdona la ceguera que niega.

"¡Derriba nuestros ídolos, derriba nuestros sangrientos altares, haz que nos veamos en tu humanidad!"

JOHN MORLEY

DIRECCIÓN DEL DÍA DEL FUNDADOR

(Reducido)

Carnegie Institute, Pittsburgh, Pa., 3 de noviembre de 1904.

¿Qué es tan difícil como una estimación justa de los eventos de nuestro tiempo? Es solo ahora, un siglo y medio después, que realmente percibimos que un escritor tiene algo que decir por sí mismo cuando llama a la hazaña de Wolfe en Quebec el punto de inflexión en la historia moderna. Y hoy es difícil imaginar un estándar racional que no haga de la Revolución Americana, una insurrección de trece pequeñas colonias, con una población de 3.000.000 dispersos en un desierto lejano entre salvajes, un evento más poderoso en muchos de sus aspectos que el convulsión volcánica en Francia. Una vez más, la construcción de su gran oeste en este continente es considerada por algunos de los movimientos mundiales más importantes de los últimos cien años. ¿Pero es más importante que la sorprendente, imponente y quizás inquietante aparición de Japón? Una autoridad insiste en que cuando Rusia descendió al Lejano Oriente y empujó su frontera en el Pacífico al cuadragésimo tercer grado de latitud que fue uno de los hechos de mayor alcance de la historia moderna, aunque casi escapó de los ojos de Europa, todo sus percepciones luego monopolizadas por los asuntos en el Levante. ¿Quién puede decir? Se necesitaban muchos cursos del sol antes de que los hombres pudieran tomar las medidas históricas completas de Luther, Calvin, Knox; La medida de Loyola, el Concilio de Trento, y toda la contrarreforma. El centro de gravedad cambia para siempre, el eje político del mundo cambia perpetuamente. Pero ahora estamos lo suficientemente lejos como para discernir cuán estupenda se hizo una cosa cuando, después de dos ciclos de guerra amarga, uno extranjero, el otro civil e intestinal, Pitt y Washington, en un lapso de menos de una veintena de años, plantaron fundaciones de la república americana.

Lo que la empalizada de Forbes en Fort Pitt se ha convertido en usted lo sabe mejor que yo. Los enormes triunfos de Pittsburg en la producción de materiales (hierro, acero, coque, vidrio y todo lo demás) solo se pueden contar en cifras colosales que son casi tan difícil de realizar en nuestras mentes como las figuras de la distancia astronómica o el tiempo geológico. No está del todo claro que todos los fundadores de la Commonwealth hubieran examinado la maravillosa escena con la misma alegría que sus descendientes. Algunos de ellos habrían negado que estos grandes centros de democracia industrial en el Viejo Mundo o en el Nuevo siempre representen el progreso. Jefferson dijo: "Veo las grandes ciudades como pestilenciales para la moral, la salud y las libertades del hombre. Considero a la clase de artífices", continuó, "como el defensor del vicio y el instrumento por el cual las libertades de un país generalmente es derrocado ". En Inglaterra calculan el 70 por ciento. de nuestra población como habitantes de las ciudades. Contigo, leí que solo el 25 por ciento. de la población vive en grupos tan grandes como 4,000 personas. Si Jefferson tuviera razón, nuestra perspectiva sería oscura. Esperemos que se haya equivocado, y de hecho hacia el final de su tiempo calificó su visión inicial. Franklin, en cualquier caso, me habría deleitado en todo.

Ese gran hombre, un nombre a la vanguardia entre las inteligencias prácticas de la historia humana, una vez le dijo a un amigo que cuando se refería al rápido progreso que la humanidad estaba haciendo en política, moral y artes de la vida, y cuando consideraba que cada uno una mejora siempre engendra otra, se sintió seguro de que el progreso futuro de la carrera probablemente sea más rápido que nunca. Nunca se cansó de predecir los inventos por venir, y deseaba poder volver a visitar la tierra a fines de siglo para ver cómo se desarrollaba la humanidad. Con todo mi corazón comparto su deseo. De todos los hombres que han construido grandes Estados, creo que no hay uno cuya certeza de sentido del sonido y beneficencia de un solo ojo podría ser más confiable que Franklin para sacar la luz de las nubes y perforar las confusiones económicas y políticas. de nuestro tiempo. Podemos imaginar el asombro y la complacencia de esa astuta mente benigna si pudiera ver todas las maravillas gigantes de sus molinos y hornos, y todo el aparato ideado por las maravillosas facultades inventivas del hombre; si hubiera podido prever que sus experimentos con la cometa en su jardín en Filadelfia, sus tubos, sus frascos Leyden terminarían en los aparatos eléctricos de hoy, la planta eléctrica más grande del mundo en el sitio de Fort Duquesne; si pudiera haber escuchado sobre 5,000,000,000 de pasajeros transportados en los Estados Unidos por un motor eléctrico en un año; si hubiera podido darse cuenta de todo el resto de la historia del mago de nuestro tiempo.

Aún más se habría sorprendido y eufórico si hubiera previsto, más allá de todos los avances en la producción de materiales, la fuerza ininterrumpida de esa estructura política en la que tuvo tanta participación en la crianza. En esta misma región donde estamos esta tarde, barrió ola tras ola de inmigración; El inglés de Virginia fluyó por la frontera, trayendo rasgos ingleses, literatura, hábitos mentales; Escoceses, o escoceses-irlandeses, originarios de Ulster, fluyeron desde el centro de Pensilvania; Católicos del sur de Irlanda; nuevos anfitriones del sur y este de Europa central. Este no es el cuatro de julio. Pero las personas de todas las escuelas estarían de acuerdo en que no es exuberancia de la retórica, es una verdad absoluta decir que la absorción e incorporación perseverantes de todo este torrente incesante de elementos heterogéneos en un Estado unido, estable, trabajador y pacífico es un logro que ni el Imperio Romano ni la Iglesia Romana, ni el Imperio Bizantino ni el Ruso, ni Carlos el Grande ni Carlos el Quinto ni Napoleón nunca rivalizaron ni se acercaron.

Por lo general, podemos disculpar la tasa más lenta de progreso liberal en nuestro Viejo Mundo al contrastar las barreras obstructivas del prejuicio, la supervivencia, el solecismo, el anacronismo, la convención, la institución, todo tan obstinadamente enraizado, incluso cuando las ramas parecen desnudas y rotas, en un viejo mundo, con el terreno abierto y desconectado de lo nuevo. Sin embargo, de hecho, sus dificultades fueron al menos tan formidables como las de las civilizaciones más antiguas en cuya fructífera herencia ha ingresado. Única fue la necesidad de esta gigantesca tarea de incorporación, la asimilación de personas de diversas religiones y razas. Una segunda dificultad era aún más formidable: cómo erigir y trabajar un Estado poderoso y rico en un sistema tal que combine el concierto centralizado de un sistema federal con la independencia local, y unir la energía colectiva con el estímulo de la libertad individual.

Esta última dificultad que hasta ahora has superado con tanto éxito, en la hora actual se enfrenta a la madre patria y deja perplejos a sus estadistas. La libertad y la unión han sido llamadas las ideas gemelas de América. Así, también, son los ideales gemelos de todos los hombres responsables en Gran Bretaña; aunque los hombres responsables difieren entre sí en cuanto al camino más seguro para viajar hacia la meta común, y hasta el océano divisorio, en otras formas, nuestro amigo interpone, para nuestro caso de un Estado insular, o más bien para un grupo de Estados insulares, obstáculos de los cuales un Estado continental como el suyo es felizmente libre.

Nadie cree que no quedan dificultades. Algunos de ellos son obvios. Pero el sentido común, la mezcla de paciencia y determinación que ha conquistado los riesgos y las travesuras en el pasado, se puede confiar en el futuro.

Extraños y tortuosos son los caminos de la historia. Amplios y brillantes canales se llenan misteriosamente. Cuántas veces lo que parecía una gloriosa carretera alta no prueba más que una pista de mulas o un mero callejón sin salida. Piense en el alarde de Canning, cuando insistió en el reconocimiento de las repúblicas españolas en América del Sur: que había llamado a la existencia de un mundo nuevo para reparar el equilibrio de los viejos. Este es uno de los dichos, de los cuales se pueden encontrar muchos otros, que hacen la fortuna de un retórico, pero soportan el desgaste del tiempo y las circunstancias. El nuevo mundo que Canning llamó a la existencia ha resultado hasta ahora una escena de desencanto singular.

Aunque no sin vislumbres en ocasiones de ese heroísmo, coraje e incluso sabiduría que son los atributos del hombre en el peor de los casos, la historia ha sido demasiado historia de anarquía y desastre, y aún deja una gran cantidad de perplejidades para los estadistas tanto en Estados Unidos como en Estados Unidos. Europa. También ha dejado a los estudiantes de mentalidad filosófica uno de los problemas más interesantes que se encuentran en todo el campo del movimiento social, eclesiástico, religioso y racial. ¿Por qué no encontramos en el sur como encontramos en el norte de este hemisferio una federación poderosa, un gran pueblo hispanoamericano que se extiende desde el Río Grande hasta el Cabo de Hornos? Responder esa pregunta sería arrojar un torrente de luz sobre muchas fuerzas históricas profundas en el Viejo Mundo, de las cuales, después de todo, estos movimientos del Nuevo no son más que una prolongación y una extensión más manifiesta.

¿Qué fenómeno más imponente nos presenta la historia que el ascenso del poder español al pináculo de la grandeza y la gloria en el siglo XVI? Los musulmanes, después de siglos de guerra feroz y obstinada, regresaron; toda la península fue sometida a una sola regla con un solo credo; enormes adquisiciones de los Países Bajos de Nápoles, Sicilia, Canarias; Francia humilló, Inglaterra amenazó, los asentamientos hechos en Asia y el norte de África: España en América se convirtió en poseedor de un vasto continente y de más de un archipiélago de espléndidas islas. Sin embargo, antes de que terminara un siglo, la majestad soberana de España sufrió una gran declinación, el territorio bajo su dominio se contrajo, la fabulosa riqueza de las minas del Nuevo Mundo se desperdició, la agricultura y la industria se arruinaron, su comercio pasó a las manos de sus rivales

Déjame desviarte un momento más. Tenemos un hábito muy sensato en la isla de donde vengo, cuando nuestro país no dispara, por decir lo menos que podemos, y hundir la cosa en el olvido patriótico. Es bastante sorprendente recordar que hace menos de un siglo Inglaterra envió dos veces una fuerza militar para apoderarse de lo que ahora es Argentina. El orgullo de la raza y el credo hostil que se resistieron con vehemencia nos resultaron demasiado. Las dos expediciones terminaron en fracaso, y para el historiador de hoy no queda nada más que preguntarse qué diferencia podría haber hecho en la región templada de América del Sur si la fortuna de la guerra hubiera sido para otro lado, si la región de Plata se había convertido en británico, y había seguido una gran inmigración británica. No me considere culpable del atroz crimen de olvidar la Doctrina Monroe. Esa declaración trascendental no se hizo por muchos años después de que nuestro general Whitelocke fue rechazado en Buenos Aires, aunque el Sr. Sumner y otras personas siempre han sostenido que fue Canning quien realmente comenzó la Doctrina Monroe, cuando invitó a los Estados Unidos. unirse a él contra la intervención europea en los asuntos sudamericanos.

El día está cerca, se nos dice, cuando cuatro quintos de la raza humana rastrearán su pedigrí hasta los antepasados ingleses, como cuatro quintos de los blancos en los Estados Unidos rastrean su pedigrí hoy. Para finales de este siglo, dicen, naciones como Francia y Alemania, suponiendo que se mantengan al margen de las nuevas consolidaciones, solo podrán reclamar la misma posición relativa en el mundo político que Holanda y Suiza. Estas reflexiones de la luna no nos llevan lejos. Lo importante, como todos sabemos, no es la fracción exacta de la raza humana que hablará inglés. Lo importante es que aquellos que hablan inglés, ya sea en tierras viejas o nuevas, se esforzarán en una emulación elevada, generosa e incesante con personas de otras lenguas y otras poblaciones por la primacía política, social e intelectual entre la humanidad. En esta noble lucha por el servicio de nuestra raza, nunca debemos temer que los solicitantes del premio sean una multitud demasiado grande.

Como ha dicho un erudito capaz, Jefferson estaba aquí usando la vieja lengua vernácula de las aspiraciones inglesas después de una vida política libre, varonil y bien ordenada, una lengua vernácula rica en tradición señorial y frase noble, que se encuentra en una veintena de miles de campeones en muchos campos: en Buchanan, Milton, Hooker, Locke, Jeremy Taylor, Roger Williams y muchos otros pioneros y confesores de libertad más humildes pero no menos extenuantes. ¡Ah, no dejes de contar y cuenta a menudo, qué mundo tan diferente hubiera sido de no ser por esa isla en el lejano mar del norte! Estas fueron las fuentes tributarias que, con el paso del tiempo, crecieron en la amplia confluencia de los tiempos modernos. Lo nuevo en 1776 fue la transformación del pensamiento en un sistema político real.

¿Qué es el progreso? Es mejor ser lento en las complejas artes de la política en su sentido más amplio, y no darse prisa para definir. Si quieres un lugar común, no hay nada para proporcionarlo como una definición. ¿O deberíamos decir que la mayoría de las definiciones penden entre la obviedad y la paradoja? Se dice, aunque nunca he contado, que hay 10.000 definiciones de religión. Debe haber casi tanta poesía. Difícilmente puede haber menos libertad, o incluso felicidad.

No soy lo suficientemente valiente como para intentar una definición. No trataré de medir hasta qué punto el avance de las fuerzas morales ha seguido el ritmo de esa extensión de las fuerzas materiales en el mundo del cual este continente, visible antes que todos los demás, presenta evidencia tan sorprendente. Esta, por supuesto, es una cuestión de preguntas, porque como ilustre escritor inglés, a quien, por cierto, le debo mi amistad con su fundador hace muchos años, como dijo Matthew Arnold en Estados Unidos, las ideas morales son las que en el fondo deciden la situación o caída de los estados y naciones. Sin abrir esta vasta discusión en general, muchos signos de progreso están más allá del error. La práctica de la acción asociada, una de las claves maestras del progreso, es una nueva fuerza en cien campos y con una diversidad inconmensurable de formas. Hay menos aquiescencia en el mal triunfante. La tolerancia en la religión ha sido llamada el mejor fruto de los últimos cuatro siglos, y a pesar de algunas pocas supervivientes intolerantes, incluso en nuestro Reino Unido, y algunos brotes salvajes de odio, mitad religioso, mitad racial, en el continente de Europa, esto La gloriosa ganancia de tiempo ahora puede tomarse como segura. Quizás de todas las contribuciones de América a la civilización humana, esta sea la mayor. El reinado de la fuerza aún no ha terminado, y a intervalos tiene sus horas triunfantes, pero la razón, la justicia y la humanidad luchan con éxito en su larga y constante batalla por un dominio más amplio.

De todos los puntos de avance social, al menos en mi país, durante la última generación, ninguno es más marcado que el cambio en la posición de las mujeres, con respecto a los derechos de propiedad, de educación, de acceso a nuevos llamamientos. En cuanto a la mejora del bienestar material y su difusión entre aquellos cuyo trabajo es un factor primordial en su creación, podríamos sentirnos saciados con la jubilosa monotonía de sus figuras, si no nos preocupamos por recordarlo, en la excelente palabras del presidente de Harvard, que esas ganancias, como el funcionamiento próspero de sus instituciones y los principios por los cuales se sustentan, son en esencia contribuciones morales, "siendo principios de razón, empresa, coraje, fe y justicia, sobre la pasión , egoísmo, inercia, timidez y desconfianza ". Son los impulsos morales los que importan. Donde están a salvo, todo está a salvo.

Cuando se dice esto y demás, nadie supone que se haya dicho la última palabra sobre la condición de las personas, ya sea en Estados Unidos o en Europa. El republicanismo no es en sí mismo una panacea para las dificultades económicas. Por sí mismo, no puede sofocar ni apaciguar los acentos del descontento social. Mientras no tenga raíces en la envidia encuestada, este descontento en sí mismo es una señal de progreso.

¿Qué, grita el escéptico, qué ha sido de todas las esperanzas de la época en que Francia estaba en la cima de las horas doradas? No nos dejes temer el desafío. Mucho ha salido de ellos. Y sobre las viejas esperanzas, el tiempo ha traído un estrato de nuevas.

A veces se sospecha que el liberalismo es frío ante estas nuevas esperanzas, y a menudo se puede escuchar que se dice que el socialismo ya reemplazó al liberalismo. Que un cambio está pasando sobre los nombres de los partidos en Europa es evidente, pero puede estar seguro de que ningún cambio en el nombre extinguirá estos principios de la sociedad que están arraigados en la naturaleza de las cosas y están acreditados por su éxito. Dos veces Estados Unidos ha salvado el liberalismo en Gran Bretaña. La Guerra de la Independencia en el siglo XVIII fue la derrota del poder usurpador no menos en Inglaterra que aquí. La Guerra de la Unión en el siglo XIX dio el impulso decisivo a una extensión crítica del sufragio y una era de reforma popular en la patria. Cualquier aborto involuntario de la democracia aquí reacciona contra el progreso en Gran Bretaña.

Si busca el verdadero significado del menosprecio moderno del gobierno popular o parlamentario, no es más que esto, que ninguna política será suficiente por sí misma para crear el alma de una nación. ¿Qué podría ser más cierto? ¿Quién dice que lo hará? Pero podemos depender de que el alma se mantendrá mejor viva en una nación donde hay la mayor proporción de aquellos que, en la frase de un viejo digno del siglo XVII, piensan que es parte de la religión de un hombre es que su país esté bien gobernado.

La democracia, nos dicen, se ve afectada por la mediocridad y la esterilidad. Pero la democracia en mi país, como en el tuyo, no ha demostrado antes que sepa cómo elegir gobernantes ni mediocres ni estériles; ¿Hombres más que iguales en generosidad, rectitud, a la vista, en fuerza, de cualquier estadista absolutista, que alguna vez en el pasado llevó el cetro? Si vivo unos meses, o puede ser incluso unas semanas más, espero haber visto algo de tres elecciones: una en Canadá, una en el Reino Unido y la otra aquí. Con nosotros, con respecto al liderazgo, y aparte de la altura del prestigio social, el personaje que corresponde al presidente es, como saben, el primer ministro. Nuestra elección general esta vez, debido a un accidente personal de la hora que pasa, puede no determinar exactamente quién será el primer ministro, pero determinará el partido del que se tomará el primer ministro. En ocasiones normales, nuestra elección de un primer ministro es tan directa y personal como la suya, y al elegir a un miembro del Parlamento, la gente fue realmente para toda una generación eligiendo si Disraeli, Gladstone o Salisbury deberían ser jefes de gobierno.

La única diferencia central entre su sistema y el nuestro es que el presidente estadounidense está en un horario fijo, mientras que el primer ministro británico depende del apoyo de la Cámara de los Comunes. Si pierde eso, su poder no puede durar doce meses; si, por otro lado, lo mantiene, puede ocupar el cargo durante una docena de años. No hay muchas preguntas más interesantes o importantes en la discusión política que la pregunta de si nuestro gobierno de gabinete o su sistema de gobierno presidencial es mejor. Este no es el lugar para discutirlo.

Entre 1868 y ahora, un período de treinta y seis años, hemos tenido ocho ministerios. Esto daría una vida promedio de cuatro años y medio. De estos ocho gobiernos, cinco duraron más de cinco años. En términos generales, nuestros gobiernos ejecutivos han durado aproximadamente la duración de su mandato. En cuanto a los ministros barridos por una ráfaga de pasión, solo puedo recordar el derrocamiento de Lord Palmerston en 1858 por ser considerado demasiado servil a Francia. Por mi parte, siempre he pensado que por su juego libre, su fluidez comparativa, su rápida flexibilidad de adaptación, nuestro sistema de gabinetes tiene mucho que decir por sí mismo.

Si la democracia hará las paces, todos aún tenemos que ver. Hasta ahora, la democracia ha hecho poco en Europa para protegernos contra los turbulentos remolinos de una era militar. Cuando los males de los estados rivales, las razas antagónicas, los reclamos territoriales y todas las demás fórmulas de conflicto internacional se sienten insoportables y la maldición se vuelve demasiado grande para soportarla más, tal vez surja una escuela de maestros para retomar el hilo de los mejores escritores y gobernantes más sabios en vísperas de la revolución. El movimiento en esta región de las cosas humanas no ha sido todo progresivo. Si examinamos los tribunales europeos desde el final de la Guerra de los Siete Años hasta la Revolución Francesa, notamos el marcado crecimiento de un espíritu claramente internacional y pacífico. En ninguna época de la historia del mundo podemos encontrar tantos estadistas europeos después de la paz y el buen gobierno del que la paz es el mejor aliado. Ese sentimiento llegó a un final violento cuando Napoleón se levantó para azotar el mundo.

ROBERT TOOMBS

AL RENUNCIAR AL SENADO, 1861

(Reducido)

El éxito de los abolicionistas y sus aliados, bajo el nombre del partido republicano, ya ha producido sus resultados lógicos. Durante años han estado sembrando dientes de dragones y finalmente han conseguido una cosecha de hombres armados. La Unión, señor, está disuelta. Ese es un hecho consumado en el camino de esta discusión que los hombres también pueden prestar atención. Uno de sus confederados ya ha enfrentado sabiamente, con valentía y valentía el peligro público, y solo está por delante de muchas de sus hermanas debido a su mayor facilidad para la acción rápida. La gran mayoría de esos Estados hermanos, en circunstancias similares, consideran su causa como su causa; y te cobro en su nombre hoy: "No toques a Saguntum". No es solo su causa, sino que es una causa que recibe la simpatía y recibirá el apoyo de decenas y cientos de hombres patriotas honestos. los Estados no esclavistas, que hasta ahora han mantenido los derechos constitucionales, y que respetan sus juramentos, acatan los pactos y aman la justicia.

Y mientras este Congreso, este Senado y esta Cámara de Representantes están debatiendo la constitucionalidad y la conveniencia de separarse de la Unión, y mientras los pérfidos autores de esta travesura están arrojando denuncias sobre una gran parte de los hombres patrióticos de este país, esos hombres valientes votan con calma y calma lo que ustedes llaman revolución: sí, señor, lo hacen mejor que eso: armarse para defenderlo. Apelaron a la Constitución, apelaron a la justicia, apelaron a la fraternidad, hasta que la Constitución, la justicia y la fraternidad ya no fueron escuchadas en los pasillos legislativos de su país, y luego, señor, se prepararon para el arbitraje de la espada. ; y ahora ves la reluciente bayoneta y escuchas el vagabundo de hombres armados desde tu capitolio hasta el río Bravo. Es una vista que alegra los ojos y alegra los corazones de otros millones listos para secuestrarlos. En la medida en que, señor, como he trabajado con seriedad, honestidad y sinceridad con estos hombres para evitar esta necesidad siempre que lo considere posible, y en la medida en que apruebo sinceramente su conducta actual de resistencia, considero que es mi deber exponer su caso. al Senado, al país y al mundo civilizado.

Senadores, mis compatriotas no han exigido ningún nuevo gobierno; no han exigido ninguna nueva constitución. Mire sus registros en casa y aquí desde el comienzo de esta lucha nacional hasta su consumación en la ruptura del imperio, y no han exigido una sola cosa, excepto que debe cumplir con la Constitución de los Estados Unidos; que se respetarán los derechos constitucionales y que se hará justicia. Señores, han respaldado su Constitución; han cumplido con todos sus requisitos, han cumplido todos sus deberes desinteresadamente, sin calcular, desinteresadamente, hasta que surgió una fiesta en este país que puso en peligro su sistema social, una fiesta que organizan y que acusan ante el pueblo estadounidense y todos la humanidad con haber proclamado ilegalidad contra cuatro mil millones de sus propiedades en los Territorios de los Estados Unidos; con haberlos puesto bajo la prohibición del imperio en todos los estados en los que sus instituciones existen fuera de la protección de las leyes federales; con haber ayudado e incitado a la insurrección desde adentro y la invasión desde afuera con el objetivo de subvertir esas instituciones y desolar sus hogares y sus hogares. Por estas causas han tomado las armas.

He declarado que los Estados descontentos de esta Unión no han exigido nada más que derechos constitucionales claros, distintos, inequívocos y bien reconocidos, derechos afirmados por los más altos tribunales judiciales de su país; derechos más antiguos que la Constitución; derechos plantados sobre los principios inmutables de la justicia natural; derechos que han sido afirmados por el bien y el sabio de todos los países y de todos los siglos. No exigimos poder para herir a ningún hombre. No exigimos ningún derecho a dañar a nuestros Estados confederados. No exigimos ningún derecho a interferir con sus instituciones, ya sea de palabra o de hecho. No tenemos derecho a perturbar su paz, su tranquilidad, su seguridad. Les hemos exigido simplemente, únicamente, nada más, que nos den igualdad, seguridad y tranquilidad. Danos esto y la paz se restaurará. Rechazarlos y tomar lo que pueda obtener.

¿Qué exigen los rebeldes? Primero, "que el pueblo de los Estados Unidos tenga el mismo derecho a emigrar y establecerse en el presente o en cualquier territorio adquirido en el futuro, con cualquier propiedad que posea (incluidos los esclavos), y estar protegido de forma segura en su disfrute pacífico hasta dicho territorio puede ser admitido como Estado en la Unión, con o sin esclavitud, según determine, en igualdad con todos los Estados existentes ". Esa es nuestra demanda territorial. Hemos luchado por este territorio cuando la sangre era su precio. Lo hemos pagado cuando el oro era su precio. No hemos propuesto excluirlo, aunque haya contribuido muy poco de sangre o dinero. Me refiero especialmente a Nueva Inglaterra. Exigimos solo entrar en esos Territorios en condiciones de igualdad con usted, como iguales en esta gran Confederación, para disfrutar de la propiedad común de toda la Unión y recibir la protección del gobierno común, hasta que el Territorio sea capaz de entrar en el La Unión como Estado soberano, cuando puede arreglar sus propias instituciones para adaptarse a sí mismo.

La segunda proposición es, "que la propiedad de los esclavos tendrá derecho a la misma protección del gobierno de los Estados Unidos, en todos sus departamentos, en todas partes, que la Constitución le confiere el poder de extender a cualquier otra propiedad, siempre que no contenido aquí se interpretará para limitar o restringir el derecho que ahora pertenece a cada Estado para prohibir, abolir o establecer y proteger la esclavitud dentro de sus límites". Exigimos al gobierno común que use sus poderes otorgados para proteger nuestra propiedad y la suya. Por esta protección, pagamos tanto como usted. Esta propiedad está sujeta a impuestos. Ha sido gravado por usted y vendido por impuestos.

El título de miles y decenas de miles de esclavos se deriva de los Estados Unidos. Reclamamos que el gobierno, si bien la Constitución reconoce nuestra propiedad a efectos fiscales, le otorgará la misma protección que a la suya.

¿No debería ser así? Dices que no. Cada uno de ustedes en el comité dijo que no. Tus senadores dicen que no. Su cámara de representantes dice que no. ¡A lo largo y ancho de su conspiración contra la Constitución hay un solo grito de no! Este reconocimiento de este derecho es el precio de mi lealtad.

Retenlo, y no obtienes mi obediencia. Esta es la filosofía de los hombres armados que han surgido en este país. ¿Me pide que apoye a un gobierno que gravará mi propiedad: que me saqueará; que demandará mi sangre y no me protegerá? Preferiría ver a la población de mi estado natal tendida a seis pies debajo de su césped de lo que deberían apoyar durante una hora a tal gobierno. La protección es el precio de la obediencia en todas partes, en todos los países. Es lo único que hace que el gobierno sea respetable. Negarlo y no puede tener sujetos gratuitos o ciudadanos; Puedes tener esclavos.

Exigimos, en el siguiente lugar, "que las personas que cometen delitos contra la propiedad de esclavos en un Estado y huyan a otro, sean entregadas de la misma manera que las personas que cometen delitos contra otra propiedad, y que las leyes del Estado de las cuales tales personas huyan serán la prueba de la criminalidad ". Esa es otra de las demandas de un extremista y un rebelde.

Pero los Estados no esclavistas, traicioneros a sus juramentos y pactos, se han negado constantemente, si el criminal solo robó a un negro y ese negro era un esclavo, a entregarlo. Fue rechazado dos veces por requerimiento de mi propio Estado desde hace veintidós años. Fue rechazado por Kent y Fairfield, gobernadores de Maine, y en representación, creo, de cada uno de los partidos federales de entonces. Apelamos entonces a la fraternidad, pero nos sometimos; y este derecho constitucional ha sido prácticamente una letra muerta desde ese día hasta el presente. El siguiente caso surgió entre nosotros y el Estado de Nueva York, cuando el actual senador principal [Sr. Seward] era el gobernador de ese estado; y él lo rechazó. ¿Por qué? Dijo que no estaba en contra de las leyes de Nueva York robar a un negro, y por lo tanto no cumpliría con la demanda. Hizo una negativa similar a Virginia. Sin embargo, estos son nuestros confederados; ¡Estos son nuestros Estados hermanos! Ahí está el trato; Ahí está el pacto. Lo has jurado. Ambos gobernadores lo juraron. El senador de Nueva York lo juró. El gobernador de Ohio lo juró cuando fue inaugurado. No puedes atarlos mediante juramentos. Sin embargo, nos hablan de traición; ¡y supongo que esperan convertir a los hombres libres en amantes de tales hermanos! ¡Lo pasarán bien haciéndolo!

Es natural que deseemos que se cumpla esta disposición de la Constitución. La Constitución dice que los esclavos son propiedad; la Corte Suprema lo dice; La Constitución así lo dice. El robo de esclavos es un crimen; son un tema de distribución criminal. Según el texto y la carta de la Constitución, acordó renunciar a ellos. Has jurado hacerlo y has roto tus juramentos. Por supuesto, aquellos que lo han hecho estén atentos a los pretextos. Nadie esperaba que hicieran lo contrario. Creo que nunca vi a un perjurio, por calvo y desnudo, que no pudo inventar algún pretexto para paliar su crimen, o que no pudo, por quince chelines, contratar a un abogado de Old Bailey para inventarlo. Sin embargo, este requisito de la Constitución es otra de las demandas extremas de un extremista y un rebelde.

La siguiente estipulación es que los esclavos fugitivos serán entregados de conformidad con las disposiciones de la Ley de esclavos fugitivos de 1850, sin derecho a un recurso de hábeas corpus, juicio por jurado u otras obstrucciones similares de la legislación, en el Estado al que él puede huir Aquí está la Constitución:

"Ninguna persona retenida al servicio o la mano de obra en un Estado, bajo las leyes de los mismos, que escapen a otro, como consecuencia de cualquier ley o regulación en el mismo, será dada de alta de dicho servicio o mano de obra, pero será entregada a solicitud de la parte a quien tal servicio o trabajo puede ser debido ".

Este lenguaje es claro, y todos lo entendieron de la misma manera durante los primeros cuarenta años de su gobierno. En 1793, en la época de Washington, se aprobó una ley para llevar a cabo esta disposición. Fue adoptado por unanimidad en el Senado de los Estados Unidos, y casi en la Cámara de Representantes. Nadie había inventado pretextos para demostrar

que la Constitución no significaba un esclavo negro. Estaba
claro; Estaba claro. No solo los tribunales federales, sino todos
los tribunales locales en todos los Estados, decidieron que esto
era una obligación constitucional. ¿Cómo está ahora? El norte
trató de evadirlo; Siguiendo los instintos de su carácter natural,
comenzaron con la ficción fraudulenta de que los fugitivos
tenían derecho a hábeas corpus, a juicio por jurado en el Estado
al que huyeron. Fingieron creer que nuestros esclavos fugitivos
tenían derecho a más derechos que sus ciudadanos blancos;
quizás tenían razón, se conocen mejor que yo. Puede acusar a
un hombre blanco de traición, delito grave u otro delito, y no
requiere ningún juicio por jurado antes de que se dé por vencido;
no hay nada que determinar excepto que está legalmente acusado
de un delito y que huyó, y luego debe ser entregado a pedido. Los
blancos son entregados todos los días de esta manera; Pero no
esclavos. Los esclavos, los negros, dices, tienen derecho a juicio
por jurado; y de esta manera se han inventado esquemas para
vencer sus obligaciones constitucionales simples.

Senadores, la Constitución es compacta. Contiene todas
nuestras obligaciones y los deberes del gobierno federal. Estoy
contento y siempre me he contentado con sostenerlo. Aunque
dudo de su perfección, aunque no creo que fuera un buen pacto,
y aunque nunca vi el día en que lo hubiera votado como una
propuesta de novo, estoy obligado por juramento y por esa
prudencia común. lo que induciría a los hombres a acatar las
formas establecidas en lugar de precipitarse en peligros
desconocidos. Lo he dado, y tengo la intención de darlo, apoyo
y lealtad inquebrantables, pero elijo poner esa lealtad en el
verdadero terreno, no en la falsa idea de que la sangre de alguien
fue derramada por ella. Digo que la Constitución es todo el
pacto. Todas las obligaciones, todas las cadenas que encadenan
las extremidades de mi pueblo, están nominadas en el vínculo,

y sabiamente excluyeron cualquier conclusión en su contra, al declarar que "los poderes no otorgados por la Constitución a los Estados Unidos, o prohibidos por ella a los Estados, pertenecían a los Estados respectivamente o al pueblo ".

Ahora lo intentaré con ese estándar; Lo someteré a esa prueba. La ley de la naturaleza, la ley de la justicia, diría, y así lo exponen los publicistas, que se disfrutará la igualdad de derechos en la propiedad común. Incluso en una monarquía, el rey no puede evitar que los súbditos disfruten de igualdad en la disposición de la propiedad pública. Incluso en un gobierno despótico se reconoce este principio. Fue la sangre y el dinero de todo el pueblo (dice el aprendido Grotius, y dicen todos los publicistas) lo que adquirió la propiedad pública, y por lo tanto no es propiedad del soberano. Este derecho de igualdad es, entonces, de acuerdo con la justicia y la equidad natural, un derecho que pertenece a todos los Estados, ¿cuándo lo renunciamos? Usted dice que el Congreso tiene derecho a aprobar normas y reglamentos sobre el territorio y otras propiedades de los Estados Unidos. Muy bien. ¿Eso excluye a aquellos cuya sangre y dinero lo pagaron? ¿"Eliminar" significa robar a los propietarios legítimos? Debes mostrar un título mejor que ese, o una espada mejor que la nuestra.

¿Qué tomarás entonces? No tomarás nada más que tu propio juicio; es decir, no solo juzgarán ustedes mismos, no solo descartarán la corte, descartarán nuestra construcción, descartarán la práctica del gobierno, sino que nos expulsarán, simplemente porque así lo desean. Ven y hazlo! Has sacado los cimientos de la sociedad; Has destruido casi toda esperanza de paz. En un pacto donde no hay un árbitro común, donde las partes finalmente deciden por sí mismas, la espada sola finalmente se convierte en el árbitro real, si no el constitucional. Su partido dice que no tomará la decisión de la Corte Suprema.

Lo dijiste en Chicago; usted lo dijo en comisión; cada uno de ustedes en ambas cámaras lo dice. ¿Qué vas a hacer? Usted dice que nos someteremos a su construcción. Lo haremos, si puede hacernos; pero no de otra manera, ni de ninguna otra manera. Eso está resuelto. Puedes llamarlo secesión, o puedes llamarlo revolución; pero hay un gran hecho frente a ti, listo para oponerte, ese hecho es, hombres libres con los brazos en sus manos.

THEODORE ROOSEVELT

DISCURSO INAUGURAL

(1905)

MIS AMIGOS CIUDADANOS: Ninguna persona en la tierra tiene más motivos para estar agradecidos que los nuestros, y esto se dice con reverencia, sin espíritu de jactancia en nuestras propias fuerzas, pero con gratitud al Dador del Bien, que nos ha bendecido con las condiciones. que nos han permitido alcanzar una medida tan grande de bienestar y felicidad.

A nosotros, como pueblo, se nos ha concedido sentar las bases de nuestra vida nacional en un nuevo continente. Somos los herederos de los siglos y, sin embargo, hemos tenido que pagar algunas de las penas que en los países antiguos se imponen por la mano muerta de una civilización pasada. No nos hemos visto obligados a luchar por nuestra existencia contra ninguna raza alienígena; y, sin embargo, nuestra vida ha pedido el vigor y el esfuerzo sin el cual las virtudes más varoniles y duras se marchitan.

En tales condiciones, sería nuestra culpa si fallamos, y el éxito que hemos tenido en el pasado, el éxito que creemos con confianza que traerá el futuro, no debería causarnos ningún sentimiento de vanagloria, sino más bien un profundo y permanente darse cuenta de todo lo que la vida nos ha ofrecido; un reconocimiento completo de la responsabilidad que es nuestra; y una determinación fija de mostrar que, bajo un gobierno libre, un pueblo poderoso puede prosperar mejor, tanto en lo que respecta a las cosas del cuerpo como a las del alma.

Se nos ha dado mucho, y con razón se espera mucho de nosotros. Tenemos deberes para con los demás y deberes para con nosotros mismos, y no podemos eludirlos. Nos hemos convertido en una gran nación, forzados por el hecho de su grandeza en relación con las otras naciones de la tierra, y debemos comportarnos como un pueblo con tales responsabilidades.

Hacia todas las demás naciones, grandes y pequeñas, nuestra actitud debe ser de amistad cordial y sincera. Debemos mostrar no solo en nuestras palabras, sino también en nuestros hechos, que deseamos sinceramente asegurar su buena voluntad actuando hacia ellos con un espíritu de reconocimiento justo y generoso de todos sus derechos.

Pero la justicia y la generosidad en una nación, como en un individuo, cuentan más cuando se muestra no por los débiles sino por los fuertes. Aunque siempre tengamos cuidado de no hacer daño a los demás, no debemos ser menos insistentes en que no nos perjudiquemos a nosotros mismos. Deseamos la paz; pero deseamos la paz de la justicia, la paz de la justicia. Lo deseamos porque pensamos que es correcto, y no porque tengamos miedo. Ninguna nación débil que actúe de manera justa y justa debería tener motivos para temer, y ningún poder fuerte debería ser capaz de distinguirnos como sujeto de una agresión insolente.

Nuestras relaciones con los otros poderes del mundo son importantes; pero aún más importantes son nuestras relaciones entre nosotros. Tal crecimiento en la riqueza, en la población y en el poder, como lo ha visto una nación durante un siglo y cuarto de su vida nacional, está inevitablemente acompañado por un crecimiento similar en los problemas que existen antes de cada nación que llega a la grandeza. El poder invariablemente significa responsabilidad y peligro. Nuestros antepasados enfrentaron ciertos peligros que hemos superado. Ahora enfrentamos otros peligros cuya existencia misma era imposible de prever.

La vida moderna es compleja e intensa, y los tremendos cambios provocados por el extraordinario desarrollo industrial de medio siglo se sienten en cada fibra de nuestro ser social y político. Nunca antes los hombres habían intentado un experimento tan vasto y formidable como el de administrar los asuntos de un continente bajo las formas de una república democrática. Las condiciones que han demostrado nuestro maravilloso bienestar material, que han desarrollado en gran medida nuestra energía, la autosuficiencia y la iniciativa individual, también han traído el cuidado y la ansiedad inseparables de la acumulación de gran riqueza en los centros industriales.

Del éxito de nuestro experimento depende mucho, no solo con respecto a nuestro propio bienestar, sino también con respecto al bienestar de la humanidad. Si fracasamos, la causa del autogobierno libre en todo el mundo será fundamental y, por lo tanto, nuestra responsabilidad es pesada, para nosotros mismos, para el mundo tal como es hoy y para las generaciones aún no nacidas.

No hay una buena razón por la que debamos temer al futuro, pero existen todas las razones por las que debemos enfrentarlo en serio, sin ocultarnos la gravedad de los problemas que tenemos ante nosotros, ni temer abordar estos problemas con el inquebrantable e inquebrantable propósito de resolver ellos bien.

Sin embargo, después de todo, aunque los problemas son nuevos, las tareas que tenemos ante nosotros difieren de las tareas establecidas ante nuestros padres, que fundaron y preservaron esta República, el espíritu en el que deben llevarse a cabo estas tareas y estos problemas, si nuestro deber es para estar bien hecho, permanece esencialmente sin cambios. Sabemos que el autogobierno es difícil. Sabemos que ninguna persona necesita rasgos de carácter tan altos como la gente que busca gobernar sus asuntos correctamente a través de la voluntad libremente expresada de los hombres libres que la componen.

Pero tenemos fe en que no demostraremos ser falsos a los recuerdos de los hombres del poderoso pasado. Hicieron su trabajo; Nos dejaron la espléndida herencia que ahora disfrutamos. A su vez, tenemos la seguridad de que podremos dejar esta herencia sin desperdiciar y ampliada a los hijos de nuestros hijos.

Para hacerlo, debemos mostrar, no solo en grandes crisis, sino también en los asuntos cotidianos de la vida, las cualidades de la inteligencia práctica, el coraje, la dureza y la resistencia y, sobre todo, el poder de la devoción a un ideal elevado. , que hizo grandes a los hombres que fundaron esta República en los días de Washington; lo que hizo grande a los hombres que preservaron esta República en los días de Abraham Lincoln.

SOBRE LA MADRE AMERICANA

(1905)

En nuestra civilización industrial moderna hay muchos y graves peligros para contrarrestar los esplendores y los triunfos. No es bueno ver a las ciudades crecer a una velocidad desproporcionada en relación con el país; para los pequeños propietarios de tierras, los hombres que poseen sus pequeñas casas y, por lo tanto, en gran medida los hombres que cultivan granjas, los hombres de la tierra, hasta ahora han sentado las bases de una vida nacional duradera en todos los Estados; y, si la base se vuelve demasiado débil o demasiado estrecha, la superestructura, por atractiva que sea, corre el peligro inminente de caerse.

Pero mucho más importante que la cuestión de la ocupación de nuestros ciudadanos es la cuestión de cómo se lleva a cabo su vida familiar. No importa cuál sea esa ocupación, siempre y cuando haya un hogar real y mientras los que conforman ese hogar cumplan con su deber, con sus vecinos y con el Estado, es de menor importancia si el comercio del hombre se practica en el país o en la ciudad, ya sea que requiera el trabajo de las manos o el trabajo de la cabeza.

Ninguna riqueza acumulada, ni esplendor del crecimiento material, ni brillantez del desarrollo artístico, servirá permanentemente a ninguna persona a menos que su vida hogareña sea saludable, a menos que el hombre promedio posea honestidad, coraje, sentido común y decencia, a menos que trabaje duro y está dispuesto a necesitar pelear duro; y a menos que la mujer promedio sea una buena esposa, una buena madre, capaz y dispuesta a realizar el primer y más grande deber de la feminidad, capaz y dispuesta a soportar y criar como debería ser criada, hijos sanos, sanos , mente y carácter, y lo suficientemente numerosos como para que la raza aumente y no disminuya.

Hay ciertas verdades antiguas que serán verdaderas mientras este mundo perdure, y que ninguna cantidad de progreso pueda alterar. Una de ellas es la verdad de que el deber principal del esposo es ser el ama de casa, el sostén de su esposa e hijos, y que el deber principal de la mujer es ser la compañera de ayuda, la ama de casa y la madre. La mujer debe tener amplias ventajas educativas; pero salvo en casos excepcionales, el hombre debe estar, y ella no necesita estar, y en general no debería estar, entrenada para una carrera de por vida como el sostén de la familia; y, por lo tanto, después de cierto punto, el entrenamiento de los dos normalmente debe ser diferente porque los deberes de los dos son normalmente diferentes. Esto no significa desigualdad de función, pero sí significa que normalmente debe haber una diferencia de función. En general, creo que el deber de la mujer es el más importante, el más difícil y el más honorable de los dos; en general, respeto a la mujer que cumple con su deber incluso más que al hombre que hace el suyo.

Ningún trabajo ordinario realizado por un hombre es tan duro o tan responsable como el trabajo de una mujer que está criando una familia de niños pequeños; porque sobre su tiempo y su fuerza se hacen demandas no solo cada hora del día sino a menudo cada hora de la noche. Es posible que tenga que levantarse noche tras noche para cuidar a un niño enfermo y, sin embargo, durante el día también debe continuar haciendo todas sus tareas domésticas; y si los medios familiares son escasos, generalmente debe disfrutar incluso de sus raras vacaciones llevando a toda su prole de hijos con ella. Los dolores de parto hacen que todos los hombres sean deudores de todas las mujeres. Por encima de todo, nuestra simpatía y consideración se deben a las esposas que luchan entre aquellos a quienes Abraham Lincoln llamó la gente sencilla, y en quienes él amaba y confiaba; porque las vidas de estas mujeres a menudo son llevadas a las alturas solitarias del heroísmo silencioso y sacrificado.

Así como la tarea más feliz, más honorable y más útil que cualquier hombre puede establecer es ganar lo suficiente para mantener a su esposa y su familia, para criar y comenzar la vida de sus hijos, lo más importante, lo más honorable Una tarea deseable que se puede establecer para cualquier mujer es ser una madre buena y sabia en un hogar marcado por la autoestima y la tolerancia mutua, por la voluntad de cumplir con el deber y por negarse a caer en la autocomplacencia o evitar lo que conlleva esfuerzo. y auto sacrificio. Por supuesto, hay hombres excepcionales y mujeres excepcionales que pueden hacer y deberían hacer mucho más que esto, que pueden liderar y deberían liderar grandes carreras de utilidad externa además de, y no como sustitutos, de su trabajo a domicilio; pero no estoy hablando de excepciones; Estoy hablando de los deberes principales, estoy hablando de los ciudadanos promedio, los hombres y mujeres promedio que componen la nación.

En la medida en que le estoy hablando a un grupo de madres, no tendré nada que decir en elogio de una vida fácil. El tuyo es el trabajo que nunca termina. Ninguna madre tiene un momento fácil, la mayoría de las madres tienen momentos muy difíciles; y, sin embargo, qué verdadera madre intercambiaría su experiencia de alegría y tristeza a cambio de una vida de egoísmo frío, que insiste en la diversión perpetua y la evitación de la atención, y que a menudo encuentra su lugar de vivienda adecuado en algún piso diseñado para proporcionar lo menos posible gasto de esfuerzo el máximo confort y lujo, pero en el que literalmente no hay lugar para los niños?

La mujer que es una buena esposa, una buena madre, tiene derecho a nuestro respeto como nadie más; pero ella tiene derecho a ello solo porque, y siempre que sea digna de ello. El esfuerzo y el sacrificio propio son la ley de la vida digna para el hombre como para la mujer; aunque ni el esfuerzo ni el sacrificio personal pueden ser los mismos para uno que para el otro. No creo en lo más mínimo en el paciente tipo de mujer Griselda, en la mujer que se somete a malos tratos graves y prolongados, como tampoco creo en un hombre que se somete dócilmente a una agresión injusta. Ningún mal hecho es tan aborrecible como un mal hecho por un hombre hacia la esposa y los hijos que deberían despertar cada sentimiento tierno en su naturaleza. El egoísmo hacia ellos, la falta de ternura hacia ellos, la falta de consideración hacia ellos, sobre todo, la brutalidad en cualquier forma hacia ellos, debe despertar el más sincero desprecio e indignación en cada alma recta.

Creo en la mujer manteniendo su autoestima tal como creo en el hombre que lo hace. Creo en sus derechos tanto como creo en los del hombre, y de hecho un poco más; y considero que el matrimonio es una sociedad, en la cual cada pareja tiene el honor de pensar en los derechos del otro y en los suyos. Pero creo que los deberes son aún más importantes que los derechos; y, a la larga, creo que la recompensa es más amplia y mayor por el deber bien hecho que por la insistencia en los derechos individuales, necesarios, aunque a menudo esto también debe serlo. Tu deber es difícil, tu responsabilidad es grande; pero lo mejor de todo es tu recompensa. No te compadezco en lo más mínimo. Por el contrario, siento respeto y admiración por ti.

En la custodia de la mujer está comprometido el destino de las generaciones que nos siguen. Al criar a sus hijos, las madres deben recordar que si bien es esencial ser amorosa y tierna, no es menos esencial ser sabia y firme. La necedad y el afecto no deben ser tratados como términos intercambiables; y además de entrenar a tus hijos e hijas en las virtudes más suaves y suaves, debes buscar darles esas cualidades severas y resistentes que seguramente necesitarán después de la vida. Algunos niños saldrán mal a pesar del mejor entrenamiento; y algunos irán bien incluso cuando su entorno sea más desafortunado; sin embargo, una cantidad inmensa depende del entrenamiento familiar. Si las madres, por debilidad, crían a sus hijos para que sean egoístas y piensen solo en sí mismas, serán responsables de mucha tristeza entre las mujeres que serán sus esposas en el futuro. Si deja que sus hijas crezcan ociosas, tal vez bajo la impresión errónea de que, como ustedes mismos han tenido que trabajar duro, ellas solo conocerán el placer, las están preparando para que sean inútiles para los demás y las cargas para ellas mismas. Enseñe a los niños y niñas por igual que no deben esperar las vidas gastadas en evitar dificultades, sino las vidas gastadas en superar dificultades. Enséñeles que el trabajo, para ellos mismos y también para los demás, no es una maldición sino una bendición; busca hacerlos felices, hacer que disfruten de la vida, pero también busca hacerles enfrentar la vida con la firme resolución de arrebatar el éxito del trabajo y la adversidad, y cumplir con su deber ante Dios y ante el hombre. Seguramente ella, que puede entrenar a sus hijos e hijas, es tres veces afortunada entre las mujeres.

Hay muchas personas buenas a las que se les niega la bendición suprema de los niños, y por estos tenemos el respeto y la simpatía siempre debidos a aquellos a quienes, sin culpa propia, se les niega ninguna de las otras grandes bendiciones de la vida. Pero el hombre o la mujer que deliberadamente renuncia a estas bendiciones, ya sea por crueldad, frialdad, falta de corazón, autocomplacencia o simplemente por no apreciar correctamente la diferencia entre lo más importante y lo poco importante, ¿por qué tal criatura merece desprecio? tan cordial como cualquiera que haya visitado al soldado que huye en la batalla, o al hombre que se niega a trabajar para mantener a los que dependen de él, y que los que no tienen cuerpo se contentan con comer sin hacer nada el pan que otros proporcionan.

La existencia de mujeres de este tipo constituye una de las características más desagradables y perjudiciales de la vida moderna. Si alguien tiene una visión tan débil como para no ver qué criatura tan desagradable es esa mujer, desearía que leyeran la novela "Panes sin levadura" del juez Robert Grant, reflexionen seriamente sobre el personaje de Selma y piensen en el destino que sería seguramente vencería a cualquier nación que desarrollara a su mujer promedio y típica en esa línea. Desafortunadamente, sería falso decir que este tipo existe solo en las novelas estadounidenses. Las estadísticas sobre la disminución de las familias en algunas localidades ponen de manifiesto que también existe en la vida estadounidense. Se hace evidente de manera igualmente siniestra por las estadísticas del censo en cuanto al divorcio, que son bastante atroces; porque el divorcio fácil es ahora como siempre lo ha sido, una maldición para cualquier nación, una maldición para la sociedad, una amenaza para el hogar, una incitación a la infelicidad matrimonial y a la inmoralidad, algo malo para los hombres y un mal aún más horrible para las mujeres. . Estas tendencias desagradables en nuestra vida estadounidense se hacen evidentes en artículos como los que en realidad leí hace poco en un artículo en el que se citaba a un clérigo, aparentemente con aprobación, que expresaba la actitud general estadounidense cuando dijo que la ambición de cualquier salvador de un hombre muy rico debería ser criar solo a dos hijos, para darles la oportunidad de "probar algunas de las cosas buenas de la vida".

Este hombre, cuya profesión y vocación deberían haberlo convertido en un maestro moral, en realidad estableció ante los demás el ideal, no entrenar a los niños para cumplir con su deber, no enviarlos con corazones fuertes y mentes listas para ganar triunfos para ellos y su país. , no de darles la oportunidad y darles el privilegio de hacer su propio lugar en el mundo, sino, por supuesto, de mantener el número de niños tan limitado que puedan "probar algunas cosas buenas". La forma de darle a un niño una oportunidad justa en la vida no es criarlo en el lujo, sino ver que tiene el tipo de entrenamiento que le dará fortaleza de carácter. Incluso aparte de la cuestión vital de la vida nacional, y con respecto solo al interés individual de los propios niños, la felicidad en el verdadero sentido es cien veces más propensa a llegar a cualquier miembro de una familia sana de niños con mentalidad saludable, bien criados , bien educados, pero enseñados que deben cambiar por sí mismos, deben ganar su propio camino y, por sus propios esfuerzos, hacer sus propias posiciones de utilidad, de lo que es probable que lleguen a aquellos cuyos padres han actuado y capacitado a sus hijos para actuar, la teoría egoísta y sórdida de que todo el final de la vida es "probar algunas cosas buenas".

La inteligencia del comentario está a la par con su moralidad; el proceso mental más rudimentario le habría mostrado al hablante que si la familia promedio en la que hay niños contenidos pero dos niños, la nación en su conjunto disminuiría en población tan rápidamente que en dos o tres generaciones sería muy acertada. de extinción, para que las personas que habían actuado sobre esta base y doctrina egoísta estuvieran dando lugar a otros con ideales más valientes y más robustos. Tampoco tal resultado sería de ninguna manera lamentable; para una raza que practicaba tal doctrina, es decir, una raza que practicaba el suicidio racial, demostraría de manera concluyente que no era apto para existir, y que mejor debería dar lugar a personas que no habían olvidado las leyes primarias de su ser.

En resumen, entonces, todo el asunto es bastante simple. Si una raza o un individuo prefiere el placer de la facilidad sin esfuerzo, de la autocomplacencia, a los placeres infinitamente más profundos, infinitamente más altos que reciben aquellos que conocen bien el trabajo y el cansancio, pero también la alegría del trabajo duro. hecho, por qué, esa raza o ese individuo inevitablemente debe pagar al final la pena de llevar una vida insípida e ignorante. Ningún hombre y ninguna mujer realmente dignos de ese nombre pueden cuidar la vida gastada única o principalmente en evitar riesgos, problemas y trabajo. Excepto en casos excepcionales, los premios que vale la pena tener en la vida deben pagarse, y la vida que vale la pena vivir debe ser una vida de trabajo para un fin digno, y normalmente de trabajo más para otros que para uno mismo.

La tarea de la mujer no es fácil, ninguna tarea que valga la pena hacer es fácil, pero al hacerlo, y cuando lo haya hecho, le llegará la alegría más alta y más santa conocida por la humanidad; y habiéndolo hecho, ella tendrá la recompensa profetizada en la Escritura; para su esposo y sus hijos, sí, y todas las personas que se dan cuenta de que su trabajo se encuentra en la base de toda la felicidad y grandeza nacional, se levantarán y la llamarán bendita.

ALTON B. PARKER

LA LLAMADA A LOS DEMÓCRATAS

De un discurso de apertura de la Nacional Democrática
Convención en Baltimore, Maryland, junio de 1912.

No son los métodos salvajes y crueles de revolución y violencia los que se necesitan para corregir los abusos que inciden en nuestro Gobierno en cuanto a todo lo humano. Ni el progreso material ni el moral yacen así. Hemos creado nuestro Gobierno y nuestras instituciones complicadas apelando a la razón, buscando educar a toda nuestra gente para que, día tras día, año tras año, siglo tras siglo, puedan ver con mayor claridad, actuar de manera más justa, apegarse cada vez más a Las ideas fundamentales que subyacen a nuestra sociedad. Si queremos preservar sin merma la herencia que nos legó, y agregarle esas acumulaciones sin las cuales la sociedad perecería, necesitaremos todos los poderes que la escuela, la iglesia, la corte, la asamblea deliberativa y el pensamiento silencioso de nuestra gente. puede llevar a soportar.

Estamos llamados a luchar contra los guardianes infieles de nuestra Constitución y nuestras libertades y las hordas de ignorancia que empujan hacia la ruina de nuestro tejido social y gubernamental.

Demasiado tiempo el país ha sufrido las ofensas de los líderes de un partido que una vez conoció la grandeza. Demasiado tiempo hemos sido ciegos al bacanal de la corrupción. Demasiado tiempo hemos observado desganadamente la reunión de las fuerzas que amenazan a nuestro país y nuestros hogares.

Ha llegado el momento en que la salvación del país exige la restauración del lugar y el poder de los hombres de altos ideales que librarán una guerra incesante contra la corrupción en la política, que harán cumplir la ley contra ricos y pobres, y que tratarán la culpa como algo personal. y castigarlo en consecuencia.

¿Cuál es nuestro deber? ¿Pensar igual en cuanto a hombres y medidas? ¡Imposible! ¡Incluso para nuestra gran fiesta! No hay un reaccionario entre nosotros. Todos los demócratas son progresistas. Pero es inevitablemente humano que no todos estemos de acuerdo en que en una sola carretera se encuentre el único camino hacia el progreso, o que cada uno haga del mismo hombre de todos nuestros candidatos dignos su primera opción.

Sin embargo, es imposible, y es nuestro deber dejar de lado todo egoísmo, consentir alegremente que la mayoría hable por cada uno de nosotros y marchar de esta convención hombro con hombro, entonando las alabanzas de nuestro líder elegido, y será su deber, cualquiera de los hombres honorables y capaces que ahora reclaman nuestra atención será elegido.

JOHN W. WESCOTT

NOMINANDO LA MADERA WILSON

En la Convención Nacional Democrática, Baltimore,
Maryland, junio de 1912.

La delegación de Nueva Jersey tiene el encargo de representar
la gran causa de la Democracia y ofrecerle como líder militante
y triunfante un erudito, no un charlatán; un estadista, no un
doctrinario; un abogado profundo, no un divisor de cabellos
legales; un economista político, no un teórico egoísta; un
político práctico, que construye, modifica, restringe, sin
disturbios ni destrucción; un debate inquebrantable y maestro
consumado de la declaración, no un simple sofista; un
humanitario, no un difamador de personajes y vidas; un hombre
cuya mente es a la vez cosmopolita y compuesta de América; un
caballero de hábitos sin pretensiones, con el temor de Dios en
su corazón y el amor de la humanidad exhibido en cada acto
de su vida; sobre todo un servidor público que ha sido juzgado
al máximo y nunca ha sido querer: incomparable, invencible, el
último demócrata, Woodrow Wilson.

Nueva Jersey tiene razones para su curso. No nos dejemos
engañar en nuestras instalaciones. Las campañas de vilipendio,
corrupción y falsas pretensiones han perdido su utilidad. La
evolución de la energía nacional es hacia una moralidad más
inteligente en la política y en todas las demás relaciones. La
situación no admite compromisos. El temperamento y el
propósito del público estadounidense no tolerarán otra opinión.
La indiferencia del pueblo estadounidense hacia la política ha
desaparecido. Cualquier plataforma y cualquier candidato que

no se ajuste a este vasto deseo social y comercial se verá derrotado ignominiosamente en las urnas.

Los hombres son conocidos por lo que dicen y hacen. Son conocidos por quienes los odian y se oponen a ellos. Hace muchos años, Woodrow Wilson dijo: "Ningún hombre es genial si se cree así, y ningún hombre es bueno si no trata de asegurar la felicidad y la comodidad de los demás". Este es el secreto de su vida. Los hechos de este gigante moral e intelectual son conocidos por todos los hombres. Acordan, no con las vergüenzas y las falsas pretensiones de la política, sino que hacen la armonía nacional con los millones de patriotas decididos a corregir los errores de la plutocracia y restablecer las máximas de la libertad estadounidense en toda su belleza reinante y efectividad práctica. Nueva Jersey ama a Woodrow Wilson, no por los enemigos que ha hecho. Nueva Jersey lo ama por lo que es. Nueva Jersey argumenta que Woodrow Wilson es el único candidato que no solo puede asegurar el éxito demócrata, sino también asegurar el voto electoral de casi todos los Estados de la Unión.

Nueva Jersey endosará su nominación por una mayoría de 100,000 de sus ciudadanos liberados. No estamos construyendo por un día, ni siquiera por una generación, sino por todos los tiempos. Nueva Jersey cree que hay una omnisciencia en el instinto nacional. Ese instinto se centra en Woodrow Wilson. Lleva en la vida política menos de dos años. No ha tenido organización; solo un ideal práctico: el restablecimiento de la igualdad de oportunidades. No solo sus actos, ni sus palabras inmortales, ni su personalidad, ni sus poderes incomparables, sino que todos combinan la fe nacional y la confianza en él. Cada crisis evoluciona a su maestro. El tiempo y las circunstancias han evolucionado Woodrow Wilson. El norte, el sur, el este y el oeste se unen en él. Nueva Jersey apela a esta convención para darle a la nación Woodrow Wilson, para que pueda abrir las puertas de la oportunidad a cada hombre, mujer y niño bajo nuestra bandera, reformando los abusos y enseñándoles, en sus palabras incomparables, "a liberar sus energías inteligentemente, para que la paz, la justicia y la prosperidad puedan reinar ". Nueva Jersey se regocija, a través de sus representantes libremente elegidos, para nombrar para la presidencia de los Estados Unidos al maestro de escuela de Princeton, Woodrow Wilson.

HENRY W. GRADY

EL PROBLEMA DE LA RAZA

Entregado en el banquete anual de los Boston Merchants '
Association, en Boston, Massachusetts, 12 de diciembre de
1889.

SEÑOR. PRESIDENTE: "Ofrecido por su invitación a una
discusión sobre el problema de la raza, prohibido por la ocasión
hacer un discurso político", agradezco, al tratar de conciliar las
órdenes con la propiedad, la perplejidad de la pequeña doncella,
que, ordenó aprender a nadar, todavía estaba conjeturado:
"Ahora, ve, mi amor; cuelga tu ropa en una rama de nogal y no te
acerques al agua".

El apóstol más valiente de la Iglesia, dicen, es el misionero, y
el misionero, dondequiera que despliegue su bandera, nunca se
encontrará en una necesidad más profunda de unción y dirección
que yo, que esta noche se le ordenó plantar el estándar de un
Demócrata del Sur. en el salón de banquetes de Boston, y para
discutir el problema de las carreras en la casa de Phillips y
Sumner. Pero, señor presidente, si es un propósito hablar con
perfecta franqueza y sinceridad; si la comprensión sincera de los
vastos intereses involucrados; si un sentido de consagración de
qué desastre puede seguir más malentendidos y extrañamientos;
si se puede contar con ellos para mantener un discurso firme e
indisciplinado y para fortalecer un brazo no probado, entonces,
señor, encontraré el coraje para continuar.

Estoy feliz de que esta misión haya traído mis pies al fin para
presionar el suelo histórico de Nueva Inglaterra y mis ojos al
conocimiento de su belleza y su ahorro. Aquí, cerca de Plymouth
Rock y Bunker Hill, donde Webster tronó y Longfellow cantó,

pensó Emerson y Channing predicó, aquí, en la cuna de las letras estadounidenses y casi de la libertad estadounidense, me apresuro a rendir homenaje a todos los estadounidenses que deben a Nueva Inglaterra cuando primero se encuentra descubierto en su poderosa presencia. ¡Extraña aparición! Esta figura severa y única, tallada en el océano y el desierto, su majestad se enciende y crece en medio de las tormentas del invierno y de las guerras, hasta que por fin se rompió la penumbra, se reveló su belleza al sol y los heroicos trabajadores descansaron en su lugar. base, mientras los reyes y los emperadores asustados miraban y se maravillaban de que por el toque grosero de este puñado lanzado en una costa sombría y desconocida debería haber venido el genio encarnado del gobierno humano y el modelo perfeccionado de la libertad humana. Dios bendiga la memoria de esos trabajadores inmortales y prospere la fortuna de sus hijos vivos, y perpetúe la inspiración de su obra.

Hace dos años, señor, pronuncié algunas palabras en Nueva York que llamaron la atención del Norte. Mientras estoy aquí para reiterar, como lo he hecho en todas partes, cada palabra que pronuncié, para declarar que los sentimientos que admití fueron aprobados universalmente en el Sur, me doy cuenta de que la confianza engendrada por ese discurso es en gran parte responsable de mi presencia aquí. esta noche. Debería deshonrarme si traiciono esa confianza al pronunciar una palabra falsa o al retener un elemento esencial de la verdad. A propósito de esto último, permítame confesar, señor presidente, antes de que la alabanza de Nueva Inglaterra haya muerto en mis labios, que creo que el mejor producto de su vida actual es la procesión de diecisiete mil demócratas de Vermont que durante veintidós años, no disminuidos por la muerte, no reclutados por nacimiento o conversión, marcharon sobre sus escarpadas colinas, emitieron sus votos demócratas y regresaron a sus hogares para rezar por sus vecinos no regenerados, y despertaron para leer el registro de veintiséis mil republicanos mayoritarios. Que el Dios de los indefensos y los heroicos los ayude, y que su fuerte tribu aumente.

Lejos del sur, señor presidente, separado de esta sección por una línea, una vez definida en una diferencia irreprimible, otra vez trazada en sangre fratricida, y ahora, gracias a Dios, pero una sombra que se desvanece, se encuentra el dominio más justo y rico de esta tierra. Es el hogar de un pueblo valiente y hospitalario. Está centrado todo lo que puede agradar o prosperar a la humanidad. Un clima perfecto sobre un suelo fértil rinde al labrador todos los productos de la zona templada. Allí, de noche, el algodón blanquea bajo las estrellas, y de día el trigo encierra la luz del sol en su gavilla barbuda. En el mismo campo, el trébol roba la fragancia del viento y el tabaco capta el rápido aroma de las lluvias. Hay montañas almacenadas con tesoros inagotables; bosques vastos y primitivos; y ríos que, cayendo o merodeando, corren sin rumbo al mar. De los tres elementos esenciales de todas las industrias (algodón, hierro y madera), esa región tiene un control fácil. En el algodón, un monopolio fijo —en hierro, supremacía comprobada— en la madera, el suministro de reserva de la República. De esta ventaja asegurada y permanente, contra la cual las condiciones artificiales no pueden prevalecer por mucho más tiempo, ha crecido un sorprendente sistema de industrias. No mantenido por artilugios humanos de aranceles o capital, lejos de la fuente de suministro más completa y barata, pero descansando en la certeza divina, dentro del alcance del campo, la mina y el bosque, no establecido en medio de costosas granjas de las cuales la competencia ha llevado al agricultor a la desesperación , pero en medio de tierras baratas y soleadas, ricas en agricultura, a las cuales ni la estación ni el suelo han establecido un límite:

este sistema de industrias está creciendo a un esplendor que deslumbrará e iluminará el mundo. Esa es, señor, la imagen y la promesa de mi hogar: una tierra mejor y más justa de lo que le he dicho, pero que se ajusta a su excelencia material por la calidad leal y gentil de su ciudadanía. Contra eso, señor, tenemos a Nueva Inglaterra, reclutando a la República de sus fuertes lomos, sacudiéndose de sus colmenas superpobladas, nuevos enjambres de trabajadores y tocando esta tierra con su energía y su coraje. Y, sin embargo, mientras que en el El Dorado del que te he dicho, pero el quince por ciento de sus tierras están cultivadas, sus minas apenas se tocan, y su población es tan escasa que, si se estableciera equidistante, el sonido de la voz humana no se podía escuchar. desde Virginia hasta Texas, mientras que en el umbral de casi todas las casas de Nueva Inglaterra hay un hijo que busca, con ojos preocupados, una nueva tierra en la que transportar su modesto patrimonio, el extraño hecho es que en 1880 el Sur tenía menos norte. ciudadanos nacidos que ella tenía en 1870, menos en '70 que en '60. ¿Por qué es esto? ¿Por qué es así, señor? Aunque la línea de la sección ahora es una neblina que puede disipar el aliento, menos hombres del norte la han cruzado hacia el sur, que cuando estaba carmesí con la mejor sangre de la República, o incluso cuando ¿El propietario de esclavos vigilaba cada centímetro de su camino?

Puede haber solo una respuesta. Es el mismo problema que ahora debemos considerar. La clave que abre ese problema desbloqueará al mundo la mitad más bella de esta República, y liberará los pies detenidos de miles cuyos ojos ya están encendidos con su belleza. Mejor que esto, abrirá los corazones de los hermanos durante treinta años distanciados, y unirá en camaradería duradera un millón de manos ahora retenidas en duda. Nada, señor, pero este problema y las sospechas que genera, dificultan una comprensión clara y una unión perfecta.

Nada más se interpone entre nosotros y un amor como el de Georgia y Massachusetts en Valley Forge y Yorktown, castigados por los sacrificios de Manassas y Gettysburg, e iluminados con la llegada de un mejor trabajo y un destino más noble que el que jamás se forjó con la espada o se buscó. La boca del cañón. Si esto no invita a su paciente a escuchar esta noche, escuche una cosa más. Mi gente, sus hermanos en el Sur, hermanos en sangre, en el destino, en todo lo mejor de nuestro pasado y futuro, están tan acosados con este problema que su propia existencia depende de la solución correcta. Tampoco tienen toda la culpa de su presencia.

Los barcos de esclavos de la República navegaban desde sus puertos, los esclavos trabajaban en nuestros campos. No defenderás el tráfico, ni yo la institución. Pero sí declaro que en su administración sabia y humana al elevar al esclavo a las alturas con las que no había soñado en su hogar salvaje, y al darle una felicidad que aún no ha encontrado en la libertad, nuestros padres dejaron a sus hijos como un salvador. Excelente patrimonio. En la tormenta de guerra esta institución se perdió. Le agradezco a Dios tan sinceramente como usted que la esclavitud humana se haya ido para siempre del suelo estadounidense. Pero el liberto permanece. Con él, un problema sin precedentes ni paralelos. Tenga en cuenta sus pésimas condiciones. Dos razas completamente diferentes en el mismo terreno, con iguales derechos políticos y civiles, casi iguales en número, pero terriblemente desiguales en inteligencia y responsabilidad, cada una comprometida contra la fusión, una durante un siglo en servidumbre a la otra, y finalmente liberada por un Desoladora guerra, el experimento que ninguno de los dos buscaba pero que ambos abordaban con dudas: estas son las condiciones. Bajo estos, adversos en cada punto, estamos obligados a llevar estas dos razas en paz y honor hasta el final.

Nunca, señor, se le ha dado tal tarea a la mayordomía mortal. Nunca antes en esta República la raza blanca se ha dividido sobre los derechos de una raza alienígena. El hombre rojo fue cortado como hierba porque obstaculizaba el camino del ciudadano estadounidense. El hombre amarillo fue excluido de esta República porque es un extraterrestre e inferior. El hombre rojo era dueño de la tierra, el hombre amarillo era muy civilizado y asimilable, ¡pero obstaculizaron ambas secciones y desaparecieron! Pero el hombre negro, que afecta solo a una sección, está vestido con todos los privilegios del gobierno y clavado en el suelo, y mi pueblo ordenó cumplir con cualquier peligro, y a cualquier costo, su herencia plena e igualitaria de privilegios y prosperidad estadounidenses. No importa que todas las demás razas hayan sido enrutadas o excluidas sin rima o razón. No importa que dondequiera que los blancos y los negros se hayan tocado, en cualquier época o en cualquier clima, haya habido una violencia irreconciliable. ¡No importa que no haya dos razas, por similares que sean, que hayan vivido en cualquier lugar, en cualquier momento, en el mismo suelo con los mismos derechos en paz! A pesar de estas cosas, se nos ordena que hagamos bien este cambio de política estadounidense que tal vez no haya cambiado los prejuicios estadounidenses, para asegurarnos aquí de lo que en otros lugares ha sido imposible entre blancos y negros, y revertir, en las peores condiciones, lo universal. veredicto de la historia racial. E impulsado, señor, a esta tarea sobrehumana con una impaciencia que no soporta demoras, un rigor que no acepta excusas, y una sospecha que desalienta la franqueza y la sinceridad. No nos alejamos de este juicio. Está tan entretejido con nuestro tejido industrial que no podemos desenredarlo si quisiéramos, tan ligados a nuestra honrosa obligación con el mundo, que no lo haríamos si pudiéramos. Podemos resolverlo? El Dios que lo entregó en nuestras manos, solo Él puede saberlo. Pero esto es lo que sabemos los más débiles y sabios de nosotros: no podemos resolverlo con menos que tu simpatía tolerante y paciente, con menos que el conocimiento de que la sangre que corre por tus venas es nuestra sangre, y que, cuando hemos hecho nuestro mejor esfuerzo , ya sea que el problema se pierda o gane, ¡sentiremos sus fuertes brazos sobre nosotros y escucharemos los latidos de sus corazones aprobadores!

Los hombres resueltos, lúcidos y de mente abierta del Sur, los hombres cuyo genio hizo gloriosa cada página de los primeros setenta años de la historia estadounidense, cuyo coraje y fortaleza probaste en cinco años de la guerra más feroz, cuya energía ha hecho ladrillos sin paja y esparcen esplendor entre las cenizas de sus hogares devastados por la guerra: estos hombres llevan este problema en sus corazones y cerebros, de día y de noche. Se dan cuenta, como usted no puede saber, de lo que significa este problema, lo que le deben a esta raza amable y dependiente, la medida de su deuda con el mundo en cuyo pese a defender y mantener la esclavitud. Y aunque sus pies se ven obstaculizados por su sotobosque, y su marcha se tambalea con sus cargas, no han perdido ni la paciencia de la que proviene la claridad, ni la fe de la que proviene el coraje. Tampoco, señor, cuando en momentos apasionados se les revela esa sombra vaga y horrible, con sus abismos espeluznantes y sus manchas carmesí, en las que le pido a Dios que nunca vayan, son golpeados con más aprensión de la necesaria para completar su ¡consagración!

Tal es el temperamento de mi gente. Pero, ¿qué pasa con el problema en sí? Sr. Presidente, no necesitamos ir un paso más allá a menos que reconozca aquí que las personas por las que hablo son tan honestas, tan sensibles y tan justas como su gente, que buscan con la mayor seriedad que usted, en su lugar, resolver adecuadamente el problema que los toca en cada punto vital. Si insiste en que son rufianes, que luchan ciegamente con un garrote y una escopeta para saquear y oprimir a una raza, entonces sacrificaré mi autoestima y pondré a prueba su paciencia en vano. Pero admitan que son hombres de sentido común y honestidad común, que modifican sabiamente un entorno que no pueden ignorar por completo, guiando y controlando lo mejor que pueden lo cruel e irresponsable de cualquier raza, compensando el error con franqueza y recuperando con paciencia lo que perdieron en la pasión —y consciente todo el tiempo de que lo malo significa ruina— admite esto, y podemos llegar a un entendimiento esta noche.

El Presidente de los Estados Unidos, en su mensaje tardío al Congreso, discutiendo la súplica de que se debe dejar al Sur para resolver este problema, pregunta: "¿Están trabajando en ello? ¿Qué solución ofrecen? ¿Cuándo lanzará el hombre negro una boleta gratis? ¿Cuándo tendrá los derechos civiles que le pertenecen? " No protestaré aquí contra un partido que, por primera vez en nuestra historia, en tiempo de paz, ha marcado con el gran sello de nuestro gobierno un estigma sobre el pueblo de una gran y leal sección; aunque recuerdo con gratitud que el gran soldado muerto, que sostuvo el timón del Estado durante los ocho años más tormentosos de reconstrucción, nunca encontró la necesidad de tal paso; ¡y aunque no haya un sacrificio personal que no haría para eliminar esta cruel e injusta imputación de los archivos de mi país a mi pueblo! Pero, señor, respaldado por un registro, en cada página de progreso, me aventuro a dar una respuesta sincera y respetuosa a las preguntas que se hacen. Le damos al mundo este año una cosecha de 7,500,000 pacas de algodón, por un valor de $ 450,000,000, y su equivalente en efectivo en granos, hierbas y frutas. Esta enorme cosecha no podría haber venido de manos de mano de obra hosca y descontenta. Proviene de campos pacíficos, en los que la risa y el chisme se elevan por encima del zumbido de la industria, y la alegría corre con el arado cantante. Se afirma que esta mano de obra ignorante es defraudada de su justa contratación, presento los libros de impuestos de Georgia, que muestran que el negro hace veinticinco años un esclavo, solo tiene en Georgia $ 10,000,000 de propiedad tasada, que vale el doble. ¿No lo honra ese registro y reivindica a sus vecinos?

¿Qué personas, sin dinero, analfabetas, han hecho tan bien? Por cada agitador afroamericano, agitando la lucha en la que solo prospera, puedo mostrarle a mil negros, felices en sus casas de cabaña, labrando su propia tierra durante el día y por la noche tomando de los labios de sus hijos el útil mensaje. su estado los envía desde la puerta de la escuela. Y la escuela misma da testimonio. En Georgia, agregamos el año pasado $ 250,000 al fondo escolar, haciendo un total de más de $ 1,000,000, y esto ante el prejuicio aún no conquistado, del hecho de que los blancos son evaluados por $ 368,000,000, los negros por $ 10,000,000, y aún cuarenta -el nueve por ciento de los beneficiarios son niños negros; y en la duda de muchos hombres sabios si la educación ayuda o puede ayudar a nuestro problema. Charleston, con sus valores imponibles reducidos a la mitad en dos desde 1860, paga más en proporción a las escuelas públicas que Boston. Aunque es más fácil dar mucho de mucho de poco de poco, el Sur, con una séptima parte de la propiedad imponible del país, con una deuda relativamente mayor, ha recibido solo una doceava parte de las tierras públicas y tiene al dorso de sus libros de impuestos, ninguno de los $ 500,000,000 de bonos que enriquecen el Norte, y aunque paga anualmente $ 26,000,000 a su sección en concepto de pensiones, sin embargo, da casi un sexto al fondo de la escuela pública. El Sur desde 1865 ha gastado $ 122,000,000 en educación, y este año se ha comprometido a $ 32,000,000 más para las escuelas estatales y municipales, aunque los negros, que pagan una trigésima parte de los impuestos, obtienen casi la mitad del fondo. Entra en nuestros campos y ve a blancos y negros trabajando lado a lado. En nuestros edificios en el mismo escuadrón. En nuestras tiendas en la misma fragua. A menudo, los negros desplazan a los blancos del trabajo, o reducen los salarios por su mayor necesidad y hábitos más simples, y sin embargo están permitidos, porque queremos excluirlos de cualquier avenida en la que puedan pisar sus pies. No podrían ser oradores elegidos de las universidades blancas, como lo han estado aquí, pero sí ingresan allí cientos de intercambios útiles que están cerrados contra ellos aquí. Consideramos que es mejor y más sabio cuidar las malas hierbas del jardín que regar lo exótico en la ventana.

En el sur hay abogados negros, maestros, editores, dentistas, médicos, predicadores, que se multiplican con la creciente capacidad de su raza para apoyarlos. En los pueblos y ciudades tienen sus compañías militares equipadas de las armerías del Estado, sus iglesias y sociedades construidas y apoyadas en gran parte por sus vecinos. ¿Cuál es el testimonio de los tribunales? En la legislación penal, hemos reducido constantemente los delitos graves a delitos menores, y hemos llevado al mundo a mitigar el castigo por el crimen, para que podamos salvar, en la medida de lo posible, a esta raza dependiente de su propia debilidad. En nuestro registro penitenciario, el sesenta por ciento de los fiscales son negros, y en cada corte el criminal negro golpea al jurado de color, para que los hombres blancos puedan juzgar su caso.

En el norte, un negro de cada 185 está en la cárcel; en el sur, solo uno de cada 446. En el norte, el porcentaje de prisioneros negros es seis veces mayor que el de los blancos nativos; en el sur, solo cuatro veces mayor. Si el prejuicio lo perjudica en los tribunales del sur, el registro muestra que es más profundo en los tribunales del norte. Afirmo aquí, y un bar tan inteligente y recto como el de Massachusetts menospreciará solemnemente mi afirmación de que en los tribunales del Sur, de mayor a menor, abogando por la vida, la libertad o la propiedad, el negro tiene una clara ventaja porque es un negro, apto para ser extralimitado, oprimido, y que esta ventaja llega del jurado al emitir su veredicto al juez al medir su sentencia.

Ahora, Sr. Presidente, ¿puede mantenerse seriamente que estamos aterrorizando a las personas de cuyas manos voluntarias viene cada año $ 1,000,000,000 de cultivos agrícolas? ¿O han robado a un pueblo que, veinticinco años de esclavitud sin recompensa, ha acumulado en un Estado $ 20,000,000 de propiedad? ¿O que pretendemos oprimir a las personas que estamos armando todos los días? ¿O engañarlos cuando los estamos educando al máximo de nuestra capacidad? ¿O proscribirlos, cuando trabajamos codo a codo con ellos? ¿O volver a esclavizarlos bajo formas legales, cuando para su beneficio hemos reducido de manera imprudente el límite de delitos graves y mitigado la severidad de la ley? Mis compatriotas, como ustedes mismos a veces tienen que apelar en el tribunal del juicio humano por la justicia y por el derecho, denle a mi pueblo esta noche la conclusión justa e incontestable de estos hechos incontestables.

Pero se afirma que bajo esta aparente apariencia hay desorden y violencia. Esto lo admito. Y habrá hasta que haya una comunidad ideal en la tierra después de la cual podamos modelar. ¡Pero cuán ampliamente se juzga mal! Es difícil medir con exactitud lo que toca al negro. Su impotencia, su aislamiento, su siglo de servidumbre, nos predisponen a enfatizar y magnificar sus errores. Esta disposición, inflamada por prejuicios y partidismos, ha llevado a la injusticia y al engaño. Los hombres sin ley pueden devastar un condado en Iowa y se acepta como un incidente: en el sur, una fila de borrachos se declara como el hábito fijo de la comunidad. Los reguladores pueden azotar a los vagabundos en Indiana por pelotones y apenas atrae la atención: una colisión fortuita en el sur entre relativamente las mismas clases se acepta gravemente como evidencia de que una raza está destruyendo a la otra. También podríamos afirmar que la Unión fue desagradecida con el soldado de color que siguió su bandera porque un puesto del Gran Ejército en Connecticut cerró sus puertas a un veterano negro para que usted le diera un significado racial a cada incidente en el Sur, o para aceptar excepcionales motivos como la regla de nuestra sociedad. No soy de los que confunden el honor estadounidense con el desfile de los ultrajes de ninguna de las secciones, y creo en el carácter estadounidense al declarar que son significativos y representativos. Prefiero mantener que no son ninguno, y no representan nada más que la pasión y el pecado de nuestra pobre humanidad caída. Si la sociedad, como una máquina, no fuera más fuerte que su parte más débil, debería desesperarme por ambas secciones. Pero, sabiendo que la sociedad, sensible y responsable en cada fibra, puede reparar y reparar hasta que el todo tenga la fuerza de lo mejor, tampoco me desespero. Estos caballeros que vienen conmigo aquí, se unen a la ajetreada vida de Georgia como son, ¡nunca vi, me atrevo a afirmar, un ultraje cometido contra un negro! Y si lo hicieran, ninguno de ustedes sería más rápido para prevenir o castigar. Es a través de ellos, y de los hombres y mujeres que piensan con ellos, que representan nueve décimas partes de cada comunidad sureña, que estas dos razas se han llevado hasta ahora con menos violencia de la que hubiera sido posible en cualquier otro lugar del mundo. Y en su imparcialidad, coraje y firmeza, más que en todas las leyes que se pueden aprobar, o en todas las bayonetas que se pueden reunir, es la esperanza de nuestro futuro.

¿Cuándo los negros emitirán un voto gratis? Cuando la ignorancia en cualquier lugar no está dominada por la voluntad de los inteligentes; cuando el trabajador en cualquier lugar emite un voto sin trabas de su jefe; cuando el voto de los pobres en cualquier parte no está influenciado por el poder de los ricos; cuando los fuertes y los firmes no controlan en todas partes el sufragio de los débiles e inmóviles, entonces, y no hasta entonces, la votación del negro será libre. Los blancos del Sur están congregados, señor presidente, sin prejuicios contra los negros, no en distanciamiento seccional, no con la esperanza de dominio político, sino en una necesidad profunda y permanente. Aquí está este vasto voto ignorante y comprable, clandestino, crédulo, impulsivo y apasionado, que tienta a cada arte del demagogo, pero insensible al atractivo del estadista. Comenzó incorrectamente, ya que fue llevado a la alienación de su vecino y se le enseñó a confiar en la protección de una fuerza externa, no puede fusionarse y perderse en los dos grandes partidos a través de corrientes lógicas, ya que carece de convicción política e incluso de esa información sobre en qué convicción debe basarse. Debe seguir siendo una facción, lo suficientemente fuerte en cada comunidad para controlar la más mínima división de los blancos. Bajo esa división se convierte en presa de los astutos y sin escrúpulos de ambas partes. Se impone su credulidad, se inflama su paciencia, se tienta su codicia, se desvían sus impulsos, e incluso se hace que su superstición participe en una campaña en la que todos los intereses de la sociedad se ven comprometidos y cada enfoque de las urnas se debate. Es en contra de campañas como esta —la locura, la amargura y el peligro de que todas las comunidades del sur han bebido profundamente— que los blancos del sur se unan. De la misma manera que en Massachusetts estarías anillado si 300,000 hombres, ninguno de cada cien pudieran leer su boleta electoral, anclado por instinto racial, sosteniendo contra ti el recuerdo de un siglo de esclavitud, enseñado por tus últimos conquistadores a desconfiar y oponerse a ti, ya había investigado la legislación de su Cámara de Representantes, y en cada especie de locura o villanía había malgastado su sustancia y agotado su crédito.

Pero admitiendo el derecho de los blancos a unirse contra esta tremenda amenaza, nos enfrentamos a la pequeñez de nuestro voto. Durante mucho tiempo, se ha acusado con frialdad de ser evidencia y ahora se ha declarado solemne y oficialmente como prueba de bajeza política y bajeza de nuestra parte. Dejanos ver. Virginia, un estado ahora bajo agresión feroz por este presunto delito, emitió en 1888 el setenta y cinco por ciento de su voto; Massachusetts, el estado en el que hablo, el sesenta por ciento de su voto. ¿Fue supresión en Virginia y causas naturales en Massachusetts? El mes pasado, Virginia emitió el sesenta y nueve por ciento de su voto; y Massachusetts, luchando en todos los distritos, emitió solo el cuarenta y nueve por ciento de los suyos. Si Virginia es condenada porque el treinta y uno por ciento de su voto estaba en silencio, ¿cómo escapará este Estado, en el que el cincuenta y uno por ciento fue tonto? Ampliemos esta comparación. Los dieciséis estados del sur en el '88 emitieron el sesenta y siete por ciento de su voto total, los seis estados de Nueva Inglaterra, pero el sesenta y tres por ciento de los suyos. ¿Por qué regla justa se aplicará el estigma a una sección mientras la otra escapa? Una elección en el Congreso en Nueva York la semana pasada, con el lugar de votación en contacto con cada votante, trajo solo 6,000 votos de 28,000, y la falta de oposición se asigna como la causa natural. En un distrito de mi estado, en el que no se ha escuchado un discurso de oposición en diez años y los lugares de votación están a kilómetros de distancia, bajo el razonamiento injusto del cual mi sección ha sido una víctima constante, se acusa al pequeño voto como prueba de supresión forzada En Virginia, una mayoría promedio de 12,000, a menos que la división desesperada de la minoría, se elevara a 42,000; en Iowa, en las mismas elecciones, se eliminó a una mayoría de 32,000 y se estableció una mayoría de la oposición de 8,000. El cambio de 40,000 votos en Iowa se acepta como revolución política; en Virginia, un aumento de 30,000 en una mayoría segura se declara como prueba de fraude político.

Es deplorable, señor, que en ambas secciones un porcentaje mayor de los votos no sea emitido regularmente, pero es más inexplicable que esto sea así en Nueva Inglaterra que en el Sur. ¿Qué invita al negro a las urnas? Él sabe que de todos los hombres le ha prometido más y menos le ha dado. Su primer llamado al sufragio fue la promesa de "cuarenta acres y una mula"; el segundo, la amenaza de que el éxito demócrata significó su reesclavitud. Ambos han demostrado ser falsos en su experiencia. Buscó un hogar y consiguió el Banco Freedman. Luchó bajo la promesa de la hogaza, y en la victoria se le negaron las migajas. Desanimado y engañado, se dio cuenta por fin de que sus mejores amigos son sus vecinos con los que se basa su suerte, y cuya prosperidad está ligada a la suya, y que no ha ganado nada en política para compensar la pérdida de su confianza y simpatía. esa es por fin su mejor y duradera esperanza. Y así, sin líderes u organización, y sin el heroísmo decidido de mis amigos del partido en Vermont que hacen de su desesperada marcha por las colinas una peregrinación alta e inspiradora, mide con astucia el agitador ocasional, equilibra su pequeña cuenta con la política, retoca su mula, y trota por el surco, ¡dejando que el mundo loco se mueva como quiera!

El votante negro nunca puede controlar en el Sur, y sería bueno que los partidarios del Norte lo entendieran. He visto a la gente blanca de un Estado establecido por anfitriones negros hasta que su destino parecía sellado. Pero, señor, algunos hombres valientes, que los unían, se levantarían cuando Eliseo se levantara en la asediada Samaria, y, tocándose los ojos con fe, les pidiera que miraran al exterior para ver el aire "lleno de los carros de Israel y sus jinetes. " Si hay alguna fuerza humana que no se puede resistir, es el poder de la inteligencia en bandas y la responsabilidad de una comunidad libre. Contra esto, los números y la corrupción no pueden prevalecer. No puede ser prohibido por la ley, ni divorciado en vigor. Es el derecho inalienable de toda comunidad libre: la salvaguardia justa y justa contra un sufragio ignorante o corrupto. Es en esto, señor, que confiamos en el sur. No la amenaza cobarde de la máscara o la escopeta, sino la majestad pacífica de la inteligencia y la responsabilidad, en masa y unificada para la protección de sus hogares y la preservación de su libertad. Esa, señor, es nuestra confianza y nuestra esperanza, y contra ella no prevalecerán todos los poderes de la tierra. Es tan seguro que Virginia volvería al control indiscutible de su raza blanca, que antes de que el poder moral y material de su pueblo una vez más se unificara, la oposición se derrumbaría hasta que su último líder desesperado se quedara solo, luchando en vano por reunir a su anfitriones desordenados, ya que esa noche debería desvanecerse en la gloria del sol. Puede aprobar proyectos de ley de fuerza, pero no serán de utilidad. Puede entregar sus propias libertades a la ley federal de elecciones; usted puede presentar, por temor a una necesidad que no existe, que la forma misma de este gobierno puede cambiar; puede invitar interferencias federales con la reunión de la ciudad de Nueva Inglaterra, que ha sido durante cien años la garantía del gobierno local en Estados Unidos; este viejo Estado, que tiene en su estatuto el alarde de que "es una comunidad libre e independiente", puede entregar su maquinaria electoral a las manos del gobierno que ayudó a crear, pero nunca, señor, un solo Estado de esta Unión , Norte o Sur, se entregará nuevamente al control de una raza ignorante e inferior. Le arrebatamos a nuestros gobiernos estatales la supremacía negra cuando el tambor federal se acercó a las urnas y las bayonetas federales lo cubrieron más de lo que nunca más se permitirá en este gobierno libre. Pero, señor, aunque el cañón de esta República tronó en todos los distritos electorales en el Sur, aún deberíamos encontrar en la misericordia de Dios los medios y el coraje para evitar su restablecimiento.

Lamento, señor, que mi sección, obstaculizada por este problema, parezca estar alejada del Norte. Si, señor, algún hombre me señala un camino por el cual los blancos del sur, divididos, pueden caminar en paz y honor, tomaré ese camino, aunque lo tome solo, porque al final, y en ninguna parte de lo contrario, me temo, se encuentra la plena prosperidad de mi sección y la restauración completa de esta Unión. Pero, señor, si el negro no hubiera sido privado de derechos, el Sur se habría dividido y la República unida. Su derecho a voto, contra el cual no protesto, mantiene al Sur unido y compacto. ¿Qué solución, entonces, podemos ofrecer para el problema? El tiempo solo nos lo puede revelar. Simplemente informamos sobre el progreso y le pedimos paciencia. Si el problema se resuelve en absoluto, y creo firmemente que lo hará, aunque en ningún otro lugar ha sido, será resuelto por las personas más profundamente interesadas, más profundamente comprometidas en honor a su solución. Prefiero ver a mi gente responder esta pregunta correctamente resuelta que verlos reunir todo el botín sobre el que ha luchado la facción desde que Catalina conspiró y César luchó. Mientras tanto, tratamos al negro de manera justa, midiéndole la justicia en la plenitud que los fuertes deben dar a los débiles, y guiándolo por los caminos firmes de la ciudadanía, para que ya no sea la presa de los inescrupulosos y el deporte de los irreflexivos. Le abrimos todas las actividades en las que puede prosperar y buscamos ampliar su entrenamiento y capacidad. Buscamos mantener su confianza y amistad, y sujetarlo al suelo con propiedad, para que pueda atrapar en el fuego de su propia piedra de hogar ese sentido de responsabilidad que los inmóviles nunca pueden conocer. Y lo reunimos en esa alianza de inteligencia y responsabilidad que, aunque ahora se acerca a las líneas raciales, da la bienvenida al responsable e inteligente de cualquier raza. En este curso, confirmado a nuestro juicio, y justificado en el progreso ya realizado, esperamos progresar lenta pero seguramente hasta el final.

El amor que sentimos por esa raza, no lo puedes medir ni comprender. Como lo atestiguo aquí, el espíritu de mi vieja mami negra, desde su casa allá arriba, mira hacia abajo para bendecir, y a través del tumulto de esta noche roba la dulce música de sus aguijones cuando hace treinta años me sostenía en sus brazos negros. y me hizo sonreír para dormir. Esta escena se desvanece mientras hablo, y capto la visión de una antigua casa sureña con sus altos pilares y sus palomas blancas revoloteando en el aire dorado. Veo mujeres con caras tensas y ansiosas, y niños alertas pero indefensos. Veo caer la noche con sus peligros y sus aprensiones, y en una gran sala hogareña siento en mi cabeza cansada el toque de manos amorosas, ahora gastadas y arrugadas, pero más justas para mí que las manos de una mujer mortal, y aún más fuertes. para guiarme que las manos de un hombre mortal, mientras ponen la bendición de una madre allí, mientras está de rodillas, el altar más verdadero que aún he encontrado, agradezco a Dios que esté a salvo en su santuario, porque sus esclavos, centinela en el silencio cabina o guardia en la puerta de su habitación, poner la lealtad de un hombre negro entre ella y el peligro.

Tengo otra visión. La crisis de la batalla: un soldado golpeado, tambaleante, caído. Veo a un esclavo, que se arrastra por el humo, enrolla sus brazos negros sobre la forma caída, temerario de la muerte atroz, doblando su rostro de confianza para captar las palabras que tiemblan en los labios heridos, luchando mientras tanto con agonía que dejaría su vida en lugar de su amo. Lo veo junto a la cama cansada, ministrando con paciencia sin quejarse, rezando con todo su humilde corazón para que Dios levante a su amo, hasta que la muerte llegue en misericordia y en honor para calmar la agonía del soldado y sellar su vida. Lo veo junto a la tumba abierta: mudo, inmóvil, descubierto, sufriendo por la muerte de aquel que en la vida luchó contra su libertad. Lo veo, cuando se amontona el molde y se cierra el gran drama de su vida, aléjese y, con los ojos bajos y un paso incierto, comience a entrar en campos nuevos y extraños, titubeando, luchando, pero avanzando, hasta que pierda su figura temblorosa. a la luz de este día mejor y más brillante. Y de la tumba sale una voz que dice: "¡Síguele! Pon tus brazos alrededor de él en su necesidad, incluso cuando él puso los suyos sobre mí. Sé su amigo como él fue mío". Y hacia este nuevo mundo, extraño para mí como para él, deslumbrante y desconcertante, ¡los sigo! ¡Y que Dios olvide a mi pueblo, cuando ellos olvidan a estos!

Sea lo que sea lo que les depare el futuro, ya sea que sigan avanzando en la servidumbre de la que nunca han sido levantados desde que los soldados romanos se apoderaron del Cyrenian y lo obligaron a llevar la cruz del Cristo desmayado, ya sea que encuentren hogares nuevamente. en África, y así apresura la profecía del salmista, quien dijo: "Y de repente Etiopía extenderá sus manos a Dios", si bien se dislocan y se separan para siempre, siguen siendo un pueblo débil, acosado por más fuerte, y existe, como el turco , que vive en los celos más que en la conciencia de Europa, o si en esta república milagrosa atraviesan la casta de veinte siglos y, desmintiendo la historia universal, alcanzan la plena estatura de ciudadanía y la mantienen en paz, les daremos ellos la mayor justicia y amistad permanente. Y hagamos lo que hagamos, en cualquier aparente extrañamiento que podamos ser impulsados, nada perturbará el amor que llevamos a esta República, ni mitigará nuestra consagración a su servicio. Estoy aquí, señor presidente, para no profesar ninguna nueva lealtad. Cuando el general Lee, cuyo corazón era el templo de nuestras esperanzas, y cuyo brazo estaba vestido con nuestra fuerza, renovó su lealtad a este Gobierno en Appomattox, habló desde un corazón demasiado grande para ser falso, y habló por cada hombre honesto de Maryland a Texas. Desde ese día hasta este Amílcar no ha jurado en el sur al joven Aníbal al odio y la venganza, sino a la lealtad y al amor. Sea testigo del veterano parado en la base de un monumento confederado, encima de las tumbas de sus camaradas, con la manga vacía sacudida por el viento de abril, alentando a los jóvenes a su alrededor para que sirvan como ciudadanos serios y leales contra el gobierno contra el cual sus padres lucharon. ¡Este mensaje, entregado desde esa presencia sagrada, se ha ido a los corazones de mis compañeros! Y, señor, declaro aquí, si el coraje físico siempre es igual a la aspiración humana, que morirían, señor, si fuera necesario, para restaurar esta República, sus padres lucharon por disolverse.

Tal es, señor Presidente, este problema tal como lo vemos, tal es el temperamento en el que lo abordamos, tal el progreso realizado. ¿Qué te pedimos? Primero, paciencia; De esto solo puede venir el trabajo perfecto. Segundo, confianza; solo en esto puedes juzgar de manera justa. Tercero, simpatía; en esto puedes ayudarnos mejor. Cuarto, danos a tus hijos como rehenes. Cuando siembres tu capital en millones, envía a tus hijos para que sepan cuán verdaderos son nuestros corazones y puedan ayudar a aumentar la corriente del Cáucaso hasta que pueda transportar sin peligro esta infusión negra. Quinto, lealtad a la República, porque hay seccionismo en la lealtad como en el distanciamiento. Esta hora poco necesita la lealtad que es leal a una sección y, sin embargo, mantiene a la otra en la sospecha y el distanciamiento. Danos la lealtad amplia y perfecta que ama y confía en Georgia por igual con Massachusetts, que no conoce el Sur, el Norte, el Este, el Oeste, sino que ama con igual y patriótico amor cada pie de nuestro suelo, cada Estado de nuestra Unión.

Un poderoso deber, señor, y una poderosa inspiración nos impulsa a cada uno de nosotros a perder en la consagración patriótica cualquier distanciamiento, lo que sea que lo divida. Nosotros, señor, somos estadounidenses, ¡y defendemos la libertad humana! La fuerza edificante de la idea estadounidense está bajo cada trono en la tierra. Francia, Brasil, estas son nuestras victorias. Para redimir la tierra de Kingcraft y la opresión, ¡esta es nuestra misión! Y no fallaremos. Dios ha sembrado en nuestro suelo la semilla de su cosecha milenaria, y no pondrá la hoz hasta la cosecha madura hasta que llegue su día completo y perfecto. Nuestra historia, señor, ha sido un milagro constante y en expansión, desde Plymouth Rock y Jamestown hasta el final, sí, incluso desde la hora en que, desde el océano sin voz y sin huellas, un nuevo mundo se elevó a la vista del marinero inspirado. A medida que nos acercamos al cuarto centenario de ese día estupendo, cuando el viejo mundo vendrá a maravillarse y aprender en medio de nuestros tesoros reunidos, resuelva coronar los milagros de nuestro pasado con el espectáculo de una República, compacta, unida, indisoluble en los lazos de amor, amoroso desde los lagos hasta el golfo, las heridas de la guerra sanaron en cada corazón como en cada colina, serenos y resplandecientes en la cima del logro humano y la gloria terrenal, abriendo camino y dejando claro el camino ¡Todas las naciones de la tierra deben venir en el tiempo señalado por Dios!

WILLIAM McKINLEY

ÚLTIMO DISCURSO

Entregado en la Feria Mundial, Buffalo, N.Y., el
5 de septiembre de 1901, el día anterior a su asesinato.

Me alegro nuevamente de estar en la ciudad de Búfalo e
intercambiar saludos con su gente, a cuya generosa hospitalidad
no soy un extraño, y con cuya buena voluntad he sido honrado
reiterada y significativamente. Hoy tengo una satisfacción
adicional al reunirme y dar la bienvenida a los representantes
extranjeros reunidos aquí, cuya presencia y participación en esta
Exposición han contribuido en gran medida a su interés y éxito.
A los comisionados del Dominio de Canadá y las Colonias
Británicas, las Colonias Francesas, las Repúblicas de México y
América Central y del Sur, y los comisionados de Cuba y Puerto
Rico, que comparten con nosotros en esta empresa, les damos
la mano de compañerismo y felicitar con ellos sobre los triunfos
del arte, la ciencia, la educación y la fabricación que lo viejo ha
legado al nuevo siglo.

Las exposiciones son los cronometradores del progreso.
Registran el avance del mundo. Estimulan la energía, la empresa
y el intelecto de las personas, y aceleran el genio humano. Entran
en la casa. Amplían y alegran la vida cotidiana de las personas.
Abren grandes depósitos de información para el estudiante.
Cada exposición, grande o pequeña, ha ayudado a avanzar.

La comparación de ideas siempre es educativa y, como tal,
instruye el cerebro y la mano del hombre. Sigue una rivalidad
amistosa, que es el estímulo para la mejora industrial, la
inspiración para una invención útil y un gran esfuerzo en todos
los departamentos de la actividad humana. Exige un estudio de

los deseos, comodidades e incluso los caprichos de las personas, y reconoce la eficacia de la alta calidad y los bajos precios para ganar su favor. La búsqueda del comercio es un incentivo para que los hombres de negocios diseñen, inventen, mejoren y economicen el costo de producción. La vida empresarial, ya sea entre nosotros o con otras personas, es siempre una lucha aguda por el éxito. No obstante, será en el futuro.

Sin competencia, nos aferraríamos al proceso torpe y anticuado de la agricultura y la manufactura y los métodos comerciales de hace mucho tiempo, y el siglo XX no estaría más avanzado que el siglo XVIII. Pero aunque somos competidores comerciales, enemigos comerciales no debemos ser. La Exposición Panamericana ha hecho su trabajo a fondo, presentando en sus exhibiciones evidencias de la más alta habilidad e ilustrando el progreso de la familia humana en el Hemisferio Occidental. Esta porción de la tierra no tiene motivo de humillación por la parte que ha realizado en la marcha de la civilización. No ha logrado todo; lejos de ahi. Simplemente ha hecho su mejor esfuerzo, y sin vanidad ni jactancia, y al reconocer los múltiples logros de los demás, invita a la rivalidad amistosa de todos los poderes en la búsqueda pacífica del comercio y el comercio, y cooperará con todos en la promoción de los más altos y mejores intereses. De la humanidad. La sabiduría y la energía de todas las naciones no son demasiado grandes para el trabajo mundial. El éxito del arte, la ciencia, la industria y la invención es un activo internacional y una gloria común.

Después de todo, cuán cerca uno del otro está en cada parte del mundo. Los inventos modernos han puesto en estrecha relación a pueblos muy separados y los han hecho conocer mejor. Las divisiones geográficas y políticas continuarán existiendo, pero las distancias se han borrado. Los barcos rápidos y los trenes rápidos se están volviendo cosmopolitas. Invaden campos que hace unos años eran impenetrables. Los productos del mundo se intercambian como nunca antes y con el aumento de las instalaciones de transporte se incrementa el conocimiento y el comercio. Los precios se fijan con precisión matemática por oferta y demanda. Los precios de venta mundiales están regulados por informes de mercado y cultivos. Recorremos distancias más grandes en un espacio de tiempo más corto y con más facilidad de la que jamás habían soñado los padres. El aislamiento ya no es posible o deseable. Se leen las mismas noticias importantes, aunque en diferentes idiomas, el mismo día en toda la cristiandad.

El telégrafo nos mantiene informados de lo que ocurre en todas partes, y la prensa presagia, con mayor o menor precisión, los planes y propósitos de las naciones. Los precios de mercado de los productos y de los valores se conocen cada hora en cada mercado comercial, y las inversiones de las personas se extienden más allá de sus propios límites nacionales hasta las partes más remotas de la tierra. Se realizan grandes transacciones y se realizan intercambios internacionales con solo marcar el cable. Cada evento de interés se publica inmediatamente. La rápida recopilación y transmisión de noticias, como el tránsito rápido, son de origen reciente, y solo son posibles gracias al genio del inventor y el coraje del inversor. Se necesitó un mensajero especial del gobierno, con todas las instalaciones conocidas en ese momento para viajes rápidos, diecinueve días para ir desde la ciudad de Washington a Nueva Orleans con un mensaje al general Jackson de que la guerra con Inglaterra había cesado y un tratado de paz Había sido firmado. ¡Qué diferente ahora! Llegamos al general Miles, en Puerto Rico, y él pudo, mediante el telégrafo militar, detener a su ejército en la línea de fuego con el mensaje de que Estados Unidos y Espana habian firmado un protocolo para suspender las hostilidades. Sabíamos casi al instante de los primeros disparos contra Santiago, y la posterior rendición de las fuerzas españolas se supo en Washington a menos de una hora de su consumación. El primer barco de la flota de Cervera apenas había salido de ese puerto histórico cuando el hecho fue enviado a nuestro Capitolio, y la rápida destrucción que siguió se anunció de inmediato a través del maravilloso medio de la telegrafía.

Estamos tan acostumbrados a una comunicación segura y fácil con tierras lejanas que su interrupción temporal, incluso en tiempos normales, resulta en pérdidas e inconvenientes. Nunca olvidaremos los días de espera ansiosa y suspenso cuando no se permitió enviar información de Pekín, y los representantes diplomáticos de las naciones en China, aislados de toda comunicación, dentro y fuera de la capital amurallada, fueron rodeados por un multitud enojada y equivocada que amenazaba sus vidas; ni la alegría que emocionó al mundo cuando un solo mensaje del gobierno de los Estados Unidos trajo a través de nuestro ministro las primeras noticias de la seguridad de los diplomáticos asediados.

A principios del siglo XIX no había una milla de ferrocarril de vapor en el mundo; ahora hay suficientes millas para hacer su circuito muchas veces. Entonces no había una línea de telégrafo eléctrico; ahora tenemos un gran kilometraje que atraviesa todas las tierras y mares. Dios y el hombre han unido a las naciones. Ninguna nación ya puede ser indiferente a ninguna otra. Y a medida que nos ponemos cada vez más en contacto, menos oportunidades hay para malentendidos y más fuerte es la disposición, cuando tenemos diferencias, para ajustarlas en la corte de arbitraje, que es el foro más noble para el acuerdo de disputas internacionales.

Mis conciudadanos, las estadísticas comerciales indican que este país se encuentra en un estado de prosperidad sin precedentes. Las cifras son casi atroces. Muestran que estamos utilizando nuestros campos, bosques y minas, y que estamos proporcionando empleo rentable a los millones de trabajadores en todo Estados Unidos, brindando comodidad y felicidad a sus hogares, y haciendo posible que ahorren para la vejez y la vejez. invalidez. Que todas las personas están participando en esta gran prosperidad se ve en todas las comunidades estadounidenses y se demuestra por los depósitos enormes y sin precedentes en nuestras cajas de ahorro. Nuestro deber en el cuidado y la seguridad de estos depósitos y su inversión segura exige la más alta integridad y la mejor capacidad comercial de los responsables de estos depósitos de las ganancias de las personas.

Tenemos un negocio vasto e intrincado, construido a través de años de trabajo y lucha en los que cada parte del país tiene su participación, lo que no permitirá el abandono ni el egoísmo indebido. Ninguna política estrecha y sórdida lo servirá. Se requerirá la mayor habilidad y sabiduría por parte de los fabricantes y productores para mantenerlo y aumentarlo. Nuestras empresas industriales, que han crecido en proporciones tan grandes, afectan los hogares y las ocupaciones de las personas y el bienestar del país. Nuestra capacidad de producción se ha desarrollado enormemente y nuestros productos se han multiplicado tanto que el problema de más mercados requiere nuestra atención urgente e inmediata. Solo una política amplia e ilustrada mantendrá lo que tenemos. Ninguna otra política obtendrá más. En estos tiempos de maravillosa energía empresarial y ganancias, deberíamos mirar hacia el futuro, fortaleciendo los puntos débiles en nuestros sistemas industriales y comerciales, para que podamos estar preparados para cualquier tormenta o tensión.

Mediante acuerdos comerciales razonables que no interrumpan nuestra producción doméstica, ampliaremos los puntos de venta para nuestro excedente creciente. Un sistema que proporciona un intercambio mutuo de productos es manifiestamente esencial para el crecimiento continuo y saludable de nuestro comercio de exportación. No debemos descansar en la seguridad imaginada de que siempre podemos vender todo y comprar poco o nada. Si tal cosa fuera posible, no sería lo mejor para nosotros o para aquellos con quienes tratamos. Deberíamos tomar de nuestros clientes los productos que podemos usar sin dañar nuestras industrias y mano de obra. La reciprocidad es la consecuencia natural de nuestro maravilloso desarrollo industrial bajo la política interna ahora firmemente establecida.

Lo que producimos más allá de nuestro consumo interno debe tener una salida al exterior. El exceso debe aliviarse a través de un punto de venta extranjero, y debemos vender donde sea que podamos y comprar donde sea que la compra aumente nuestras ventas y producciones, y de ese modo hacer una mayor demanda de trabajo a domicilio.

El período de exclusividad ha pasado. La expansión de nuestro comercio y comercio es el problema apremiante. Las guerras comerciales no son rentables. Una política de buena voluntad y relaciones comerciales amistosas evitará represalias. Los tratados de reciprocidad están en armonía con el espíritu de los tiempos; medidas de represalia no lo son. Si, por casualidad, algunos de nuestros aranceles ya no son necesarios para generar ingresos o para alentar y proteger nuestras industrias en el país, ¿por qué no deberían emplearse para extender y promover nuestros mercados en el extranjero? Entonces, también, tenemos un servicio de vapor inadecuado. Ya se han puesto en servicio nuevas líneas de barcos de vapor entre los puertos de la costa del

Pacífico de los Estados Unidos y los de las costas occidentales de México y América Central y del Sur. Estos deben ser seguidos con líneas directas de vapor entre la costa occidental de los puertos de Estados Unidos y América del Sur. Una de las necesidades de la época son las líneas comerciales directas desde nuestros vastos campos de producción hasta los campos de consumo que apenas hemos tocado. La siguiente ventaja en tener lo que se vende es tener el medio de transporte para llevarlo al comprador. Debemos alentar a nuestra marina mercante. Debemos tener más naves. Deben estar bajo la bandera americana; construido y tripulado y propiedad de estadounidenses. Estos no solo serán rentables en un sentido comercial; serán mensajeros de paz y amistad donde quiera que vayan.

Debemos construir el canal de Isthmian, que unirá los dos océanos y dará una línea recta de comunicación de agua con las costas occidentales de América Central y del Sur y México. La construcción de un cable del Pacífico ya no se puede posponer. En el fomento de estos objetos de interés y preocupación nacional, está realizando una parte importante. Esta Exposición habría tocado el corazón de ese estadista estadounidense cuya mente siempre estaba alerta y pensaba siempre constante para un comercio más grande y una fraternidad más verdadera de las repúblicas del Nuevo Mundo. Su amplio espíritu americano se siente y se manifiesta aquí. No necesita identificación para una asamblea de estadounidenses en ninguna parte, ya que el nombre de Blaine está inseparablemente asociado con el movimiento panamericano que encuentra aquí una expresión práctica y sustancial, y que todos esperamos sea firmemente promovido por el Congreso Panamericano que se reúne Este otoño en la capital de México. El buen trabajo continuará. No se puede detener. Esos edificios desaparecerán; Esta creación de arte, belleza e industria perecerá de la vista, pero su influencia seguirá siendo "hacerla vivir más allá de su vida demasiado corta con alabanzas y acción de gracias". ¿Quién puede decir los nuevos pensamientos que se han despertado, las ambiciones disparadas y los grandes logros que se lograrán a través de esta Exposición?

Señores, recordemos siempre que nuestro interés está en la concordia, no en el conflicto; y que nuestra verdadera eminencia descansa en las victorias de la paz, no en las de la guerra. Esperamos que todos los que están representados aquí puedan ser trasladados a esfuerzos más altos y nobles por su propio bien y el del mundo, y que de esta ciudad pueda surgir no solo un mayor comercio y comercio para todos nosotros, sino, más esencial que estas, relaciones de respeto mutuo, confianza y amistad que se profundizarán y perdurarán. Nuestra oración sincera es que Dios otorgue graciosamente la prosperidad, la felicidad y la paz a todos nuestros vecinos, y que bendiga a todos los pueblos y poderes de la tierra.

JOHN HAY

HOMENAJE A MCKINLEY

De su discurso conmemorativo en una sesión conjunta del
Senado y Cámara de Representantes el 27 de febrero de 1903.

Por tercera vez, el Congreso de los Estados Unidos se reúne
para conmemorar la vida y la muerte de un presidente asesinado
por la mano de un asesino. La atención del futuro historiador se
verá atraída por las características que reaparecen con asombrosa
similitud en estos tres crímenes terribles: la inutilidad, la total
falta de consecuencia del acto; la oscuridad, la insignificancia del
criminal; la falta de culpa, en lo que respecta a nuestra esfera
de existencia, el mejor de los hombres puede ser considerado
inocente de la víctima. Ninguno de nuestros presidentes
asesinados tenía un enemigo en el mundo; todos tenían una
pureza de vida tan preeminente que no se podía dar pretexto para
el ataque del crimen pasional; todos eran hombres de instintos
democráticos, que nunca podrían haber ofendido a los
defensores más celosos de la equidad; eran de naturaleza amable
y generosa, para quienes el mal o la injusticia eran imposibles;
de fortuna moderada, cuyo delgado significa que nadie podría
envidiar. Eran hombres de austera virtud, de tierno corazón, de
eminentes habilidades, que habían dedicado con una sola mente
al bien de la República. Si alguna vez los hombres caminaron
ante Dios y los hombres sin culpa, fueron estos tres gobernantes
de nuestro pueblo. La única tentación que ofrecían para atacar
sus vidas era su suave resplandor: para los ojos que odiaban la luz,
eso ya era bastante ofensivo.

La estúpida inutilidad de tal infamia aflige el sentido común
del mundo. Uno puede concebir cómo la muerte de un dictador

puede cambiar las condiciones políticas de un imperio; cómo la extinción de una estrecha línea de reyes puede traer una dinastía alienígena. Pero en una República bien ordenada como la nuestra, el gobernante puede caer, pero el Estado no siente temblor. Nuestro amado y venerado líder se ha ido, pero el proceso natural de nuestras leyes nos proporciona un sucesor, idéntico en propósito e ideales, alimentado por las mismas enseñanzas, inspirado por los mismos principios, prometido por el afecto tierno y por la alta lealtad para llevar para completar la inmensa tarea comprometida con sus manos, y para herir con severidad de hierro cada manifestación de ese horrible crimen que perdonó su leve predecesor, con su último aliento. Los dichos de la sabiduría celestial no tienen fecha; Las palabras que nos llegan, a lo largo de dos mil años, en la hora más oscura de oscuridad que el mundo haya conocido, son fieles a la vida de hoy: "No saben lo que hacen". El golpe que golpeó a nuestro querido amigo y gobernante fue tan mortal como el odio ciego pudo lograrlo; pero el golpe golpeado en la anarquía fue aún más mortal.

¡Cuántos países pueden unirse a nosotros en la comunidad de un dolor afín! No hablaré de esas regiones distantes donde el asesinato entra en la vida diaria del gobierno. Pero entre las naciones unidas a nosotros por los lazos de relaciones familiares: ¿quién puede olvidar a ese sabio y gentil autócrata que se había ganado el orgulloso título de libertador? ese ciudadano ilustrado y magnánimo a quien Francia todavía llora? ese valiente y caballeroso rey de Italia que solo vivía para su pueblo? y, lo más triste de todo, esa encantadora y triste emperatriz, cuya vida inofensiva difícilmente podría haber excitado la animosidad de un demonio. Contra ese espíritu diabólico nada vale, ni la virtud ni el patriotismo, ni la edad, ni la juventud, ni la conciencia, ni la piedad. Ni siquiera podemos decir que la educación es una salvaguarda suficiente contra este mal terrible, para la mayoría de los miserables cuyos crímenes han conmocionado tanto a la humanidad en los últimos años, fueron hombres no iletrados, que han ido de las escuelas comunes, a través del asesinato al andamio.

La vida de William McKinley fue, desde su nacimiento hasta su muerte, típicamente estadounidense. No hay entorno, debería decir, en ningún otro lugar del mundo que pueda producir tal personaje. Él nació en esa forma de vida que en otros lugares se llama clase media, pero que en este país es tan universal como para hacer de otras clases una cantidad casi insignificante. No era rico ni pobre, ni orgulloso ni humilde; no conocía el hambre que no estaba seguro de satisfacer, ningún lujo que pudiera enervar la mente o el cuerpo. Sus padres eran personas sobrias y temerosas de Dios; Inteligente y recto, sin pretensiones y sin humildad. Creció en compañía de muchachos como él, sano, honesto y respetuoso. No menospreciaban a nadie; nunca creyeron posible que pudieran ser menospreciados. Sus casas eran hogares de probidad, piedad, patriotismo. Aprendieron en los admirables lectores escolares de hace cincuenta años las lecciones de la vida heroica y espléndida que han venido del pasado. Leyeron en sus periódicos semanales la historia del progreso del mundo, en la que estaban ansiosos por participar, y de los pecados y los errores de la civilización con los que se quemaron para luchar. Fue un momento serio y reflexivo. Los muchachos de ese día sintieron vagamente, pero profundamente, que los días de lucha aguda y alto logro estaban por delante de ellos. Miraron la vida con los ojos maravillados pero resueltos de un joven esquire en su vigilia de armas. Sintieron que se acercaba un momento en que a ellos se les debería dirigir la severa advertencia del Apóstol: "Déjalo como a los hombres; sé fuerte".

Los hombres que viven hoy y eran jóvenes en 1860 nunca olvidarán la gloria y el glamour que llenaban la tierra y el cielo cuando terminaba el largo ocaso de la duda y la incertidumbre y había llegado el momento de la acción. Un discurso de Abraham Lincoln fue un evento no solo de gran importancia moral, sino de gran importancia; la perforación de una compañía de milicias por parte de Ellsworth atrajo la atención nacional; El aleteo de la bandera en el cielo despejado sacó lágrimas de los ojos de los jóvenes. El patriotismo, que había sido una expresión retórica, se convirtió en una emoción apasionada, en la que se fusionaron instinto, lógica y sentimiento. Valió la pena salvar el país; solo podría salvarse con fuego; ningún sacrificio fue demasiado grande; los jóvenes del país estaban listos para el sacrificio; vengan, vengan, estaban listos.

A los diecisiete años, William McKinley escuchó este llamado de su país. Era el tipo de joven para quien una vida militar en tiempos ordinarios no tendría atracciones. Su naturaleza era muy diferente de la del soldado ordinario. Tenía otros sueños de vida, sus premios y placeres, que el de las marchas y batallas. Pero en su opinión no había elección ni pregunta. La pancarta que flotaba en la brisa de la mañana era el gesto de señas de su país. Las notas emocionantes de la trompeta lo llamaron, él y ningún otro, a las filas. Su retrato en su primer uniforme es familiar para todos ustedes: la figura baja y fornida; la cara tranquila y pensativa; Los ojos profundos y oscuros. Es la cara de un muchacho que no podía quedarse en casa cuando pensaba que lo necesitaban en el campo. Era de las cosas de las que están hechos los buenos soldados. Si hubiera sido diez años mayor, habría entrado al frente de una empresa y salido al frente de una división. Pero hizo lo que pudo. Se alistó como privado; aprendió a obedecer. Sus maneras serias y sensatas, su eficiencia pronta y alerta pronto atrajeron la atención de sus superiores. Era tan fiel en las pequeñas cosas que le daban más y más que hacer. Era incansable en el campamento y en la marcha; rápido, fresco y sin miedo en la lucha. Dejó el ejército con rango de campo cuando terminó la guerra, brevet por el presidente Lincoln para galantería en la batalla.

En los próximos años, cuando los hombres busquen extraer la moral de nuestra gran Guerra Civil, nada les parecerá tan admirable en toda la historia de nuestros dos magníficos ejércitos como la forma en que la guerra llegó a su fin. Cuando el ejército confederado vio que había llegado el momento, reconocieron la lógica despiadada de los hechos y dejaron de luchar. Cuando el ejército de la Unión vio que ya no era necesario, sin un murmullo o una pregunta, sin pronunciar términos, sin pedir retorno, en el rubor de la victoria y la plenitud de las fuerzas, dejó las armas y se fundió de nuevo en la masa de paz. los ciudadanos. No hay ningún evento desde que nació la nación que haya demostrado su sólida capacidad para el autogobierno. Ambas secciones comparten por igual en esa corona de gloria. Habían mantenido un debate de incomparable importancia y lo habían combatido con igual energía. Se llegó a una conclusión, y para el honor eterno de ambos bandos, cada uno de ellos sabía cuándo había terminado la guerra y había llegado la hora de una paz duradera. Podemos admirar la audacia desesperada de otros que prefieren la aniquilación al compromiso, pero la palma del sentido común, y, diré, del patriotismo ilustrado, pertenece a los hombres como Grant y Lee, que sabían cuándo habían luchado lo suficiente por el honor y el honor. por país

Entonces, naturalmente, en 1876, el comienzo del siglo II de la República, comenzó, por elección al Congreso, su carrera política. A partir de entonces, durante catorce años, esta cámara fue su hogar. Yo uso la palabra con cuidado. En ninguna parte del mundo estaba tan en armonía con su entorno como aquí, en ningún otro lugar su mente trabajaba con tanta conciencia de sus poderes. El aire de debate era nativo de él; Aquí se deleitaba en la batalla con sus compañeros. Al cabo de unos días, cuando pasó junto a esta majestuosa pila, o cuando en raras ocasiones su deber lo llamó aquí, saludó a sus viejos lugares con el afecto cariñoso de un niño de la casa; Durante los últimos diez años de su vida, lleno de actividad y gloria, nunca dejó de sentir nostalgia por esta sala. Cuando llegó a la presidencia, no hubo un día en que su servicio en el Congreso no le fuera útil. Probablemente, ningún otro presidente ha estado en comunión tan plena y cordial con el Congreso, si podemos, excepto Lincoln solo. McKinley conocía a fondo el cuerpo legislativo, su composición, sus métodos, su hábito de pensamiento. Tenía el más profundo respeto por su autoridad y una creencia inflexible en la máxima rectitud de sus propósitos. Nuestra historia muestra cuán seguramente un tribunal ejecutivo comete un desastre y una ruina al asumir una actitud de hostilidad o desconfianza hacia la Legislatura; y, por otro lado, la confianza franca y sincera de McKinley y la confianza en el Congreso se reembolsaron con un apoyo y una cooperación rápidos y leales. Durante todo su mandato, esta confianza y consideración mutuas, tan esenciales para el bienestar público, nunca fueron ensombrecidas por una sola nube.

Cuando llegó a la presidencia se enfrentó a una situación de la mayor dificultad, que bien podría haber horrorizado a un hombre de confianza en sí mismo menos sereno y tranquilo. Había habido un estado de profunda depresión comercial e industrial de la cual sus amigos habían dicho que su elección aliviaría al país. Nuestras relaciones con el mundo exterior dejaron mucho que desear. El sentimiento entre las secciones norte y sur de la Unión carecía de la cordialidad que era necesaria para el bienestar de ambos. Hawaii había pedido anexión y había sido rechazado por la administración anterior. Había un estado de cosas en el Caribe que no podía soportar permanentemente. La casa de nuestro vecino estaba en llamas, y había serias dudas sobre nuestros derechos y deberes en las instalaciones. Un hombre débil o imprudente, ya sea irresoluto o testarudo, podría haberse arruinado a sí mismo y causar un daño incalculable al país.

Sin embargo, la forma menos deseable de gloria para un hombre de su estado de ánimo y temperamento habituales, la de una guerra exitosa, le fue conferida por eventos incontrolables. Sintió que debía venir; lamentó su necesidad; se esforzó casi por romper sus relaciones con sus amigos, en orden, primero para evitar y luego posponerlo al último momento posible. Pero cuando se lanzó el dado, trabajó con la mayor energía y ardor, y con una inteligencia en asuntos militares que demostró cuánto del soldado aún sobrevivió en el estadista maduro, para impulsar la guerra a un cierre decisivo. La guerra era una angustia para él; lo quería corto y concluyente. Su celo misericordioso se comunicó a sus subordinados, y la guerra, tan temida, cuyas consecuencias fueron tan importantes, terminó en cien días.

El Sr. McKinley fue reelegido por una abrumadora mayoría. Había habido pocas dudas sobre el resultado entre personas bien informadas, pero cuando se supo, un profundo sentimiento de alivio y renovación de la confianza se hizo evidente entre los líderes del capital y la industria, no solo en este país, sino en todas partes. Consideraban que el futuro inmediato era seguro, y que el comercio y el comercio podrían avanzar con seguridad en todos los campos de esfuerzo y empresa.

Sintió que había llegado el momento de la cosecha, para cosechar los frutos de tanta siembra y cultura, y estaba decidido a que nada de lo que pudiera hacer o decir fuera susceptible al reproche de un interés personal. Digamos francamente que era un hombre de fiesta; él creía que las políticas defendidas por él y sus amigos contaban mucho en el progreso y la prosperidad del país. Esperaba en su segundo mandato lograr resultados sustanciales en el desarrollo y afirmación de esas políticas. Pasé un día con él poco antes de que comenzara su fatídico viaje a Buffalo. Nunca lo había visto más alto en esperanza y confianza patriótica. Se alegró de que hubiéramos arreglado un tratado que nos dio una mano libre en el istmo. Con fantasía, vio el canal ya construido y los argosies del mundo que lo atraviesan en paz y amistad. Vio en la inmensa evolución del comercio estadounidense el cumplimiento de todos sus sueños, la recompensa de todos sus trabajos. Era, no necesito decir, un ardiente proteccionista, nunca más sincero y devoto que durante esos últimos días de su vida. Consideraba la reciprocidad como el baluarte de la protección, no una violación, sino un cumplimiento de la ley. Los tratados que durante cuatro años se habían estado preparando bajo su supervisión personal los consideraba auxiliares del esquema general. Se opuso a cualquier plan revolucionario de cambio en la legislación existente; tuvo cuidado de señalar que todo lo que había hecho estaba en fiel cumplimiento de la ley misma.

Con ese ánimo de gran esperanza, de expectativa generosa, fue a Buffalo y allí, en el umbral de la eternidad, pronunció ese discurso memorable, digno de su tono elevado, su moralidad impecable, su amplitud de visión, para ser considerado como su testamento a la nación. A través de todo su orgullo de país y su alegría por el éxito pasa la nota de advertencia solemne, como en el noble himno de Kipling, "No olvidemos".

Al día siguiente aceleró el rayo y, durante una semana después, en una agonía de temor, quebrada por visiones ilusorias de esperanza de que nuestras oraciones pudieran ser respondidas, la nación esperó el final. Nada en la gloriosa vida que vimos menguar gradualmente fue más admirable y ejemplar que su final. La gentil humanidad de sus palabras cuando vio a su agresor en peligro de venganza sumaria, "No dejes que lo lastimen"; su caballeroso cuidado de que las noticias sean reveladas suavemente a su esposa; la excelente cortesía con la que se disculpó por el daño que su muerte traería a la gran Exposición; y la heroica resignación de sus últimas palabras, "Es el camino de Dios; que se haga su voluntad, no la nuestra", fueron todas las expresiones instintivas de una naturaleza tan elevada y tan pura que el orgullo de su nobleza suavizó y mejoró a la vez a la nación. sentimiento de perdida. La República se entristeció por tal hijo, pero está orgulloso para siempre de haberlo producido. Después de todo, a pesar de su trágico final, su vida fue extraordinariamente feliz. Tenía, todos sus días, tropas de amigos, la alegría de la fama y el trabajo fructífero; y se volvió al fin

"En la cima de la fortuna, el pilar de la esperanza de un pueblo, el centro del deseo de un mundo".

WILLIAM JENNINGS BRYAN

EL PRÍNCIPE DE LA PAZ

(1894)

No ofrezco disculpas por hablar sobre un tema religioso, ya que es el más universal de todos los temas. Estoy interesado en la ciencia del gobierno, pero estoy más interesado en la religión que en el gobierno. Disfruto haciendo un discurso político, he hecho muchos y haré más, pero prefiero hablar sobre religión que sobre política. Comencé a hablar en el muñón cuando tenía solo veinte años, pero comencé a hablar en la iglesia seis años antes, y estaré en la iglesia incluso después de que me retiren de la política. Estoy seguro de mi posición cuando pronuncio un discurso político, pero me siento aún más seguro de mi posición cuando pronuncio un discurso religioso. Si me refiero al tema de la ley, podría interesar a los abogados; si desconfío de la ciencia de la medicina, podría interesar a los médicos; de la misma manera, los comerciantes pueden estar interesados en comentarios sobre el comercio y los agricultores en asuntos relacionados con la agricultura; pero ninguno de estos temas atrae a todos. Incluso la ciencia del gobierno, aunque más amplia que cualquier profesión u ocupación, no abarca la totalidad de la vida, y aquellos que piensan en ella difieren tanto entre sí que no podría hablar sobre el tema para complacer a una parte de la audiencia. sin desagradar a los demás. Si bien para mí la ciencia del gobierno es intensamente absorbente, reconozco que las cosas más importantes en la vida se encuentran fuera del ámbito del gobierno y eso depende más de lo que el individuo hace por sí mismo que de lo que el gobierno hace o puede hacer por él. Los hombres pueden ser miserables bajo el mejor gobierno y pueden ser felices bajo el peor gobierno.

El gobierno afecta solo una parte de la vida que vivimos aquí y no trata en absoluto con la vida más allá, mientras que la religión toca el círculo infinito de la existencia, así como el pequeño arco de ese círculo que pasamos en la tierra. Ningún tema mayor, por lo tanto, puede atraer nuestra atención. Si discuto cuestiones de gobierno, debo asegurar la cooperación de una mayoría antes de poder poner en práctica mis ideas, pero si, al hablar sobre religión, puedo tocar un corazón humano para siempre, no he hablado en vano, no importa cuán grande sea La mayoría puede estar en mi contra.

El hombre es un ser religioso; el corazón busca instintivamente un Dios. Ya sea que adore a orillas del Ganges, ore con la cara hacia el sol, se arrodille hacia La Meca o, con respecto a todo el espacio como un templo, comunique con el Padre Celestial según el credo cristiano, el hombre es esencialmente devoto.

Hay escépticos honestos cuya sinceridad reconocemos y respetamos, pero ocasionalmente encuentro hombres jóvenes que piensan que es inteligente ser escéptico; hablan como si fuera una evidencia de mayor inteligencia para burlarse de los credos y negarse a conectarse con las iglesias. Se llaman a sí mismos "liberales", como si un cristiano fuera de mente estrecha. Algunos van tan lejos como para afirmar que el "pensamiento avanzado del mundo" ha descartado la idea de que hay un Dios. A estos jóvenes deseo dirigirme a mí mismo.

Incluso algunas personas mayores profesan considerar la religión como una superstición, perdonable en los ignorantes pero indignos de los educados. Aquellos que sostienen este punto de vista miran con desprecio, como por ejemplo, dar a la religión un lugar definido en sus pensamientos y vidas. Asumen una superioridad intelectual y, a menudo, se esfuerzan poco por ocultar la suposición. Tolstoi administra a la "multitud culta" (las palabras citadas son suyas) una severa reprimenda cuando declara que el sentimiento religioso no se basa en un miedo supersticioso a las fuerzas invisibles de la naturaleza, sino en la conciencia del hombre de su finitud en medio de un universo infinito y de su pecaminosidad; y esta conciencia, agrega el gran filósofo, el hombre nunca puede crecer. Tolstoi tiene razón; el hombre reconoce cuán limitados son sus propios poderes y cuán vasto es el universo, y se apoya en el brazo que es más fuerte que el suyo. El hombre siente el peso de sus pecados y busca a Aquel que no tiene pecado.

Tolstoi ha definido la religión como la relación que el hombre establece entre él y su Dios, y la moralidad como la manifestación externa de esta relación interna. Cada uno, para cuando alcanza la madurez, tiene alguna relación entre él y Dios y ningún cambio material en esta relación puede tener lugar sin una revolución en el hombre, ya que esta relación es la influencia más potente que actúa sobre la vida humana.

La religión es la base de la moralidad en el individuo y en el grupo de individuos. Los materialistas han intentado construir un sistema de moralidad sobre la base del interés propio ilustrado. Habrían hecho que el hombre descubriera por las matemáticas que le paga abstenerse de hacer el mal; incluso inyectarían un elemento de egoísmo en el altruismo, pero el sistema moral elaborado por los materialistas tiene varios defectos. Primero, sus virtudes se toman prestadas de sistemas morales basados en la religión. Todos aquellos que son lo suficientemente inteligentes como para discutir un sistema de moralidad están tan saturados de la moral derivada de los sistemas que se basan en la religión que no pueden enmarcar un sistema que se base solo en la razón. En segundo lugar, como se basa en el argumento más que en la autoridad, los jóvenes no están en condiciones de aceptar o rechazar. Nuestras leyes no permiten que un joven disponga de bienes raíces hasta que tenga veintiún años. ¿Por qué esta restricción? Porque su razón no es madura; y, sin embargo, la vida de un hombre está moldeada en gran medida por el entorno de su juventud. Tercero, uno nunca sabe cuánto de su decisión se debe a la razón y cuánto se debe a la pasión o al interés egoísta. La pasión puede destronar la razón: reconocemos esto en nuestras leyes penales. También reconocemos el sesgo de interés propio cuando excluimos del jurado a todos los hombres, sin importar cuán razonables o honestos sean, que tengan un interés material en el resultado del juicio. Y, cuarto, uno cuya moralidad se basa en un buen cálculo de los beneficios a ser asegurados, pasa tiempo pensando que debería pasar en acción. Los que llevan un libro de sus buenas obras rara vez hacen lo suficiente para justificar el mantenimiento de libros. Una vida noble no puede construirse sobre una aritmética; debe ser como la primavera que se derrama constantemente de lo que refresca y vigoriza.

La moral es el poder de la resistencia en el hombre; y una religión que enseña responsabilidad personal a Dios da fuerza a la moralidad. Existe una poderosa influencia restrictiva en la creencia de que un ojo que todo lo ve analiza cada pensamiento, palabra y acto del individuo.

Hay una gran diferencia entre el hombre que está tratando de adaptar su vida a un estándar de moralidad acerca de él y el hombre que busca que su vida se aproxime a un estándar divino. El primero intenta estar a la altura del estándar, si está por encima de él, y por debajo, si está por debajo de él, y si está haciendo lo correcto solo cuando otros lo están mirando, seguramente encontrará un momento en el que cree que está sin ser observado, y luego se toma vacaciones y se cae. Uno necesita la fuerza interior que viene con la presencia consciente de un Dios personal. Si aquellos que están así fortificados a veces ceden a la tentación, ¡cuán indefensos y desesperados deben ser aquellos que confían solo en su propia fuerza!

Hay dificultades que se encuentran en la religión, pero hay dificultades que se encuentran en todas partes. Si los cristianos a veces tienen dudas y temores, los no creyentes tienen más dudas y temores. Pasé por un período de escepticismo cuando estaba en la universidad y desde entonces me alegro de haberme convertido en miembro de la iglesia antes de salir de casa para ir a la universidad, porque me ayudó durante esos días difíciles. Y los días de la universidad cubren el período peligroso en la vida del joven; él acaba de tomar posesión de sus poderes y se siente más fuerte de lo que se siente después, y cree que sabe más de lo que nunca sabe.

Fue en este período que me confundí con las diferentes teorías de la creación. Pero examiné estas teorías y descubrí que todas suponían algo para empezar. Pueden probar esto por ustedes mismos. La hipótesis nebular, por ejemplo, supone que la materia y la fuerza existieron: la materia en partículas infinitamente finas y cada partícula separada del resto por espacio infinitamente grande. Comenzando con esta suposición, la fuerza que trabaja en la materia, de acuerdo con esta hipótesis, creó un universo. Bueno, tengo derecho a asumir, y prefiero asumir, un Diseñador detrás del diseño, un Creador detrás de la creación; y no importa cuánto tiempo extraigas el proceso de creación, mientras Dios lo respalde, no puedes sacudir mi fe en Jehová. En Génesis está escrito que, en el principio, Dios creó los cielos y la tierra, y puedo mantener esa propuesta hasta que encuentre alguna teoría de la creación que se remonta más allá del "principio". Debemos comenzar con algo, debemos comenzar en alguna parte, y el cristiano comienza con Dios.

No llevo la doctrina de la evolución tan lejos como algunos; Todavía no estoy convencido de que el hombre sea un descendiente lineal de los animales inferiores. No pretendo encontrarte culpa si quieres aceptar la teoría; Todo lo que quiero decir es que si bien puedes rastrear tu ascendencia hasta el mono si encuentras placer u orgullo al hacerlo, no me conectarás con tu árbol genealógico sin más evidencia de la que se ha producido. Me opongo a la teoría por varias razones. Primero, es una teoría peligrosa. Si un hombre se vincula en generaciones con el mono, se convierte en una pregunta importante si va hacia él o viene de él, y los he visto ir en ambas direcciones. No conozco ningún argumento que pueda usarse para demostrar que el hombre es un mono mejorado que puede no usarse tan bien para demostrar que el mono es un hombre degenerado, y la última teoría es más plausible que la primera.

Es cierto que el hombre, en algunas características físicas, se parece a la bestia, pero el hombre tiene una mente y un cuerpo, y un alma y una mente. La mente es más grande que el cuerpo y el alma es más grande que la mente, y me opongo a que el pedigrí del hombre se rastree solo en un tercio de él, y ese sea el tercio más bajo. Fairbairn, en su "Filosofía del cristianismo", establece una sólida proposición cuando dice que no es suficiente explicar al hombre como un animal; que es necesario explicar al hombre en la historia, y la teoría darwiniana no hace esto. El mono, según esta teoría, es más viejo que el hombre y, sin embargo, sigue siendo un mono, mientras que el hombre es el autor de la maravillosa civilización que vemos sobre nosotros.

Sin embargo, uno no escapa del misterio al aceptar esta teoría, ya que no explica el origen de la vida. Cuando el seguidor de Darwin ha rastreado el germen de la vida hasta la forma más baja en la que aparece, y para seguirlo, uno debe ejercer más fe de la que exige la religión, descubre que los científicos difieren.

Los que rechazan la idea de la creación se dividen en dos escuelas, algunos creen que el primer germen de la vida provino de otro planeta y otros sostienen que fue el resultado de una generación espontánea. Cada escuela responde a los argumentos presentados por la otra, y como no pueden estar de acuerdo entre sí, tampoco estoy obligado a estar de acuerdo con ellas.

Si me viera obligado a aceptar una de estas teorías, preferiría la primera, porque si podemos perseguir el germen de la vida de este planeta y sacarlo al espacio, podemos adivinar el resto del camino y nadie puede contradecirnos, pero Si aceptamos la doctrina de la generación espontánea, no podemos explicar por qué la generación espontánea dejó de actuar después de que se creó el primer germen.

Regresemos lo más lejos que podamos, no podemos escapar del acto creativo, y es tan fácil para mí creer que Dios creó al hombre como él mismo que creer que, hace millones de años, creó un germen de vida y lo dotó de poder para convertirse en todo lo que vemos hoy en día. Me opongo a la teoría darwiniana, hasta que se produzcan pruebas más concluyentes, porque temo que perdamos la conciencia de la presencia de Dios en nuestra vida diaria, si debemos aceptar la teoría de que a lo largo de los siglos ninguna fuerza espiritual ha tocado la vida del hombre. o moldeado el destino de las naciones.

Pero hay otra objeción. La teoría darwiniana representa al hombre como alcanzando su perfección actual mediante la operación de la ley del odio, la ley despiadada por la cual los fuertes desplazan y matan a los débiles. Si esta es la ley de nuestro desarrollo, entonces, si hay alguna lógica que pueda unir la mente humana, nos volveremos hacia la bestia en proporción a la sustitución de la ley del amor. Prefiero creer que el amor en lugar del odio es la ley del desarrollo. ¿Cómo puede ser el odio la ley del desarrollo cuando las naciones han avanzado en proporción al apartarse de esa ley y adoptar la ley del amor?

Pero, repito, si bien no acepto la teoría darwiniana, no discutiré contigo al respecto; Solo me refiero a él para recordarle que no resuelve el misterio de la vida ni explica el progreso humano. Me temo que algunos lo han aceptado con la esperanza de escapar del milagro, pero ¿por qué debería asustarnos el milagro? Y, sin embargo, me inclino a pensar que es una de las preguntas de prueba con el cristiano.

Cristo no puede separarse de lo milagroso; Su nacimiento, sus ministraciones y su resurrección, todos involucran lo milagroso, y el cambio que su religión trabaja en el corazón humano es un milagro continuo. Elimina los milagros y Cristo se convierte simplemente en un ser humano y su evangelio es una franja de autoridad divina.

El milagro plantea dos preguntas: "¿Puede Dios realizar un milagro?" y "¿Él querría?" El primero es fácil de responder. Un Dios que puede hacer un mundo puede hacer cualquier cosa que quiera hacer con él. El poder de realizar milagros está necesariamente implicado en el poder de crear. Pero qué Dios quiere hacer un milagro? -Esta es la pregunta que ha dado la mayor parte de los problemas. Cuanto más lo he considerado, menos inclinado estoy a responder negativamente. Decir que Dios no haría un milagro es asumir un conocimiento más íntimo de los planes y propósitos de Dios de lo que puedo afirmar que tengo. No negaré que Dios realiza un milagro o puede realizar uno simplemente porque no sé cómo o por qué lo hace. Me resulta tan difícil decidir cada día qué quiere Dios que se haga ahora que no soy lo suficientemente presuntuoso como para intentar declarar lo que Dios pudo haber querido hacer hace miles de años. El hecho de que constantemente estamos aprendiendo la existencia de nuevas fuerzas sugiere la posibilidad de que Dios pueda operar a través de fuerzas aún desconocidas para nosotros, y los misterios con los que tratamos todos los días me advierten que la fe es tan necesaria como la vista. ¿Quién habría acreditado hace un siglo las historias que ahora se cuentan sobre la electricidad que hace maravillas? Durante siglos el hombre había conocido el rayo, pero solo para temerlo; ahora, esta corriente invisible es generada por una máquina hecha por el hombre, encarcelada en un cable hecho por el hombre y hecha para hacer las órdenes del hombre. Incluso podemos prescindir del cable y lanzar palabras a través del espacio, y los rayos X nos han permitido mirar a través de sustancias que, hasta hace poco, se suponía que excluían toda la luz. El milagro no es más misterioso que muchas de las cosas con las que el hombre trata ahora, es simplemente diferente. El nacimiento milagroso de Cristo no es más misterioso que cualquier otra concepción; es simplemente diferente de él; ni la resurrección de Cristo es más misteriosa que la miríada de resurrecciones que marcan cada tiempo de semilla anual.

A veces se dice que Dios no podría suspender una de sus leyes sin detener el universo, pero ¿no suspendemos o superamos la ley de la gravitación todos los días? Cada vez que movemos un pie o levantamos un peso, superamos temporalmente una de las leyes naturales más universales y, sin embargo, el mundo no se ve perturbado.

La ciencia nos ha enseñado tantas cosas que estamos tentados a concluir que lo sabemos todo, pero realmente hay un gran desconocido que aún no se ha explorado y que lo que hemos aprendido debería aumentar nuestra reverencia en lugar de nuestro egoísmo. La ciencia ha revelado parte de la maquinaria del universo, pero la ciencia aún no nos ha revelado el gran secreto: el secreto de la vida. Se encuentra en cada brizna de hierba, en cada insecto, en cada ave y en cada animal, así como en el hombre. Seis mil años de historia registrada y, sin embargo, no sabemos más sobre el secreto de la vida de lo que sabían al principio. Vivimos, planeamos; tenemos nuestras esperanzas, nuestros miedos; y, sin embargo, en un momento puede producirse un cambio en cualquiera de nosotros y este cuerpo se convertirá en una masa de arcilla sin vida. ¿Qué es lo que, teniendo, vivimos y no teniendo, somos como el terrón? El progreso de la raza y la civilización que ahora contemplamos son obra de hombres y mujeres que aún no han resuelto el misterio de sus propias vidas.

Y nuestra comida, ¿debemos entenderla antes de comerla? Si nos negamos a comer algo hasta que podamos entender el misterio de su crecimiento, moriríamos de hambre. Pero el misterio no nos molesta en el comedor; es solo en la iglesia que es un obstáculo.

Estaba comiendo un trozo de sandía hace unos meses y me llamó la atención su belleza. Tomé algunas de las semillas, las sequé y las pesé, y descubrí que requeriría unas cinco mil semillas para pesar una libra; y luego apliqué las matemáticas a ese melón de cuarenta libras. Una de estas semillas, puesta en el suelo, cuando se calienta con el sol y se humedece con la lluvia, se quita el abrigo y se pone a trabajar; recolecta de algún lugar doscientas mil veces su propio peso, y forzando esta materia prima a través de un pequeño tallo, construye una sandía. Adorna el exterior con una cubierta verde; dentro del verde pone una capa de blanco, y dentro del blanco un núcleo rojo, y por todo el rojo esparce semillas, cada una capaz de continuar el trabajo de reproducción. ¿De dónde obtiene esa pequeña semilla su tremendo poder? ¿Dónde encuentra su materia colorante? ¿Cómo recoge su extracto aromatizante? ¿Cómo se construye una sandía? Hasta que pueda explicar una sandía, no esté tan seguro de poder establecer límites al poder del Todopoderoso y decir exactamente qué haría o cómo lo haría. No puedo explicar la sandía, pero la como y la disfruto.

El huevo es el más universal de los alimentos y su uso data desde el principio, pero ¿qué es más misterioso que un huevo? Cuando un huevo está fresco es un artículo importante de la mercancía; una gallina puede destruir su valor de mercado en una semana, pero en dos semanas más puede sacar de ella lo que el hombre no pudo encontrar en ella. Comemos huevos, pero no podemos explicar un huevo.

El agua ha sido utilizada desde el nacimiento del hombre; Después de haberlo usado durante mucho tiempo, supimos que no es más que una mezcla de gases, pero es mucho más importante que tengamos agua para beber que saber que no es agua.

Todo lo que crece cuenta una historia similar de poder infinito. ¿Por qué debería negar que una mano divina alimentó a una multitud con unos cuantos panes y peces cuando veo cientos de millones alimentados cada año con una mano que convierte las semillas esparcidas por el campo en una cosecha abundante? Sabemos que la comida se puede multiplicar en unos pocos meses; ¿Negaremos el poder del Creador para eliminar el elemento del tiempo, cuando hemos llegado tan lejos en la eliminación del elemento del espacio? ¿Quién soy yo para intentar medir el brazo del Todopoderoso con mi brazo débil o medir el cerebro del Infinito con mi mente finita? ¿Quién soy yo para intentar poner metes y límites al poder del Creador?

Pero todavía hay algo aún más maravilloso: el cambio misterioso que tiene lugar en el corazón humano cuando el hombre comienza a odiar las cosas que amaba y a amar las cosas que odiaba: la transformación maravillosa que tiene lugar en el hombre que, antes de cambio, habría sacrificado un mundo para su propio avance, pero quien, después del cambio, daría su vida por un principio y lo consideraría un privilegio hacer sacrificios por sus convicciones. ¡Qué milagro más grande que este, que convierte a un ser humano egoísta y egocéntrico en un centro del cual fluyen buenas influencias en todas las direcciones! Y, sin embargo, este milagro se ha forjado en el corazón de cada uno de nosotros, o puede ser forjado, y lo hemos visto en los corazones y las vidas de quienes nos rodean. No, viviendo una vida que es un misterio, y viviendo en medio del misterio y los milagros, tampoco permitiré que me prive de los beneficios de la religión cristiana. Si me preguntas si entiendo todo en la Biblia, respondo que no, pero si intentamos cumplir con lo que entendemos, estaremos tan ocupados haciendo el bien que no tendremos tiempo para preocuparnos por los pasajes. que no entendemos

Algunos de los que cuestionan el milagro también cuestionan la teoría de la expiación; afirman que no concuerda con su idea de justicia que uno muera por todos. Que cada uno cargue con sus propios pecados y los castigos debidos por ellos, dicen. La doctrina del sufrimiento indirecto no es nueva; Es tan viejo como la raza. Que uno debe sufrir por los demás es uno de los principios más familiares y vemos el principio ilustrado todos los días de nuestras vidas. Tome a la familia, por ejemplo; desde el día en que nace el primer hijo de la madre, durante veinte o treinta años sus hijos apenas están fuera de sus pensamientos de vigilia. Su vida tiembla en el equilibrio al nacer cada niño; ella se sacrifica por ellos, se entrega a ellos. ¿Es porque espera que le paguen? Afortunado para el padre y afortunado para el hijo si este tiene la oportunidad de pagar en parte la deuda que tiene. Pero ningún niño puede compensar a un padre por el cuidado de un padre. En el curso de la naturaleza, la deuda se paga, no a los padres, sino a la próxima generación y a la siguiente: cada generación sufre, se sacrifica y se entrega a la generación que sigue. Esta es la ley de nuestras vidas.

Tampoco se limita a la familia. Cada paso en la civilización ha sido posible por aquellos que han estado dispuestos a sacrificarse por la posteridad. La libertad de expresión, la libertad de prensa, la libertad de conciencia y el gobierno libre han sido ganadas por el mundo por aquellos que estaban dispuestos a trabajar desinteresadamente por sus semejantes. Esta doctrina está tan bien establecida que no consideramos a nadie tan bueno a menos que reconozca cuán poco importante es su vida en comparación con los problemas con los que se enfrenta.

Encuentro que el hombre fue creado a imagen de su Creador en el hecho de que, a lo largo de los siglos, el hombre ha estado dispuesto a morir, si es necesario, para que sus hijos, los hijos de sus hijos y el mundo puedan disfrutar de las bendiciones que se le niegan. .

La aparente paradoja: "El que salva su vida la perderá y el que pierde su vida por mí, la encontrará", tiene una aplicación más amplia que la que se le suele dar; Es un epítome de la historia. Aquellos que viven solo para ellos viven vidas pequeñas, pero aquellos que están dispuestos a entregarse para el avance de cosas más grandes que ellos mismos encuentran una vida más grande que la que habrían entregado. Wendell Phillips expresó la misma idea cuando dijo: "Qué hombres imprudentes han sido los benefactores de la raza. Cuán prudentemente la mayoría de los hombres se hunden en tumbas sin nombre, mientras que de vez en cuando algunos se olvidan de la inmortalidad". Ganamos la inmortalidad, no al recordarnos a nosotros mismos, sino al olvidarnos de la devoción a cosas más grandes que nosotros.

En lugar de ser un plan antinatural, el plan de salvación está en perfecta armonía con la naturaleza humana tal como la entendemos. El sacrificio es el lenguaje del amor, y Cristo, al sufrir por el mundo, adoptó el único medio para llegar al corazón. Esto puede demostrarse no solo por la teoría sino también por la experiencia, ya que la historia de su vida, sus enseñanzas, sus sufrimientos y su muerte se han traducido a todos los idiomas y en todas partes ha tocado el corazón.

Pero si fuera a presentar un argumento a favor de la divinidad de Cristo, no comenzaría con milagros o misterio o con la teoría de la expiación. Comenzaría como lo hace Carnegie Simpson en su libro titulado "El hecho de Cristo". Comenzando con el hecho indiscutible de que Cristo vivió, señala que uno no puede contemplar este hecho sin sentir que de alguna manera está relacionado con los que ahora viven. Él dice que uno puede leer sobre Alejandro, sobre César o sobre Napoleón, y no sentir que es un asunto de interés personal; pero que cuando uno lee que Cristo vivió, y cómo vivió y cómo murió, siente que de alguna manera hay un cordón que se extiende desde esa vida hasta la suya. A medida que estudia el carácter de Cristo, toma conciencia de ciertas virtudes que destacan con gran alivio: su pureza, su espíritu perdonador y su amor insondable. El autor tiene razón, Cristo presenta un ejemplo de pureza en el pensamiento y la vida, y el hombre, consciente de sus propias imperfecciones y afligido por sus defectos, se inspira en el hecho de que fue tentado en todos los puntos como nosotros, y sin embargo pecado. No estoy seguro, pero cada uno puede encontrar aquí una forma de determinar por sí mismo si posee el verdadero espíritu de un cristiano. Si la impecabilidad de Cristo inspira en él un ferviente deseo de conformar su vida más al ejemplo perfecto, es un seguidor; si, por otro lado, le molesta la represión que ofrece la pureza de Cristo, y se niega a reparar sus caminos, aún no ha nacido de nuevo.

La más difícil de todas las virtudes para cultivar es el espíritu perdonador. La venganza parece ser natural con el hombre; es humano querer vengarse de un enemigo. Incluso ha sido popular alardear de venganza; una vez se inscribió en el monumento de un hombre que había pagado a amigos y enemigos más de lo que había recibido. Este no era el espíritu de Cristo. Él enseñó el perdón y en esa oración incomparable que dejó como modelo para nuestras peticiones, hizo nuestra voluntad de perdonar la medida por la cual podemos reclamar el perdón. No solo enseñó el perdón sino que ejemplificó sus enseñanzas en su vida. Cuando los que lo persiguieron lo llevaron a la más vergonzosa de todas las muertes, su espíritu de perdón se elevó por encima de sus sufrimientos y oró: "¡Padre, perdónalos, porque no saben lo que hacen!"

Pero el amor es el fundamento del credo de Cristo. El mundo había conocido el amor antes; los padres habían amado a sus hijos, y los hijos de sus padres; los esposos habían amado a sus esposas, y las esposas a sus esposos; y amigo había amado amigo; pero Jesús dio una nueva definición de amor. Su amor era tan ancho como el mar; sus límites estaban tan lejos que ni siquiera un enemigo podía viajar más allá de sus límites. Otros maestros buscaron regular las vidas de sus seguidores por regla y fórmula, pero el plan de Cristo era purificar el corazón y luego dejar el amor para dirigir los pasos.

¿Qué conclusión se puede sacar de la vida, las enseñanzas y la muerte de esta figura histórica? Criado en una carpintería; sin conocimiento de literatura, salvo literatura bíblica; sin conocer a filósofos vivos ni a los escritos de sabios muertos, cuando solo cerca de treinta años reunió discípulos sobre él, promulgó un código moral más elevado que el mundo había conocido antes y se proclamó a sí mismo el Mesías. Enseñó y realizó milagros durante unos breves meses y luego fue crucificado; Sus discípulos fueron dispersados y muchos de ellos fueron ejecutados; Sus reclamos fueron disputados, su resurrección negada y sus seguidores perseguidos; y, sin embargo, desde este principio, Su religión se extendió hasta que cientos de millones de personas tomaron Su nombre con reverencia en sus labios y millones de personas estuvieron dispuestas a morir en lugar de rendir la fe que Él puso en sus corazones. ¿Cómo lo explicaremos? Aquí está el hecho más grande de la historia; Aquí hay Alguien que tiene cada vez más poder, durante mil novecientos años, moldeó los corazones, los pensamientos y las vidas de los hombres, y hoy ejerce más influencia que nunca. "¿Qué os parece de Cristo?" Es más fácil creerle divino que explicar de otra manera lo que dijo, hizo y fue. Y tengo mayor fe, incluso que antes, desde que visité Oriente y fui testigo del exitoso concurso que el cristianismo está librando contra las religiones y filosofías de Oriente.

Hace unos años estaba pensando en la Navidad que se acercaba y en Él en cuyo honor se celebra el día. Recordé el mensaje, "Paz en la tierra, buena voluntad para los hombres", y luego mis pensamientos volvieron a la profecía pronunciada siglos antes de su nacimiento, en la que fue descrito como el Príncipe de la Paz. Para reforzar mi memoria, releí la profecía y descubrí inmediatamente después de un versículo que había olvidado, un versículo que declara que del aumento de su paz y gobierno no tendrá fin, e Isaías agrega que juzgará Su pueblo con justicia y con juicio. Había estado leyendo sobre el surgimiento y la caída de las naciones, y ocasionalmente conocí a un triste filósofo que predicaba la doctrina de que las naciones, como los individuos, necesariamente deben tener su nacimiento, su infancia, su madurez y finalmente su decadencia y muerte. Pero aquí leo de un gobierno que debe ser perpetuo, un gobierno de paz y bendición crecientes, el gobierno del Príncipe de la Paz, y es descansar en la justicia. He pensado en esta profecía muchas veces durante los últimos años, y he seleccionado este tema para presentar algunas de las razones que me llevan a creer que Cristo se ha ganado el derecho de ser llamado El Príncipe de la Paz, un título este en los años venideros se aplicará cada vez más a Él. Si él puede traer paz a cada corazón individual, y si su credo cuando se aplica traerá paz en toda la tierra, ¿quién negará su derecho a ser llamado Príncipe de la Paz?

Todo el mundo está en busca de paz; cada corazón que ha latido siempre ha buscado la paz, y muchos han sido los métodos empleados para asegurarla. Algunos han pensado comprarlo con riquezas y han trabajado para asegurar la riqueza, con la esperanza de encontrar la paz cuando pudieran ir a donde quisieran y comprar lo que quisieran. De aquellos que se han esforzado por comprar la paz con dinero, la gran mayoría no ha logrado asegurar el dinero. Pero, ¿cuál ha sido la experiencia de aquellos que han sido eminentemente exitosos en finanzas? Todos cuentan la misma historia, a saber, que pasaron la primera mitad de sus vidas tratando de obtener dinero de otros y la última mitad tratando de evitar que otros obtuvieran su dinero, y que no encontraron paz en ninguna de las dos partes. Algunos incluso han llegado al punto en que encuentran dificultades para que la gente acepte su dinero; y no conozco mejor indicación del despertar ético en este país que la creciente tendencia a examinar los métodos de hacer dinero. Soy lo suficientemente optimista como para creer que llegará el momento en que la respetabilidad ya no se venderá a grandes delincuentes al ayudarlos a gastar sus ganancias obtenidas ilegalmente. Se habrá dado un gran paso adelante cuando las instituciones religiosas, educativas y caritativas se nieguen a tolerar métodos inconscientes en los negocios y dejen al poseedor de acumulaciones ilegítimas para aprender cuán solitaria es la vida cuando uno prefiere el dinero a la moral.

Algunos han buscado la paz en la distinción social, pero si han estado dentro del círculo encantado y temerosos de no caerse, o afuera, y esperanzados de poder entrar, no han encontrado la paz. Algunos han pensado, vano, encontrar la paz en el protagonismo político; pero si el cargo llega por nacimiento, como en las monarquías, o por elección, como en las repúblicas, no trae paz. Una oficina no se considera alta si todos pueden ocuparla. Solo cuando pocos en una generación pueden esperar disfrutar de un honor, lo llamamos un gran honor. Me alegra que nuestro Padre Celestial no haya hecho que la paz del corazón humano dependa de nuestra capacidad de comprarlo con dinero, asegurarlo en la sociedad o ganarlo en las urnas, porque en cualquier caso, pero pocos podrían haberlo obtenido, pero cuando hizo de la paz la recompensa de una conciencia libre de ofensas hacia Dios y el hombre, la puso al alcance de todos. Los pobres pueden asegurarlo tan fácilmente como los ricos, los marginados sociales tan libremente como el líder de la sociedad, y el ciudadano más humilde por igual con aquellos que ejercen el poder político.

Para aquellos que se han vuelto grises en la Iglesia, no necesito hablar de la paz que se puede encontrar en la fe en Dios y confiar en una Providencia dominante. Cristo enseñó que nuestras vidas son preciosas a la vista de Dios, y los poetas han tomado el pensamiento y lo han entretejido en verso inmortal. Ningún escritor no inspirado lo ha expresado más bellamente que William Cullen Bryant en su Oda a las Aves Acuáticas. Después de seguir las andanzas del ave de paso mientras busca primero su hogar del sur y luego el norte, concluye:

Te has ido; el abismo del cielo ha tragado tu forma, pero en mi corazón ha hundido profundamente la lección que has dado, y no partirá pronto.

El que, de zona en zona, guía a través del cielo ilimitado tu vuelo seguro, en el largo camino que debo pisar solo, guiará mis pasos hacia la derecha.

Cristo promovió la paz al darnos la seguridad de que se puede establecer una línea de comunicación entre el Padre de arriba y el niño de abajo. ¿Y quién medirá los consuelos de la hora de oración?

¡Y la inmortalidad! ¿Quién estimará la paz que la creencia en una vida futura ha traído a los corazones tristes de los hijos de los hombres? Puede hablar con los jóvenes acerca de que la muerte termina con todo, porque la vida está llena y la esperanza es fuerte, pero no predique esta doctrina a la madre que está junto al lecho de muerte de su bebé o a una que está a la sombra de una gran aflicción. . Cuando era joven, le escribí al coronel Ingersoll y le pregunté por sus puntos de vista sobre Dios y la inmortalidad. Su secretario respondió que el gran infiel no estaba en casa, pero adjuntó una copia de un discurso del coronel Ingersoll que cubrió mi pregunta. Lo escaneé con entusiasmo y descubrí que se había expresado de la siguiente manera: "No digo que no hay Dios, simplemente digo que no sé. No digo que no haya vida más allá de la tumba, simplemente di que no lo sé ". Y desde ese día hasta el día de hoy, me hice la pregunta y no pude responderla para mi propia satisfacción, ¿cómo podría alguien encontrar placer en tomar de un corazón humano una fe viva y sustituirla por la fría y triste doctrina? no saber."

Cristo nos dio prueba de la inmortalidad y fue una garantía bienvenida, aunque difícilmente parecería necesario que uno resucitara de los muertos para convencernos de que la tumba no es el final. A cada cosa creada, Dios le ha dado una lengua que proclama una vida futura.

Si el Padre se digna tocar con el poder divino el corazón frío y sin pulso de la bellota enterrada y hacerla brotar de los muros de la prisión, ¿dejará descuidado en la tierra el alma del hombre, hecha a imagen de su Creador? Si se agacha para dar al rosal, cuyas flores marchitas flotan sobre la brisa del otoño, la dulce garantía de otra primavera, ¿rechazará las palabras de esperanza a los hijos de los hombres cuando lleguen las heladas del invierno?

Si la materia, muda e inanimada, aunque transformada por las fuerzas de la naturaleza en una multitud de formas, nunca puede morir, ¿sufrirá el espíritu imperial del hombre la aniquilación cuando haya hecho una breve visita como un invitado real a esta vivienda de barro? No, estoy seguro de que aquel que, a pesar de su aparente prodigalidad, no creó nada sin un propósito y no desperdició un solo átomo en toda su creación, ha previsto una vida futura en la que el anhelo universal del hombre por la inmortalidad encontrará su realización. Estoy tan seguro de que vivimos de nuevo como estoy seguro de que vivimos hoy.

En El Cairo aseguré unos granos de trigo que habían dormido durante más de treinta siglos en una tumba egipcia. Mientras los miraba, me vino a la mente este pensamiento: si uno de esos granos se había plantado en las orillas del Nilo el año después de que creciera, y todos sus descendientes lineales se habían plantado y replantado desde ese momento hasta ahora, su progenie hoy sería lo suficientemente numeroso como para alimentar a los millones de personas del mundo. Una cadena de vida ininterrumpida conecta los primeros granos de trigo con los granos que sembramos y cosechamos. En el grano de trigo hay algo invisible que tiene el poder de descartar el cuerpo que vemos, y de la tierra y del aire se forma un cuerpo nuevo tan parecido al viejo que no podemos distinguir uno del otro. Si este germen invisible de la vida en el grano de trigo puede pasar intacto a través de tres mil resurrecciones, no dudaré de que mi alma tiene poder para vestirse con un cuerpo adecuado para su nueva existencia cuando este marco terrenal se ha desmoronado.

La creencia en la inmortalidad no sólo consuela al individuo, sino que ejerce una poderosa influencia para lograr la paz entre los individuos. Si uno realmente piensa que el hombre muere como muere el bruto, cederá más fácilmente a la tentación de hacer injusticia a su vecino cuando las circunstancias sean tales que prometan seguridad contra la detección. Pero si uno realmente espera encontrarse de nuevo y vivir eternamente con aquellos a quienes conoce hoy en día, el miedo al remordimiento interminable lo restringe de las malas acciones. No sabemos qué recompensas nos están reservadas o qué castigos pueden reservarse, pero si no hubiera otro sería un castigo para alguien que deliberadamente y conscientemente maltrata a otro tener que vivir para siempre en compañía de la persona perjudicada y Que su desnudez y egoísmo sean descubiertos. Repito, la creencia en la inmortalidad debe ejercer una poderosa influencia en el establecimiento de la justicia entre los hombres y así sentar las bases para la paz.

Nuevamente, Cristo merece ser llamado El Príncipe de la Paz porque nos ha dado una medida de grandeza que promueve la paz. Cuando sus discípulos se pelearon entre sí acerca de cuál debería ser el más grande en el Reino de los Cielos, los reprendió y dijo: "El que sea el principal entre ustedes, sea el servidor de todos". El servicio es la medida de la grandeza; siempre ha sido cierto; Es cierto hoy, y siempre será cierto, que él es el que más hace el bien. ¡Y cómo se transformará este viejo mundo cuando este estándar de grandeza se convierta en el estándar de cada vida! Casi todas nuestras controversias y combates surgen del hecho de que estamos tratando de obtener algo el uno del otro; habrá paz cuando nuestro objetivo sea hacer algo el uno por el otro. Nuestras enemistades y enemistades surgen en gran medida de nuestros esfuerzos para sacar lo más posible del mundo: habrá paz cuando nuestro esfuerzo sea poner todo lo posible en el mundo. La medida humana de una vida humana es su ingreso; La medida divina de una vida es su salida, su desbordamiento, su contribución al bienestar de todos.

Cristo también abrió el camino hacia la paz al darnos una fórmula para la propagación de la verdad. No todos los que realmente han deseado hacer el bien han empleado el método cristiano, ni siquiera todos los cristianos. En la historia de la raza humana, pero se han utilizado dos métodos. El primero es el método forzado, y se ha empleado con mayor frecuencia. Un hombre tiene una idea que cree que es buena; se lo cuenta a sus vecinos y no les gusta. Esto lo enoja; él piensa que sería mucho mejor para ellos si les gustaría, y, tomando un club, intenta hacer que les guste. Pero un problema acerca de esta regla es que funciona en ambos sentidos; Cuando un hombre comienza a obligar a sus vecinos a pensar como él, generalmente los encuentra dispuestos a aceptar el desafío y pasan tanto tiempo tratando de obligarse mutuamente que no les queda tiempo para hacerse el bien.

El otro es el plan bíblico: "No te dejes vencer por el mal, sino vence el mal con el bien". Y no hay otra forma de vencer el mal. No soy un granjero: obtengo más crédito por mi agricultura de lo que merezco, y mi pequeña granja recibe más publicidad de la que tiene derecho. Pero soy lo suficientemente agricultor como para saber que si reduzco las malas hierbas, volverán a brotar; y agricultor lo suficiente como para saber que si planto algo allí que tenga más vitalidad que las malas hierbas, no solo me libraré del corte constante, sino que también tendré el beneficio del cultivo.

Para que no haya ningún error en su plan de propagación de la verdad, Cristo entró en detalles y puso énfasis en el valor del ejemplo: "Vive para que otros que vean tus buenas obras puedan verse obligados a glorificar a tu Padre que está en el Cielo. " No existe una influencia humana tan potente para el bien como la que sale de una vida recta. Un sermón puede ser respondido; Los argumentos presentados en un discurso pueden ser discutidos, pero nadie puede responder a una vida cristiana, es el argumento sin respuesta a favor de nuestra religión.

Puede ser un proceso lento, esta conversión del mundo por la influencia silenciosa de un noble ejemplo, pero es el único seguro, y la doctrina se aplica tanto a las naciones como a los individuos. El Evangelio del Príncipe de la Paz nos da la única esperanza que tiene el mundo, y es una esperanza cada vez mayor, de la sustitución de la razón por el arbitraje de la fuerza en la solución de disputas internacionales. Y nuestra nación no debe esperar a otras naciones, debe tomar la iniciativa y demostrar su fe en la omnipotencia de la verdad.

Pero Cristo nos ha dado una plataforma tan fundamental que puede aplicarse con éxito a todas las controversias. Estamos interesados en plataformas; asistimos a convenciones, a veces viajando largas distancias; tenemos guerras profundas sobre la fraseología de varios tablones, y luego realizamos campañas serias para asegurar el respaldo de estas plataformas en las urnas. La plataforma dada al mundo por El Príncipe de la Paz es de mayor alcance y más completa que cualquier plataforma escrita por la convención de cualquier parte en cualquier país. Cuando condensó en un solo mandamiento los de los diez que se relacionan con el deber del hombre hacia sus semejantes y nos impuso la regla: "Amarás a tu prójimo como a ti mismo". Presentó un plan para la solución de todos los problemas que ahora molestan a la sociedad. o puede surgir de aquí en adelante. Otros remedios pueden paliar o posponer el día de la liquidación, pero esto es suficiente y la reconciliación que produce es permanente.

Mi fe en el futuro, y tengo fe, y mi optimismo, porque soy optimista, mi fe y mi optimismo descansan en la creencia de que las enseñanzas de Cristo están siendo más estudiadas hoy que nunca, y que con este estudio más amplio vendrá una mayor aplicación de esas enseñanzas a la vida cotidiana del mundo y a las preguntas con las que tratamos. En épocas anteriores, cuando los hombres leían que Cristo vino "para sacar a la luz la vida y la inmortalidad", hacían hincapié en la inmortalidad; ahora están estudiando la relación de Cristo con la vida humana. La gente solía leer la Biblia para descubrir lo que decía del cielo; ahora lo leen más para encontrar qué luz arroja sobre el camino de hoy. En años anteriores, muchos pensaban prepararse para la dicha futura mediante una vida de aislamiento aquí; estamos aprendiendo que para seguir los pasos del Maestro debemos hacer el bien. Cristo declaró que vino para que tengamos vida y la tengamos en abundancia. El mundo está aprendiendo que Cristo no vino para reducir la vida, sino para agrandarla, no para despojarla de su alegría, sino para llenarla de desbordamiento de propósito, seriedad y felicidad.

Pero este Príncipe de Paz promete no sólo paz sino fuerza. Algunos han pensado que sus enseñanzas son adecuadas sólo para los débiles, los tímidos y los inadecuados para los hombres de vigor, energía y ambición. Nada podría estar más lejos de la verdad. Solo el hombre de fe puede ser valiente. Confiando en que pelea del lado de Jehová, no duda del éxito de su causa. ¿Qué importa si comparte los gritos de triunfo? Si cada palabra pronunciada en nombre de la verdad tiene su influencia y cada acción hecha por la razón pesa en la cuenta final, no es importante para el cristiano si sus ojos ven la victoria o si muere en medio del conflicto.

"Sí, tú te acuestas en el polvo, cuando los que te ayudaron a huir con miedo, mueren llenos de esperanza y confianza varonil, como los que cayeron en la batalla aquí.

Otra mano empuñará tu espada, Otra mano la ola estándar, Hasta que la boca de la trompeta pele, El estallido de triunfo sobre tu tumba".

Solo aquellos que creen intentan lo aparentemente imposible y, al intentarlo, prueban que uno, con Dios, puede perseguir a mil y que dos pueden poner a diez mil a la fuga. Me imagino que los primeros cristianos que fueron llevados al coliseo para hacer un espectáculo para aquellos más salvajes que las bestias, fueron suplicados por sus compañeros dudosos para no poner en peligro sus vidas. Pero, arrodillados en el centro de la arena, rezaron y cantaron hasta que fueron devorados. ¡Qué indefensos parecían y, medidos por cada gobierno humano, cuán desesperada era su causa! Y, sin embargo, en unas pocas décadas, el poder que invocaron demostró ser más poderoso que las legiones del emperador y la fe en la que murieron triunfó sobre toda la tierra. Se dice que aquellos que se burlaron de sus sufrimientos regresaron preguntándose a sí mismos: "¿Qué es lo que puede entrar en el corazón del hombre y hacerlo morir como estos mueren?" Fueron más conquistadores en su muerte de lo que podrían haber sido si hubieran comprado la vida por una rendición de su fe.

¿Cuál hubiera sido el destino de la iglesia si los primeros cristianos hubieran tenido tan poca fe como muchos de nuestros cristianos de hoy? Y si los cristianos de hoy tuvieran la fe de los mártires, ¿cuánto tiempo pasaría antes del cumplimiento de la profecía de que "toda rodilla se doblará y toda lengua confesará?"

Me alegra que Él, que se llama el Príncipe de la paz, pueda llevar la paz a todos los corazones con problemas y cuyas enseñanzas, ejemplificadas en la vida, traigan la paz entre el hombre y el hombre, entre la comunidad y la comunidad, entre el Estado y el Estado, entre las naciones. y nación en todo el mundo: me alegro de que Él brinde coraje y paz para que aquellos que lo siguen puedan asumir y cada día cumplir con valentía los deberes que hasta ese día caen.

A medida que el cristiano crece, aprecia cada vez más la integridad con la que Cristo satisface los anhelos del corazón y, agradecido por la paz que disfruta y por la fuerza que ha recibido, repite las palabras del gran erudito, señor William Jones:

"Ante tu altar místico, la verdad celestial, me arrodillo en la virilidad, mientras me arrodillé en la juventud, así que me arrodillo, hasta que esta forma opaca decaiga, y tu rayo ilumine la última sombra de la vida".

RUFUS CHOATE

EULOGIA DE WEBSTER

Entregado en Dartmouth College, 27 de julio de 1853. Webster poseía el elemento de un personaje impresionante, respeto inspirador, confianza y admiración, no mezclado con amor. Tenía, creo, intrínsecamente un encanto tal como pertenece solo a una naturaleza buena, noble y hermosa. En su combinación con tanta fama, tanta fuerza de voluntad y tanto intelecto, llenó y fascinó la imaginación y el corazón. Fue afectuoso en la infancia y la juventud, y lo fue más que nunca en los últimos meses de su larga vida. Es el testimonio universal que dio a sus padres, en gran medida, honor, amor, obediencia; que se apropió ansiosamente de los primeros medios que podía ordenar para liberar al padre de las deudas contraídas para educar a su hermano y a sí mismo; que seleccionó su primer lugar de práctica profesional para calmar la llegada de su vejez.

Igualmente hermoso fue su amor por toda su familia y por todos sus amigos. Cuando lo escucho acusado de egoísmo y de una naturaleza fría y mala, lo recuerdo acostado sin dormir toda la noche, no sin lágrimas de infancia, y le confiesa a Ezequiel cómo debe ser compasado el querido deseo de ambos corazones, y él también admitió los preciados privilegios de la educación; valientemente suplicando la causa de ambos hermanos en la mañana; prevaleciendo por el afecto sabio y perspicaz de la madre; suspender sus estudios de derecho y registrar las escrituras y enseñar en la escuela para ganar los medios, para ambos, de aprovechar la oportunidad que el sacrificio parental había puesto a su alcance; amarlo a través de la vida, llorarlo cuando está muerto, con un amor y una pena muy maravillosos, pasando la tristeza de la mujer; Recuerdo al esposo, el padre de los vivos y de los difuntos, el amigo, el consejero de muchos años, y mi corazón se vuelve demasiado lleno y líquido para la refutación de las palabras.

Su naturaleza cariñosa, ansiando siempre amistad, así como la presencia de sangre afín, difundida a través de toda su vida privada, le dio sinceridad a todas sus hospitalidad, amabilidad a sus ojos, calidez a la presión de su mano, hizo su grandeza y genio. deshacerse de la alegría de la infancia, fluir en graciosos recuerdos del pasado o de la muerte, de incidentes cuando la vida era joven y prometía ser feliz, -dejo bocetos generosos de sus rivales-, la alta contención ahora oculta por el puñado de la tierra, horas pasadas hace cincuenta años con grandes autores, recordados por las emociones vernales que luego hicieron vivir y deleitarse en el alma. Y de estas conversaciones de amistad, ningún hombre, ningún hombre, viejo o joven, se fue para recordar una palabra de blasfemias, una alusión a la indecisión, un pensamiento impuro, una sugerencia incrédula, una duda sobre la realidad de la virtud, del patriotismo. , de entusiasmo, del progreso del hombre, una duda basada en la justicia, la templanza o el juicio venidero.

Aprendí por evidencia lo más directo y satisfactorio que en los últimos meses de su vida, todo el cariño de su naturaleza —su consideración por los demás, su gentileza, su deseo de hacerlos felices y verlos felices— parecía salir a la luz. en más y más bellas y habituales expresiones que nunca. Las tareas públicas del largo día se sentían hechas; las preocupaciones, las incertidumbres, los conflictos mentales del lugar alto, se terminaron; y volvió a casa para recuperarse durante los pocos años que todavía podría esperar que fuera suyo antes de irse, por lo que ya no estaría aquí. Y allí, estoy seguro y debidamente creído, ningún arrepentimiento impropio lo persiguió; sin descontento, en cuanto a la injusticia sufrida o las expectativas incumplidas; no se reproche a sí mismo por nada hecho u omitido por él mismo; sin irritación, sin irritabilidad indigna de su noble naturaleza; pero en cambio, amor y esperanza por su país, cuando ella se convirtió en el tema de conversación, y por todo lo que lo rodeaba, lo más querido e indiferente, por todo lo que respiraba sobre él, el desbordamiento del corazón más amable creciendo en gentileza y benevolencia, paternal , afectos patriarcales, que parecen volverse más naturales, cálidos y comunicativos cada hora. Más suave y aún más brillante creció los tintes en el cielo del día de despedida; y los últimos rayos persistentes, más que las glorias del mediodía, anunciaron cuán divina era la fuente de donde procedían; qué incapaz de ser apagado; qué tan seguro de levantarse en una mañana que no debe seguir ninguna noche.

Tal personaje fue hecho para ser amado. Fue amado. Aquellos que lo conocieron y lo vieron en su hora de calma, aquellos que podían descansar en ese verde suave, lo amaban. Sus simples vecinos lo amaban; y uno dijo, cuando lo acostaron en su tumba, "¡Qué solitario parece el mundo!" Los jóvenes educados lo amaban. Los ministros del evangelio, la inteligencia general del país, las masas a menudo, lo amaban. Es cierto que no habían encontrado en sus discursos, leídos por millones, tanta adulación de la gente; gran parte de la música que roba la razón pública de sí misma; tantas frases de humanidad y filantropía; y algunos les habían dicho que era alto y frío, solitario en su grandeza; pero cada año se acercaban más y más a él, y a medida que se acercaban, lo amaban más; escucharon lo tierno que había sido el hijo, el esposo, el hermano, el padre, el amigo y el vecino; que él era simple, simple, natural, generoso, hospitalario, el corazón más grande que el cerebro; que amaba a los niños pequeños y reverenciaba a Dios, las Escrituras, el día de reposo, la Constitución y la ley, y sus corazones le son claves. Más sinceramente de él que incluso de la gran querida naval de Inglaterra, podría decirse que "su presencia haría sonar las campanas de la iglesia, y daría unas vacaciones a los escolares, traería a los niños de la escuela y a los viejos del rincón de la chimenea, para mirar sobre él antes de morir ". Las grandes e inútiles lamentaciones revelaron por primera vez el lugar profundo que tenía en los corazones de sus compatriotas.

Ahora debe agregar a esto su extraordinario poder de influir en las convicciones de los demás mediante el habla, y ha completado la encuesta sobre los medios de su grandeza. Y aquí, de nuevo, comienzo admirando un conjunto compuesto por excelencias y triunfos, que normalmente se considera incompatible. Habló con habilidad consumada al banco, y sin embargo exactamente como, de acuerdo con cada canon de buen gusto y ética, el banco debe ser abordado. Habló con una habilidad consumada ante el jurado y, sin embargo, exactamente como, de acuerdo con cada canon sólido, ese tribunal totalmente diferente debería ser abordado. En los pasillos del Congreso, antes de que la gente se reuniera para la discusión política en masas, ante audiencias más pequeñas y más selectas, reunidas para alguna conmemoración solemne del pasado o de los muertos, en cada una de ellas, nuevamente, su discurso, de la primera forma. de habilidad, se adaptó exactamente, también, a las propiedades críticas del lugar; cada uno de ellos logró, cuando se entregó, el éxito más instantáneo y específico de la elocuencia, algunos de ellos en un grado espléndido y notable; y, sin embargo, aún más extraño, cuando se reducen a la escritura, a medida que caen de sus labios, componen un cuerpo de lectura en muchos volúmenes, sólido, claro, rico y lleno de armonía, una literatura política clásica y permanente.

Y, sin embargo, todos estos modos de su elocuencia, adaptados exactamente a cada uno de sus escenarios y su final, fueron estampados con su imagen y su inscripción, identificados por características incapaces de ser falsificadas e imposibles de confundir. El mismo alto poder de la razón, la intención en cada uno de explorar y mostrar algo de verdad; alguna verdad de hecho judicial, histórico o biográfico; alguna verdad de la ley, deducida por la construcción, tal vez, o por la denuncia; alguna verdad de la política, por falta de lo cual una nación, generaciones, puede ser peor: razonar buscando y desarrollando la verdad; el mismo tono, en general, de seriedad profunda, que expresa un fuerte deseo de que lo que él consideraba importante debería ser aceptado como verdadero y surgir a la acción; el mismo discurso transparente, claro, contundente y directo, que transmite su pensamiento exacto a la mente, no algo menos o más; la misma soberanía de la forma, de las cejas, los ojos, el tono y la forma, en todas partes, el rey intelectual de los hombres, de pie ante ti, esa misma maravilla de cualidades y resultados, residiendo, no sé dónde, en palabras, en imágenes, En el orden de las ideas, infelicidades indescriptibles, por medio de las cuales, saliendo de su lengua, todo parecía reparado: la verdad parecía más verdadera, la probabilidad más plausible, la grandeza más grandiosa, la bondad más horrible, cada afecto más tierno que cuando provenía de otras lenguas. —Estos son, en general, su elocuencia.

Pero a veces se individualizó y discriminó incluso de sí mismo; a veces el lugar y las circunstancias, los grandes intereses en juego, un escenario, una audiencia adecuada para la acción histórica más elevada, una crisis, personal o nacional, sobre él, agitaban las profundidades de esa naturaleza emocional, mientras la ira de la diosa agita el mar que comienza la gran epopeya; las pasiones fuertes en sí mismas se encendieron en intensidad, aceleraron cada facultad a una nueva vida; las asociaciones estimuladas de ideas trajeron todos los tesoros de pensamiento y conocimiento al mando; el hechizo, que a menudo mantenía su imaginación rápida, se disolvió, y ella se levantó y le dio a elegir su urna de oro; la seriedad se convirtió en vehemencia, el lenguaje simple, perspicaz, medido y directo se convirtió en una marea de discurso impetuosa, plena y ardiente; el discurso de la razón, la sabiduría, la gravedad y la belleza cambiaron a esa sobrehumana, esa elocuencia consumada más rara: grandiosa, rápida, patética, terrible; el inmenso iniquito infinito que Cicerón pudo haber reconocido; El triunfo maestro del hombre en la oportunidad más rara de su noble poder.

Tal elevación por encima de sí mismo, en el debate del Congreso, fue muy poco común. Algunos de ellos se produjeron en las grandes discusiones sobre el poder ejecutivo después de la eliminación de los depósitos, que los que escucharon nunca olvidarán, y algunos que se basan únicamente en la tradición de los oyentes. Pero había otros campos de la oratoria en los que, bajo la influencia de fuentes de inspiración más infrecuentes, ejemplificó, en otras formas, una elocuencia en la que no sé si ha tenido una superioridad entre los hombres. Dirigiéndose a las masas por decenas de miles al aire libre, sobre las cuestiones políticas urgentes del día, o diseñadas para dirigir las meditaciones de una hora dedicada al recuerdo de alguna era nacional, o de algún incidente que marque el progreso de la nación, y elevándolo a una vista de lo que es y lo que es pasado, y alguna revelación indistinta de la gloria que se encuentra en el futuro, o de algún gran nombre histórico, que la nación lleva a su tumba, hemos aprendido eso y allí, en la base de Bunker Hill, antes de colocar la piedra angular, y de nuevo cuando desde la columna terminada los siglos lo miraron; en Faneuil Hall, duelo por aquellos con cuya elocuencia de libertad hablada o escrita sus arcos habían resonado tan a menudo; en la roca de Plymouth; ante el Capitolio, del cual no quedará una piedra sobre otra antes de que su memoria haya dejado de vivir; en tales escenas, sin restricciones por las leyes del debate forense o parlamentario, multitudes incontables levantando sus ojos hacia él; algunas grandes escenas históricas de América alrededor; todos los símbolos de su gloria, arte, poder y fortuna allí; voces del pasado, no desconocidas; formas que hacen señas desde el futuro, no invisibles, a veces ese intelecto poderoso, elevado a una altura y encendido a una iluminación que no veremos más, forjada, por así decirlo, en un instante, una imagen de visión, advertencia, predicción; el progreso de la nación; los contrastes de sus eras; las heroicas muertes; los motivos del patriotismo; Las máximas y las artes imperiales por las cuales la gloria se ha reunido y se puede aumentar, forjaron, en un instante, una imagen que se desvanecería solo cuando todos los registros de nuestra mente mueran.

Al mirar los restos públicos de su oratoria, es sorprendente observar cómo, incluso en ese entendimiento y naturaleza más sobrios y masivos, ves reunidos y expresados los sentimientos característicos y el tiempo que pasa en nuestra América. Es el viejo roble fuerte que asciende ante ti; sin embargo, nuestro suelo, nuestro cielo, está atestiguado en él tan perfectamente como si fuera una flor que no podría crecer en ningún otro clima y en ninguna otra hora del año o del día. Permítanme mencionar solo una cosa. Es una peculiaridad de algunas escuelas de elocuencia que encarnan y expresan, no solo el genio individual y el carácter del hablante, sino una conciencia nacional (una era nacional, un estado de ánimo, una esperanza, un temor, una desesperación) en la que usted Escucha la historia hablada de la época. Hay una elocuencia de una nación que expira, que parece entristecer el glorioso discurso de Demóstenes; como el que respira grandioso y sombrío de las visiones de los profetas de los últimos días de Israel y Judá; tales como hechizaron la expresión de Grattan y de Kossuth —la más dulce, más triste, más horrible de las palabras que el hombre puede pronunciar, o que el hombre puede escuchar— la elocuencia de una nación que perece.

Hay otra elocuencia, en la que la conciencia nacional de una fuerza joven o renovada y vasta, de confianza en un deslumbrante futuro cierto e ilimitado, una gloria interna en victorias aún por ganar, suena como una voz de clarín, desafiante para disputar por el premio más alto de la tierra; como aquel en el que el líder de Israel en sus primeros días sostiene a la nueva nación, la Tierra Prometida; como el que en los discursos bien imaginados esparcidos por Livio sobre la historia de la "serie majestuosa de victorias" habla la conciencia romana del creciente engrandecimiento que debería someter al mundo; como aquella a través de la cual, en las tribunas de su revolución, en los boletines de sus soldados en ascenso, Francia le contaba al mundo su sueño de gloria.

Y de este tipo es algo nuestro: alegre, esperanzado, confiado, como corresponde a la juventud y la primavera; la elocuencia de un estado que comienza a ascender a la primera clase de poder, eminencia y consideración, y consciente de sí mismo. De ninguna manera te dicen que es de mal gusto; que participa de la arrogancia y la vanidad; que una verdadera buena cría nacional no sabría, o parecería saber, si la nación es vieja o joven; si las mareas del ser están en su flujo o reflujo; si estos rastreadores del sol se están hundiendo lentamente para descansar, cansados de un viaje de mil años, o simplemente saltando del Oriente sin respirar. Leyes más altas que las del gusto determinan la conciencia de las naciones. Leyes más altas que las del gusto determinan las formas generales de expresión de esa conciencia. Deje que la era de América de abajo encuentre a sus oradores, poetas y artistas para elegir su espíritu o gracia y calmar su muerte; sea nuestro el ir con Webster a la Roca, el Monumento, el Capitolio y decir "¡saluden las generaciones distantes!"

Hasta el séptimo día de marzo de 1850, creo que le habría sido otorgado por una aclamación casi universal, como general y como expresivo de una convicción profunda e inteligente y de entusiasmo, amor y confianza, como alguna vez expresó una conspiración conspicua. por muchas crisis de asuntos en una gran nación, agitada por partidos y totalmente libre.

ALBERT J. BEVERIDGE

PASAR LA PROSPERIDAD ALREDEDOR

Entregado como Presidente Temporal de Progresivo
Convención Nacional, Chicago, Illinois, junio de 1911.
Defendemos una América más noble. Defendemos una
nación indivisa. Defendemos una libertad más amplia, una
justicia más plena. Defendemos una hermandad social frente al
individualismo salvaje. Defendemos una cooperación inteligente
en lugar de una competencia temeraria. Defendemos la ayuda
mutua en lugar del odio mutuo. Defendemos la igualdad de
derechos como un hecho de la vida en lugar de una palabra
clave de política. Defendemos el gobierno del pueblo como una
verdad práctica en lugar de una pretensión sin sentido.
Defendemos un gobierno representativo que represente a la
gente. Luchamos por los derechos reales del hombre.

Para llevar a cabo nuestros principios tenemos un programa
claro de reforma constructiva. Queremos derribar solo lo que
está mal y desactualizado; y cuando derribamos queremos
construir lo que es correcto y adecuado a los tiempos. Nos
atenemos a la llamada del presente. Queremos hacer que las leyes
se ajusten a las condiciones tal como son y satisfacer las
necesidades de las personas que están en la tierra hoy en día.
Para que podamos hacer esto, encontramos una fiesta a través
de la cual todos los que creen con nosotros pueden trabajar con
nosotros; o, más bien, declaramos nuestra lealtad a la fiesta que la
gente misma ha fundado.

Para esta fiesta proviene de las bases. Ha crecido desde el
suelo de las necesidades duras de la gente. Tiene la vitalidad de las
fuertes convicciones del pueblo. La gente tiene trabajo por hacer

539

y nuestra fiesta está aquí para hacer ese trabajo. El abuso solo lo fortalecerá, el ridículo solo acelerará su crecimiento, la falsedad solo acelerará su victoria. Durante años, esta fiesta se ha estado formando. Las fiestas existen para la gente; No la gente para fiestas. Sin embargo, durante años los políticos han hecho que la gente haga el trabajo de los partidos en lugar de que los partidos hagan el trabajo de la gente, y los políticos son dueños de los partidos. La gente vota por un partido y encuentra sus esperanzas convertidas en cenizas en sus labios; y luego para castigar a esa parte, votan por la otra parte. Entonces, las victorias partidistas se han convertido simplemente en la venganza del pueblo; y siempre los poderes secretos han jugado su juego.

Al igual que otras personas libres, la mayoría de nosotros los estadounidenses somos progresistas o reaccionarios, liberales o conservadores. Los neutrales no cuentan. Sin embargo, hoy en día ninguno de los viejos partidos es totalmente progresista o totalmente reaccionario. Los políticos demócratas y los buscadores de cargos dicen a los votantes demócratas reaccionarios que el partido demócrata es lo suficientemente reaccionario como para expresar opiniones reaccionarias; y le dicen a los demócratas progresistas que el partido demócrata es lo suficientemente progresista como para expresar puntos de vista progresistas. Al mismo tiempo, los políticos republicanos y los buscadores de oficinas dicen lo mismo sobre el partido republicano a los votantes republicanos progresistas y reaccionarios.

A veces, tanto en los Estados democráticos como en los republicanos, los progresistas obtienen el control del partido localmente y luego los reaccionarios recuperan el mismo partido en el mismo Estado; o este proceso se invierte. Por lo tanto, no existe una unidad de principios a nivel nacional en ninguna de las partes, ni estabilidad de propósito, ni un programa claro y sincero de una de las partes en una guerra franca y abierta con un programa igualmente claro y sincero de una parte opuesta.

Esta maraña poco inteligente se ve en el Congreso. Los senadores y representantes republicanos y demócratas, creyendo por igual en medidas amplias que afectan a toda la República, encuentran difícil votar juntos debido a la diferencia nominal de la membresía de su partido. Cuando, a veces, bajo una convicción inquebrantable, votan juntos, tenemos este espectáculo tonto: los legisladores que se hacen llamar republicanos y demócratas apoyan la misma política, los legisladores demócratas declaran que esa política es demócrata y los legisladores republicanos declaran que es republicana; y al mismo tiempo, otros legisladores demócratas y republicanos se oponen a esa misma política, y cada uno de ellos declara que no es demócrata ni republicano.

La condición hace que sea imposible la mayoría de las veces, y difícil en cualquier momento, para los legisladores del pueblo que creen en las mismas políticas generales para promulgarlas en leyes lógicas y completas. Confunde la mente pública. Genera sospecha y desconfianza. Permite que intereses especiales como buscar ganancias injustas a expensas públicas obtengan lo que desean. Crea y fomenta el degradante sistema de jefes en la política estadounidense a través del cual trabajan estos intereses especiales.

Este sistema de jefes es desconocido e imposible bajo cualquier otro gobierno libre en el mundo. Por su propia naturaleza, es hostil al bienestar general. Sin embargo, ha crecido hasta que ahora es una influencia controladora en los asuntos públicos estadounidenses. En este momento, jefes notorios están en la silla de los dos viejos partidos en varios Estados importantes que deben ser elegidos para elegir un presidente. Esta Caballería del Caballo Negro es la fuerza más importante en el trabajo práctico de los partidos demócratas y republicanos en la presente campaña. Ninguno de los candidatos de los viejos partidos a la presidencia puede escapar de la obligación con estos jefes de los viejos partidos o sacudir su control práctico sobre muchos y poderosos miembros de la Legislatura Nacional.

Bajo este sistema de jefe, no importa qué partido gane, la gente rara vez gana; pero los jefes casi siempre ganan. Y nunca trabajan para la gente. Ni siquiera trabajan para la fiesta a la que pertenecen. Trabajan solo para aquellos intereses anti-públicos cuyos empleados políticos son. Estos intereses son los verdaderos vencedores al final.

Estos intereses especiales que absorben la sustancia del pueblo son bipartidistas. Usan ambas partes. Son el gobierno invisible detrás de nuestro gobierno visible. Los jefes demócratas y republicanos por igual son hermanos oficiales de este poder oculto. No importa cuán ferozmente pretendan pelear entre sí antes de las elecciones, trabajan juntos después de las elecciones. Y, actuando así, esta conspiración política es capaz de retrasar, mutilar o derrotar las leyes sólidas y necesarias para el bienestar de las personas y la prosperidad de los negocios honestos e incluso para promulgar malas leyes, perjudiciales para el bienestar de las personas y opresivas para los negocios honestos.

Este gobierno invisible es el verdadero peligro para las instituciones estadounidenses. Su trabajo crudo en Chicago en junio, que la gente pudo ver, no fue más malvado que su hábil trabajo en todas partes y siempre que la gente no puede ver.

Pero una condición aún más grave resulta de la alineación antinatural de los viejos partidos. Hoy en día, los estadounidenses estamos políticamente destrozados por el seccionalismo. A través de los dos viejos partidos, la tragedia de nuestra historia continúa; y una gran parte geográfica de la

República está separada de otras partes de la República por una ilógica solidaridad partidista.

El Sur tiene hombres y mujeres tan genuinamente progresistas y otros tan genuinamente reaccionarios como los de otras partes de nuestro país. Sin embargo, por razones bien conocidas, estos progresistas y reaccionarios sinceros y honestos del sur votan juntos en un solo partido, que no es ni progresista ni reaccionario. Votan una tradición muerta y un miedo local, no una convicción viva y una fe nacional. Votan no por el partido demócrata, sino contra el partido republicano. Quieren liberarse de esta condición; pueden liberarse de él a través del partido nacional progresista.

Los problemas que enfrenta Estados Unidos hoy en día son económicos y nacionales. Tienen que ver con una distribución más justa de la prosperidad. Se refieren a la vida de la gente; y por lo tanto el gobierno más directo de la gente por sí mismos.

Afectan al sur exactamente como afectan al norte, el este o el oeste. Es una condición artificial y peligrosa que impide que el hombre y la mujer del sur actúen con el hombre y la mujer del norte que creen lo mismo. Sin embargo, eso es lo que previenen los viejos partidos.

Este partidismo desactualizado no solo divide a nuestra nación en dos secciones geográficas; También le roba a la Nación un valioso activo de pensamiento para determinar nuestro destino nacional. El Sur alguna vez fue famoso por su pensamiento brillante y constructivo sobre los problemas nacionales, y hoy en día tiene mentes tan brillantes y constructivas como en los viejos tiempos. Pero el intelecto del sur no puede ayudar libre y plenamente, en términos de política, a resolver los problemas de la nación. Esto es así debido a un seccionismo partidista que no tiene nada que ver con esos problemas. Sin embargo, estos problemas sólo pueden resolverse en términos de política.

La raíz de los errores que perjudican a la gente es el hecho de que se les ha quitado el gobierno del pueblo: el gobierno invisible ha usurpado al gobierno del pueblo. Su gobierno debe ser devuelto a la gente. Y así, el primer propósito del partido Progresista es asegurarse de que el pueblo gobierne. La regla del pueblo significa que el pueblo mismo nominará, además de elegir, a todos los candidatos para el cargo, incluidos los senadores y presidentes de los Estados Unidos. ¿De qué le sirve a la gente si solo eligen mientras el gobierno invisible hace la nominación?

La regla del pueblo significa que cuando los legisladores del pueblo hacen una ley que perjudica al pueblo, el pueblo mismo puede rechazarla. La regla del pueblo significa que cuando los legisladores del pueblo se niegan a aprobar una ley que la gente necesita, la gente misma puede aprobarla. La regla de la gente significa que cuando los empleados de la gente no hacen el trabajo de la gente bien y honestamente, la gente puede despedirlos exactamente como un hombre de negocios despide a los empleados que no hacen su trabajo bien y honestamente. Los funcionarios del pueblo son los sirvientes del pueblo, no los amos del pueblo.

Los progresistas creemos en esta regla de la gente que las personas mismas pueden lidiar con su propio destino. ¿Quién conoce las necesidades de la gente tan bien como las personas mismas? ¿Quién tan paciente como la gente? ¿Quién sufrió tanto, quién tan justo? ¿Quién tan sabio para resolver sus propios problemas?

Hoy estos problemas se refieren a la vida de las personas. Sin embargo, en la etapa actual del desarrollo estadounidense, estos problemas no deberían existir en este país. Porque en todo el mundo no hay tierra tan rica como la nuestra. Nuestros campos pueden alimentar a cientos de millones. Tenemos más minerales que toda Europa. La invención ha facilitado la transformación de esta vasta riqueza natural en suministros para todas las necesidades del hombre. Un trabajador hoy puede producir más de veinte trabajadores podría producir hace un siglo. Las personas que viven en esta tierra de oro son las más atrevidas e ingeniosas del mundo. Procedente de las poblaciones más resistentes de todas las naciones del viejo mundo, su propia historia en el nuevo mundo ha hecho de los estadounidenses un pueblo peculiar en coraje, iniciativa, amor a la justicia y todos los elementos de carácter independiente.

Y, en comparación con otras personas, somos muy pocos en número. Solo hay noventa millones de nosotros, dispersos en un continente. Alemania tiene sesenta y cinco millones en un país mucho más pequeño que Texas. La población de Gran Bretaña e Irlanda podría establecerse en California y todavía tener espacio más que suficiente para la población de Holanda. Si este país estuviera tan densamente poblado como Bélgica, habría más de mil doscientos millones en lugar de solo noventa millones de personas dentro de nuestras fronteras.

Así que tenemos más que suficiente para abastecer a cada ser humano debajo de la bandera. No debería haber en esta República un solo día de malos negocios, un solo trabajador desempleado, un solo niño sin alimentación. Los hombres de negocios estadounidenses nunca deberían conocer una hora de incertidumbre, desánimo o miedo; Los trabajadores estadounidenses nunca tienen un día de bajos salarios, ociosidad o falta. El hambre nunca debe caminar en estos jardines de abundancia poco poblados.

Y sin embargo, a pesar de todos estos favores que la providencia nos ha dado, la vida de la gente es el problema de la hora. Cientos de miles de estadounidenses que trabajan duro encuentran dificultades para obtener lo suficiente para vivir. El ingreso promedio de un trabajador estadounidense es menos de $ 500 al año. Con esto debe proporcionar comida, refugio y ropa para una familia.

Las mujeres, cuya alimentación y protección deben ser el primer cuidado del Estado, no solo son conducidas al poderoso ejército de asalariados, sino que se ven obligadas a trabajar en condiciones injustas y degradantes. El derecho de un niño a convertirse en un ser humano normal es sagrado; y, sin embargo, mientras los países pequeños y pobres, repletos de personas, han abolido el trabajo infantil, las fábricas, minas, fábricas y talleres de explotación estadounidenses están destruyendo cientos de miles de niños estadounidenses en cuerpo, mente y alma.

Al mismo tiempo, los hombres han agarrado fortunas en este país tan grande que la mente humana no puede comprender su magnitud. Estas montañas de riqueza son mucho más grandes que incluso esa generosa recompensa que nadie negaría al riesgo comercial o al genio.

Por otro lado, los negocios estadounidenses son inciertos e inestables en comparación con los negocios de otras naciones. Los hombres de negocios estadounidenses son los mejores y más valientes del mundo, y sin embargo, nuestras condiciones comerciales obstaculizan sus energías y enfrían su coraje. No tenemos permanencia en los asuntos comerciales, no tenemos una perspectiva segura del futuro comercial. Este estado inestable de los negocios estadounidenses le impide darse cuenta para la gente de la gran y continua prosperidad que justifica la ubicación de nuestro país, su vasta riqueza y su pequeña población.

Queremos remediar estas condiciones. Nos referimos no solo a mantener la prosperidad estable, sino a dar a los muchos que la ganan una parte justa de esa prosperidad en lugar de ayudar a los pocos que no la ganan a tomar una parte injusta. El lema progresivo es "Pase la prosperidad". Para facilitar la vida humana, liberar las manos de negocios honestos, hacer que el comercio sea sólido y estable, proteger la feminidad, salvar la infancia y restaurar la dignidad de la virilidad: estas son las tareas que debemos hacer.

¿Cuál es, entonces, la respuesta progresiva a estas preguntas? Podemos darlo específica y concretamente. El primer trabajo que tenemos ante nosotros es la reactivación de los negocios honestos. Porque los negocios no son más que las actividades industriales y comerciales de todas las personas. Los hombres cultivan los productos del campo, cortan madera madura del bosque, excavan metal de la mina, confeccionan todo para uso humano, los llevan al mercado e intercambian según sus necesidades mutuas, y esto es un negocio.

Con nuestras grandes ventajas, en contraste con las enormes desventajas de otras naciones, los negocios estadounidenses deben ser los mejores y más firmes del mundo. Pero no lo es. Alemania, con suelo poco profundo, sin minas, solo una ventana en los mares y una población más de diez veces más densa que la nuestra, pero tiene un negocio más sólido, una prosperidad más estable, más contenta porque mejor cuidada de las personas.

Entonces, ¿qué debemos hacer para mejorar los negocios estadounidenses? Debemos hacer lo que han hecho las naciones más pobres. Debemos poner fin a los abusos de las empresas eliminando esos abusos en lugar de eliminar las empresas mismas. Debemos tratar de hacer que los pequeños negocios sean grandes y todos los negocios sean honestos en lugar de esforzarnos por hacer que los pequeños negocios sean pequeños y dejar que sigan siendo deshonestos.

Los negocios de hoy en día son tan diferentes a los negocios de antaño como el carro de bueyes de antaño es diferente a la locomotora de hoy en día. La invención ha hecho que todo el mundo vuelva a suceder. El ferrocarril, el telégrafo, el teléfono han unido a las personas de las naciones modernas en familias. Para hacer el negocio de estos millones estrechamente unidos en todos los países modernos, surgieron grandes preocupaciones comerciales. Lo que llamamos grandes negocios es el hijo del progreso económico de la humanidad. Entonces, la guerra para destruir las grandes empresas es una tontería porque no puede tener éxito y malvada porque no debería tener éxito. La guerra para destruir las grandes empresas no perjudica a las grandes empresas, que siempre salen adelante, tanto como perjudican a todos los demás negocios que, en una guerra así, nunca salen adelante.

Con el crecimiento de las grandes empresas, los males empresariales fueron igual de grandes. Son estos males de los grandes negocios los que lastiman a las personas y lesionan a todos los demás negocios. Uno de estos errores es sobre la capitalización que grava la vida de la gente. Otra es la manipulación de los precios para la inestabilidad de todos los negocios normales y el daño de la gente. Otra es la interferencia en la elaboración de las leyes populares y el funcionamiento del gobierno popular en beneficio de los negocios injustos. Obtener leyes que permitan intereses particulares para robar a las personas, e incluso para reunir riquezas criminales de la salud y la vida humana, es otra.

Un ejemplo de tales leyes es la infame legislación sobre el tabaco de 1902, que autorizó a Tobacco Trust a continuar recaudando del pueblo el impuesto de la Guerra española, por un monto de millones de dólares, pero para mantener ese impuesto en lugar de entregarlo a el gobierno, como lo había estado haciendo. Otro ejemplo es la vergonzosa legislación sobre la carne, por la cual Beef Trust hizo que el gobierno inspeccionara la carne que envió al exterior para que los países extranjeros tomaran su producto y, sin embargo, se le permitiera vender carne enferma a nuestra propia gente. Es increíble que leyes como estas puedan entrar en los libros de estatutos de la nación. El gobierno invisible los puso allí; y solo la ira universal de un pueblo enfurecido los corrigió cuando, después de años, la gente descubrió los ultrajes.

Es para obtener leyes como estas y evitar la aprobación de leyes para corregirlas, así como para evitar los libros de estatutos leyes generales que terminarán con los abusos generales de las grandes empresas que estos pocos intereses criminales corrompen nuestra política, inviertan en funcionarios públicos y mantener en el poder en ambos partidos ese tipo de políticos y gerentes de partidos que degradan la política estadounidense.

Detrás de leyes podridas y previniendo leyes sólidas, se encuentra el jefe corrupto; detrás del jefe corrupto está el interés del ladrón; y al mando de estos poderes de pillaje se erige la codicia humana hinchada. Es esta conspiración del mal la que debemos derrocar si queremos obtener las leyes honestas que necesitamos. Es este gobierno invisible el que debemos destruir si salvamos las instituciones estadounidenses.

Otras naciones han puesto fin a los mismos males comerciales que sufrimos definiendo claramente el mal hacer negocios y luego convirtiéndolo en un delito penal, castigable con prisión. Sin embargo, estas naciones extranjeras fomentan los grandes negocios en sí mismos y fomentan todos los negocios honestos. Pero no toleran los negocios deshonestos, pequeños o grandes.

Entonces, ¿qué haremos los estadounidenses? El sentido común y la experiencia del mundo dicen que debemos mantener el buen negocio que hace por nosotros y detener los errores que el gran negocio nos hace. Sin embargo, hemos hecho justo lo otro. Hemos atacado a las grandes empresas y ni siquiera hemos apuntado a atacar los males de las grandes empresas. Hace casi veinticinco años, el Congreso aprobó una ley para gobernar los negocios estadounidenses en la actualidad que el Parlamento aprobó en el reinado del Rey James para gobernar los negocios ingleses en ese momento.

Durante un cuarto de siglo, los tribunales han tratado de hacer que esta ley funcione. Sin embargo, durante este mismo tiempo, los fideicomisos crecieron en número y poder más que en toda la historia del mundo anterior; y sus males florecieron sin obstáculos y sin control. Estas grandes preocupaciones comerciales crecieron porque las leyes naturales los hicieron crecer y la ley artificial en guerra con la ley natural no pudo detener su crecimiento. Pero sus males crecieron más rápido que los propios fideicomisos porque la avaricia alimentó esos males y ninguna ley de ningún tipo detuvo la avaricia de alimentarlos.

Tampoco es esto lo peor. Bajo la interpretación cambiante de la ley Sherman, la incertidumbre y el miedo están enfriando las energías del gran cuerpo de hombres de negocios estadounidenses honestos. Tal como está ahora la ley de Sherman, no hay dos hombres de negocios que puedan organizar sus asuntos mutuos y asegurarse de que no violan la ley. Este es el principal obstáculo para la reactivación inmediata y permanente de los negocios estadounidenses. Si los hombres de negocios alemanes o ingleses, con todas sus desventajas en comparación con nuestras ventajas, fueran manejados por nuestra ley Sherman, tal como están las cosas, pronto se declararían en bancarrota. De hecho, los hombres de negocios extranjeros declaran que, si sus países tuvieran una ley así, tan administrada, no podrían hacer negocios en absoluto.

Incluso esto no es todo. Según los decretos de nuestros tribunales, según la ley de Sherman, los dos fideicomisos más poderosos de la tierra han sido autorizados, en el resultado práctico, a seguir haciendo todo lo malo que hayan cometido. Según los decretos de los tribunales, los Fideicomisos de Petróleo y Tabaco todavía pueden subir los precios injustamente y ya lo han hecho. Todavía pueden emitir existencias regadas y seguramente lo harán. Todavía pueden estrangular a otros hombres de negocios y la United Cigar Stores Company ahora lo está haciendo. Todavía pueden corromper nuestra política y este momento se está entregando a esa práctica.

La gente está cansada de esta batalla simulada con el capital criminal. No quieren perjudicar a los negocios, pero sí quieren hacer algo con respecto a la pregunta de confianza que equivale a algo. ¿De qué le sirve a un hombre leer en su periódico matutino que los tribunales han "disuelto" el Oil Trust, y luego leer en su periódico vespertino que debe pagar un precio más alto por su petróleo que nunca antes? ¿De qué le sirve al trabajador que fuma su pipa que le digan que los tribunales han "disuelto" el Tabaco Trust y aún así encuentran que debe pagar el mismo precio o un precio más alto por el mismo paquete de tabaco de peso reducido? Sin embargo, todo esto es el resultado práctico de las demandas contra estos dos grandes fideicomisos del mundo.

El caos empresarial y las paradojas legales que padecen las empresas estadounidenses no se encuentran en ningún otro lugar del mundo. Las naciones rivales no sujetan la bola legal y la cadena a sus negocios; no, ponen alas sobre sus pies voladores. Las naciones rivales no les dicen a sus hombres de negocios que si siguen adelante con una empresa legítima, el penal puede ser su objetivo. ¡No! Las naciones rivales les dicen a sus hombres de negocios que mientras hagan negocios honestos, sus gobiernos no obstaculizarán sino que los ayudarán.

Pero estas naciones rivales sí les dicen a sus hombres de negocios que si hacen algún mal que hacen nuestros hombres de negocios, los bares de la prisión los esperan. Estas naciones rivales sí les dicen a sus hombres de negocios que si emiten existencias regadas o engañan a la gente de alguna manera, las celdas de la prisión serán sus hogares.

Justo esto es lo que quieren todos los negocios estadounidenses honestos; esto es lo que no quiere un negocio estadounidense deshonesto; esto es lo que el pueblo estadounidense propone tener; justamente esto, la plataforma republicana nacional de 1908 prometió a la gente que les daríamos; y solo esta importante promesa, la administración, elegida en esa plataforma, repudió al repudiar la promesa arancelaria más inmediata.

Ambas reformas, tan vitales para los negocios estadounidenses honestos, lograrán el partido progresista. Ni los intereses malvados ni los demagogos imprudentes pueden desviarnos de nuestro propósito; porque somos libres de ambos y no tememos a ninguno.

Tenemos la intención de poner nuevas leyes comerciales en nuestros libros de estatutos que le dirán a los hombres de negocios estadounidenses lo que pueden hacer y lo que no pueden hacer. Tenemos la intención de aclarar nuestras leyes comerciales en lugar de empañarlas, para que indiquen claramente qué cosas son criminales y cuáles son legales. Y queremos decir que la pena por las cosas delictivas serán penas de prisión que realmente castigan al delincuente real, en lugar de multas monetarias que no perjudiquen a nadie más que a las personas, que deben pagarlas al final.

Y luego queremos enviar el mensaje a cientos de miles de mentes brillantes y corazones valientes dedicados a negocios honestos, que no son criminales sino hombres honorables en su trabajo para hacer buenos negocios en esta República. Seguro de la victoria, incluso ahora decimos: "Adelante, hombres de negocios estadounidenses, y sepan que detrás de ustedes, apoyándolos, alentándolos, están el poder y la aprobación de las personas más grandes bajo el sol. Adelante, hombres de negocios estadounidenses y alimentar por completo los fuegos debajo de los hornos estadounidenses y dar empleo a cada trabajador estadounidense que solicite trabajo. Avance, hombres de negocios estadounidenses, y capture los mercados del mundo para el comercio estadounidense; y sepa que en las alas de su comercio lleva la libertad en todo el mundo y para cada habitante del mismo. Avancen, hombres de negocios estadounidenses, y comprendan que en el futuro se dirá de ustedes, como se dice de la mano que rodeó la Cúpula de Peter ", construyó mejor de lo que sabía "

La próxima gran reforma comercial que debemos tener para aumentar constantemente la prosperidad estadounidense es cambiar el método de construcción de nuestras tarifas. La tarifa debe eliminarse de la política y tratarse como una cuestión comercial en lugar de una cuestión política. Hasta ahora, hemos hecho solo la otra cosa. Es por eso que las empresas estadounidenses se molestan cada pocos años debido a cambios tarifarios innecesarios y se debilitan por la incertidumbre en los períodos intermedios. La mayor necesidad de negocios es la certeza; pero lo único seguro de nuestra tarifa es la incertidumbre.

Entonces, ¿qué haremos para que nuestros cambios en las tarifas fortalezcan los negocios en lugar de debilitarlos? Las naciones arancelarias protectoras rivales han respondido esa pregunta. El sentido común lo ha respondido. Además de nuestra necesidad de hacer que la ley de Sherman sea moderna, comprensible y justa, nuestra mayor necesidad fiscal es una comisión arancelaria genuina, permanente y no partidista.

Hace cinco años, cuando comenzó la lucha por esta gran medida comercial en el Senado, los jefes de ambos partidos estaban en contra. Entonces, cuando la última revisión del arancel estaba activa y una comisión arancelaria podría haberse incorporado a la ley arancelaria, la administración no ayudaría a esta reforma. Cuando dos años después la administración lo apoyó débilmente, el sistema de jefes bipartidistas lo mató. No ha habido ni habrá ningún esfuerzo sincero y honesto por parte de las viejas partes para obtener una comisión arancelaria. No ha habido ni habrá ningún propósito sincero y honesto por parte de esas partes para eliminar la tarifa de la política.

Porque el arancel en política es la excusa para esas falsas batallas políticas que le dan a los spoilers su oportunidad. El arancel en la política es uno de los métodos invisibles del gobierno para obtener el tributo de la gente. A través de la tarifa en la política, los beneficiarios de los excesos arancelarios son atendidos, sin importar qué parte esté "revisando".

¿Quién ha olvidado los escándalos arancelarios que hicieron que el presidente Cleveland denunciara el proyecto de ley Wilson-Gorman como "una perfidia y un deshonor"? ¿Quién puede olvidar los robos de bronce forzados en el proyecto de ley Payne-Aldrich que el Sr. Taft defendió como "el mejor que se haya hecho"? Si todos los demás olvidan estas cosas, los intereses que se beneficiaron de ellos nunca las olvidarán. Los jefes y cabilderos que se enriquecieron al someterlos nunca los olvidarán. Es por eso que el gobierno invisible y sus agentes quieren mantener el viejo método de construcción de tarifas. Porque, aunque tales "revisiones" arancelarias pueden hacer años difíciles para la gente, hacen años gordos para los poderes del saqueo y sus agentes.

Por lo tanto, ninguno de los viejos partidos puede llevar a cabo con honestidad ninguna política arancelaria que se comprometan a llevar a cabo. Pero incluso si pudieran e incluso si fueran sinceros, las viejas plataformas del partido están en error en la política arancelaria. La plataforma demócrata declara el libre comercio; pero el libre comercio es incorrecto y ruinoso. La plataforma republicana permite la extorsión; pero la extorsión arancelaria es un robo por ley. El partido progresista es para protección honesta; y la protección honesta es correcta y una condición de la prosperidad estadounidense.

Un arancel lo suficientemente alto como para dar a los productores estadounidenses el mercado estadounidense cuando fabrican productos honestos y los venden a precios honestos, pero lo suficientemente bajo como para que cuando venden productos deshonestos a precios deshonestos, la competencia extranjera pueda corregir ambos males; un arancel lo suficientemente alto como para permitir que los productores estadounidenses paguen a nuestros trabajadores salarios estadounidenses y así se dispuso que los trabajadores reciban dichos salarios; un arancel comercial cuyos cambios se realizarán para tranquilizar al negocio en lugar de perturbarlo: este es el arancel y el método de realización en el que cree el partido progresista, por el cual lucha y propone proponer que se inscriba en las leyes de la tierra.

La ley de tarifas de Payne-Aldrich debe revisarse inmediatamente de acuerdo con estos principios. Al mismo tiempo, una comisión arancelaria genuina, permanente y no partidista debe fijarse en la ley con la misma firmeza que la Comisión de Comercio Interestatal. Ninguno de los viejos partidos puede hacer este trabajo. Para ninguno de los viejos partidos cree en tal tarifa; y, lo que es más grave, el privilegio especial está demasiado entretejido en la fibra de ambos viejos partidos como para permitirles establecer esa tarifa. El partido progresivo solo está libre de estas influencias. El partido progresista solo cree en la aplicación sincera de una política arancelaria sólida. El partido progresivo solo puede cambiar la tarifa, ya que debe cambiarse.

Estas son muestras de las reformas en las leyes de negocios que pretendemos poner en los libros de estatutos de la nación. Pero hay otras preguntas tan importantes y apremiantes que queremos responder con leyes sólidas y humanas. El trabajo infantil en fábricas, fábricas, minas y tiendas de sudor debe terminar en toda la República. Tal trabajo es un crimen contra la infancia porque impide el crecimiento de la masculinidad y la feminidad normales. Es un crimen contra la nación porque impide el crecimiento de una gran cantidad de niños en ciudadanos fuertes, patrióticos e inteligentes.

Solo la nación puede detener este vicio industrial. Los Estados no pueden detenerlo. Los Estados nunca detuvieron ningún mal nacional, y el trabajo infantil es un mal nacional. Dejarlo solo al Estado es injusto para los negocios; porque si algunos Estados lo detienen y otros Estados no lo hacen, los hombres de negocios de los primeros están en desventaja con los hombres de negocios de los últimos, porque deben vender en el mismo mercado los bienes fabricados por la mano de obra masculina a los salarios de la masculinidad en competencia con los bienes fabricados por trabajo infantil a sueldos infantiles. Dejarlo a los Estados es injusto para la mano de obra masculina; el trabajo infantil en cualquier Estado reduce el trabajo masculino en todos los Estados, porque el producto del trabajo infantil en cualquier Estado compite con el producto del trabajo masculino en todos los Estados. Los niños trabajadores en los telares en Carolina del Sur significan bayonetas en los senos de hombres y mujeres trabajadores en Massachusetts que hacen huelga por salarios dignos. Deje que los Estados hagan lo que puedan, y más poder para su brazo; pero dejemos que la nación haga lo que debe y limpie nuestra bandera de esta mancha.

El industrialismo moderno ha cambiado la condición de la mujer. Las mujeres ahora son asalariadas en fábricas, tiendas y otros lugares de trabajo. En horas de trabajo y en todas las condiciones físicas del esfuerzo industrial, deben competir con los hombres. Y deben hacerlo con salarios más bajos que los que reciben los hombres, salarios que, en la mayoría de los casos, no son suficientes para que estas trabajadoras vivan.

Esto es inhumano e indecente. Es antisocial y antieconómico. Es inmoral y antipatriótico. Hacia las mujeres, el partido Progresista proclama la caballería del Estado. Proponemos proteger a las mujeres asalariadas mediante leyes adecuadas, un ejemplo de las cuales es el salario mínimo para las trabajadoras, un salario que será lo suficientemente alto como para al menos comprar ropa, comida y refugio para la mujer que trabaja en la industria.

El cuidado de los ancianos es uno de los problemas más desconcertantes de la vida moderna. ¿Cómo puede el trabajador con menos de quinientos dólares al año, y con el poder adquisitivo menguando a medida que avanza su propio año, proporcionar a los padres de edad u otros parientes, además de proporcionar alimentos, refugio y ropa para su esposa e hijos? ¿Qué será de la familia del hombre trabajador cuya fuerza se ha visto afectada por el trabajo excesivo y que ha sido arrojado al montón de chatarra industrial? Son preguntas como estas que debemos responder para justificar las instituciones libres. Son preguntas a las que las masas de personas están encadenadas en cuanto a un cuerpo de muerte. Y son preguntas que están respondiendo otras naciones más pobres.

Los progresistas queremos decir que Estados Unidos les responderá. El partido progresista es la mano amiga para aquellos a quienes un industrialismo vicioso ha mutilado y paralizado. Estamos para la conservación de nuestros recursos naturales; pero aún más estamos por la conservación de la vida humana. Nuestros bosques, energía hídrica y minerales son valiosos y deben salvarse de los spoilers; pero los hombres, las mujeres y los niños son más valiosos y ellos también deben ser salvados de los spoilers.

Debido a que las mujeres, tanto como los hombres, son parte de nuestra vida económica y social, las mujeres, tanto como los hombres, deben tener el poder de voto para resolver todos los problemas económicos y sociales. Los votos para las mujeres son suyos solo por derecho natural; los votos para las mujeres también deberían ser suyos como una cuestión de sabiduría política. Como asalariados, deberían ayudar a resolver el problema laboral; como propietarios deberían ayudar a resolver el problema fiscal; como esposas y madres deberían ayudar a resolver todos los problemas que conciernen al hogar. Y eso significa todos los problemas nacionales; porque la nación permanece junto al fuego.

Si se dice que las mujeres no pueden ayudar a defender a la Nación en tiempo de guerra y, por lo tanto, que no deberían ayudar a determinar los destinos de la Nación en tiempos de paz, la respuesta es que las mujeres sufren y sirven en tiempos de conflicto tanto como los hombres que llevan mosquetes Y la respuesta más profunda es que quienes llevan a los soldados de la nación son tanto los defensores de la nación como sus hijos.

Los portavoces públicos del gobierno invisible dicen que muchas de nuestras reformas son inconstitucionales. El mismo tipo de hombres dijo lo mismo de cada esfuerzo que la nación ha hecho para poner fin a los abusos nacionales. Pero en todos los casos, ya sea en los tribunales, en las urnas o en el campo de batalla, se reivindicó la vitalidad de la Constitución.

El Partido Progresista cree que la Constitución es algo vivo, que crece con el crecimiento del pueblo, se fortalece con la fuerza del pueblo, ayuda al pueblo en su lucha por la vida, la libertad y la búsqueda de la felicidad, permitiendo que el pueblo satisfaga todas sus necesidades como condiciones. cambio. La oposición cree que la Constitución es una forma muerta, frenando el crecimiento del pueblo, atando la fuerza del pueblo pero dando una mano libre a los poderes malignos que se aprovechan del pueblo. Las primeras palabras de la Constitución son "Nosotros, el pueblo", y declaran que el propósito de la Constitución es "formar una Unión perfecta y promover el bienestar general". Hacer eso es el corazón de la causa progresiva.

El partido progresista afirma de nuevo la vitalidad de la Constitución. Creemos en la verdadera doctrina de los derechos de los estados, que prohíbe que la nación interfiera con los asuntos de los estados, y también prohíbe que los estados interfieran con los asuntos nacionales. La inteligencia combinada y la conciencia compuesta del pueblo estadounidense es tan irresistible como justa; y la Constitución no impide que esa fuerza resuelva el bienestar general.

De ciertas fuentes escuchamos predicaciones sobre el peligro de nuestras reformas a las instituciones estadounidenses. ¿Cuál es el propósito de las instituciones estadounidenses? ¿Por qué se estableció esta República? ¿Qué significa la bandera? ¿Qué significan estas cosas?

Significan que las personas serán libres de corregir los abusos humanos.

Significan que a los hombres, mujeres y niños no se les negará la oportunidad de hacerse más fuertes y más nobles.

Significan que la gente tendrá el poder de hacer de nuestra tierra cada día un mejor lugar para vivir.

Significan las realidades de la libertad y no los académicos de la teoría.

Significan el progreso real de la raza en elementos tangibles de la vida diaria y no la teoría de la disputa estéril.

Si no quieren decir estas cosas, son como latón sonando y platillos tintineando.

Una nación de hombres y mujeres fuertes y rectos; una nación de hogares saludables, realizando los mejores ideales; una nación cuyo poder es glorificado por su justicia y cuya justicia es la conciencia de millones de personas temerosas de Dios, esa es la nación que la gente necesita y quiere. Y esa es la nación que tendrán.

Para nunca dudar que los estadounidenses haremos bien el verdadero significado de nuestras instituciones. Nunca dudes que resolveremos, con rectitud y sabiduría, cada problema molesto. Nunca dudes que al final, la mano desde arriba que nos conduce hacia arriba prevalecerá sobre la mano desde abajo que nos arrastra hacia abajo. Nunca dudes de que somos una nación cuyo Dios es el Señor.

Y, entonces, nunca dudes que seguramente vendrá una América más valiente, más justa y más limpia; que seguramente se logrará una vida mejor y más brillante para todos debajo de la bandera. Los que ahora se burlan pronto rezarán. Los que ahora dudan pronto creerán.

Pronto pasará la noche; y cuando, al Centinela en las murallas de Liberty, los ansiosos preguntan: "Vigilante, ¿qué pasa con la noche?" su respuesta será "He aquí, aparece la mañana".

Conociendo el precio que debemos pagar, el sacrificio que debemos hacer, las cargas que debemos llevar, los asaltos que debemos soportar, sabiendo muy bien el costo, sin embargo, nos alistamos y nos alistamos para la guerra. Porque conocemos la justicia de nuestra causa, y también sabemos su cierto triunfo.

No a regañadientes entonces, sino ansiosamente, no con corazones débiles sino fuertes, ahora avanzamos sobre los enemigos de la gente. Porque la llamada que nos llega es la llamada que vino a nuestros padres. Como ellos respondieron, nosotros también.

"Ha tocado una trompeta que nunca llamará retirada. Está apartando los corazones de los hombres delante de su tribunal. Oh, sean rápidas nuestras almas para responderle, se alegrarán nuestros pies, Nuestro Dios está marchando".

RUSSELL CONWELL

ACRES DE DIAMANTES

Me sorprende que a tantas personas les importe escuchar esta historia nuevamente. De hecho, esta conferencia se ha convertido en un estudio en psicología; a menudo rompe todas las reglas de la oratoria, se aleja de los preceptos de la retórica y, sin embargo, sigue siendo la conferencia más popular que he impartido en los cuarenta y cuatro años de mi vida pública. A veces he estudiado durante un año en una conferencia e hice una investigación cuidadosa, y luego presenté la conferencia solo una vez, nunca la volví a dar. Puse demasiado trabajo en ello. Pero esto no tenía nada que ver con eso: se combinaba perfectamente al azar, se hablaba de improviso sin ninguna preparación especial, y tiene éxito cuando lo que estudiamos, trabajamos, ajustamos a un plan, es un completo fracaso.

Los "acres de diamantes" que he mencionado durante tantos años se encuentran en Filadelfia, y usted debe encontrarlos. Muchos los han encontrado . Y lo que el hombre ha hecho, el hombre puede hacer. No pude encontrar nada mejor para ilustrar mi pensamiento que una historia que he contado una y otra vez, y que ahora se encuentra en los libros de casi todas las bibliotecas.

En 1870 bajamos el río Tigris. Contratamos a un guía en Bagdad para mostrarnos Persépolis, Nínive y Babilonia, y los antiguos países de Asiria hasta el Golfo Arábigo. Él conocía bien la tierra, pero era uno de esos guías a los que les encanta entretener a sus clientes; Era como un barbero que te cuenta muchas historias para que no te rasques ni te rasques. Me contó tantas historias que me cansé de que él las contara y me negué a escuchar; aparté la mirada cada vez que él comenzaba; eso hizo que la guía se enojara bastante. Recuerdo que hacia la noche se quitó la gorra turca de la cabeza y la agitó en el aire. El gesto que no entendí y no me atreví a mirarlo por miedo a ser víctima de otra historia. Pero, aunque no soy una mujer, miré, y en el instante en que volví la mirada hacia esa guía digna, él se fue de nuevo. Él dijo: "¡Te contaré una historia que reservo para mis amigos en particular!" Entonces, considerándome un amigo en particular, escuché, y siempre me alegré de haberlo hecho.

Dijo que una vez vivió no lejos del río Indo un antiguo persa llamado Al Hafed. Dijo que Al Hafed era dueño de una granja muy grande con huertos, campos de cereales y jardines. Era un hombre rico y contento, contento porque era rico y rico porque estaba contento. Un día visitó a este viejo granjero, uno de esos antiguos sacerdotes budistas, y se sentó junto al fuego de Al Hafed y le dijo a ese viejo granjero cómo se hizo este mundo nuestro. Dijo que este mundo alguna vez fue un mero banco de niebla, lo cual es científicamente cierto, y dijo que el Todopoderoso metió su dedo en el banco de niebla y luego comenzó a moverlo lentamente y gradualmente para aumentar la velocidad de su dedo. hasta que por fin hizo girar ese banco de niebla en una bola de fuego sólida, y se fue rodando por el universo, abriéndose paso a través de otros bancos de niebla cósmicos, hasta que condensó la humedad del exterior y cayó en inundaciones de lluvia sobre el calor superficie y enfrió la corteza exterior. Entonces las llamas internas estallaron a través de la corteza refrescante y arrojaron las montañas e hicieron las colinas del valle de este maravilloso mundo nuestro. Si esta masa fundida interna explota y se copia muy rápidamente, se convierte en granito; lo que se enfrió menos rápidamente se convirtió en plata; y menos rápidamente, oro; y después de que se hicieron diamantes de oro. El viejo sacerdote dijo: "Un diamante es una gota de sol congelada".

Esta es una verdad científica también. Todos ustedes saben que un diamante es carbono puro, en realidad depositó la luz solar, y dijo otra cosa que no olvidaría: declaró que un diamante es la última y más alta de las creaciones minerales de Dios, ya que una mujer es el último y más alto animal de Dios. creaciones Supongo que esa es la razón por la que los dos tienen un gusto mutuo. Y el viejo sacerdote le dijo a Al Hafed que si tenía un puñado de diamantes podría comprar un país entero, y con una mina de diamantes podría colocar a sus hijos en tronos a través de la influencia de su gran riqueza. Al Hafed escuchó todo acerca de los diamantes y cuánto valían, y esa noche fue a su cama un hombre pobre, no es que haya perdido nada, sino pobre porque estaba descontento y descontento porque pensaba que era pobre. Él dijo: "¡Quiero una mina de diamantes!" Así que estuvo despierto toda la noche, y temprano en la mañana buscó al sacerdote. Ahora sé por experiencia que un sacerdote cuando se despierta temprano en la mañana es una cruz. Él despertó a ese sacerdote de sus sueños y le dijo: "¿Me dirás dónde puedo encontrar diamantes?" El sacerdote dijo: "¿Diamantes? ¿Qué quieres con los diamantes?" "Quiero ser inmensamente rico", dijo Al Hafed, "pero no sé a dónde ir". "Bueno", dijo el sacerdote, "si encuentras un río que corre sobre arena blanca entre montañas altas, en esas arenas siempre verás diamantes". "¿De verdad crees que hay un río así?" "Un montón de ellos, muchos de ellos; todo lo que tienes que hacer es ir a buscarlos, luego los tienes". Al Hafed dijo: "Iré". Entonces vendió su granja, recaudó su dinero a interés, dejó a su familia a cargo de un vecino y se fue en busca de diamantes. Comenzó muy bien, en mi opinión, en las Montañas de la Luna. Luego dio la vuelta a Palestina, luego se adentró en Europa, y finalmente cuando todo su dinero se gastó, y estaba en harapos, miseria y pobreza, se paró en la orilla de esa bahía en Barcelona, España, cuando una marejada llegó rodando a través de los Pilares de Hércules y el pobre hombre afligido y sufriente no pudo resistir la terrible tentación de arrojarse a esa marea entrante, y se hundió bajo su cresta espumosa, para nunca volver a levantarse en esta vida.

Cuando ese viejo guía me contó esa triste historia, detuvo el camello en el que viajaba y volvió a arreglar el equipaje en uno de los otros camellos, y recuerdo haber pensado: "¿Por qué reservó eso para sus amigos en particular? ? " Parecía no haber principio, medio o final, nada de eso. Esa fue la primera historia que escuché contar o leer en la que el héroe fue asesinado en el primer capítulo. Tenía solo un capítulo de esa historia y el héroe estaba muerto. Cuando el guía regresó y tomó el cabestro de mi camello nuevamente, continuó con la misma historia. Dijo que el sucesor de Al Hafed llevó a su camello al jardín para beber, y cuando ese camello hundió la nariz en el agua clara del arroyo del jardín, el sucesor de Al Hafed notó un curioso destello de luz de las arenas de la corriente poco profunda, y metiendo la mano, sacó una piedra negra que tenía un ojo de luz que reflejaba todos los colores del arcoíris, y tomó esa piedra curiosa en la casa y la dejó en la repisa de la chimenea, luego siguió su camino y se olvidó de todo. Unos días después de eso, este mismo viejo sacerdote que le contó a Al Hafed cómo se hacían los diamantes, entró a visitar a su sucesor, cuando vio ese destello de luz desde la repisa de la chimenea. Se apresuró y dijo: "¡Aquí hay un diamante, aquí hay un diamante! ¿Ha regresado Al Hafed?" "No, no; Al Hafed no ha regresado y eso no es un diamante; eso no es más que una piedra; lo encontramos aquí en nuestro jardín". "Pero sé un diamante cuando lo veo", dijo; "eso es un diamante!"

Luego, juntos se apresuraron al jardín y removieron las arenas blancas con los dedos y encontraron otros diamantes más hermosos y valiosos que el primero, y así, según mi guía, descubrieron las minas de diamantes de Golconda, el diamante más magnífico. minas en toda la historia de la humanidad, superando a Kimberley en su valor. El gran diamante Kohinoor en las joyas de la corona de Inglaterra y el diamante de la corona más grande en la tierra en las joyas de la corona de Rusia, que a menudo esperaba que ella tuviera que vender antes de tener paz con Japón, vino de esa mina, y cuando la vieja guía llamó a mi Después de prestar atención a ese maravilloso descubrimiento, volvió a quitarse la gorra turca de la cabeza y la giró en el aire para llamar mi atención sobre la moral. Esas guías árabes tienen una moraleja para cada historia, aunque las historias no siempre son morales. Dijo que si Al Hafed hubiera permanecido en casa y excavado en su propia bodega o en su propio jardín, en lugar de la miseria, el hambre, la pobreza y la muerte en una tierra extraña, habría tenido "acres de diamantes", por cada acre, sí, cada pala de esa antigua granja reveló las gemas que desde entonces han decorado las coronas de los monarcas. Cuando le dio la moraleja a su historia, vi por qué había reservado esta historia para sus "amigos particulares". No le dije que podía verlo; No iba a decirle al viejo árabe que podía verlo. Porque era esa la mala forma del viejo árabe de dar vueltas a algo, como un abogado, y decir indirectamente lo que no se atrevía a decir directamente, que ese día había un joven que viajaba por el río Tigris que podría estar mejor en casa. America. No le dije que podía verlo.

Le conté que su historia me recordaba una, y se la conté rápidamente. Le conté sobre ese hombre en California que, en 1847, era dueño de un rancho. Leyó que se había descubierto oro en el sur de California, y vendió su rancho al coronel Sutter y comenzó a buscar oro. El coronel Sutter colocó un molino en el pequeño arroyo de esa granja y un día su pequeña trajo arena húmeda del camino de rodadura del molino a la casa y la colocó antes del fuego para que se secara, y mientras esa arena caía a través de la pequeña niña. con los dedos, un visitante vio las primeras escamas brillantes de oro real que se descubrieron en California; y el hombre que quería el oro había vendido este rancho y se había ido para nunca volver. Di esta conferencia hace dos años en California, en la ciudad que se encuentra cerca de esa granja, y me dijeron que la mina aún no está agotada, y que un tercio del propietario de esa granja ha estado recibiendo durante estos últimos años veinte dólares. de oro cada quince minutos de su vida, durmiendo o despertando. ¡Por qué, tú y yo disfrutaríamos de un ingreso así!

Pero la mejor ilustración que tengo ahora de este pensamiento se encontró aquí en Pennsylvania. Había un hombre que vivía en Pennsylvania y era dueño de una granja aquí e hizo lo que debería hacer si tuviera una granja en Pennsylvania: la vendió. Pero antes de venderlo, llegó a la conclusión de conseguir un empleo recolectando aceite de carbón para su primo en Canadá. Primero descubrieron petróleo de carbón allí. Entonces, este agricultor en Pensilvania decidió que solicitaría un puesto con su primo en Canadá. Ahora, ya ves, este granjero no era del todo un hombre tonto. No dejó su granja hasta que tuvo algo más que hacer. De todos los tontos en los que brillan las estrellas, no hay nadie más tonto que un hombre que deja un trabajo antes de obtener otro. Y eso tiene una referencia especial a los caballeros de mi profesión, y no hace referencia a un hombre que busca el divorcio. Entonces digo que este viejo granjero no dejó un trabajo hasta que obtuvo otro. Escribió a Canadá, pero su primo respondió que no podía involucrarlo porque no sabía nada sobre el negocio petrolero. "Bueno, entonces", dijo, "lo entenderé". Entonces se dedicó al estudio de todo el tema. Comenzó en el segundo día de la creación, estudió el tema desde la vegetación primitiva hasta la etapa del aceite de carbón, hasta que lo supo todo. Luego le escribió a su primo y le dijo: "Ahora entiendo el negocio del petróleo". Y su primo le respondió: "Muy bien, entonces, vamos".

Ese hombre, según los registros del condado, vendió su granja por ochocientos treinta y tres dólares, incluso dinero, "sin centavos". Apenas había salido de esa granja antes de que el hombre que la compró saliera para organizar el riego del ganado y descubrió que el dueño anterior había arreglado el asunto muy bien. Hay una corriente que baja por la ladera allí, y el dueño anterior había salido y había colocado una tabla a través de esa corriente en ángulo, extendiéndose a través del arroyo y bajando unos centímetros debajo de la superficie del agua. El propósito de la tabla a través de ese arroyo era arrojar a la otra orilla una escoria de aspecto terrible a través de la cual el ganado no pondría sus narices para beber sobre la tabla, aunque beberían el agua en un lado debajo de ella. Así, ese hombre que se había ido a Canadá había estado represando durante veintitrés años un flujo de aceite de carbón que el Geólogo del Estado de Pennsylvania declaró oficialmente, ya en 1870, valía para nuestro Estado cien millones de dólares. La ciudad de Titusville ahora se encuentra en esa granja y esos pozos de Pleasantville fluyen, y ese granjero que había estudiado todo sobre la formación de petróleo desde el segundo día de la creación de Dios hasta el presente, vendió esa granja por $ 833, sin centavos. —De nuevo digo, "no tiene sentido".

Pero necesito otra ilustración, y encontré eso en Massachusetts, y lamento haberlo hecho, porque ese es mi antiguo Estado. Este joven que menciono salió del estado para estudiar, bajó a Yale College y estudió Minas y Minería. Le pagaron quince dólares a la semana durante su último año para capacitar a estudiantes que estaban detrás de sus clases en mineralogía, fuera de horario, por supuesto, mientras realizaban sus propios estudios. Pero cuando se graduó, aumentaron su salario de quince dólares a cuarenta y cinco dólares y le ofrecieron una cátedra. Luego se fue directamente a casa con su madre y le dijo: "Madre, no trabajaré por cuarenta y cinco dólares a la semana. ¡Qué son cuarenta y cinco dólares por semana para un hombre con un cerebro como el mío! ¡Madre, vamos a California y replantear las demandas de oro y ser inmensamente rico ". "Ahora", dijo su madre, "es tan bueno ser feliz como ser rico".

Pero como era el único hijo que se salía con la suya, siempre lo hacen; y se agotaron en Massachusetts y se fueron a Wisconsin, donde fue contratado por la Superior Copper Mining Company, y se perdió de vista en el empleo de esa compañía a quince dólares por semana nuevamente. También debía estar interesado en las minas que debería descubrir para esa compañía. Pero no creo que haya descubierto una mina, no sé nada al respecto, pero no creo que lo haya hecho. Sé que apenas había salido de la vieja granja antes de que el granjero que la había comprado saliera a cavar papas, y cuando las estaba trayendo en una gran canasta a través de la puerta de entrada, los extremos del muro de piedra se acercaron mucho. en la puerta que la canasta abrazaba muy fuerte. Entonces puso la canasta en el suelo y tiró, primero de un lado y luego del otro lado. Nuestras granjas en Massachusetts son en su mayoría muros de piedra, y los agricultores tienen que ser económicos con sus puertas de entrada para tener un lugar donde colocar las piedras. Esa canasta se abrazó tan fuerte allí que, mientras la arrastraba, notó en la piedra superior al lado de la puerta un bloque de plata nativa, de ocho pulgadas cuadradas; y este profesor de minas y minería y mineralogía, que no trabajaría por cuarenta y cinco dólares a la semana, cuando vendía esa granja en Massachusetts, se sentó en esa piedra para hacer el trato. Fue criado allí; él había ido de ida y vuelta por ese pedazo de plata, lo frotó con su manga, y parecía decir: "Ven ahora, ahora, ahora, aquí hay cien mil dólares. ¿Por qué no me llevas?" Pero él no lo tomaría. No había plata en Newburyport; todo estaba lejos, bueno, no sé dónde; no lo hizo, pero en otro lugar, y era profesor de mineralogía.

No sé de nada que disfrutaría mejor que pasar todo el tiempo esta noche contando errores como los que he escuchado hacer a los profesores. Sin embargo, me gustaría saber qué está haciendo ese hombre en Wisconsin. Puedo imaginarlo ahí afuera, mientras se sienta junto a su chimenea y les dice a sus amigos: "¿Conocen al hombre Conwell que vive en Filadelfia?" "Oh, sí, he oído hablar de él". "¿Y conoces al hombre Jones que vive en esa ciudad?" "Sí, he oído hablar de él". Y luego comienza a reír y reír y le dice a sus amigos: "Han hecho lo mismo que yo, precisamente". Y eso arruina todo el chiste, porque tú y yo lo hemos hecho.

Noventa de cada cien personas aquí han cometido ese error este mismo día. Yo digo que deberías ser rico; No tienes derecho a ser pobre. Vivir en Filadelfia y no ser rico es una desgracia, y es doblemente una desgracia, porque podrías haber sido rico y ser pobre. Filadelfia ofrece muchas oportunidades. Deberías ser rico. Pero las personas con ciertos prejuicios religiosos preguntarán: "¿Cómo pueden dedicar su tiempo a aconsejar a la nueva generación que dedique su tiempo a obtener dinero, dólares y centavos, el espíritu comercial?"

Sin embargo, debo decir que debes pasar tiempo haciéndote rico. Tú y yo sabemos que hay algunas cosas más valiosas que el dinero; por supuesto lo hacemos. ¡Ah, sí! Por un corazón que se vuelve indescriptiblemente triste por una tumba en la que ahora caen las hojas de otoño, sé que hay algunas cosas más altas, grandiosas y sublimes que el dinero. Bien sabe el hombre, que ha sufrido, que hay algunas cosas más dulces y santas y más sagradas que el oro. Sin embargo, el hombre de sentido común también sabe que no hay ninguna de esas cosas que no se mejora mucho con el uso del dinero. Dinero es poder. El amor es lo más grandioso en la tierra de Dios, pero afortunado es el amante que tiene mucho dinero. Dinero es poder; el dinero tiene poderes; y que un hombre diga: "No quiero dinero", es decir: "No deseo hacer ningún bien a mis semejantes". Es absurdo hablar así. Es absurdo desconectarlos. Esta es una vida maravillosamente grandiosa, y deberías pasar tu tiempo obteniendo dinero, debido al poder que tiene el dinero. Y sin embargo, este prejuicio religioso es tan grande que algunas personas piensan que es un gran honor ser uno de los pobres de Dios. Estoy mirando a la gente que piensa de esa manera. Una vez escuché a un hombre decir en una reunión de oración que estaba agradecido de ser uno de los pobres de Dios, y luego me pregunté en silencio qué diría su esposa a ese discurso, mientras ella se lavaba para apoyar al hombre mientras él se sentaba y fumaba. en la veranda. No quiero ver más de esa tierra de pobres de Dios. Ahora, cuando un hombre podría haber sido rico también, y ahora es débil porque es pobre, ha cometido un gran error; no ha sido sincero consigo mismo; ha sido cruel con sus semejantes. Deberíamos enriquecernos si podemos con métodos honorables y cristianos, y estos son los únicos métodos que nos llevan rápidamente hacia la meta de la riqueza.

Recuerdo que no hace muchos años, un joven estudiante de teología que entró en mi oficina y me dijo que pensaba que era su deber entrar y "trabajar conmigo". Le pregunté qué había sucedido y dijo: "Siento que es mi deber entrar y hablar con usted, señor, y decir que las Sagradas Escrituras declaran que el dinero es la raíz de todo mal". Le pregunté dónde encontró ese dicho, y dijo que lo encontró en la Biblia. Le pregunté si había hecho una Biblia nueva, y él dijo que no, que no había recibido una Biblia nueva, que estaba en la Biblia vieja. "Bueno", le dije, "si está en mi Biblia, nunca lo vi. ¿Podrían obtener el libro de texto y dejarme verlo?" Salió de la habitación y pronto entró acechando con su Biblia abierta, con todo el orgullo intolerante del estrecho sectario, que funda su credo en alguna interpretación errónea de la Escritura, y dejó la Biblia sobre la mesa delante de mí y chilló bastante en mi oído: "Ahí está. Puedes leerlo tú mismo". Le dije: "Joven, aprenderás, cuando seas un poco mayor, que no puedes confiar en otra denominación para leer la Biblia por ti". Le dije: "Ahora, tú perteneces a otra denominación. Por favor, léemelo y recuerda que te enseñan en una escuela donde el énfasis es la exégesis". Entonces tomó la Biblia y la leyó: "El amor al dinero es la raíz de todo mal". Entonces lo hizo bien. El Gran Libro ha vuelto a la estima y el amor de la gente, y al respeto de las mentes más grandes de la tierra, y ahora puedes citarlo y descansar tu vida y tu muerte en él sin más miedo. Entonces, cuando citó directamente de las Escrituras, citó la verdad. "El amor al dinero es la raíz de todo mal". Oh eso es. Es la adoración de los medios en lugar del fin, aunque no se puede alcanzar el fin sin los medios. Cuando un hombre hace un ídolo del dinero en lugar de los fines para los que puede usarse, cuando aprieta el dólar hasta que el águila chilla, se convierte en la raíz de todo mal. Piense, si solo tuviera el dinero, qué podría hacer por su esposa, su hijo, y por su hogar y su ciudad. Piense cuán pronto podría dotar al Temple College de allí si solo tuviera el dinero y la disposición para darlo; y aun así, amigo mío, la gente dice que tú y yo no deberíamos pasar el tiempo enriqueciéndonos. Qué inconsistente es todo el asunto. Deberíamos ser ricos, porque el dinero tiene poder. Creo que lo mejor que puedo hacer es ilustrar esto, ya que si digo que debes hacerte rico, al menos, debo sugerir cómo se hace. Tenemos prejuicios contra los hombres ricos debido a las mentiras que se cuentan sobre ellos. Las mentiras que se cuentan sobre el Sr. Rockefeller porque tiene doscientos millones de dólares, muchos las creen; pero cuán falsa es la representación de ese hombre en el mundo. ¡Cuán poco podemos decir lo que es verdad hoy en día cuando los periódicos intentan vender sus papeles por completo con cierta sensación! La forma en que mienten acerca de los hombres ricos es algo terrible, y no sé si hay algo para ilustrar esto mejor de lo que dicen ahora los periódicos sobre la ciudad de Filadelfia. Un joven vino a mí el otro día y me dijo: "Si el Sr. Rockefeller, como piensas, es un buen hombre, ¿por qué todos dicen tanto en contra de él?" Es porque se ha adelantado a nosotros; eso es todo, acaba de adelantarse a nosotros. ¿Por qué el Sr. Carnegie es criticado tan duramente por un mundo envidioso? Porque ha obtenido más de lo que nosotros tenemos. Si un hombre sabe más de lo que yo sé, ¿no me inclino a criticar un poco su aprendizaje? Deje que un hombre se pare en un púlpito y predique a miles, y si tengo quince personas en mi iglesia, y están todas dormidas, ¿no lo critico? Siempre le hacemos eso al hombre que se nos adelanta. El hombre al que criticas tiene cien millones, y tú tienes cincuenta centavos, y ambos tienen justo lo que vales. Uno de los hombres más ricos de este país entró en mi casa y se sentó en mi salón y dijo: "¿Vieron todas esas mentiras sobre mi familia en el periódico?" "Ciertamente lo hice; sabía que eran mentiras cuando las vi". "¿Por qué mienten acerca de mí como lo hacen?" "Bueno", le dije, "si me das tu cheque por cien millones, tomaré todas las mentiras junto con él". "Bueno", dijo, "no veo ningún sentido en que hablen así de mi familia y de mí. Conwell, dime francamente, ¿qué crees que piensan los estadounidenses de mí?" "Bueno", dije, "¡piensan que eres el villano más negro que jamás pisó el suelo!" "¿Pero qué puedo hacer al respecto?" No hay nada que pueda hacer al respecto y, sin embargo, es uno de los hombres cristianos más dulces que he conocido. Si consigues cien millones tendrás las mentiras; se te mentirá y podrás juzgar tu éxito en cualquier línea por las mentiras que se cuentan sobre ti. Yo digo que deberías ser rico. Pero siempre me llegan jóvenes que me dicen: "Me gustaría ir a los negocios, pero no puedo". "¿Por qué no?" "Porque no tengo capital para comenzar". ¡Capital, capital para comenzar! ¡Qué! ¡hombre joven! ¿Vive en Filadelfia y mira a esta generación rica, todos los cuales comenzaron como niños pobres, y desea que comience el capital? Es una suerte para ti que no tengas capital. Me alegra que no tengas dinero. Me da pena el hijo de un hombre rico. El hijo de un hombre rico en estos días ocupa una posición muy difícil. Ellos deben ser compadecidos. El hijo de un hombre rico no puede saber las mejores cosas de la vida humana. No puede. Las estadísticas de Massachusetts nos muestran que uno de cada diecisiete hijos de hombres ricos nunca muere rico. Se crían en el lujo, mueren en la pobreza. Incluso si el hijo de un hombre rico retiene el dinero de su padre, incluso entonces no puede conocer las mejores cosas de la vida.

Un joven en nuestra universidad me pidió que le formulara lo que yo pensaba que era la hora más feliz en la historia de un hombre, y lo estudié mucho y regresé convencido de que la hora más feliz que cualquier hombre haya visto en un asunto terrenal es cuando un el joven lleva a su novia al umbral de la puerta, por primera vez, de la casa que él mismo se ganó y construyó, cuando se vuelve hacia su novia y con una elocuencia mayor que cualquier otro idioma mío, le dice a su esposa: "Mi ser querido, me lo gané yo mismo; me lo gané todo. Es todo mío, y lo divido contigo". Ese es el momento más grandioso que un corazón humano puede ver. Pero el hijo de un hombre rico no puede saber eso. Puede que entre en una mansión más elegante, pero está obligado a pasar por la casa y decir: "Madre me dio esto, madre me dio eso, mi madre me dio eso, mi madre me dio eso", hasta que su esposa Ojalá se hubiera casado con su madre. Oh, me da pena el hijo de un hombre rico. Hago. Hasta que llega tan lejos en su tipo que levanta los brazos así y no puede bajarlos. ¿Nunca viste a ninguno de ellos extraviado en Atlantic City? Una vez vi uno de estos espantapájaros y nunca me canso de pensarlo. Estaba en una conferencia en las Cataratas del Niágara, y después de la conferencia fui al hotel, y cuando subí al escritorio allí estaba el hijo de un millonario de Nueva York. Era un espécimen indescriptible de potencia antropológica. Llevaba un bastón con cabeza de oro debajo del brazo, más en la cabeza que en el suyo. No creo que pueda describir al joven si lo intentara. Pero aun así debo decir que llevaba un lente que no podía ver a través de él; zapatos de charol con los que no podía caminar y pantalones con los que no podía sentarse, ¡vestido como un saltamontes! Bueno, este grillo humano llegó al escritorio del empleado justo cuando yo entré. Ajustó su ojo invisible de esta manera y le dijo al recepcionista, porque es "Hinglish, ya sabes", cecear: "Thir, thir, ¡Tendrás la amabilidad de enriquecerme con el papahome y los sobres! " El empleado midió a ese hombre rápidamente, sacó un cajón y tomó algunos sobres y papel, los arrojó sobre el mostrador y se volvió hacia sus libros. Deberías haber visto ese espécimen de humanidad cuando el papel y los sobres se encontraron con el mostrador, aquel cuyos deseos siempre habían sido anticipados por los sirvientes. Se ajustó el ojo invisible y le gritó a ese empleado: "Vuelve aquí, aquí, vuelve aquí mismo. Ahora, aquí, ordenarás a un sirviente que tome ese papa y los sobres y los lleve a Yondah Dethk". ¡Oh, el pobre mono americano miserable y despreciable! No podía llevar papel y sobres a seis metros. Supongo que no pudo bajar los brazos. No tengo piedad por tales parodias de la naturaleza humana. Si no tienes capital, me alegro de ello. No necesitas capital; necesitas sentido común, no centavos de cobre.

AT Stewart, el gran comerciante principesco de Nueva York, el hombre más rico de América en su época, era un niño pobre; tenía un dólar y medio y entró en el negocio mercantil. Pero perdió ochenta y siete centavos y medio de su primer dólar y medio porque compró algunas agujas, hilos y botones para vender, que la gente no quería.

¿Eres pobre? Es porque no te quieren y te dejan en tus propias manos. Hubo la gran lección. Aplíquelo de la manera que lo desee, se trata de la vida de cada persona, joven o vieja. No sabía lo que la gente necesitaba y, en consecuencia, compró algo que no quería y dejó los bienes en sus manos como una pérdida mortal. AT Stewart aprendió allí la gran lección de su vida mercantil y dijo: "Nunca compraré nada más hasta que sepa lo que la gente quiere; luego haré la compra". Se acercó a las puertas y les preguntó qué querían, y cuando descubrió lo que querían, invirtió sus sesenta y dos centavos y medio y comenzó a satisfacer "una demanda conocida". No me importa cuál sea tu profesión u ocupación en la vida; No me importa si eres abogado, médico, ama de llaves, maestra o cualquier otra cosa, el principio es exactamente el mismo. Debemos saber qué necesita el mundo primero y luego invertirnos para satisfacer esa necesidad, y el éxito es casi seguro. AT Stewart continuó hasta que valió cuarenta millones. "Bueno", dirá, "un hombre puede hacer eso en Nueva York, pero no puede hacerlo aquí en Filadelfia". Las estadísticas cuidadosamente recopiladas en Nueva York en 1889 mostraban ciento siete millonarios en la ciudad por valor de más de diez millones cada uno. Fue notable y la gente piensa que deben ir allí para hacerse ricos. De esos ciento siete millonarios, solo siete de ellos hicieron su dinero en Nueva York, y los otros se mudaron a Nueva York después de que se hicieron sus fortunas, y sesenta y siete de los cien restantes hicieron sus fortunas en ciudades de menos de seis mil personas, y el hombre más rico del país en ese momento vivía en una ciudad de mil quinientos habitantes, y siempre vivió allí y nunca se mudó. No es tanto donde estás como lo que estás. Pero al mismo tiempo, si la amplitud de la ciudad entra en el problema, recuerde que es la ciudad más pequeña la que brinda la gran oportunidad de ganar millones de dinero. La mejor ilustración que puedo dar es en referencia a John Jacob Astor, que era un niño pobre y que hizo todo el dinero de la familia Astor. Hizo más de lo que sus sucesores nunca habían ganado, y sin embargo, una vez tuvo una hipoteca en una tienda de una fábrica de molinería en Nueva York, y debido a que la gente no podía ganar suficiente dinero para pagar los intereses y el alquiler, embargó la hipoteca y tomó posesión de la tienda y se asoció con el hombre que había fallado. Mantuvo las mismas acciones, no les dio un capital en dólares, y los dejó solos y salió y se sentó en un banco en el parque.

Allá, en ese banco del parque, tenía la parte más importante, y en mi opinión, la más placentera de ese negocio de asociación. Estaba mirando a las damas mientras pasaban; ¿Y dónde está el hombre que no se haría rico en ese negocio? Pero cuando John Jacob Astor vio pasar a una dama, con los hombros hacia atrás y la cabeza en alto, como si no le importara que el mundo entero la mirara, estudió su sombrero; y antes de que el capó desapareciera, supo la forma del marco y el color de los adornos, el rizo del ... algo en el capó. A veces trato de describir el sombrero de una mujer, pero es de poca utilidad, ya que mañana no estaría de moda. Entonces, John Jacob Astor fue a la tienda y dijo: "Ahora, coloque en el escaparate el capó que le describo porque", dijo, "acabo de ver a una mujer a la que le gusta ese capó. compensar más hasta que regrese ". Y salió de nuevo y se sentó en ese banco en el parque, y otra mujer de diferente forma y complexión lo pasó con un sombrero de diferente forma y color, por supuesto. "Ahora", dijo, "ponga un capó como ese en la ventana del espectáculo". No llenó su escaparate con sombreros y gorros que alejan a las personas y luego se sientan en la parte trasera de la tienda y gritan porque la gente va a otro lugar para comerciar. No puso un sombrero o un gorro en la vitrina que no había visto antes de que se inventara.

Especialmente en nuestra ciudad hay grandes oportunidades para la fabricación, y ha llegado el momento en que la línea se traza muy bruscamente entre los accionistas de la fábrica y sus empleados. Ahora, amigos, también ha habido una tristeza desalentadora en este país y los hombres que trabajan comienzan a sentir que están siendo retenidos por una costra sobre sus cabezas a través de la cual les resulta imposible romper, y el aristocrático propietario del dinero mismo. está tan arriba que nunca descenderá para ayudarlos. Ese es el pensamiento que está en la mente de nuestra gente. Pero, amigos, nunca en la historia de nuestro país hubo una oportunidad tan grande para que el pobre se enriqueciera como lo hay ahora en la ciudad de Filadelfia. El hecho de que se desanimen es lo que les impide enriquecerse. Eso es todo lo que hay que hacer. El camino está abierto, y mantengámoslo abierto entre los pobres y los ricos. Sé que los sindicatos tienen dos grandes problemas con los que lidiar, y solo hay una forma de resolverlos. Los sindicatos están haciendo tanto para evitar su solución como lo están los capitalistas hoy en día, y hay dos lados positivos. El sindicato tiene dos dificultades; la primera es que comenzó a hacer una escala laboral para todas las clases a la par, y reducen a un hombre que puede ganar cinco dólares por día a dos y medio día, para nivelarle un imbécil que no puede ganar cincuenta centavos al día. Esa es una de las cosas más peligrosas y desalentadoras para el trabajador. No puede obtener los resultados de su trabajo si hace un mejor trabajo o un trabajo superior o trabaja más tiempo; eso es algo peligroso, y para que cada hombre trabajador sea libre y cada estadounidense sea igual a cualquier otro estadounidense, deje que el hombre trabajador pregunte qué vale y lo obtenga, no deje que ningún capitalista le diga: "Trabajarás por yo por la mitad de lo que vales "; ni que ninguna organización laboral diga: "Trabajarás para el capitalista por la mitad de tu valor". Sé un hombre, sé independiente, y entonces el hombre trabajador encontrará el camino siempre abierto de la pobreza a la riqueza. La otra dificultad que tiene que considerar el sindicato, y este problema que tienen que resolver ellos mismos, es el tipo de oradores que vienen y les hablan sobre los opresivos ricos. Puedo en mis sueños recitar la oración que he escuchado una y otra vez en tales circunstancias. Mi vida ha sido con el hombre trabajador. Yo también soy un hombre trabajador. A menudo, en sus asambleas, escuché el discurso del hombre que fue invitado a dirigirse al sindicato. El hombre se levanta ante la compañía reunida de hombres trabajadores honestos y comienza diciendo: "Oh, hombres trabajadores honestos y trabajadores, que han amueblado toda la capital del mundo, que han construido todos los palacios y han construido todos los ferrocarriles y cubrió el océano con sus barcos de vapor. ¡Oh, ustedes, hombres de trabajo! No son más que esclavos; el capitalista los está aplastando en el polvo mientras disfruta de sus hermosas propiedades y de sus bancos llenos de oro. y cada dólar que posee se acuña de la sangre de los corazones del hombre trabajador honesto ". Ahora, eso es una mentira, y sabes que es una mentira; y, sin embargo, ese es el tipo de discurso que escuchan todo el tiempo, representando a los capitalistas como malvados y a los trabajadores tan esclavizados. ¡Qué mal está! Dejemos que el hombre que ama su bandera y cree en los principios estadounidenses se esfuerce con toda su alma por unir al capitalista y al trabajador hasta que se paren uno al lado del otro, y cogidos del brazo, y trabajen por el bien común de la humanidad.

Es un enemigo de su país que establece el capital contra el trabajo o el trabajo contra el capital.

Supongamos que tuviera que pasar por esta audiencia y pedirle que me presentara a los grandes inventores que viven aquí en Filadelfia. "Los inventores de Filadelfia", dirían, "¿Por qué no tenemos ninguno en Filadelfia? Es demasiado lento para inventar algo". Pero sí tienes grandes inventores, y están aquí en esta audiencia, como siempre inventaron una máquina. Pero la probabilidad es que el mayor inventor que beneficie al mundo con su descubrimiento sea una persona, tal vez una dama, que piensa que no podría inventar nada. ¿Alguna vez estudiaste la historia de la invención y viste lo extraño que fue el hombre que hizo el mayor descubrimiento sin ninguna idea previa de que era un inventor? ¿Quiénes son los grandes inventores? Son personas con sentido común, claro y directo, que vieron una necesidad en el mundo e inmediatamente se aplicaron para suplir esa necesidad. Si quiere inventar algo, no intente encontrarlo en las ruedas de su cabeza ni en las ruedas de su máquina, primero descubra qué necesita la gente y luego aplíquese a esa necesidad, y esto lleva a la invención de la parte de la gente con la que nunca soñarías antes. Los grandes inventores son simplemente grandes hombres; cuanto mayor es el hombre, más simple es el hombre; y cuanto más simple es una máquina, más valiosa es. ¿Alguna vez conociste a un hombre realmente genial? Sus formas son tan simples, tan comunes, tan claras, que crees que cualquiera podría hacer lo que está haciendo. Así es con los grandes hombres de todo el mundo. Si conoces a un gran hombre, un vecino tuyo, puedes acercarte a él y decirle: "Cómo estás, Jim, buenos días, Sam". Por supuesto que puedes, porque siempre son tan simples.

Cuando escribí la vida del general Garfield, uno de sus vecinos me llevó a su puerta trasera y gritó: "¡Jim, Jim, Jim!" y muy pronto "Jim" llegó a la puerta y el general Garfield me dejó entrar, uno de los hombres más grandiosos de nuestro siglo. Los grandes hombres del mundo siempre lo son. Estaba en Virginia, fui a una institución educativa y fui dirigido a un hombre que estaba colocando un árbol. Me acerqué a él y le dije: "¿Crees que sería posible para mí ver al general Robert E. Lee, presidente de la Universidad?" Él dijo: "Señor, soy el general Lee". Por supuesto, cuando conoces a un hombre tan noble como ese, lo encontrarás como un hombre simple y sencillo. La grandeza es siempre tan modesta y los grandes inventos son simples.

Una vez pregunté a una clase en la escuela quiénes fueron los grandes inventores, y una niña apareció y dijo: "Colón". Bueno, ahora, ella no estaba tan equivocada. Colón compró una granja y él continuó con ella igual que yo con la de mi padre. Tomó una azada y salió y se sentó en una roca. Pero Colón, cuando se sentó en esa orilla y miró hacia el océano, notó que los barcos, mientras navegaban, se hundieron más profundamente en el mar a medida que avanzaban. Y desde entonces, otros "barcos españoles" se han hundido en el mar. Pero cuando Colón se dio cuenta de que la parte superior de los mástiles se perdió de vista, dijo: "Así es con este mango de azada; si vas alrededor de este mango de azada, cuanto más te alejes, más abajo irás. Puedo navegar hasta las Indias Orientales ". Qué sencillo era todo. Qué simple la mente, majestuosa como la simplicidad de una montaña en su grandeza. ¿Quiénes son los grandes inventores? Siempre son personas simples, sencillas y cotidianas que ven la necesidad y se proponen suplirla.

Una vez estuve dando una conferencia en Carolina del Norte, y el cajero del banco se sentó directamente detrás de una señora que llevaba un sombrero muy grande. Le dije a esa audiencia: "Tu riqueza está demasiado cerca de ti; la estás mirando bien". Le susurró a su amigo: "Bueno, entonces, mi riqueza está en ese sombrero". Un poco más tarde, mientras me escribía, dije: "Donde haya una necesidad humana, hay una fortuna mayor de la que puede proporcionar una mina". Captó mi pensamiento, y elaboró su plan para un mejor alfiler del sombrero que tenía en el sombrero antes que él, y el alfiler ahora se está fabricando. Le ofrecieron cincuenta y cinco mil dólares por su patente. Ese hombre hizo su fortuna antes de salir de ese pasillo. Esta es toda la pregunta: ¿Ves una necesidad?

Recuerdo bien a un hombre en mis colinas nativas, un hombre pobre, que durante veinte años fue ayudado por el pueblo en su pobreza, que era dueño de un árbol de arce que cubría la cabaña del pobre como una bendición desde lo alto. Recuerdo ese árbol, porque en la primavera (había algunos niños pícaros en ese vecindario cuando era joven), en la primavera del año, el hombre ponía un balde allí y las boquillas para atrapar la savia de arce, y recuerdo dónde eso el cubo estaba; y cuando era joven, los muchachos eran, oh, tan malvados, que fueron a ese árbol antes de que ese hombre se levantara de la cama por la mañana, y después de que se hubiera acostado por la noche y bebiera esa dulce savia. Podría jurar que lo hicieron. No hizo una gran cantidad de azúcar de arce de ese árbol. Pero un día hizo el azúcar tan blanca y cristalina que el visitante no creía que fuera azúcar de arce; pensó que el azúcar de arce debe ser rojo o negro. Le dijo al anciano: "¿Por qué no lo haces así y lo vendes para pastelería?" El viejo captó su pensamiento e inventó el "cristal de arce de roca", y antes de que expirara esa patente, tenía noventa mil dólares y había construido un hermoso palacio en el sitio de ese árbol. Después de cuarenta años siendo dueño de ese árbol, se despertó y descubrió que tenía fortunas de dinero. Y muchos de nosotros estamos junto al árbol que tiene una fortuna para nosotros, y lo poseemos, lo poseemos, hacemos lo que hagamos con él, pero no aprendemos su valor porque no vemos la necesidad humana, y en estos descubrimientos e inventos esta es una de las cosas más románticas de la vida.

He recibido cartas de todo el país y de Inglaterra, donde he dado una conferencia, diciendo que descubrieron esto y aquello, y un hombre en Ohio me llevó a través de sus grandes fábricas la primavera pasada y me dijo que le costaron $ 680,000, y dijo: "No valía ni un centavo en el mundo cuando escuché tu conferencia" Acres of Diamonds "; pero decidí detenerme aquí y hacer mi fortuna aquí, y aquí está ". Me mostró a través de sus posesiones inmortalizadas. Y esta es una experiencia continua ahora mientras viajo por el país, después de estos muchos años. Menciono este incidente, no para alardear, sino para mostrarle que puede hacer lo mismo si lo desea.

¿Quiénes son los grandes inventores? Recuerdo una buena ilustración de un hombre que vivía en East Brookfield, Massachusetts. Era zapatero, no tenía trabajo y se sentó en la casa hasta que su esposa le dijo que "saliera por las puertas". E hizo lo que la ley obliga a todo marido: obedecer a su esposa. Y salió y se sentó en un barril de cenizas en su patio trasero. ¡Piénsalo! ¡Varado en un barril de cenizas y el enemigo en posesión de la casa! Mientras se sentaba en ese barril de cenizas, miró hacia el pequeño arroyo que corría a través de ese patio trasero hacia los prados, y vio una pequeña trucha que subía por el arroyo y se escondía debajo de la orilla. Supongo que no pensó en el hermoso poema de Tennyson:

"Charlando, charlando, mientras fluyo, para unirme al río rebosante, los hombres pueden venir, y los hombres pueden irse, pero yo sigo para siempre".

Pero cuando este hombre miró hacia el arroyo, saltó del barril de cenizas y logró atrapar la trucha con los dedos, y la envió a Worcester. Le respondieron que le darían un billete de cinco dólares por otra trucha como esa, no es que valiera tanto, pero deseaban ayudar al pobre hombre. Así que este zapatero y su esposa, ahora perfectamente unidos, ese billete de cinco dólares en perspectiva, salieron a buscar otra trucha. Subieron el riachuelo hasta su fuente y descendieron hasta el río rebosante, pero no encontraron otra trucha en todo el riachuelo; Entonces llegaron desconsolados a casa y fueron al ministro. El ministro no sabía cómo crecían las truchas, pero señaló el camino. Él dijo: "Obtenga el libro de Seth Green, y eso le dará la información que desea". Lo hicieron y descubrieron todo sobre la cultura de la trucha. Descubrieron que una trucha pone treinta y seiscientos huevos cada año y cada trucha gana un cuarto de libra cada año, de modo que en cuatro años una pequeña trucha proporcionará cuatro toneladas por año para vender en el mercado a cincuenta centavos por libra. Cuando descubrieron eso, dijeron que no creían en una historia como esa, pero que si podían obtener cinco dólares cada uno, podrían hacer algo. Y justo en el mismo patio trasero con el tamiz de carbón río arriba y la pantalla de la ventana río abajo, comenzaron la cultura de la trucha. Luego se mudaron al Hudson, y desde entonces se ha convertido en la autoridad en los Estados Unidos tras la cría de peces, y ha estado junto a los más altos en la Comisión de Pesca de los Estados Unidos en Washington. Mi lección es que la riqueza del hombre estuvo en su patio trasero durante veinte años, pero no lo vio hasta que su esposa lo expulsó con un trapeador.

Recuerdo haber conocido personalmente a un pobre carpintero de Hingham, Massachusetts, que estaba sin trabajo y en la pobreza. Su esposa también lo llevó afuera. Se sentó en la orilla y cortó una teja empapada en una cadena de madera. Sus hijos se pelearon por la noche, y mientras él estaba cortando un segundo, un vecino apareció y dijo: "¿Por qué no tallan los juguetes si pueden tallar así?" Él dijo: "¡No sé qué hacer!" Ahí está todo. Su vecino le dijo: "¿Por qué no le preguntas a tus propios hijos?" Él dijo: "¿De qué sirve hacer eso? Mis hijos son diferentes de los de otras personas". Solía ver gente así cuando enseñaba en la escuela. A la mañana siguiente, cuando su hijo bajó las escaleras, dijo: "Sam, ¿qué quieres para un juguete?" "Quiero una carretilla". Cuando su pequeña hija bajó, él le preguntó qué quería y ella dijo: "Quiero un lavabo de muñecas, un carruaje de muñecas, un paraguas de muñecas", y continuó con un montón de cosas que habrían tomado su vida para abastecer. Consultó a sus propios hijos allí mismo en su propia casa y comenzó a cortar los juguetes para complacerlos. Comenzó con su navaja e hizo esos juguetes Hingham sin pintar. Es el hombre más rico de todos los Estados de Nueva Inglaterra, si se puede confiar en el Sr. Lawson en su declaración sobre tales cosas, y sin embargo, la fortuna de ese hombre se hizo consultando a sus propios hijos en su propia casa. No necesita salir de su propia casa para averiguar qué inventar o qué hacer. Siempre hablo demasiado sobre este tema.

Me gustaría conocer a los grandes hombres que están aquí esta noche. Los grandes hombres! No tenemos grandes hombres en Filadelfia. ¡Buen hombre! Usted dice que todos provienen de Londres, San Francisco, Roma, Manayunk o cualquier otro lugar, pero aquí, en cualquier otro lugar que no sea Filadelfia, y, sin embargo, en Filadelfia hay hombres tan grandes como en cualquier ciudad de sus alrededores. Talla. Hay grandes hombres y mujeres en esta audiencia. Los grandes hombres, he dicho, son hombres muy simples. Aquí hay tantos hombres grandiosos como los que se encuentran en cualquier parte. El mayor error al juzgar a los grandes hombres es que pensamos que siempre tienen un cargo. El mundo no sabe nada de sus mejores hombres. ¿Quiénes son los grandes hombres del mundo? El joven y la joven pueden hacer la pregunta. No es necesario que tengan una oficina, y sin embargo, esa es la idea popular. Esa es la idea que enseñamos ahora en nuestras escuelas secundarias y escuelas comunes, que los grandes hombres del mundo son aquellos que tienen un alto cargo, y a menos que cambiemos eso muy pronto y eliminemos ese prejuicio, vamos a cambiar a un imperio. No hay duda al respecto. Debemos enseñar que los hombres son excelentes solo en su valor intrínseco, y no en la posición que incidentalmente pueden ocupar. Y, sin embargo, no culpe a los jóvenes diciendo que van a ser geniales cuando lleguen a algún puesto oficial. Pregunto nuevamente a esta audiencia, ¿quién de ustedes será genial? Un joven dice: "Voy a ser genial". "¿Cuándo vas a ser genial?" "Cuando soy elegido para algún cargo político". ¿No aprenderás la lección, jovencito? ¿ Qué evidencia prima facie de lo poco que es ocupar un cargo público bajo nuestra forma de gobierno? Piénsalo. Este es un gobierno de la gente, y por la gente, y para la gente, y no para el titular de la oficina, y si las personas en este país gobiernan como siempre deberían gobernar, un titular de la oficina es solo el servidor del personas, y la Biblia dice que "el siervo no puede ser más grande que su amo". La Biblia dice que "el enviado no puede ser más grande que el que lo envió". En este país, las personas son las maestras, y los titulares de cargos nunca pueden ser mayores que las personas; deberían ser servidores honestos de la gente, pero no son nuestros hombres más grandes. Joven, recuerde que nunca oyó hablar de un gran hombre que ocupe un cargo político en este país a menos que lo asumiera a expensas. Es una pérdida para todo gran hombre ocupar un cargo público en nuestro país. Tenga esto en cuenta, joven, que una elección política no le puede hacer grande.

Otro joven dice: "Voy a ser un gran hombre en Filadelfia alguna vez". "¿Es así? ¿Cuándo vas a ser genial?" "¡Cuando llegue otra guerra! Cuando tengamos dificultades con México, o Inglaterra, o Rusia, o Japón, o con España nuevamente sobre Cuba, o con Nueva Jersey, marcharé hasta la boca del cañón, y en medio de las relucientes bayonetas Quitaré su bandera de su personal y volveré a casa con las estrellas sobre mis hombros, y ocuparé cada oficina en el regalo del gobierno, y seré genial ". "¡No, no lo harás! No, no lo harás; eso no es evidencia de verdadera grandeza, joven". Pero no culpes a ese joven por pensar de esa manera; esa es la forma en que se le enseña en la escuela secundaria. Así se enseña la historia en la universidad. Se le enseña que los hombres que ocupaban el cargo lucharon. Recuerdo que tuvimos un Jubileo de la paz aquí en Filadelfia poco después de la guerra española. Tal vez algunos de estos visitantes piensan que no deberíamos haberlo tenido hasta ahora en Filadelfia, y cuando la gran procesión iba por Broad Street me dijeron que el entrenador de conteo se detuvo justo en frente de mi casa, y en el autobús estaba Hobson. , y toda la gente arrojó sus sombreros y balanceó sus pañuelos, y gritó "¡Hurra por Hobson!" Yo también habría gritado, porque se merece mucho más de su país de lo que nunca ha recibido. Pero supongamos que mañana voy a la escuela secundaria y pregunto: "Muchachos, ¿quién hundió el Merrimac?" Si me responden "Hobson", me dicen siete octavos de mentira, siete octavos de mentira, porque había ocho hombres que hundieron el Merrimac. Los otros siete hombres, en virtud de su posición, estuvieron continuamente expuestos al fuego español, mientras que Hobson, como oficial, podría estar razonablemente detrás de la pila de humo. Por qué, mis amigos, en esta audiencia inteligente reunida aquí esta noche, no creo que pueda encontrar una sola persona que pueda nombrar a los otros siete hombres que estaban con Hobson. ¿Por qué enseñamos historia de esa manera? Deberíamos enseñar que, por humilde que sea la posición que pueda ocupar un hombre, si cumple con su deber en su lugar, tiene tanto derecho al honor del pueblo estadounidense como un rey en un trono. Lo enseñamos como lo hizo una madre con su niño en Nueva York cuando dijo: "Mamma, ¿qué gran edificio es ese?" "Esa es la tumba del general Grant". "¿Quién era el general Grant?" "Él fue el hombre que sofocó la rebelión". ¿Es esa la forma de enseñar historia?

¿Crees que habríamos ganado una victoria si hubiera dependido solo del general Grant? Oh no. Entonces, ¿por qué hay una tumba en el Hudson? Por qué, no simplemente porque el general Grant era personalmente un gran hombre, sino que esa tumba está allí porque era un hombre representativo y representaba a doscientos mil hombres que murieron por su nación y muchos de ellos tan grandes como el general Grant. Es por eso que esa hermosa tumba se encuentra en las alturas sobre el Hudson.

Recuerdo un incidente que ilustrará esto, el único que puedo dar esta noche. Me da vergüenza, pero no me atrevo a dejarlo fuera. Cierro los ojos ahora; Miro hacia atrás a través de los años hasta 1863; Puedo ver mi ciudad natal en las colinas de Berkshire, puedo ver ese campo de ganado lleno de gente; Puedo ver la iglesia allí y el ayuntamiento lleno de gente, y escuchar bandas tocando, y ver banderas ondeando y pañuelos volando, bueno, recuerdo en este momento ese día. La gente había acudido para recibir una compañía de soldados, y esa compañía vino marchando hacia el Común. Habían cumplido un período en la Guerra Civil y se habían vuelto a alistar, y estaban siendo recibidos por sus habitantes nativos. No era más que un niño, pero era el capitán de esa compañía, hinchado de orgullo ese día. Por qué, una aguja de batista me habría hecho pedazos. Mientras marchaba en el Común al frente de mi compañía, no había un hombre más orgulloso que yo. Marchamos hacia el ayuntamiento y luego sentaron a mis soldados en el centro de la casa y tomé mi lugar en el asiento delantero, y luego los oficiales de la ciudad se presentaron a través de la gran multitud de personas, que estaban cerca y llenas en ese pequeño salón. Subieron a la plataforma, formaron un semicírculo a su alrededor, y el alcalde de la ciudad, el "presidente de los Selectmen" en Nueva Inglaterra, se sentó en medio de ese semicírculo. Era un hombre viejo, su cabello era gris; nunca antes ocupó una oficina en su vida. Pensó que una oficina era todo lo que necesitaba para ser un hombre realmente grandioso, y cuando llegó, ajustó sus poderosas gafas y miró con calma a la audiencia con asombrosa dignidad. De repente sus ojos se posaron en mí, y luego el viejo se adelantó y me invitó a subir al estrado con los oficiales de la ciudad. ¡Me invitó a subir al estrado! Ningún oficial de la ciudad se dio cuenta de mí antes de ir a la guerra. Ahora, no debería decir eso. Un oficial de la ciudad estuvo allí y le aconsejó al maestro que me "balleara", pero no quiero decir "mención de honor". Así que fui invitado al estrado con los oficiales de la ciudad. Tomé asiento y dejé caer mi espada al suelo, crucé los brazos sobre mi pecho y esperé a que me recibieran. ¡Napoleón el quinto! El orgullo va antes de la destrucción y la caída. Cuando llegué a mi asiento y todo quedó en silencio por el pasillo, el presidente de los Selectmen se levantó y se acercó con gran dignidad a la mesa, y todos supusimos que presentaría al ministro de la Congregación, que era el único orador en la ciudad, y quién daría la oración a los soldados que regresan. Pero, amigos, deberían haber visto la sorpresa que atropelló a esa audiencia cuando descubrieron que este viejo granjero iba a pronunciar esa oración él mismo. Nunca antes había pronunciado un discurso en su vida, pero cayó en el mismo error en el que otros han caído, parecía pensar que la oficina lo convertiría en un orador. Así que había escrito un discurso y caminaba de un lado a otro del pasto hasta que lo aprendió de memoria y asustó al ganado, y trajo ese manuscrito con él y, sacándolo de su bolsillo, lo extendió cuidadosamente sobre la mesa. Luego se ajustó las gafas para asegurarse de que pudiera verlo, caminó hacia atrás en la plataforma y luego dio un paso adelante así. Debió haber estudiado mucho el tema, porque asumió una actitud elocuente; descansó pesadamente sobre el talón izquierdo, avanzó ligeramente el pie derecho, echó hacia atrás los hombros, abrió los órganos del habla y avanzó la mano derecha en un ángulo de cuarenta y cinco. Mientras permanecía en esa actitud elocuente, esta es la forma en que fue el discurso, es precisamente eso. Algunos de mis amigos me han preguntado si no lo exagero, pero no podría exagerarlo. ¡Imposible! Así fue como fue; aunque no estoy aquí para la historia, sino la lección que está detrás de ella:

"Compañeros ciudadanos." Tan pronto como escuchó su voz, su mano comenzó a temblar así, sus rodillas comenzaron a temblar, y luego se sacudió por completo. Tosió y se atragantó y finalmente se volvió para mirar su manuscrito. Luego comenzó de nuevo: "Ciudadanos: Somos, somos, somos, somos, estamos muy felices, estamos muy felices, estamos muy contentos de darles la bienvenida a su pueblo natal a estos soldados que han luchado y desangrado, y regresamos nuevamente a su ciudad natal. Estamos especialmente, estamos especialmente, estamos especialmente, estamos especialmente contentos de ver con nosotros hoy a este joven héroe (que significaba para mí), este joven héroe que en la imaginación (amigos, recuerden, él dijo "imaginación", porque si no hubiera dicho eso, no sería lo suficientemente egoísta como para referirme a él), este joven héroe que, en imaginación, hemos visto liderar a sus tropas, liderar, hemos visto guiando: hemos visto guiar a sus tropas hacia la brecha mortal. Hemos visto su resplandor, su resplandor, hemos visto su resplandor, hemos visto su resplandor, su espada brillante, brillando a la luz del sol mientras gritaba a sus tropas, '¡Venga!'"

¡Oh, querido, querido, querido, querido! Qué poco sabía ese anciano bueno sobre la guerra. Si hubiera sabido algo sobre la guerra, debería haber sabido lo que cualquier soldado de esta audiencia sabe que es cierto, que es casi un crimen para un oficial de infantería en tiempo de peligro adelantarse a sus hombres. Yo, con mi espada brillante brillando a la luz del sol, gritando a mis tropas: "Vamos". Nunca lo hice. ¿Supones que iría delante de mis hombres para que el enemigo les disparara en la parte delantera y en la espalda mis propios hombres? Ese no es lugar para un oficial. El lugar para el oficial está detrás del soldado privado en la lucha real. ¡Cuán a menudo, como oficial de personal, cabalgué por la línea cuando el rebelde gritaba y gritaba saliendo del bosque, barriendo los campos, y gritaba: "¡Oficiales detrás! ¡Oficiales detrás!" y luego cada oficial va detrás de la línea de batalla, y cuanto más alto es el rango del oficial, más atrás va. No porque sea menos valiente, sino porque las leyes de la guerra requieren que se haga eso. Si el general apareciera en la línea del frente y fuera asesinado, de todas formas perdería su batalla, porque él tiene el plan de la batalla en su cerebro y debe mantenerse en una seguridad comparativa. Yo, con mi "espada brillante brillando a la luz del sol". ¡Ah! Ese día se sentaron en el pasillo hombres que le habían dado a ese chico su último golpe duro, que lo habían llevado sobre sus espaldas a través de profundos ríos. Pero algunos no estaban allí; habían muerto a la muerte por su país. El orador los mencionó, pero apenas se notaron y, sin embargo, habían muerto por su país, habían muerto por una causa que creían que era correcta y todavía creen que era correcta, aunque le doy al otro lado lo mismo que yo. preguntar por mi mismo. Sin embargo, estos hombres que realmente habían muerto por su país fueron poco notados, y el héroe de la hora era este niño. ¿Por qué era él el héroe? Simplemente porque ese hombre cayó en la misma tontería. Este chico era un oficial, y esos eran solo soldados privados. Aprendí una lección que nunca olvidaré. La grandeza no consiste en ocupar algún cargo; la grandeza realmente consiste en hacer grandes obras con pocos medios, en la realización de vastos propósitos de las filas privadas de la vida; Esa es la verdadera grandeza. El que puede dar a esta gente mejores calles, mejores hogares, mejores escuelas, mejores iglesias, más religión, más felicidad, más de Dios, el que puede ser una bendición para la comunidad en la que vive esta noche será genial en cualquier lugar. , pero el que no puede ser una bendición donde ahora vive nunca será grandioso en ninguna parte de la tierra de Dios. "Vivimos en hechos, no en años, en sentimientos, no en cifras en un dial; en pensamientos, no en respiraciones; debemos contar el tiempo de memoria, por la causa correcta". Bailey dice: "Él vive más quien piensa más".

Si olvida todo lo que le he dicho, no lo olvide, porque contiene más en dos líneas que todo lo que he dicho. Bailey dice: "Él vive más quien piensa más, quién se siente más noble y quién actúa mejor".

VICTOR HUGO

HONORÉ DE BALZAC

Pronunciada en el funeral de Balzac, el 20 de agosto de 1850.
Señores: El hombre que ahora baja a esta tumba es uno de aquellos a quienes el dolor público rinde homenaje. En un día todas las ficciones han desaparecido. El ojo se fija no solo en las cabezas que reinan, sino en las cabezas que piensan, y todo el país se mueve cuando desaparece una de esas cabezas. Hoy tenemos un pueblo de negro por la muerte del hombre de talento; una nación de luto por un hombre genio.

Señores, el nombre de Balzac se mezclará en la huella luminosa que nuestra época dejará en el futuro.

Balzac fue uno de esa poderosa generación de escritores del siglo diecinueve que vino después de Napoleón, como la ilustre Pléyade del siglo diecisiete vino después de Richelieu, como si en el desarrollo de la civilización hubiera una ley que otorgue a los conquistadores por el intelecto como sucesores. a los conquistadores por la espada.

Balzac fue uno de los primeros entre los más grandes, uno de los más altos entre los mejores. Este no es el lugar para contar todo lo que constituyó esta espléndida y soberana inteligencia. Todos sus libros forman solo un libro, un libro vivo, luminoso, profundo, donde uno ve ir y venir, marchar y moverse, sin saber qué de lo formidable y terrible, mezclado con lo real, toda nuestra civilización contemporánea; un libro maravilloso que el poeta tituló "una comedia" y que podría haber llamado historia; que toma todas las formas y todos los estilos, que supera a Tácito y Suetonio; que atraviesa a Beaumarchais y llega a Rabelais; un libro que realiza la observación y la imaginación, que prodiga lo verdadero, lo esotérico, lo común, lo trivial, lo material, y que a veces a través de todas las realidades, se alquila rápida y grandiosamente, nos permite a todos a la vez vislumbrar el ideal más sombrío y trágico. Sin que él lo supiera, lo quisiera o no, lo consintiera o no, el autor de este inmenso y extraño trabajo es una de las razas fuertes de escritores revolucionarios. Balzac va directo al arco.

Cuerpo a cuerpo se apodera de la sociedad moderna; de todo él arranca algo, de estos una ilusión, de aquellos una esperanza; de uno una palabra clave, de otro una máscara. Saqueó el vicio, diseccionó la pasión. Buscó y sonó hombre, alma, corazón, entrañas, cerebro, el abismo que cada uno tiene dentro de sí mismo. Y por gracia de su naturaleza libre y vigorosa; Por un privilegio del intelecto de nuestro tiempo, que, habiendo visto las revoluciones cara a cara, puede ver más claramente el destino de la humanidad y comprender mejor a la Providencia, Balzac se redimió sonriendo y severo de esos formidables estudios que produjeron melancolía en Moliere y misantropía. en Rousseau

Esto es lo que él ha logrado entre nosotros, este es el trabajo que nos ha dejado, un trabajo elevado y sólido, un monumento sólidamente apilado en capas de granito, desde la altura de la cual su renombre brillará en adelante. Los grandes hombres hacen su propio pedestal, el futuro será responsable de la estatua.

¡Su muerte dejó estupefacto a París! Hace solo unos meses había regresado a Francia. Sintiendo que se estaba muriendo, deseó volver a ver a su país, como alguien que abrazara a su madre en la víspera de un viaje lejano. Su vida fue corta, pero llena, más llena de hechos que días.

¡Pobre de mí! Este poderoso trabajador, nunca fatigado, este filósofo, este pensador, este poeta, este genio, ha vivido entre nosotros esa vida de tormenta, de lucha, de disputas y combates, común en todos los tiempos a todos los grandes hombres. Hoy está en paz. Se escapa de la contención y el odio. El mismo día entra en la gloria y la tumba. Luego, más allá de las nubes, que están sobre nuestras cabezas, brillará entre las estrellas de su país. Todos ustedes que están aquí, ¿no están tentados a envidiarlo? Cualquiera que sea nuestro dolor en presencia de tal pérdida, ¡aceptemos estas catástrofes con resignación! Aceptemos en él lo que sea angustiante y severo; es bueno quizás, es necesario quizás, en una época como la nuestra, que de vez en cuando los grandes muertos se comuniquen con espíritus devorados con escepticismo y duda, un fervor religioso. La Providencia sabe lo que hace cuando enfrenta a las personas con el misterio supremo y cuando les da muerte para reflexionar, la muerte, que es la igualdad suprema, como también es la libertad suprema. Providence sabe lo que hace, ya que es el mejor de todos los instructores.

No puede haber más que pensamientos austeros y serios en todos los corazones cuando un espíritu sublime hace su entrada majestuosa a otra vida, cuando uno de esos seres que durante mucho tiempo se elevó sobre la multitud en las alas visibles del genio, extendiendo todas las alas a la vez. no vio, se sumerge rápidamente en lo desconocido.

No, no es lo desconocido; no, lo he dicho en otra ocasión triste y lo repetiré hoy, no es de noche, es luz. ¡No es el final, es el comienzo! ¡No es extinción, es eternidad! ¿No es verdad, mis oyentes, tumbas como esta demuestran la inmortalidad? En presencia de los ilustres muertos, sentimos más claramente el destino divino de esa inteligencia que atraviesa la tierra para sufrir y purificarse, lo que llamamos hombre.

NOTAS AL PIE:

Saguntum era una ciudad de Iberia (España) en alianza con Roma. Aníbal, a pesar de las advertencias de Roma en 219 a. C., la asedió y la capturó. Esto se convirtió en la causa inmediata de la guerra que Roma declaró contra Cartago.

De su discurso en Washington el 13 de marzo de 1905, ante el Congreso Nacional de Madres. Impreso de una copia proporcionada por el presidente para esta colección, en respuesta a una solicitud.

Usado con permiso.

Reportado por A. Russell Smith y Harry E. Greager. Usado con permiso.

El 21 de mayo de 1914, cuando el Dr. Conwell pronunció esta conferencia por quincuagésima vez, el Sr. John Wanamaker dijo que si las ganancias se hubieran puesto a interés compuesto, la suma sumaría ocho millones de dólares. El Dr. Conwell ha dedicado uniformemente sus ingresos de conferencias a obras de benevolencia.

ÍNDICE GENERAL

Los nombres de los oradores y escritores mencionados se establecen en MAYÚSCULAS. Otras referencias están impresas en letra minúscula o tipo "pequeño". Debido a la gran cantidad de citas fragmentarias hechas de discursos y libros, no se indexan títulos, pero todo ese material se encontrará indexado bajo el nombre de su autor.

- IRVING, SIR HENRY, J.
- JAMES, WILLIAM, .
- JAMESON, SRA. ANNA.
- JONES-FOSTER, ARDENNES.
- JONSON, BEN, K.
- KAUFMAN, HERBERT.
- KIPLING, RUDYARD.
- KIRKHAM, STANTON DAVIS, L.
- LANDOR, WALTER SAVAGE.
- LEE, GERALD STANLEY.
- Biblioteca.
- LINCOLN, ABRAHAM.
- LINDSAY, HOWARD.
- LOCKE, JOHN.
- LONGFELLOW, HW.
- LOOMIS, CHARLES BATTELL.
- LOTI, PIERRE.
- Lowell, James Russell.
- MACAULAY, TB.
- MACLAREN, ALEXANDER.
- MCKINLEY, WILLIAM, Último discurso, por John Hay.
- MASSILLON.
- Memoria.
- MERWIN, SAMUEL.
- MESSAROS, WALDO.
- MILL, JOHN STUART.
- MILTON, JOHN.
- Cómo conquistas los males de la monotonía.
- MORLEY, JOHN.
- MOISES.
- Imágenes de motor.

Don't miss out!

Visit the website below and you can sign up to receive emails whenever Dale Carnegie publishes a new book. There's no charge and no obligation.

https://books2read.com/r/B-A-YENBB-MGSQC

BOOKS 2 READ

Connecting independent readers to independent writers.

Did you love *El arte de hablar en público*? Then you should read *Mi vida en publicidad*[1] by Claude C. Hopkins!

[2]

Mi vida en publicidad de Claude C. Hopkins. Aprende a escribir copywriting profesional gracias a Claude C. Hopkins.

"Mi Vida en Publicidad" de Claude Hopkins es un libro clásico que despierta la curiosidad desde la primera página. Este libro nos adentra en el apasionante mundo de la publicidad y el marketing a través de la experiencia y sabiduría de uno de los pioneros en la industria. A lo largo de sus páginas, Hopkins comparte sus conocimientos y experiencias en el campo de la publicidad, revelando secretos y estrategias que han resistido el paso del tiempo.

---

1. https://books2read.com/u/mYDg2P

2. https://books2read.com/u/mYDg2P

Hopkins comienza su relato contándonos su viaje personal en la publicidad, desde sus humildes comienzos como redactor publicitario hasta convertirse en una de las figuras más influyentes en la historia de la publicidad. Su narrativa es cautivadora, y a medida que avanza en su relato, introduce conceptos y técnicas que resultan fascinantes para cualquier persona interesada en el mundo de la persuasión y la publicidad efectiva.

El libro explora a fondo la importancia de conocer a fondo al consumidor, entender sus deseos y necesidades, y presentar productos o servicios de manera convincente. Hopkins destaca la necesidad de ofrecer beneficios claros y relevantes, en lugar de simplemente enumerar características. Además, enfatiza la importancia de la medición y la prueba constante para mejorar el rendimiento de las campañas publicitarias.

Una de las principales contribuciones de Hopkins al mundo de la publicidad es su enfoque en la "publicidad directa", que se basa en llegar al consumidor de manera personalizada, con un mensaje claro y atractivo. Esta estrategia ha sido fundamental en la evolución de la publicidad moderna y sigue siendo relevante en la era digital.

"Mi Vida en Publicidad" despierta el deseo de aprender más sobre las estrategias publicitarias de Hopkins. Sus ejemplos de campañas exitosas y cómo las diseñó y ejecutó son inspiradores. Los lectores desearán conocer los secretos detrás de campañas icónicas como la de Pepsodent, donde Hopkins convirtió un producto de cuidado dental en un artículo de uso diario para millones de personas.

El libro también explora la importancia de la creatividad en la publicidad, destacando que incluso los productos más simples pueden beneficiarse de un enfoque innovador y creativo. Esta perspectiva fomenta el deseo de desarrollar habilidades creativas en el campo de la publicidad.

Hopkins comparte sus conocimientos sobre cómo redactar anuncios efectivos, seleccionar los medios adecuados y aprovechar el poder de la repetición en la memoria del consumidor. Sus ideas y estrategias inspiran el deseo de aplicar estos principios en campañas publicitarias actuales. Después de leer "Mi Vida en Publicidad" de Claude Hopkins, la acción recomendada es poner en práctica las enseñanzas del autor en el ámbito de la publicidad y el marketing. El libro proporciona una base sólida para crear anuncios efectivos, entender al consumidor y optimizar las estrategias publicitarias.

Los profesionales del marketing y la publicidad pueden utilizar este libro como una guía invaluable para mejorar sus habilidades y lograr resultados más exitosos en sus campañas. La acción final es la implementación de los principios de Claude Hopkins en el mundo real, con el objetivo de crear anuncios persuasivos y exitosos.

En resumen, "Mi Vida en Publicidad" es un libro que atrae la atención, despierta el interés, fomenta el deseo y motiva a la acción en el campo de la publicidad. Claude Hopkins nos brinda una mirada profunda a su experiencia y sabiduría, que continúan siendo relevantes en la era digital. Este libro es una lectura obligada para cualquier persona interesada en el arte de la persuasión y la publicidad efectiva.